Danslärarens återkomst

Av Henning Mankell

BÖCKER I SERIEN OM KURT WALLANDER

Mördare utan ansikte 1991
Hundarna i Riga 1992
Den vita lejoninnan 1993
Mannen som log 1994
Villospår 1995
Den femte kvinnan 1996
Steget efter 1997
Brandvägg 1998
Pyramiden 1999

ÖVRIGA BÖCKER PÅ ORDFRONTS FÖRLAG

Fångvårdskolonin som försvann 1979, 1997
Dödsbrickan 1980
En seglares död 1981
Daisy Sisters 1982, 1993
Älskade syster 1983
Sagan om Isidor 1984, 1997
Leopardens öga 1990
Comédia infantil 1995
Bergsprängaren 1998
Labyrinten 2000

PÅ ANDRA FÖRLAG

Bergsprängaren 1973
Sandmålaren 1974
Vettvillingen 1977
Apelsinträdet 1983
Hunden som sprang mot en stjärna 1990
Skuggorna växer i skymningen 1991
Katten som älskade regn 1992
Eldens hemlighet 1995
Pojken som sov med snö i sin säng 1996
Resan till världens ände 1998
I sand och i lera 1999
Vindens son 2000

Henning Mankell

Danslärarens återkomst

Ordfront
Stockholm 2000

Henning Mankell: Danslärarens återkomst

Ordfront, Box 17506, 118 91 Stockholm
www.ordfront.se forlaget@ordfront.se

© Henning Mankell 2000

Omslagsfoto: Johan Warden/Linkimage.com
Omslag: Claes Gustavsson / Mogul TC
Författarfoto: Lina Ikse Bergman
Typografi: Christer Hellmark
Satt med Indigo Antiqua
Tryck: WS Bookwell, Finland 2000
ISBN 91-7324-757-X

Innehåll

Prolog

Tyskland | december 1945

Planet lyfte från militärflygplatsen utanför London strax efter klockan två på eftermiddagen den 12 december 1945. Det dugg-regnade och var kyligt. Då och då drog kraftiga byar förbi och rev tag i strumpan som visade vindriktningen. Sedan blev det stilla igen. Planet var en fyrmotorig Lancasterbombare som varit med redan under slaget om England hösten 1940. Flera gånger hade det blivit träffat av tyska attackplan och tvingats nödlanda. Men det hade alltid kunnat repareras och på nytt sät-tas in i striden. Nu när kriget var över användes det mest för olika transportuppdrag med förnödenheter till de engelska trupper som befann sig i det besegrade och förödda Tyskland.

Men just denna dag hade Mike Garbett som var kapten ombord fått besked om att han samma eftermiddag skulle flyga över en passagerare till en plats som hette Bückeburg. Där skul-le denne bli hämtad och sedan återvända till England påföljan-de kväll. Vem han var eller i vilket ärende han for till Tyskland fick Garbett inte veta av major Perkins som var hans närmaste chef. Han ställde heller inga frågor. Även om kriget var över kunde han ibland uppleva att det fortfarande pågick. Hemliga transporter var inte ovanliga.

När han hade fått sin flygorder satte han sig i en av flygplats-ens baracker tillsammans med andrepiloten Peter Foster och navigatören Chris Wiffin. På bordet hade de rullat ut kartorna över Tyskland. Flygplatsen låg några mil utanför staden Ha-meln. Garbett hade aldrig tidigare varit där. Men Peter Foster kände till den. Eftersom terrängen runt om saknade berg skulle inflygningen inte bli svår. Det enda som kunde skapa problem var dimma. Wiffin försvann en stund för att tala med meteoro-logerna. När han återvände kunde han ge beskedet att man under eftermiddagen och kvällen väntade klart väder över norra och mellersta Tyskland. De gjorde upp sin färdplan, beräknade hur mycket bränsle de behövde och rullade sedan ihop kartorna.

– Vi ska flyga in en ensam passagerare, sa Garbett. Vem det är vet jag inte.

Han fick inga frågor och han förväntade sig heller inga. I tre månader hade han nu flugit tillsammans med Foster och Wiffin. De förenades av att de tillhörde dem som överlevt. Många av Royal Air Forces piloter hade stupat under kriget. Ingen av dem visste hur många vänner de hade förlorat. Det kändes inte bara som en lättnad att ha överlevt. Där fanns också plågan av att de förunnats det liv som de döda i jorden ropade efter.

Strax före klockan två svängde en täckt bil in genom grindarna till flygplatsen. Foster och Wiffin befann sig redan inne i den stora Lancastern och höll på med de sista startförberedelserna. Garbett stod nere på den spruckna cementplattan och väntade. Han rynkade pannan när han såg att deras passagerare var en civilperson. Mannen som steg ut ur baksätet var kortvuxen. Han hade en otänd cigarr i munnen. Ur bilens bagagelucka plockade han fram en liten svart resväska. Samtidigt kom major Perkins i sin jeep. Mannen som skulle flyga till Tyskland hade hatten djupt nerdragen i pannan och Garbett kom inte åt att se hans ögon. På något obestämt sätt kände han sig illa till mods. När major Perkins presenterade dem för varandra mumlade passageraren sitt namn. Garbett uppfattade inte vad han sa.

– Ni kan lyfta nu, sa Perkins.

– Inget mer bagage? frågade Garbett.

Mannen skakade på huvudet.

– Det är nog bäst att inte röka under flygningen, sa Garbett. Planet är gammalt. Det kan finnas läckor. Bensinångor märker man oftast inte förrän det är för sent.

Mannen svarade inte. Garbett hjälpte honom ombord. Det fanns tre obekväma stålstolar inne i planet som i övrigt var tomt. Mannen satte sig och ställde resväskan mellan sina ben. Garbett undrade vad det var för dyrbarheter han skulle flyga in till Tyskland.

När de kommit upp i luften la Garbett planet i en vänstersväng tills han befann sig på den kurs som Wiffin gett honom. Då rätade han upp det och när de hade nått den flyghöjd de fått sig anvisad lämnade Garbett över spakarna till Foster. Han vände sig om och såg på passageraren. Mannen hade fällt upp rockkragen och dragit hatten ännu djupare ner i pannan.

Garbett undrade om han sov. Men något sa honom att mannen var klarvaken.

Landningen på Bückeburgs flygplats gick utan svårigheter trots att det var mörkt och landningsbanan bara svagt upplyst. En bil lotsade in planet till utkanten av den långa flygplatsbyggnaden. Där stod redan flera militärfordon och väntade. Garbett hjälpte passageraren ur planet. Men när han sträckte sig efter väskan skakade mannen på huvudet och tog den själv. Sedan satte han sig i en av bilarna och kolonnen gav sig genast iväg. Wiffin och Foster hade klättrat ur och såg bilens baklyktor försvinna. Det var kallt och de huttrade.

– Man blir nyfiken, sa Wiffin.

– Det är bäst att låta bli, svarade Garbett.

Sedan pekade han mot en jeep som var på väg mot planet.

– Vi ska sova på en förläggning, sa han. Jag antar att det är den där bilen som ska hämta oss.

När de fått sig sovplatser tilldelade och hade ätit middag föreslog några flygplatsmekaniker att de skulle följa med och dricka öl på en av de ölstugor i staden som överlevt kriget. Wiffin och Foster tackade ja, men Garbett var trött och stannade kvar på förläggningen. När han lagt sig hade han svårt att somna. Han låg och undrade vem deras passagerare var. Vad hade han haft i den väska han inte ville låta någon annan röra?

Garbett muttrade för sig själv i mörkret. Passageraren var ute i ett hemligt ärende. Garbetts enda uppgift var att flyga honom hem dagen efter. Ingenting annat.

Han såg på sitt armbandsur. Det var redan midnatt. Han rättade till kudden och när Wiffin och Foster kom tillbaka vid etttiden hade han somnat.

*

Albert Pierrepoint lämnade det brittiska fängelset för tyska krigsfångar strax efter elva på kvällen. Han hade blivit inkvarterad på ett hotell som undgått skador under kriget och nu tjänade som förläggning för de brittiska officerare som var stationerade i Hameln. Han kände att han var trött och han behövde sova om han skulle kunna utföra sitt uppdrag dagen efter utan att begå några misstag. Han hyste en viss oro inför den brittiske sergeant vid namn MacManaman som hade utsetts till att vara hans assistent. Pierrepoint tyckte inte om att arbeta med ovana medhjälpare. Det var mycket som kunde gå fel, särskilt när uppdraget var så omfattande som det som väntade dem.

Han avböjde en kopp kvällste och gick direkt till sitt rum. Där satte han sig vid skrivbordet och gick igenom anteckningarna från det möte som börjat en halvtimme efter hans ankomst. Det första papper han läste igenom var dock det maskinskrivna formulär han hade fått av en ung major som hette Stuckford och som hade det högsta ansvaret.

Han slätade ut papperet, rättade till skrivbordslampan och läste namnen. Kramer, Lehmann, Heider, Volkenrath, Grese... Inalles var det tolv namn, tre kvinnor och nio män. Han studerade uppgifterna om deras vikt och längd och gjorde anteckningar. Det gick långsamt eftersom hans yrkesstolthet krävde av honom att han var mycket noggrann. Först när klockan var närmare halv två la han ifrån sig pennan. Nu hade han allt klart för sig. Han hade gjort sina beräkningar och kontrollerat tre gånger att han inte hade förbisett någonting. Han reste sig från skrivbordsstolen, satte sig på sängen och öppnade resväskan. Även om han visste att han aldrig glömde någonting kontrollerade han att allting fanns på plats. Han tog fram en ren skjorta, stängde väskan och tvättade sig sedan i det kalla vatten som var allt hotellet kunde erbjuda.

Han hade aldrig svårt att somna. Så inte heller denna natt.

När det knackade på dörren strax efter fem var han redan uppstigen och klädd. Efter en snabb frukost for de genom det mörka och dystra samhället till fängelset. Sergeant MacManaman var redan där. Han var mycket blek och Pierrepoint undrade om han skulle klara sitt uppdrag. Men Stuckford som hade anslutit sig och tycktes ana Pierrepoints oro tog honom åt sidan och sa att MacManaman visserligen såg tagen ut men att han inte skulle svikta.

Klockan elva var alla förberedelser gjorda. Pierrepoint hade bestämt sig för att börja med kvinnorna. Eftersom deras celler fanns i den korridor som låg närmast galgen skulle de inte kunna undgå att höra när luckan öppnades. Det ville han bespara dem. Pierrepoint tog ingen hänsyn till vilka brott de enskilda fångarna hade begått. Det var bara hans egen anständighet som krävde av honom att han började med kvinnorna.

Alla som skulle vara närvarande hade intagit sina platser. Pierrepoint nickade till Stuckford som i sin tur gav tecken till en av fångvaktarna. Några kommandoord hördes, nycklar rasslade, en celldörr öppnades. Pierrepoint väntade.

Den första som kom var Irma Grese. Under ett ögonblick trängde sig en känsla av förundran in i Pierrepoints kyliga hjärna. Hur kunde denna blonda och magra 22-åring ha piskat fångar till döds i koncentrationslägret Belsen? Hon var knappt mer än ett barn. Men när hennes dödsdom föll hade ingen tvekat. Hon hade varit ett monster och nu skulle hon dö. Hon mötte hans blick och såg sedan upp mot galgen. Fångvaktarna förde henne uppför trappan. Pierrepoint rättade in hennes ben precis ovanför falluckan och la repet runt hennes nacke samtidigt som han kontrollerade att MacManaman inte fumlade med läderbältet som han stramade åt runt hennes ben. Just innan Pierrepoint drog huvan över hennes huvud hörde han henne med knappt hörbar stämma uttala ett enda ord.

– *Schnell*!

MacManaman hade tagit ett steg bakåt och Pierrepoint sträckte sig efter handtaget som reglerade falluckan. Hon föll rakt ner och Pierrepoint visste att han hade beräknat fallängden på repet riktigt. Tillräckligt långt för att nackkotan skulle brytas men inte så långt att huvudet slets av från kroppen. Tillsammans med MacManaman gick han ner under ställningen som bar upp galgen och lösgjorde kroppen sedan den brittiske arméläkaren hade lyssnat på hennes hjärta och konstaterat att hon var död. Kroppen bars undan och Pierrepoint visste att gravar hade hackats upp i den hårda jorden på fängelsegården. Han gick upp på schavotten igen och kontrollerade i sina papper vilken längd på repet han skulle ge nästa kvinna. När allt var klart nickade han på nytt till Stuckford och snart stod Elisabeth Volkenrath i dörren med bakbundna händer. Hon var klädd på samma sätt som Irma Grese, i en grå klänning som nådde henne ner över knäna.

Tre minuter senare var också hon död.

Hela avrättningen tog två timmar och sju minuter. Pierrepoint hade kalkylerat med två timmar och femton minuter. MacManaman hade skött sin uppgift. Allt hade gått som beräknat. Tolv tyska krigsförbrytare hade avrättats. Pierrepoint packade ner repet och läderremmarna i den svarta resväskan och tog adjö av sergeant MacManaman.

– Drick ett glas konjak, sa han. Du var en bra assistent.

– Dom förtjänade det, svarade MacManaman kort. Jag behöver ingen konjak.

Pierrepoint lämnade fängelset tillsammans med major Stuckford. Han funderade på om det skulle vara möjligt att återvända till England tidigare än beräknat. Det var han själv som hade velat åka tillbaka först på kvällen. Något kunde gå fel. Inte ens för Pierrepoint som var Englands mest erfarne bödel var tolv avrättningar på en dag något som tillhörde vanligheterna. Men han bestämde sig för att inte ändra den uppgjorda planen.

Stuckford tog med honom till matsalen på hotellet och beställde lunch. De satt i ett enskilt rum. Stuckford hade en krigsskada som gjorde att han släpade vänsterbenet efter sig. Pierrepoint kände sympati för honom, framför allt eftersom han inte ställde några onödiga frågor. Det fanns ingenting som Pierrepoint tyckte så illa om som när människor frågade hur det hade varit att avrätta den eller den brottslingen som på olika sätt gjort sig känd genom det som skrevs i tidningarna.

De åt och växlade bara några allmänna fraser om vädret och om man i England skulle kunna förvänta sig några extratilldelningar av te eller tobak till den annalkande julen.

Det var först efteråt, när de drack te, som Stuckford kommenterade det som hade hänt på förmiddagen.

– En sak gör mig bekymrad, sa han. Att människor glömmer att det lika gärna kunde ha varit tvärtom.

Pierrepoint var osäker på vad Stuckford egentligen menade. Men han behövde inte fråga. Stuckford gav själv förklaringen.

– En tysk bödel som for till England för att avrätta engelska krigsförbrytare. Unga engelska flickor som piskat ihjäl människor i ett koncentrationsläger. Ondskan kunde ha drabbat oss lika väl som den drabbade tyskarna i form av Hitler och nazismen.

Pierrepoint sa ingenting. Han väntade på fortsättningen.

– Inget folk föds med en innebcende ondska. Nu råkade det bli så att nazisterna var tyskar. Men ingen ska inbilla mig att det som hände här inte lika väl kunde ha hänt i England. Eller Frankrike. Eller varför inte i USA?

– Jag förstår din tankegång, svarade Pierrepoint. Men om du har rätt eller inte kan jag inte svara på.

Stuckford serverade påfyllning.

– Vi avrättar dom värsta brottslingarna, sa han sedan. Dom allra grövsta krigsförbrytarna. Men vi vet också att många av dom kommer undan. Som Josef Lehmanns bror.

Lehmann hade varit den siste som Pierrepoint hade hängt denna morgon. En liten man som alldeles lugnt, nästan frånvarande, hade mött döden.

– Han hade en mycket brutal bror, fortsatte Stuckford. Men brodern har lyckats göra sig osynlig. Kanske han redan har lyckats använda sig av nån av nazisternas livlinor. Han kan befinna sig i Argentina eller Sydafrika och då får vi aldrig tag på honom.

De satt tysta. Utanför fönstret regnade det.

– Waldemar Lehmann var en obegripligt sadistisk man, sa Stuckford. Det var inte bara det att han var alldeles obarmhärtig mot fångarna. Han fann också ett mordiskt nöje i att lära upp sina underlydande i konsten att plåga människor. Honom borde vi hänga på samma sätt som hans bror. Men honom har vi inte hittat. Än.

När klockan var fem återvände Pierrepoint till flygplatsen. Trots att han hade en tjock vinterrock på sig frös han. Piloten stod bredvid planet och väntade på honom. Pierrepoint undrade vad han tänkte. Sedan satte han sig på stolen inne i den kalla flygkabinen och fällde upp rockkragen som skydd mot det höga motorljudet.

Garbett startade motorerna. Lancastern sköt fart och försvann in bland molnen.

Pierrepoint hade utfört sitt uppdrag. Det hade gått bra. Det var inte för inte som han ansågs vara Englands skickligaste bödel.

Planet dunsade och krängde i några luftgropar. Pierrepoint tänkte på det Stuckford hade sagt om alla dem som kom undan. Och han tänkte på Lehmann som funnit ett nöje i att lära upp människor i konsten att utöva ohyggliga former av brutalitet.

Pierrepoint drog rocken tätare runt kroppen. Luftgroparna hade de lagt bakom sig. Lancastern var på väg hem mot England. Det hade varit en bra dag. Uppdraget hade gått utan missöden. Ingen av fångarna hade försökt kämpa emot när han eller hon förts till galgen. Inget huvud hade slitits av från kroppen.

Pierrepoint kände sig nöjd. Nu kunde han se fram emot tre lediga dagar. Sedan skulle han närmast hänga en mördare i Manchester.

Han satt och somnade på den hårda stolen, trots att motorerna dånade alldeles intill honom.

Mike Garbett undrade fortfarande vem hans passagerare var.

Del I

Härjedalen | oktober–november 1999

1.

Han vakade om natten, omgiven av skuggor. Det hade börjat när han var tjugotvå år gammal. Nu hade han fyllt sjuttiosex. I femtiofyra år hade han varit sömnlös om nätterna. Skuggorna hade hela tiden funnits runt honom. Bara under de perioder när han tagit starka sömnmedel i stora doser hade han lyckats sova på nätterna. Men när han vaknade visste han att skuggorna ändå hade funnits där, även om han inte märkt dem.

Den natt som nu gick mot sitt slut var inget undantag. Han behövde heller inte vänta på att skuggorna – eller *besökarna* som han ibland kallade dem – skulle dyka upp. De brukade komma några timmar efter mörkrets inbrott. Plötsligt fanns de bara där alldeles intill honom, med sina stumma vita ansikten. Efter alla år hade han vant sig vid deras närvaro. Men han visste att han inte kunde lita på dem. En dag skulle de inte längre hålla sig tysta. Vad som skulle hända visste han inte. Skulle de anfalla honom eller skulle de avslöja honom? Det hade hänt att han skrikit åt dem, att han slagit omkring sig för att jaga bort dem. Under några minuter hade han lyckats hålla dem på avstånd. Sedan hade de kommit tillbaka igen och stannat till gryningen. Då hade han äntligen kunnat sova, men oftast bara några timmar eftersom han hade ett arbete som väntade.

I hela sitt vuxna liv hade han varit trött. Hur han hade orkat visste han inte. När han betraktade sitt liv såg han en oändligt utdragen räcka av dagar som han mödosamt tagit sig igenom. Han hade nästan inga minnen som inte på något sätt hade med hans trötthet att göra. Han kunde ibland tänka på fotografier som tagits av honom. Alltid såg han lika härjad ut. Skuggorna hade också utkrävt sin hämnd de två gånger han varit gift; kvinnorna hade tröttnat på hans ständiga oro och på att han alltid sov när han inte arbetade. De hade tröttnat på att han alltid var uppe på nätterna och han hade aldrig kunnat svara på varför han inte sov som en vanlig människa. Till slut hade de gått ifrån honom och han hade åter varit ensam.

Han såg på sitt armbandsur. Klockan var kvart över fyra på morgonen. Han gick ut i köket och hällde upp kaffe ur termosen. Termometern som satt utanför fönstret visade två minusgrader. Han tänkte att den snart skulle lossna från sitt fäste om han inte bytte ut skruvarna. När han rörde gardinen skällde hunden till där ute i mörkret. Shaka var den enda trygghet han hade. Namnet på gråhunden hade han hittat i en bok han inte längre mindes namnet på. Men den hade handlat om en mäktig zuluhövding och han hade tyckt att namnet passade bra på en vakthund. Det var kort och lätt att ropa. Han tog med sig kaffekoppen tillbaka in i vardagsrummet och kastade en blick mot fönstren. De tjocka gardinerna var noga fördragna. Han visste att det var så men han måste ändå kontrollera att allt var som det skulle.

Sedan satte han sig vid bordet igen och betraktade pusselbitarna som låg utspridda framför honom. Det var ett bra pussel. Det hade många bitar och det krävdes fantasi och uthållighet för att fullborda motivet. När han var färdig med ett pussel eldade han upp det och började omedelbart på ett nytt. Han såg alltid till att han hade ett lager av pussel som väntade på honom. Han hade ofta tänkt att hans förhållande till pussel var som en rökares till cigaretter. Sedan många år var han medlem i en världsomspännande förening som värnade om den internationella pusselkulturen. Den hade sitt säte i Rom och varje månad fick han ett medlemsblad som informerade om pusseltillverkare som hade upphört med sin verksamhet och andra som hade börjat. Redan i mitten av 70-talet hade han märkt att det blev svårare att få tag på riktigt bra pussel, sådana som var handsågade. Maskintillverkade pussel tyckte han illa om. Bitarna saknade logik och hade inget förhållande till motivet. De kunde vara svåra att lösa. Men svårigheten var mekanisk. Just nu arbetade han med ett pussel som hade Rembrandts »Batavernas trohetsed mot Claudius Civilis« som motiv. Det bestod av tre tusen bitar och hade skapats av en pusselkonstnär i Rouen. Några år tidigare hade han gjort en bilresa och besökt mannen som tillverkade just detta pussel. De hade talat om att de bästa pusslen var de som hade svaga skiftningar i ljuset. Just som Rembrandts motiv ställde de de största kraven på uthållighet och fantasi.

Han satt med en bit i handen som tillhörde tavlans bakgrund. Det dröjde nästan tio minuter innan han hade hittat platsen där den skulle infogas. Han såg på klockan igen. Strax efter halv fem. Ännu var det flera timmar kvar innan det började bli ljust, innan skuggorna skulle dra sig tillbaka och han kunde somna.

Han tänkte att livet trots allt hade blivit mycket enklare sedan han fyllt sextiofem och kunnat gå i pension. Nu behövde han inte frukta tröttheten längre. Att han skulle somna mitt under arbetet.

Men skuggorna borde för länge sedan ha lämnat honom ifred. Han hade avtjänat sitt straff. De behövde inte vaka över honom längre. Hans liv var förstört. Varför kunde de då inte låta honom vara?

Han reste sig från bordet och gick fram till cd-spelaren som stod på en bokhylla. Han hade köpt den några månader tidigare vid en av sina sällsynta resor till Östersund. Han satte på den skiva som redan låg i och som han till sin förvåning hittat bland popmusiken i samma affär där han hade köpt skivspelaren. Det var argentinsk tango. Äkta tango. Han skruvade upp ljudet. Gråhunden där ute i mörkret hade god hörsel och svarade på musiken med ett skall. Sedan tystnade den igen. Han lyssnade på musiken medan han långsamt gick runt bordet och betraktade pusslet. Mycket arbete återstod. Han skulle vara upptagen minst tre nätter till innan det var klart och han kunde bränna upp det. Sedan hade han fortfarande ett antal ouppackade pussel som väntade på honom i sina kartonger. Om några dagar skulle han dessutom åka in till posten i Sveg och hämta ytterligare en försändelse från den gamle mästaren i Rouen.

Han satte sig i soffan och lyssnade på musiken. Det hade varit en av hans stora drömmar i livet, att en gång komma till Argentina. Att tillbringa några månader i Buenos Aires och dansa tango på nätterna. Men det hade aldrig blivit av, något hade alltid fått honom att tveka. När han elva år tidigare hade lämnat Västergötland och flyttat upp till skogarna i Härjedalen hade han tänkt att han en gång varje år skulle göra en resa. Han levde enkelt och trots att hans pension inte var stor skulle han ha råd. Men det hade bara blivit några bilresor i Europa, på jakt efter nya pussel.

Han insåg att han aldrig skulle komma till Argentina. Han skulle aldrig dansa tango i Buenos Aires.

Men ingenting hindrar mig från att dansa här, tänkte han. Jag har musiken och jag har min partner.

Han reste sig ur soffan. Klockan var fem. Ännu var gryningen avlägsen. Tiden för att dansa var inne. Han gick till sovrummet och tog ut den mörka kostymen ur garderoben. Han synade den noga innan han satte den på sig. En liten fläck på kavajslaget irriterade honom. Han fuktade en näsduk och torkade försiktigt rent. Sedan bytte han om. Till den vita skjortan valde han denna morgon en rostbrun slips.

Det viktigaste var skorna. Han hade flera par italienska dansskor att välja mellan, alla dyrbara. För en man som tog dansen på allvar måste skorna vara perfekta.

När han var färdig ställde han sig framför spegeln som fanns på insidan av garderobsdörren. Han betraktade sitt ansikte. Håret var grått och kortklippt. Han var mager och tänkte att han borde äta mer än vad han gjorde. Men han var ändå nöjd. Han såg betydligt yngre ut än sina sjuttiosex år.

Sedan gick han tillbaka in i vardagsrummet och stannade framför dörren till gästrummet. Den var stängd. Han knackade och föreställde sig att någon bad honom stiga in. Han öppnade dörren och tände ljuset. I sängen låg hans danspartner. Han förvånades alltid över att hon såg så levande ut, trots att hon bara var en docka. Han drog av henne täcket och lyfte upp henne. Hon hade vit blus och svart kjol. Han hade gett henne namnet Esmeralda. På bordet intill sängen stod några parfymflaskor. Han ställde ner henne, valde en diskret Dior och sprayade försiktigt mot hennes hals. När han blundade tyckte han att det inte var någon skillnad mellan dockan och en levande människa.

Han tog henne under armen och eskorterade henne in i vardagsrummet. Många gånger hade han tänkt att han skulle ta bort alla möbler, hänga lampor med dämpat ljus i taket och lägga en brinnande cigarr i ett askfat. Då skulle han ha sin egen argentinska danssalong. Men det hade aldrig blivit av. Nu fanns bara den tomma golvytan mellan bordet och bokhyllan där skivspelaren stod. Han stoppade in sina skor i byglarna som Esmeralda hade fastsatta på undersidan av sina fötter.

Sedan började han dansa. När han gjorde sina vändningar med Esmeralda var det som om han lyckades svepa undan skuggorna som fanns i rummet. Han dansade mycket lätt. Av alla de danser han lärt sig genom åren var tangon den som passade honom bäst. Det fanns heller ingen han dansade så bra med som Esmeralda. En gång hade det funnits en kvinna i Borås, Rosemarie, som hade en hattaffär. Med henne hade han dansat tango och ingen hade följt honom så bra tidigare. En dag, just när han gjort sig i ordning för att åka och möta henne på en dansklubb i Göteborg, hade han fått besked om att hon hade omkommit i en bilolycka. Efteråt hade han dansat med andra kvinnor. Men det var först när han hade tillverkat Esmeralda som han fick tillbaka känslan han haft med Rosemarie.

Idén till henne hade han fått en gång för många år sedan under en av sina vaknätter när han av en tillfällighet hade sett en gammal filmad musikal i teve. Där hade en man, kanske det hade varit Gene Kelly, dansat med en docka. Han hade fascinerad betraktat den och genast bestämt sig för att tillverka en egen.

Det svåraste hade varit fyllningen. Han hade prövat sig fram, stoppat olika tyger innanför fodralet. Men det var först när han packat henne full med skumgummi som det kändes som om han höll en levande människa i sina armar. Han hade valt att ge henne stor byst och kraftig bak. Hans fruar hade båda varit magra. Nu hade han gett sig själv en kvinna som var något att ta i. När han dansade med henne och kände doften av parfymen kunde han bli upphetsad. Men inte lika ofta nu som för fem, sex år sedan. Hans erotiska begär hade långsamt börjat avta och han tänkte att han egentligen inte saknade det.

Han dansade i över en timme. När han till sist bar in Esmeralda i gästrummet och la henne i sängen hade han blivit svettig. Han klädde av sig, hängde in kostymen i garderoben och duschade. Snart skulle gryningen vara inne och han kunde lägga sig att sova. Ännu en natt hade han tvingat sig igenom.

Han satte på sig badrocken och hällde upp kaffe. Termometern visade fortfarande på minus två grader. Han rörde vid gardinen. Shaka gav upp några korta skall ute i mörkret. Han tänkte på skogen som omgav honom. Det var precis det här han hade drömt om. En ensligt belägen gård, fullt modern, men utan grannar. Dessutom ett hus som låg vid änden av en väg. Till slut hade han lyckats finna det han sökte. Det var ett rymligt hus, välbyggt och med ett stort vardagsrum som fyllde hans behov av ett dansgolv. Säljaren hade varit en pensionerad jägmästare som flyttat till Spanien.

Han satte sig vid köksbordet och drack sitt kaffe. Gryningen närmade sig sakta. Snart skulle han kunna lägga sig mellan lakanen i sängen och sova. Skuggorna skulle lämna honom ifred.

Shaka gav upp ett skall. Han lyssnade. Skallet återkom. Sedan blev det tyst igen. Det måste ha varit ett djur. Förmodligen en hare. Shaka rörde sig fritt i sin stora bur. Hunden vakade över honom.

Han diskade koppen och ställde den intill spisen. Om sju timmar skulle han använda den igen. Han tyckte inte om att byta kopp i onödan. Han kunde använda samma i veckor. Så gick han in i sovrummet, tog av sig badrocken och kröp ner i sängen. Ännu var det inte ljust. Men han brukade ligga och lyssna på radion medan han väntade på gryningen. När han anade det första svaga ljuset utanför huset skulle han stänga av radion, släcka lampan och lägga sig till rätta för att sova.

Shaka började skälla igen. Han rynkade pannan, lyssnade och räknade tyst till trettio. Shaka var tyst. Vilket djur det än hade varit hade det nu försvunnit. Han slog på radion. Frånvarande lyssnade han på musiken.

På nytt gav Shaka skall. Men det var annorlunda nu. Han satte sig hastigt upp i sängen. Shaka skällde ursinnigt. Det kunde bara betyda att det fanns en älg i närheten. Eller en björn. Det sköts björnar varje år i trakten. Själv hade han dock aldrig sett någon. Shaka fortsatte att skälla lika ursinnigt. Han steg upp ur sängen och satte på sig badrocken. Shaka tystnade. Han väntade, men ingenting hände. Han tog av sig badrocken igen och kröp tillbaka mellan lakanen. Han sov alltid naken. Lampan vid radion var tänd.

Plötsligt for han upp igen. Det var någonting som inte stämde, någonting med hunden. Han höll andan och lyssnade. Allt var tyst. Han blev orolig. Det var som om skuggorna runt honom hade börjat förändras. Han steg upp ur sängen. Det var något med Shakas sista skall. Det hade inte slutat på ett naturligt sätt. Utan som om det hade blivit avklippt. Han gick ut i vardagsrummet och drog undan en av gardinerna som hängde framför det fönster som vette rakt ut mot hundgården. Shaka skällde inte och han märkte genast att hjärtat började slå fortare. Han gick tillbaka till sovrummet, drog på sig ett par byxor och en tröja. Sedan tog han fram det gevär som han alltid förvarade under sängen, ett hagelgevär med plats för sex skott i magasinet. Han gick ut i tamburen och stoppade ner fötterna i ett par stövlar. Hela tiden lyssnade han. Shaka var tyst. Han tänkte att han inbillade sig, att allt var som det skulle. Snart skulle gryningen komma. Det var skuggorna som gjorde att han blev orolig, ingenting annat. Han läste upp de tre låsen i ytterdörren och sköt försiktigt upp den med ena foten. Fortfarande ingen reaktion från Shaka. Nu visste han att något var fel. Han tog ner en ficklampa som låg på en hylla och lyste ut i mörkret. Shaka syntes inte till inne i hundgården. Han spelade med ljuskäglan över skogsbrynet medan han kallade på hunden. Fortfarande fick han inget svar. Hastigt slog han igen dörren, genomsvettig. Han osäkrade geväret och öppnade igen. Försiktigt steg han ut på trappen. Allt var stilla. Han gick fram till hundgården och tvärstannade. Shaka låg på marken. Ögonen var öppna och den gråvita pälsen blodig. Han vände sig hastigt om och sprang sedan tillbaka till huset och slog igen dörren. Någonting höll på att hända, han visste bara inte vad det var. Men någon hade dödat Shaka. Han tände alla lampor i huset och satte sig på sängen i sovrummet. Han märkte att han skakade.

Skuggorna hade lurat honom. Han hade inte varsnat faran i tid. Han hade alltid tänkt att det var skuggorna som skulle förändras, att det var de som skulle angripa honom. Men han hade blivit lurad, hotet kom utifrån. Skuggorna hade förvridit synen på honom. I femtiofyra år hade han låtit lura sig. Han trodde att han hade kommit undan. Nu insåg han att det var fel. Bilderna från den gången, det fruktansvärda året 1945, vällde upp inom honom. Han kom inte undan.

Han skakade på huvudet och tänkte att han ändå inte skulle ge sig frivilligt. Vem som fanns där ute i mörkret och hade dödat hans hund visste han inte. Men Shaka hade ändå hunnit varna honom. Han skulle inte ge sig frivilligt. Han sparkade av sig stövlarna, drog på sig ett par strumpor och letade fram gymnastikskorna han hade under sängen. Hela tiden lyssnade han efter ljud. Och var fanns gryningen? Bara det blev ljust ute skulle de inte komma åt honom. Han torkade av de svettiga händerna mot täcket. Geväret gav honom trygghet. Han visste att han var en god skytt. Han skulle inte låta sig överrumplas.

I samma ögonblick störtade huset samman. Åtminstone upplevde han det så. Braket gjorde att han kastade sig ner på golvet. Eftersom han hade haft fingret på avtryckaren avlossade han samtidigt ett skott som träffade spegeln på garderobsdörren. Försiktigt kröp han fram till dörren och såg ut i vardagsrummet. Då förstod han vad det var som hänt. Någon hade avlossat ett skott eller kanske kastat in en granat genom det stora fönstret som vette mot söder. Hela rummet var fyllt med glassplitter.

Längre hann han inte tänka innan fönstret mot nordsidan sköts sönder. Han tryckte sig mot golvet. De kommer från alla håll, tänkte han. Huset är omringat och de skjuter sönder fönstren för att ta sig in. Han letade förtvivlat efter en utväg.

Gryningen, tänkte han. Det är den som kan rädda mig. Bara den förbannade natten tar slut.

Sedan sköt de som fanns där utanför sönder köksfönstret. Han låg på magen, tryckt mot golvet med händerna över huvudet. När det small nästa gång visste han att det var badrumsfönstret som blivit träffat. Han kände hur den kyliga luften strömmade in genom de sönderskjutna fönstren.

Det väste till. Något dunsade ner alldeles intill honom. När han lyfte på huvudet insåg han att det var en tårgaspatron. Han vred undan huvudet men det var för sent. Redan hade röken nått hans ögon och lungor. Utan att kunna se något hörde han hur nya tårgaspatroner sköts in genom de trasiga fönstren. Smärtan i ögonen var nu så stark att han inte stod ut längre. Fortfarande hade han geväret i händerna. Det fanns ingen annan utväg för honom än att lämna huset. Kanske det trots allt var mörkret och inte gryningen som kunde rädda honom. Han trevade sig fram till ytterdörren med värkande ögon. Hostan rev i lungorna. Han kastade upp dörren och rusade ut. Samtidigt sköt han. Han visste att det var ungefär trettio meter fram till skogsbrynet. Trots att han inte kunde se någonting sprang han så fort han kunde. Hela tiden väntade han på att det dödande skottet skulle komma. Under den korta språngmarschen fram till skogsbrynet hann han tänka att han skulle dödas utan att veta av vem. Han visste varför men inte av vem. Tanken vållade honom lika stor smärta som de värkande ögonen.

Han slog emot en trädstam och höll på att falla omkull. Fortfarande förblindad av tårgasen trevade han sig vidare bland träden. Grenar rispade upp hans ansikte men han visste att han inte kunde stanna. Vem eller vilka det än var som fanns där bakom honom skulle de hitta honom om han inte kom tillräckligt djupt in i skogen.

Han snubblade på en ojämnhet i marken och föll omkull. När han skulle resa sig kände han något mot nacken. Han visste genast vad det var. Någon tryckte sin fot mot hans bakhuvud. Han insåg att det var över. Skuggorna hade besegrat honom. De hade dragit av sig sina mörka kläder och visat vilka de egentligen var.

Ändå ville han se vem det var som skulle döda honom. Han försökte vrida på huvudet men foten hindrade honom.

Sedan var det någon som drog upp honom på fötter. Fortfarande kunde han inte se någonting. Ändå fick han en bindel över ögonen. Ett kort ögonblick kände han andedräkten av den person som knöt fast bindeln i nacken. Han försökte säga någonting. Men när han öppnade munnen kom inga ord, bara en ny hostattack.

Därefter slöt sig ett par händer hårt runt hans strupe. Han försökte kämpa emot men orkade inte. Han kände hur livet rann ur honom.

Men det skulle gå nästan två timmar innan han slutligen dog. Som i ett fasans gränsland mellan den jagande smärtan och den hopplösa viljan att överleva fördes han tillbaka i tiden, till den gång han mötte det öde som nu hunnit i kapp honom. Han kastades omkull på marken. Någon drog av honom tröja och byxor. Han kände den kalla marken mot huden innan piskslagen träffade honom och förvandlade allt till ett inferno. Hur många slag han fick visste han inte. Då och då domnade han bort. Men han slets upp till ytan igen av kallt vatten som kastades över honom. Sedan fortsatte slagen att hagla. Han hörde hur han skrek, men det fanns ingen där som kunde hjälpa honom. Allra minst Shaka som låg död i hundgården.

Det sista han upplevde var hur han släpades över gårdsplanen, in i huset och hur han blev slagen under fotsulorna. Allt blev mörkt omkring honom. Och han var död.

Inte heller kunde han veta att det som till slut skedde med honom var att han naken drogs ut i skogsbrynet och blev lämnad, med ansiktet mot den kalla marken.

Då hade gryningen redan kommit.

Det var den 19 oktober 1999. Några timmar senare började det falla ett regn som långsamt, nästan omärkligt, övergick i blötsnö.

2.

Stefan Lindman var polis. Minst en gång varje år hade han hamnat i situationer där han upplevt en stark rädsla. En gång hade han blivit nerbrottad av en psykopat som vägde över hundra kilo. Han hade haft mannen gränsle över sig och med växande desperation tvingats värja sig mot att få huvudet avslitet av hans grova händer. Hade inte en av hans kollegor slagit ner mannen med ett våldsamt slag i huvudet hade han säkert lyckats i sitt uppsåt. En annan gång hade han blivit beskjuten när han knackat på en dörr för att avstyra ett familjebråk. Skottet hade kommit från en mauser och strukit tätt intill hans ena ben. Men han hade aldrig varit så rädd som nu, denna morgon den 25 oktober 1999, när han låg i sin säng och stirrade upp i taket.

Han hade nästan inte sovit under natten. Då och då hade han slumrat till för att genast ryckas upp till ytan igen av mardrömmar som anföll honom så snart han sjönk in i sömnen. I ren vanmakt hade han till sist stigit upp och satt sig framför teven där han letat sig fram till en kanal som visade en porrfilm. Men efter en kort stund hade han med avsmak stängt av och återvänt till sängen.

Klockan var sju när han steg upp. Under natten hade han gjort upp en plan. En plan som också var en besvärjelse. Han skulle inte gå direkt uppför backen till sjukhuset. Han skulle anpassa tiden så att han inte bara kunde göra en omväg utan också hann med att gå runt sjukhuset två gånger. Hela tiden skulle han leta efter tecken på att det besked han skulle få av läkaren var positivt. För att ge sig själv en sista styrkeinjektion skulle han dricka en kopp kaffe i sjukhusets cafeteria och tvinga sig att lugnt läsa igenom lokaltidningen.

Utan att han hade bestämt det på förhand satte han på sig sin bästa kostym. I vanliga fall, när han inte hade uniform eller andra arbetskläder, brukade han vara klädd i jeans och tröja. Men nu kände han att kostymen var nödvändig. Medan han knöt slipsen betraktade han sitt ansikte i badrumsspegeln. Det syntes att han inte hade sovit eller ätit ordentligt på flera veckor. Kinderna var insjunkna. Dessutom borde han ha klippt håret. Han tyckte inte om att det stack ut över öronen.

Han tyckte överhuvudtaget inte om det ansikte han mötte i spegeln den här morgonen. Det var en ovanlig känsla. Han var fåfäng och speglade sig ofta. I vanliga fall uppskattade han sitt utseende. Han brukade bli på gott humör av sin spegelbild. Men den här morgonen var allting annorlunda.

När han hade klätt sig drack han en kopp kaffe. Han dukade fram bröd och pålägg men orkade inte äta någonting.

Han hade fått tid hos läkaren klockan kvart i nio. Nu var klockan 7.27. Alltså hade han 1 timme och 18 minuter på sig att genomföra sin promenad till sjukhuset.

När han kom ner på gatan märkte han att det duggregnade.

Stefan Lindman bodde mitt i Borås, på Allégatan. För tre år sedan hade han bott i Sjömarken som låg utanför stan. Men av en tillfällighet hade han fått tag på den här trerumslägenheten och inte tvekat att skriva på kontraktet. På andra sidan gatan låg Hotell Vävaren. Nu hade han gångavstånd till polishuset. Till och med till Ryavallen kunde han gå till fots när Elfsborg spelade hemmamatch. Fotboll var hans största intresse vid sidan av arbetet. Även om han inte berättade om det för någon, samlade han fortfarande på bilder och pressklipp om Elfsborg i en pärm. Ofta dagdrömde han om att han blivit proffs i Italien. Inte polis. Drömmarna generade honom. Men han lyckades aldrig göra sig av med dem.

Han gick uppför trapporna som förde honom till Stengärdsgatan och fortsatte sedan mot Stadsteatern och gymnasiet. En polisbil körde förbi. De som satt i såg honom inte. Rädslan högg till. Det var som om han redan var borta, redan död. Han drog jackan tätare omkring sig. Ingenting talade egentligen för att han behövde vänta sig ett negativt besked. Han ökade farten. Tankarna grep tag i honom. Regndropparna som snuddade vid hans ansikte var påminnelser om ett liv, hans liv, som drog förbi.

Han var 37 år gammal. Hela tiden efter Polishögskolan hade han arbetat i Borås. Det var också hit han velat komma. Han var född i Kinna och hade växt upp i en trebarnsfamilj där fadern sysslade med att sälja begagnade bilar och modern arbetade i ett bageri. Stefan var yngst av syskonen, nästan ett sladdbarn. Hans två systrar var sju och nio år äldre.

När Stefan tänkte tillbaka på sin barndom kunde han uppleva den som egendomligt händelselös och tråkig. Livet hade varit tryggt och inrutat. Både hans mor och far tyckte illa om att resa. Det längsta de kunde tänka sig var till Borås eller Varberg. Men redan Göteborg var för stort och avlägset och skrämmande. Hans systrar hade gjort uppror mot det liv de levde och tidigt gett sig av, den ena till Stockholm och den andra till Helsingfors. Föräldrarna hade tagit det som ett nederlag och Stefan hade insett att det nästan krävdes av honom att han skulle stanna i Kinna, eller åtminstone återvända dit när han hade bestämt sig för vad han ville ägna sitt liv åt. I tonåren hade han varit rastlös och orolig och inte alls vetat åt vilket håll han skulle vända sig.

Sedan hade han av en tillfällighet blivit bekant med en ung man som ägnade sitt liv åt att köra motocross. Han hade blivit dennes medhjälpare och kuskat runt på tävlingsbanor i Mellansverige några år. Till slut hade han tröttnat och återvänt till Kinna där föräldrarna tagit emot honom som i triumf, den förlorade sonen som återvänt. Han hade insett att han inte alls visste vad han ville ägna sitt liv åt. Men av en händelse hade han träffat en polisman från Malmö som varit på besök hos gemensamma bekanta i Kinna. Och tanken hade fötts hos Stefan: Kanske var det polis han skulle bli? Han hade funderat några dagar. Sedan bestämde han sig för att åtminstone försöka.

Hans föräldrar mötte beskedet med behärskad oro. Men Stefan påpekade att det fanns poliser även i Kinna. Han skulle inte behöva flytta därifrån.

Han hade omedelbart börjat omsätta sitt beslut i verkligheten. Det första han gjorde var att återvända till skolbänken för att uppnå gymnasiekompetens. Eftersom han var motiverad hade det gått lättare än vad han hade trott. För att försörja sig hade han då och då vikarierat som skolvaktmästare.

Till sin förvåning hade han sedan blivit antagen till Polishögskolan vid första försöket. Utbildningen hade inte vållat honom några problem. Han hade inte på något sätt utmärkt sig men ändå tillhört den bättre hälften i sin årskull. Och han hade kommit hem till Kinna i uniform och kunnat berätta att han skulle arbeta i Borås dit det bara var fyra mil.

De första åren hade han pendlat till och från Kinna. Men när han blev förälskad i en av kansliflickorna på polishuset flyttade han in till Borås. De hade bott tillsammans i tre år. Sedan hade hon en dag plötsligt meddelat att hon hade träffat en man från Trondheim och att hon skulle flytta dit.

Stefan hade tagit det hela med fattning. Han hade insett att deras förhållande redan börjat tråka ut honom. Det hade varit som om upplevelsen av barndomen kommit tillbaka. Vad han dock grubblade mycket över var hur hon hade kunnat träffa en annan man och inleda ett förhållande med honom utan att han hade anat vad som pågick.

Han hade fyllt trettio utan att han egentligen lagt märke till det. Sedan hade hans far plötsligt avlidit i en hjärtinfarkt och några månader senare hade även hans mor gått bort. Dagen efter hennes begravning hade han satt in en kontaktannons i Borås Tidning. Han hade fått fyra svar och sedan träffat kvinnorna i tur och ordning. En av dem hade varit en polska som bott i Borås i många år. Hon hade två vuxna barn och arbetade i gymnasiets cafeteria. Hon var nästan tio år äldre än han, men skillnaden hade aldrig egentligen märkts. Till en början hade han inte förstått vad det var som gjorde att han genast blev förälskad i henne, fängslades av henne. Sedan hade han förstått att det berodde på att hon var alldeles vanlig. Hon tog livet på allvar men utan att krångla till någonting i onödan. De hade inlett ett förhållande och Stefan hade för första gången i sitt liv upplevt att han verkligen hade förmåga att känna något mer än ett passionerat begär efter en kvinna. Hon hette Elena och bodde på Norrby. Några nätter i veckan brukade han övernatta där.

Det var också där han en morgon, när han stod i badrummet, upptäckte att han hade fått en egendomlig knöl i tungan.

Han avbröt tankarna. Sjukhuset låg framför honom. Fortfarande duggade det. Klockan visade 7.56. Han fortsatte förbi sjukhuset och ökade takten. Hade han bestämt sig för att gå runt området två gånger skulle han också göra det.

Klockan var halv nio när han satte sig med en kopp kaffe och lokaltidningen i cafeterian. Men han läste aldrig tidningen och koppen lämnade han orörd.

När han stod utanför läkarens dörr var han mycket rädd. Han knackade och steg in. Det var en kvinnlig läkare. Han försökte läsa i hennes ansikte vad han kunde vänta sig: dödsdom eller benådning. Hon log mot honom men det gjorde honom bara förvirrad. Var det osäkerhet, medlidande eller lättnad över att inte behöva ge en människa besked om att han hade cancer?

Han satte sig ner på andra sidan skrivbordet. Hon rättade till några papper som låg på bordet.

Efteråt skulle han tänka att han var tacksam över att hon gått rakt på sak.

– Tyvärr har det visat sig att den knöl du har i tungan är en tumör.

Han nickade och svalde. Han hade vetat det hela tiden, från den där morgonen i Elenas lägenhet på Norrby. Han hade cancer.

– Vi ser inga tecken på spridning. Eftersom vi är tidigt ute kan vi sätta in åtgärder genast.

– Vad betyder det? Ska ni skära bort tungan?

– Nej, det blir strålbehandling i första hand. Och sedan operation.

– Kommer jag att dö?

Han hade inte förberett sin fråga. Den hade kommit rusande emot honom utan att han kunnat stoppa den.

– Cancer är alltid allvarligt, svarade läkaren. Men vi har metoder. Det är länge sen en cancerdiagnos var samma sak som en dödsdom.

Han satt inne hos läkaren i över en timme. När han kom ut från hennes rum var han genomsvettig. Långt inne i hans mage fanns en punkt som var alldeles kall. En smärta som inte brände. Men som kändes som psykopatens nävar runt hans hals. Han tvingade sig att vara alldeles lugn. Nu skulle han dricka kaffe och läsa lokaltidningen. Sedan skulle han bestämma sig för om han var döende eller inte.

Men lokaltidningen fanns inte kvar. I stället drog han till sig en av kvällstidningarna. Knuten som var alldeles kall fanns hela tiden där inne i honom. Han drack kaffet och bläddrade i tidningen. Orden och bilderna hade han glömt i samma ögonblick han vände blad.

Sedan var det ändå något som fångade hans uppmärksamhet. Ett namn under en bild. En rubrik som talade om ett brutalt mord. Han stirrade på bilden och på namnet. *Herbert Molin, 76 år. F. d. polis.*

Han sköt hastigt undan tidningen och hämtade påfyllning. Han visste att det kostade två kronor men han brydde sig inte om att betala. Han hade fått cancer och kunde ta sig vissa friheter. En man som hasat fram till disken höll på att hälla upp kaffe till sig. Han skakade så kraftigt att nästan ingenting hamnade i koppen. Stefan hjälpte honom. Mannen såg tacksamt på honom.

När han kommit tillbaka till bordet drog han till sig tidningen igen. Han läste det som stod utan att egentligen förstå vad det betydde.

När han kommit som aspirant till polishuset i Borås hade han blivit presenterad för den äldste och mest erfarne kriminalpolisen, Herbert Molin. Under ett par år hade de kommit att arbeta tillsammans på våldsroteln innan Molin gått i pension. Stefan hade efteråt ofta tänkt på honom. Hans oroliga sökande efter samband och spår. Många hade talat illa om honom bakom hans rygg. Men för Stefan hade han varit en rik kunskapskälla. Inte minst hade Molin predikat att intuitionen var den sanna kriminalpolisens viktigaste och mest underskattade tillgång. Och Stefan hade med växande erfarenhet insett att han hade haft rätt.

Herbert Molin hade varit en enstöring. Ingen som Stefan kände till hade någonsin varit hemma hos honom i villan som låg mitt emot tingshuset på Brämhultsvägen. Några år efter hans pensionering hade Stefan av en tillfällighet hört att han hade lämnat staden. Men ingen visste vart han hade tagit vägen.

Stefan sköt undan tidningen.

Herbert Molin hade alltså flyttat till Härjedalen. Enligt tidningen hade han bosatt sig på en ensligt belägen gård djupt inne i skogen. Och där hade han brutalt blivit mördad. Något uppenbart motiv existerade inte. Inte heller några spår efter en gärningsman. Mordet hade begåtts för flera dagar sedan, men nervositeten inför läkarbesöket hade fått Stefan att avskärma sig från yttervärlden och nyheten hade inte nått honom förrän nu, i denna tummade kvällstidning.

Han reste sig hastigt från bordet. Just nu hade han nog av sin egen dödlighet. Han lämnade sjukhuset. Fortfarande föll ett strilande duggregn. Han drog jackan tätare omkring sig och började gå ner mot centrum. Herbert Molin var död. Och själv hade han fått besked om att han nu tillhörde den kategori människor för vilka tiden kanske redan var utmätt. Han var 37 år gammal och hade egentligen aldrig tänkt särskilt mycket på sin ålderdom. Nu kändes det plötsligt som om han hade blivit berövad alla perspektiv. Som om han hade befunnit sig i en båt på ett öppet hav och sedan hastigt slungats in i en trång vik där han var omgiven av höga klippväggar. Han stannade på trottoaren och drog häftigt efter andan. Han var inte bara rädd. Där fanns också en känsla av att han höll på att bli lurad. Av någonting som osynligt och omärkligt hade tagit sig in i hans kropp och nu höll på att förgöra honom.

Det slog honom också som löjligt att han skulle behöva förklara för människor att han hade fått cancer just i tungan.

Människor fick cancer, det hörde man ofta talas om. Men i tungan?

Han fortsatte att gå. För att ge sig själv tid bestämde han sig för att låta huvudet vara alldeles tomt tills han kommit ner till gymnasiet. Då skulle han besluta vad han skulle göra. Läkaren hade gett honom en tid dagen efter för ytterligare provtagningar. Hon hade också tills vidare förlängt hans sjukskrivning med en månad. Om drygt tre veckor skulle han påbörja sin behandling.

Utanför ingången till teatern stod några skådespelare i scenkostymer och peruker och blev fotograferade. De var unga och de skrattade mycket högt. Stefan Lindman hade aldrig varit inne på teatern i Borås. Han hade aldrig någonsin besökt en teater. När han hörde skådespelarna skratta skyndade han på stegen.

Han gick in på stadsbiblioteket och satte sig i tidningsrummet. En gammal man bläddrade i en tidning med ryska bokstäver. Stefan hade på måfå gripit en tidning om speedway innan han satte sig ner. Han använde den för att gömma sig. Han stirrade på en bild av en motorcykel medan han försökte fatta ett beslut.

Läkaren hade sagt att han inte skulle dö. Åtminstone inte genast.

Samtidigt insåg han att risken fanns att han hade en växande tumör och att cancern kanske höll på att sprida sig. Det skulle bli en tvekamp. Antingen vann han eller förlorade. Det fanns inget läge där det skulle kunna bli oavgjort.

Han stirrade på motorcykeln och tänkte att han för första gången på många år saknade sin mor. Med henne hade han kunnat tala. Nu hade han ingen. Tanken på att anförtro sig till Elena var honom plötsligt främmande. Varför? Han kunde inte förstå det. Om det var någon han borde tala med och som kunde ge honom det stöd han behövde så var det hon. Ändå kom han sig inte för att ringa henne. Det var som om han skämdes över att berätta att han drabbats av cancer. Han hade inte ens talat om för henne att han skulle besöka sjukhuset.

Han bläddrade långsamt bland sidorna med bilder av motorcyklar. Han bläddrade sig fram till ett beslut.

Efter en halvtimme visste han. Han skulle tala med sin chef, intendent Olausson, som just kommit tillbaka från en semestervecka med älgjakt. Säga att han blivit sjukskriven men inte ange orsaken. Bara att han behövde genomgå en grundlig undersökning eftersom han hade ont i halsen. Säkert inget allvarligt. Läkarintyget kunde han själv skicka in till personalavdelningen. Det skulle ge honom åtminstone en vecka innan Olausson fick reda på orsaken till hans sjukfrånvaro.

Sedan skulle han gå hem, ringa till Elena och säga att han skulle resa bort på några dagar. Kanske till Helsingfors för att träffa sin syster. Det hade han gjort tidigare. Det skulle inte väcka Elenas undran. Sedan skulle han gå till Systembolaget och köpa ett par flaskor vin. Under kvällen och natten skulle han fatta alla andra beslut. Framför allt om han trodde att han skulle kunna klara att bekämpa en cancer som kanske visade sig vara livshotande. Eller om han skulle ge upp.

Han la tillbaka motorcykeltidningen, gick genom läsesalen och stannade vid en hylla där det stod medicinska uppslagsböcker. Han drog ut en bok som handlade om cancer. Men han ställde tillbaka den utan att ha öppnat den.

Intendent Olausson vid Boråspolisen var en man som tog sig fram genom livet skrattande. Hans dörr stod alltid öppen. Klockan var tolv när Stefan steg in i hans rum. Olausson höll just på att avsluta ett telefonsamtal och Stefan väntade. Olausson slängde på luren och tog fram en näsduk och snöt sig.

– Man vill att jag ska hålla föredrag, sa han och skrattade. Rotary. Dom ville att jag skulle tala om den ryska maffian. Men vi har ingen rysk maffia i Borås. Vi har ingen maffia alls. Så jag sa nej.

Han nickade åt Stefan att sätta sig ner.

– Jag ville bara tala om att jag fortfarande är sjukskriven.

Olausson såg förvånat på honom.

– Du är väl aldrig sjuk?

– Nu är jag det. Jag har ont i halsen. En månad blir jag borta. Minst.

Olausson lutade sig bakåt i stolen och knäppte händerna över magen.

– En månad låter mycket för halsont?

– Det var läkaren som skrev sjukintyget. Inte jag.

Olausson nickade.

– På hösten blir poliser förkylda, sa han tankfullt. Men jag har en känsla av att buset aldrig drabbas av influensa. Vad tror du det beror på?

– Dom kanske har bättre immunförsvar?

– Mycket möjligt. Det kanske vi borde informera rikspolischefen om.

Olausson tyckte inte om rikspolischefen. Han tyckte inte heller om justitieministern. Han tyckte överhuvudtaget inte om överordnade. Inom Boråspolisen var det en källa till ständig glädje att påminna sig den gång många år tidigare då en socialdemokratisk justitieminister hade varit på besök i staden för att inviga det nya tingshuset och på den efterföljande middagen blivit så berusad att Olausson hade fått bära upp honom till hotellrummet.

Stefan reste sig men stannade i dörren.

– Jag läste i morse att Herbert Molin blivit mördad för några dagar sen.

Olausson såg undrande på honom.

– Molin? Mördad?

– I Härjedalen. Han bodde tydligen där. Jag såg det i en av kvällstidningarna.

– Vilken?

– Det minns jag inte.

Olausson reste sig och följde honom ut i korridoren. I receptionen låg kvällstidningarna. Olausson bläddrade och läste igenom det som stod.

– Jag undrar vad som har hänt, sa Stefan.

– Jag ska ta reda på det. Jag ringer till kollegorna i Östersund.

Stefan lämnade polishuset. Duggregnet tycktes vara i oändlighet. Han köade sig till två flaskor vin av ett dyrt italienskt märke på Systembolaget och gick hem. Innan han ens hade tagit av sig jackan öppnade han en av flaskorna och fyllde ett glas som han sedan tömde i ett enda drag. Han sparkade av sig skorna och slängde jackan över en av köksstolarna. Det blinkade på telefonsvararen som han hade i tamburen. Det var Elena som undrade om han skulle komma och äta middag. Han tog med sig glaset och vinflaskan in i sovrummet. Trafiken från gatan utanför nådde honom som ett svagt brus. Han sträckte ut sig på sängen med vinflaskan i handen. I taket fanns en smutsfläck. Han hade legat och sett på den natten innan. I dagsljus såg den annorlunda ut. Efter ytterligare ett glas vin vände han sig på sidan och somnade nästan genast.

När han vaknade var klockan nära midnatt. Han hade sovit i nästan elva timmar. Skjortan var genomvåt av svett. Han stirrade ut i mörkret. Gardinen släppte inte in något ljus från gatan.

Hans första tanke var att han skulle dö.

Sedan bestämde han sig för att han skulle kämpa emot. Efter att ha tagit sina prover hade han tre veckor då han kunde göra vad han ville. Den tiden skulle han använda till att ta reda på allt han kunde om cancer. Och han skulle förbereda sig på att kämpa emot.

Han reste sig, tog av skjortan och slängde den i korgen i badrummet. Sedan ställde han sig vid fönstret som vette ut mot Allégatan. Utanför Hotell Vävarens garage stod några berusade män och grälade. Gatan glänste av regnet.

Plötsligt började han tänka på Herbert Molin igen. Det var en oklar tanke som hade gnagt inom honom ända sedan han hade läst tidningen på sjukhuset. Nu visste han vad det var.

En gång hade de jagat en förrymd mördare i skogarna norr om Borås. På hösten som nu. Stefan hade varit tillsammans med Herbert Molin men de hade kommit ifrån varandra i skogen. När Stefan till sist hittade honom hade han råkat gå så tyst att han skrämde Molin, som stirrade på honom med en våldsam rädsla i ögonen.

– Det var inte meningen att skrämmas, hade Stefan sagt.

Molin hade nickat och sedan ryckt på axlarna.

– Jag trodde det var nån annan, sa han.

Ingenting annat. Bara det. *Jag trodde det var nån annan.*

Stefan stod kvar vid fönstret. De berusade männen var borta. Han drog med tungan mot tänderna i överkäken. I tungan fanns döden. Men någonstans fanns också Herbert Molin. *Jag trodde det var nån annan.*

Stefan insåg nu något han egentligen alltid vetat. Herbert Molin hade varit rädd. Under de år de hade arbetat tillsammans hade rädslan ständigt varit närvarande. Oftast hade Molin lyckats dölja den. Men inte jämt.

Stefan rynkade pannan.

Herbert Molin hade blivit mördad djupt inne i de avlägsna norrländska skogarna, efter att alltid ha varit rädd.

Frågan var bara: för vem?

3.

Giuseppe Larsson var en man som vis av erfarenheten aldrig tog någonting för givet. Han vaknade på morgonen den 26 oktober av att den väckarklocka han hade i reserv ringde. När han betraktade huvudklockan som stod på bordet vid sängen såg han att den hade stannat på fyra minuter över tre. Inte ens en väckarklocka kunde man lita på. Därför hade han också alltid två. Han steg upp ur sängen och lät rullgardinen fara upp med en smäll. Kvällen innan hade tevemeteorologen varnat för lätt snöfall över Jämtland. Men Giuseppe såg ingen snö. Himlen var mörk men stjärnklar.

Giuseppe åt en snabb frukost som hans hustru dukade fram åt honom. Den nittonåriga dottern som fortfarande bodde hemma låg och sov. Hon arbetade extra på sjukhuset och skulle gå på en veckas nattskift samma kväll. Strax efter sju klev Giuseppe i ett par stövlar, drog en mössa djupt ner i pannan, klappade sin hustru på kinden och lämnade hemmet.

Han hade nu en bilresa på nitton mil framför sig. Under den senaste veckan hade han gjort resan tur och retur vid flera tillfällen, frånsett en gång när han var så trött att han valde att övernatta på ett hotell i Sveg.

Nu skulle han fara dit igen. På vägen måste han hålla utkik efter älgar men samtidigt göra en sammanfattning av den mordutredning som han var inblandad i. Han lämnade Östersund, körde mot Svenstavik närmast, och satte farthållaren på 85 kilometer i timmen. Att han av sig själv skulle hålla under 90 kunde han inte ta för givet. Körde han 85 skulle han vara framme i god tid för mötet med polisteknikerna som var satt till klockan tio.

Mörkret var kompakt utanför bilen. Den djupa norrländska vintern var på väg. Giuseppe som var född i Östersund 43 år tidigare förstod inte människor som klagade på mörkret och kylan. För honom var vinterhalvåret en tid då han kände det stora lugnet lägra sig över tillvaron. Då och då var det naturligtvis någon som blev förtvivlad av vintern och begick självmord eller slog ihjäl någon anhörig. Men så hade det alltid varit. Det kunde inte ens polismyndigheterna göra någonting åt.

Men det som hade hänt utanför Sveg tillhörde inte vanligheterna. Giuseppe började i tankarna gå igenom händelserna på nytt.

Larmet hade kommit till Östersundspolisen sent på eftermiddagen den 19 oktober. Det var nu sju dagar sedan. Giuseppe var precis på väg att lämna polishuset för att gå och klippa sig när någon stack en telefonlur i hans hand. Kvinnan i luren hade skrikit. För att begripa vad hon sa hade han varit tvungen att hålla luren en bit ifrån örat. Han hade genast förstått två saker: dels att kvinnan var mycket upprörd, dels att hon var nykter. Han hade satt sig vid bordet och letat reda på ett kollegieblock. Efter några minuter hade han lyckats samla ihop anteckningar till något som kunde vara en bild av det hon försökte få honom att förstå. Kvinnans namn var Hanna Tunberg. Hon brukade två gånger i månaden städa hos en man som hette Herbert Molin och som bodde några mil utanför Sveg på en gård som hette Rätmyren. När hon denna dag kom dit upptäckte hon att en hund låg död i hundgården och att alla fönster i huset var trasiga. Hon hade då inte vågat stanna kvar eftersom hon trodde att mannen som bodde där blivit galen. Hon hade kört hem till Sveg och hämtat sin man som var sjukpensionär. Tillsammans hade de återvänt till gården. Klockan var vid det laget ungefär fyra på eftermiddagen. De hade talat om att ringa till polisen redan då, men bestämt sig för att vänta tills de var säkra på vad som egentligen hade hänt. Ett beslut som de båda sedan bittert ångrade. Mannen hade gått in i huset och genast kommit ut igen och ropat till sin hustru som väntade vid bilen att det var fullt med blod därinne. Sedan hade han sett något som skymtat i skogsbrynet. Han hade gått dit, hajat till och sprungit tillbaka till bilen och börjat kräkas våldsamt. När han hämtat sig hade de farit raka vägen tillbaka till Sveg, och mannen som hade dåligt hjärta hade lagt sig på soffan medan hon ringde till polisen i Sveg, där telefonen var vidarekopplad till Östersund. Giuseppe hade noterat kvinnans namn och telefonnummer. När hon lagt på hade han ringt tillbaka för att bekräfta att numret stämde. Han hade kontrollerat att han hade uppfattat namnet på den döde rätt, Herbert Molin. När han för andra gången lagt på luren hade han skjutit undan alla tankar på att gå och klippa sig.

Han hade genast gått till insatschefen Rundström och förklarat situationen. Tjugo minuter senare var han på väg till Sveg i en polisbil med påslagna blåljus. Samtidigt gjorde sig kriminalteknikerna i ordning att följa efter.

De hade varit framme vid gården strax efter halv sju. Vid avtagsvägen hade Hanna Tunberg väntat i sin bil, tillsammans med kommissarie Erik Johansson, som var stationerad i Sveg och just återvänt från en annan utryckning, en lastbil med timmer som hade vält utanför Ytterhogdal. Då hade det redan blivit mörkt. Giuseppe hade sett i hennes ögon att det som väntade dem på fyndplatsen inte skulle vara någon vacker syn. Först hade de gått till den plats i skogsbrynet som Hanna Tunberg beskrivit. De drog häftigt efter andan när de lyste med ficklamporna på den döda kroppen. Giuseppe förstod henne. Han hade nog trott att han hade sett det mesta som gick att se. Att självmördare avlossat sina hagelgevär rakt i ansiktet hade han upplevt flera gånger. Men mannen som låg på marken var värre än allt han tidigare tvingats se. Egentligen var det ingen människa utan ett blodigt bylte. Ansiktet var sönderskrapat, fötterna blodiga klumpar och ryggen så sönderslagen att benen lyste igenom.

De hade sedan närmat sig huset med ficklampor och dragna vapen. Då hade de redan konstaterat att det verkligen låg en död gråhund i hundgården. När de kom in i huset kunde de se att Hannas referat av vad hennes man hade sett inte var överdrivet. Golvet var täckt av blodspår och glassplitter. För att inte förstöra för teknikerna hade de stannat i dörren.

Hanna hade hela tiden suttit inne i bilen med händerna

krampaktigt knutna runt ratten. Giuseppe hade tyckt synd om henne. Han visste att det hon upplevt denna dag alltid skulle finnas hos henne, som en rädsla eller som en ständigt upprepad mardröm.

Giuseppe hade skickat bort Erik för att invänta teknikerna vid avtagsvägen. Han fick också order om att ordentligt skriva upp det Hanna Tunberg hade att säga. Inte minst var klockslagen viktiga.

Sedan hade Giuseppe varit ensam. Han hade tänkt att han stod inför någonting han egentligen inte hade tillräcklig kompetens för att hantera. Men han visste också att det inte fanns någon som var bättre lämpad än han i hela det jämtländska polisdistriktet att leda utredningen. Han bestämde sig för att redan samma dag tala med polismästaren om att det nog skulle behövas folk från rikskriminalen.

Han närmade sig Svenstavik. Fortfarande var oktobermorgonen mörk. Under de dygn som gått hade mordet på mannen i skogen inte kommit närmare någon lösning.

Där fanns också ett annat stort problem.

Det hade visat sig att den döde varit en pensionerad polisman som flyttat upp till Härjedalen efter ett långt arbetsliv som kriminalpolis i Borås. Kvällen innan hade Giuseppe suttit hemma i tevesoffan och läst igenom papper som han fått per fax från Borås. Han hade nu en tydlig bild av alla de grundläggande uppgifter som utgör en människas signalement. Ändå var det som om han stirrade rakt in i ett tomrum. Det fanns inget motiv, inga spår, inga vittnen. Det var som om en obegriplig ondska hade lösgjort sig ur skogen och drabbat Herbert Molin med full kraft och sedan spårlöst försvunnit.

Han la Svenstavik bakom sig och fortsatte mot Sveg. Det hade börjat ljusna nu, en blå färgton över skogsåsarna som omgav honom. Han tänkte på den preliminära rapport som kommit till honom från rättsläkarna i Umeå som tagit hand om kroppen. Den hade förvisso förklarat hur skadorna hade uppstått men det hade inte gett Giuseppe några ledtrådar om från vem eller varför detta rasande angrepp hade kommit. Rättsläkaren hade utförligt beskrivit det våld som Molin hade utsatts för. Skadorna på ryggen tycktes komma från pisklag. Eftersom huden på ryggen var helt sönderfläkt var det först när de hittade ett fragment av piskan som de förstod vad som hade hänt. Rättsläkaren hade vid en undersökning i mikroskop kunnat konstatera att piskan varit gjord av djurhud. Vilken typ av hud det rörde sig om kunde han dock ännu inte svara på eftersom det var från ett djur som inte fanns i Sverige. Skadorna under fotsulorna hade med största sannolikhet tillfogats Molin med samma redskap. Däremot hade han inte blivit slagen i ansiktet. Skrapmärkena menade läkarna kom av att han släpats över den bara marken. Såren var fyllda av jord. På halsen hade läkaren slutligen kunnat konstatera kraftiga blånader som tydde på att någon försökt strypa Molin. *Försökt* skulle tolkas bokstavligt, konstaterade läkaren i sin rapport. Det var nämligen inte av kvävning som Molin hade avlidit. Inte heller av de rester av tårgas som funnits i hans ögon, hals och lungor. Molin hade avlidit av utmattning. Han hade bokstavligt fått livet piskat ur kroppen.

Giuseppe körde in till vägkanten och stannade. Han steg ur bilen, stängde av motorn och väntade tills en lastbil hade passerat norrut. Då öppnade han gylfen och pissade. Bland allt det som gjorde livet njutbart var möjligheten att stå vid en vägren och pissa något av det bästa. När han hade satt sig bakom ratten igen startade han dock inte motorn genast. Han försökte betrakta det han nu visste om Molins död på avstånd. Långsamt lät han allt det han sett och det som fanns nerskrivet i olika rapporter vandra genom hjärnan och placera sig i olika tankefållor.

Något fanns där som framstod som en möjlighet.

De hade inte funnit några spår av ett motiv. Samtidigt stod det klart att Molin utsatts för ett långdraget och brutalt våld.

Raseri, tänkte Giuseppe. Det är vad det handlar om. Och möjligheten finns då att raseriet är själva motivet.

Raseri och hämndbegär.

Det fanns ytterligare något som talade för att han kunde vara på väg att orientera sig åt rätt håll. Allt gav intryck av att ha varit välplanerat. Vakthunden hade dödats genom att strupen skurits av. Gärningsmannen hade varit utrustad med piskor och med tårgasgevär. Det tydde inte på några tillfälligheter. Allt hade varit välplanerat. Raseriet hade varit inbäddat i en genomtänkt plan.

Raseri, tänkte Giuseppe. Raseri och hämndbegär. En plan. Det betyder att den som mördade Molin med största sannolikhet hade besökt gården tidigare, kanske vid flera tillfällen. Någon borde ha lagt märke till om okända människor rört sig i närheten av gården. Eller så var det tvärtom, att ingen hade sett något. Då betydde det att mördaren, eller mördarna, skulle sökas i Molins bekantskapskrets.

Men Molin hade inte haft någon bekantskapskrets. Det hade Hanna Tunberg klargjort med stor tydlighet. Herbert Molin umgicks inte. Han var en enstöring.

Ännu en gång gick han i tankarna igenom händelseförloppet. På något sätt fick han en känsla av att gärningsmannen varit ensam. Någon hade kommit till den ensliga gården, utrustad med en piska av okänd djurhud och ett tårgasgevär. Med utstuderad och välplanerad grymhet hade Herbert Molin blivit dödad och lämnad naken i skogsbrynet.

Frågan var om Herbert Molin bara hade blivit mördad. Eller om det inte rörde sig om en regelrätt avrättning.

Det var nödvändigt nu att kontakta rikskriminalen och få experthjälp. Det handlade inte om något vanligt litet skitmord. Giuseppe kände sig alltmer säker på att det han hade att förhålla sig till var en välplanerad avrättning.

Klockan hade blivit tjugo minuter i tio när Giuseppe svängde in på gårdsplanen till Herbert Molins hus. Avspärrningsbanden satt kvar men det fanns ingen polisbil på plats. Giuseppe steg ur bilen. Det hade börjat blåsa. Bruset från skogen låg som en dov ton över höstmorgonen. Giuseppe stod alldeles stilla och såg sig långsamt omkring. Kriminalteknikerna hade hittat ett bilspår på just den plats där han hade stannat, däcksavtryck som inte tillhörde Molins gamla Volvo. Varje gång Giuseppe kom till mordplatsen försökte han tänka sig hur det hade gått till. Vem hade stigit ur den främmande bilen? Och när? Det måste ha varit på natten. Men rättsläkaren hade ännu inte kunnat fastställa den exakta tidpunkten då Molin hade avlidit. Han hade dock i försiktiga ordalag i sin preliminära rapport låtit antyda att misshandeln kunde ha pågått länge. Hur många piskslag som träffat Molin gick inte att svara på. Men de kunde ha fallit med avbrott under många timmar.

I huvudet gick Giuseppe på nytt igenom de tankar som farit genom hans huvud under bilfärden från Östersund.

Raseriet och hämndbegäret.

Den ensamme gärningsmannen.

Allting mycket välplanerat. Inget dödande i hastigt mod.

Telefonen ringde. Han ryckte till. Fortfarande hade han inte helt vant sig vid att han kunde nås även när han befann sig djupt inne i skogen. Han tog upp telefonen ur jackfickan och svarade.

– Giuseppe.

Många gånger hade han förbannat sin mor som gett honom hans förnamn efter att en gång i sin ungdom ha hört en italiensk smörsångare som en sommarkväll uppträtt i Östersunds Folkets park. Under skolåren hade han blivit retad och varje gång någon ringde honom och han sa sitt namn uppstod en tvekan hos den som befann sig i andra änden av linjen.

– Giuseppe Larsson?

– Det är jag.

Han lyssnade. Mannen som ringde sa att han hette Stefan Lindman och var polis. Han ringde från Borås. Stefan Lindman berättade att han hade arbetat tillsammans med Molin och han undrade vad som egentligen hade hänt. Giuseppe bad att få ringa tillbaka. Det hade hänt att journalister hade utgett sig för att vara poliser. Den risken ville han inte ta. Stefan Lindman förstod. Giuseppe hittade ingen penna i fickan utan ritade upp numret med tåspetsen i gruset. Han slog numret och Lindman svarade. Fortfarande kunde han naturligtvis vara journalist. Egentligen borde han naturligtvis ringa upp polishuset i Borås och fråga om det där fanns en polisman som hette Stefan Lindman. Mannens ordval och sätt att uttrycka sig övertygade dock Giuseppe och han försökte svara på Lindmans frågor. Men det var svårt i telefon. Dessutom var mottagningen dålig. På avstånd kunde han höra hur kriminalteknikernas van närmade sig.

– Jag har ditt nummer, sa Giuseppe. Och du kan nå mig senare på den här telefonen eller på polishuset i Östersund. Men kan du säga nånting till mig? Kände Herbert Molin sig nånsin hotad? Allt kan vara viktigt. Vi står svagt i utredningen. Inga vittnen, inget motiv. Inget rejält att gå på. Kompassnålen snurrar.

Han lyssnade under tystnad. Kriminalteknikernas bil svängde in på gårdsplanen. Giuseppe avslutade samtalet och gjorde telefonnumret i gruset tydligare med tåspetsen.

Polismannen som hade ringt från Borås hade sagt något som var viktigt. Herbert Molin hade varit rädd. Han hade aldrig gett någon förklaring till sin oro. Men Lindman hade varit säker på sin sak. Molin hade gått och burit på en konstant rädsla.

Kriminalteknikerna var två. Båda unga. Giuseppe tyckte om att arbeta med dem. De var mycket energiska och arbetade effektivt och noggrant. De gick tillsammans in i huset där de skulle fortsätta undersökningarna. Giuseppe klev försiktigt omkring och betraktade blodet som fanns kvar på både golv och väggar. Medan teknikerna bytte om till överdragskläder försökte Giuseppe på nytt tänka sig in i vad som egentligen hade hänt.

Ett yttre förlopp hade han redan klart för sig. Först hade hunden dött. Sedan hade gärningsmannen skjutit sönder alla fönster och avlossat tårgas. Det var inte tårgaspatronerna som hade krossat fönsterrutorna. På gårdsplanen hade de hittat ett antal patronhylsor från ett jaktgevär. Mannen som hade funnits där ute hade varit metodisk. När det hela hade börjat hade Herbert Molin sovit. Åtminstone borde han ha befunnit sig i sängen. Han hade legat naken ute i skogsbrynet. Men hans tröja och byxor hade hittats nerblodade i gruset nedanför trappan. Den stora mängden hylsor av tårgaspatroner visade att den stickande röken måste ha fyllt huset. Molin hade flytt ut på gården med sitt hagelgevär i handen. Han hade också hunnit avlossa flera skott. Sedan hade han inte kommit längre. Geväret hade legat på marken. Giuseppe visste att Herbert Molin hade varit praktiskt taget blind när han kommit ut på gården. Han hade dessutom bara med största svårighet kunnat andas.

Herbert Molin hade jagats ut ur sitt hus och han hade varit värnlös när gärningsmannen såg honom komma raglande ut genom dörren.

Giuseppe gick försiktigt fram till rummet som låg intill vardagsrummet. Där fanns den största gåtan. En säng med en blodig docka, stor som en människa. De hade först tänkt att den var någon form av sexuell attrapp för Molin i hans ensamhet. Men dockan hade inga kroppsöppningar. Byglarna på fötterna hade klargjort att det rört sig om en dansdocka. Den viktigaste frågan att besvara var dock varför den var nersmetad av blod. Hade Molin flytt in i rummet innan tårgasen gjort det omöjligt för honom att stanna kvar? Men varför hade dockan blivit blodig? Giuseppe och de andra kriminalpoliserna som arbetat sig igenom brottsplatsen de sex första dagarna hade ännu inte kommit till någon trovärdig slutsats. Giuseppe hade bestämt sig för att denna dag på allvar försöka förstå varför dockan var blodig. Det var någonting med dockan som oroade honom. Den dolde någonting som han ännu inte hade fått grepp om.

Han lämnade huset och gick ut på gården för att få luft. Telefonen ringde. Det var polismästaren från Östersund. Giuseppe sa som det var, att de arbetade på, men att brottsplatsen inte hade gett något nytt. Hanna Tunberg befann sig i Östersund och satt i samtal med Artur Nyman som var kriminalassistent och Giuseppes närmaste medarbetare. Polismästaren kunde meddela att Molins dotter som befann sig i Tyskland var på väg till Sverige. Sonen som arbetade som steward på ett kryssningsfartyg i Karibien hade man också haft kontakt med.

– Hur går det med andra frun? frågade Giuseppe.

Den första hustrun, hon som var mor till de två barnen, hade avlidit några år tidigare. Giuseppe hade ägnat ett antal timmar åt att kontrollera dödsfallet. Men det hade haft naturliga orsaker. Dessutom hade Molin och hans första hustru varit skilda i nitton år. Den andra hustrun, en kvinna som Molin varit gift med under sin sista tid i Borås, hade visat sig svårare att lokalisera.

Giuseppe gick tillbaka in i huset igen. Han ställde sig alldeles intill dörren och betraktade spåren av intorkat blod på golvet. Sedan tog han försiktigt några steg åt sidan och såg på dem igen. Han rynkade pannan. Det var något med blodspåren han inte fick grepp om. Han tog upp sitt anteckningsblock, lånade en penna av en av teknikerna och gjorde en skiss. Allt som allt var det nitton fotavtryck, tio med en högerfot, nio med en vänsterfot.

Han gick ut på gården igen. En kråka flaxade iväg. Giuseppe betraktade sin skiss. Sedan gick han och hämtade en kratta som han visste stod i uthuset. Han jämnade till marken framför huset. Betraktade vad han gjort och tryckte sedan sina fötter hårt i gruset på samma sätt som han ritat upp blodspåren. Han ställde sig vid sidan av och tittade. Gick ett varv runt och såg på spåren från olika håll. Sedan satte han försiktigt sina fötter i spåren och rörde sig långsamt. Han upprepade rörelserna, nu fortare, med knäna lätt böjda.

Då begrep han vad det var han hade framför sig.

En av teknikerna kom ut på trappan och tände en cigarett. Han betraktade spåren i gruset.

– Vad håller du på med?

– Undersöker en teori. Vad ser du?

– Fotspår i grus. Kopia av det vi har här inne.

– Inget mer?

– Nej.

Giuseppe nickade. Den andre teknikern kom ut. Han hade en termos i handen.

– Var det inte så att det låg en skiva i cd-spelaren? frågade Giuseppe.

– Det stämmer, svarade teknikern med termos.

– Vad var det för musik?

Teknikern gav termosen till sin kollega och gick in i huset. Han var snart tillbaka.

– Argentinsk musik. En orkester. Jag kan inte uttala namnet.

Giuseppe gick ytterligare ett varv runt spåren i gruset. De två teknikerna rökte och drack kaffe medan de betraktade honom.

– Är det nån av er som dansar tango? frågade han.

– Inte till vardags. Hur så?

Det var mannen med termosen som svarat.

– Därför att det vi har framför oss är tangosteg. Ungefär som när man var barn och gick i dansskola. Lärarinnan tejpade upp fotsteg på golvet som man skulle följa. Det här är tango.

För att bevisa sin tes började Giuseppe gnola på en tango han inte visste namnet på. Samtidigt rörde han sig i gruset. Stegen stämde.

– Det är alltså tangosteg där inne på golvet. Nån släpade runt med Molin och satte hans blodiga fötter i golvet som om det hade rört sig om en danslektion.

Teknikerna såg vantroget på honom men insåg att han hade rätt. Tillsammans gick de in i huset igen.

– Tango, sa Giuseppe. Ingenting annat. Den som dödade Molin bjöd upp honom till tango.

Under tystnad betraktade de blodspåren på golvet.

– Frågan är bara vem, sa Giuseppe när han tog till orda igen. Frågan är vem som bjuder upp en död man till dans?

4.

Stefan Lindman hade en växande känsla av att hans kropp helt höll på att tömmas på blod. Även om laboratoriebiträdena behandlade honom med stor försiktighet var det som om han drabbades av en allt större matthet. Han tillbringade många timmar dagligen på sjukhuset för att lämna sina prover. Han talade också med läkaren vid ytterligare två tillfällen. Varje gång tänkte han att han hade många frågor som han ville ha besvarade, men han kom sig aldrig för med att ställa några. Innerst inne visste han att det var en enda fråga som han ville ha svar på. Skulle han överleva eller inte? Och om den frågan inte gick att besvara med säkerhet, hur lång tid kunde hon garantera honom? Någonstans hade han läst att döden var en skräddare som osynligt och i tystnad tog mått på en människas sista klädnad. Även om han skulle överleva kände han det som om hans tid hade mätts ut och det alldeles för tidigt.

Den andra kvällen gick han hem till Elena på Dalbogatan. Han hade inte ringt i förväg, vilket han brukade göra. Genast hon såg honom i dörren insåg hon att något hade hänt. Stefan hade försökt fatta ett beslut om han skulle berätta eller inte. Men ända tills han ringde på dörren var han osäker. Han hade knappt hunnit hänga av sig jackan förrän hon frågade honom vad som hade hänt.

– Jag är sjuk, hade han svarat.

– Sjuk?

– Jag har cancer.

Sedan hade han inte något försvar längre. Nu kunde han lika gärna säga som det var. En människa hade han behov av att anförtro sig till och någon annan än Elena fanns inte. De satt uppe länge den natten och hon var klok nog att inte försöka trösta honom. Vad han behövde var mod. Hon hämtade en spegel åt honom och sa att han kunde se att det var en levande människa som satt där, inte någon som var död, och det var så han skulle tänka. Han stannade över natten och låg länge vaken efter det att hon hade somnat.

I gryningen steg han upp försiktigt för att inte väcka henne och lämnade tyst lägenheten. Men han gick inte raka vägen tillbaka till Allégatan. Han gjorde en lång omväg runt Ramnasjön och vände inte hemåt förrän han redan befann sig i Druvefors. Läkaren hade sagt att han i dag skulle vara färdig med alla provtagningar. Han hade frågat om han kunde resa bort, kanske utomlands, innan behandlingen påbörjades, och hon hade svarat att han skulle göra det han hade lust till. Han drack en kopp kaffe när han kommit hem och lyssnade på telefonsvararen. Elena hade blivit orolig när hon vaknade och såg att han var borta.

Strax efter klockan tio gick han ner till en resebyrå som låg på Västerlånggatan. Han satte sig i en soffa och började bläddra igenom olika resekataloger. Han hade nästan bestämt sig för Mallorca när tanken på Herbert Molin återkom. Plötsligt visste han vad han skulle göra. Det var inte till Mallorca han skulle resa. Där skulle han bara gå omkring, utan att känna någon, och grubbla över det som hade hänt och det som skulle komma att hända. Om han i stället reste upp till Härjedalen skulle hans isolering visserligen inte bli mindre, eftersom han inte kände någon där heller. Men han skulle ändå kunna ägna sig åt något som inte handlade om honom själv. Riktigt vad det var han skulle göra kunde han inte reda ut för sig själv. Men han lämnade resebyrån och gick till bokhandeln vid Stora torget och köpte en karta över Jämtlands län. När han kommit hem bredde han ut den över köksbordet. Han tänkte att han skulle kunna köra upp till Härjedalen på 12–15 timmar. Blev han trött kunde han övernatta någonstans på vägen.

På eftermiddagen besökte han sjukhuset ännu en gång för att ta några sista avslutande prover. Läkaren hade redan gett honom en tid när han skulle komma tillbaka och påbörja behandlingen. Han hade skrivit in den i sin almanacka, med sin vanliga spretiga stil, som om han noterade sin semester eller någons födelsedag. *Fredagen den 19 november. Klockan 8.15.*

När han kom hem packade han sin väska. Han knappade fram »Vädret« på text-teve och såg att det i Östersund dagen efter skulle bli mellan 5 och 10 plusgrader. Han antog att det inte kunde vara någon nämnvärd skillnad mellan Östersund och Sveg. Innan han gick till sängs tänkte han att han borde berätta för Elena att han skulle resa bort. Hon skulle bli orolig om han bara försvann. Men han sköt upp det. Han hade sin mobiltelefon och hon hade numret. Kanske ville han att hon skulle bli orolig? Som om han hämnades på en oskyldig för att det var han som blivit sjuk?

Dagen efter, fredagen den 29 oktober, steg han upp tidigt och hade lämnat Borås redan innan klockan blivit åtta. Men innan avfärden hade han kört upp till det hus på Brämhultsvägen där Herbert Molin hade bott. Där hade han levt, ibland gift, ibland ensam, och det var från det huset han hade begett sig norrut när han gått i pension.

Stefan tänkte tillbaka på den gång de hade haft avskedsfest för Molin i personalmatsalen som låg högst upp i polishuset. Molin hade inte druckit särskilt mycket, han hade kanske varit den nyktraste av alla. Kriminalkommissarien, Nylund, som pensionerats året efter Molin, hade hållit ett tal som Stefan inte mindes ett ord av. Festen hade varit avslagen och slutat tidigt. Och efteråt hade Molin aldrig, som seden bjöd, inviterat hem sina kollegor som tack för att de ordnat fest för honom. Han hade bara lämnat polishuset och några veckor senare flyttat från staden.

Stefan tänkte att han nu for samma väg som Molin. Han följde honom i spåren utan att veta någonting om varför Molin hade flyttat, eller kanske flytt, upp till Norrland.

På kvällen hade Stefan kommit till Orsa. Han stannade och åt middag, en flottig biffstek på ett långtradarcafé, och rullade sedan ihop sig i baksätet av bilen. Han var mycket trött och somnade fort. Plåstren i armvecken kliade. I drömmarna sprang han genom en oändlig rad av mörka rum.

Han vaknade innan gryningen, stel i kroppen och med dunkande huvudvärk. När han krånglat sig ur bilen och stod på parkeringsplatsen och pissade märkte han att andedräkten såg ut som rök. Gruset under hans fötter knastrade. Han förstod att temperaturen var under eller i närheten av noll. Kvällen innan hade han fyllt kaffe i den termos han tagit med sig. Nu drack han en kopp sittande bakom ratten. En långtradare som stod intill honom startade plötsligt och försvann i mörkret. Han slog på bilradion och lyssnade på de tidiga nyheterna. Han märkte att han blev orolig. Att vara död skulle innebära att han inte längre kunde lyssna på radion. Döden innebar många saker. Också radion skulle tystna.

Han la termosen i baksätet och startade bilen. Han visste att han hade ungefär tio mil kvar till Sveg, genom den långa Orsa Finnmark. Han svängde ut på vägen och påminde sig att han borde bereda sig på att älgar kunde korsa vägbanan.

Det ljusnade långsamt. Stefan satt och tänkte på Herbert Molin. Han försökte gå igenom allt han kunde minnas, alla samtal, alla möten, alla stunder då ingenting särskilt hade hänt. Vad hade Molin haft för vanor? Hade han överhuvudtaget haft några vanor? När hade han skrattat? När hade han blivit arg? Stefan märkte att han hade svårt att minnas. Bilden av Herbert Molin var undflyende. Det enda han var säker på var att Herbert Molin hade varit rädd.

Skogen öppnade sig. Stefan körde över Ljusnan och var framme i Sveg. Samhället var så litet att han nästan hann fara igenom det innan han märkte att han var framme. Han svängde vänster vid kyrkan och upptäckte nästan genast en hotellskylt. Han hade föreställt sig att det inte skulle vara nödvändigt att boka rum. Men när han kom in på hotellet sa flickan bakom disken att han hade tur. De hade bara ett rum ledigt och det var en avbeställning.

– Vilka bor på hotell i Sveg? frågade han förvånat.

– Testförare, svarade flickan. Dom ligger här uppe och testkör nya bilmodeller. Sen är det datafolk.

– Datafolk?

– Det är mycket sånt just nu, sa flickan. Nya företag som etablerar sig. Och det finns ju inga bostäder. Kommunen talar om att sätta upp baracker.

Sedan frågade hon hur länge han tänkte stanna.

– En vecka, sa han. Kanske mer. Om det går bra?

Hon bläddrade i hotelliggaren.

– Det går med tvekan, sa hon. Det är fullt nästan hela tiden.

Stefan ställde in sin väska i rummet och gick ner till matsalen, där en frukostbuffé stod framdukad. Vid borden satt unga människor, många av dem iförda något som påminde om flygoveraller. När han ätit gick han upp till sitt rum, klädde av sig naken, rev av plåsterlapparna i armvecken och tog en dusch. Sedan kröp han ner mellan lakanen. Vad gör jag här? tänkte han. Jag kunde ha rest till Mallorca. Nu befinner jag mig i Sveg. I stället för att gå på en strand och se på ett blått hav är jag omgiven av en oändlig massa träd.

När han vaknade visste han först inte var han befann sig. Han låg kvar i sängen och försökte göra upp någon sorts plan. Men det fanns ingen plan han kunde göra upp. Inte innan han hade sett den plats där Herbert Molin blivit mördad. Det enklaste vore naturligtvis att han talade med kriminalpolisen i Östersund, Giuseppe Larsson. Men något gjorde att han helst ville besöka platsen utan att någon visste om det. Senare kunde han tala med Giuseppe, kanske till och med göra ett besök i Östersund. Dessutom hade han under den långa bilresan grubblat på om det verkligen inte fanns några poliser som tjänstgjorde i Sveg. Kom poliser verkligen resande nitton mil för att undersöka minsta inbrott?

Till slut steg han upp. Frågorna var många. Men viktigast av allt var att han besökte brottsplatsen.

Han klädde sig och gick ner i receptionen. Flickan som tagit emot honom talade i telefon. Stefan vecklade upp sin karta och väntade. Han hörde att hon talade med ett barn, säkert sitt eget, om att hon snart skulle bli avbytt och komma hem.

– Är allt bra med rummet? frågade hon när hon avslutat samtalet.

– Allt är som det ska, svarade Stefan. Men jag har en fråga. Jag har inte kommit hit för att testa bilars uthållighet. Inte heller är jag här som turist eller för att fiska. Jag har kommit hit eftersom en god vän till mig blev mördad här i trakten förra veckan.

Hon blev genast allvarlig.

– Han som bodde bortanför Linsell? frågade hon. Han som hade varit polis?

– Just han.

Han visade henne sin polislegitimation och pekade sedan på kartan.

– Kan du visa mig var han bodde?

Hon vände på kartan och sökte med blicken. Sedan satte hon ner fingret.

– Du åker till Linsell, sa hon. Där tar du av mot Lofsdalen, passerar Ljusnan och kommer till en vägskylt där det står Linkvarnen som du också passerar, och kör en mil ungefär. Sen låg hans hus in till höger. Men den vägen finns inte utsatt.

Hon såg på honom.

– Jag är inte särskilt nyfiken av mig, sa hon. Jag vet många som har åkt dit för att titta. Men vi hade några poliser från Östersund som bodde över här. Och jag hörde hur dom beskrev vägen för nån i telefon. Nån som skulle komma hit i helikopter.

– Jag antar att det inte är så vanligt med mord här i trakten, sa Stefan.

– Jag har aldrig hört talas om nåt. Och jag är född här i Sveg. När här fortfarande fanns ett BB.

Stefan försökte vika ihop kartan utan att lyckas.

– Jag ska hjälpa dig, sa hon och tog kartan och slätade ut den, innan hon vek ihop den.

När Stefan kom ut på hotellets gård märkte han att vädret hade förändrats. Det var hög och klar himmel nu. Molntäcket från morgontimmarna var borta. Han drog in den friska luften i lungorna.

Sedan tänkte han att han var död.

Och han undrade vem som skulle komma till hans begravning.

Strax efter klockan två var han framme i Linsell. Till sin förvåning upptäckte han att det fanns ett konditori där som skyltade med att det var ett IT-café. I samhället fanns dessutom en bensinstation och en livsmedelsaffär. Han tog av till vänster över bron och fortsatte. Mellan Sveg och Linsell hade han räknat till tre mötande bilar. Han körde långsamt. Ungefär en mil, hade hon sagt. Efter sju kilometer upptäckte han en nästan osynlig avfart till en grusväg som försvann i skogen på höger sida. Han svängde in och körde längs den gropiga vägen en halv kilometer. Där tog vägen slut. Några hemgjorda skyltar visade att stigarna som gick åt flera håll var skoterspår för vintertrafik. Han vände och körde tillbaka till huvudvägen igen. Efter ytterligare en kilometer hittade han nästa avtagsväg. Den var nästan oframkomlig och tog slut efter två kilometer vid ett timmerupplag. Flera gånger hade han skrapat med bilens underrede i stenar som stack upp ur den dåligt underhållna vägen.

När han kom fram till Dravagen insåg han att han hade kört för långt. Han vände. Nu mötte han en lastbil och sedan två personbilar. Därefter var vägen tom igen. Han körde hela tiden mycket långsamt, med vindrutan nervevad. Då och då kom tanken på sjukdomen tillbaka. Han undrade vad som hade hänt om han hade rest till Mallorca i stället. Där skulle han inte haft någon väg att leta efter. Vad hade han gjort i stället? Suttit längst inne i någon mörk bar och druckit sig berusad?

Sedan upptäckte han vägen. Den låg strax efter en kurva. Genast visste han att det var rätt. Han tog av och körde mycket långsamt. Vägen bar uppför och vände i tre kurvor som låg alldeles efter varandra. Vägbanan var slät och täckt med ett gruslager. Efter två kilometer skymtade han husen mellan träden. Han svängde in på gårdsplanen och stannade. Polisens avspärrningsband fanns fortfarande kvar. Men platsen var öde. Han steg ur.

Det var vindstilla inne i skogen. Han stod orörlig och såg sig omkring. Från huset vid Brämhultsvägen i Borås hade Herbert Molin flyttat hit. En plats djupt inne i skogen. Och hit hade någon kommit för att döda honom. Stefan betraktade huset. De sönderskjutna fönstren. Han gick fram och kände på dörren. Den var låst. Sedan gick han runt huset. Alla fönster var trasiga. Från baksidan såg han hur det glittrade av vatten bland träden. Han kände på dörren till uthuset. Den var öppen. Inne i dunklet kände han doften av potatis och såg en skottkärra och några trädgårdsredskap. Han gick ut igen.

Ensamhet, tänkte han. Här var Herbert Molin ensam. Och

det måste ha varit det som han sökte. Det gjorde han redan under sin tid i Borås. Det förstår jag nu. Han ville vara ensam, det var det som drev honom hit.

Han undrade hur Herbert Molin hade fått tag på huset. Av vem hade han köpt det? Och varför just här, djupt inne i Härjedalens skogar?

Han gick fram till ett av fönstren på kortsidan. Det stod en sparkstötting intill husväggen. Han flyttade på den så att han kunde använda den som fotstöd och hävde sig upp för att komma åt att öppna det trasiga fönstret från insidan. Han borstade försiktigt bort glassplitter och klättrade sedan in i huset. Det luktar alltid på ett särskilt sätt där poliser har varit, tänkte han. Alla yrkesgrupper lämnar luktspår. Det gäller även för oss.

Han befann sig inne i ett litet sovrum. Sängen var bäddad. Men där fanns fläckar av intorkat blod. Även om den tekniska undersökningen av mordplatsen hade avslutats ville han inte röra någonting. Han ville se exakt samma sak som kriminalteknikerna. Där de hade slutat skulle han börja.

Men vad var det han skulle börja med? Vad var det egentligen han trodde att han skulle kunna upptäcka? Han intalade sig själv att han befann sig i Herbert Molins hus som privatperson. Inte som polis eller privatspanare, utan bara som en människa som hade cancer och som ville ha någonting annat att tänka på än sin sjukdom.

Han gick ut i vardagsrummet. Möblerna var omkullvälta. På både väggar och golv fanns blodfläckar. Först nu insåg han till fullo hur förfärlig Herbert Molins död måste ha varit. Han hade inte blivit nerstucken eller skjuten och fallit där han blivit träffad. Han hade utsatts för ett våldsamt angrepp och allt tydde på att han hade jagats och kämpat emot.

Han gick försiktigt runt i rummet. Stannade vid cd-spelaren som stod öppen. Ingen skiva låg i. Men det fanns ett öppet fodral vid sidan. Argentinsk tango. Han fortsatte att gå runt i rummet. Herbert Molin levde utan onödiga prydnader, tänkte han. Inga tavlor, inga vaser. Men heller inga fotografier av hans familj.

En tanke slog honom. Han gick tillbaka in i sovrummet och öppnade garderoben. Bland kläderna som hängde där hittade han ingen uniform. Alltså hade Molin gjort sig av med den. Det vanliga var annars att pensionerade poliser behöll sina uniformer.

Han gick tillbaka in i vardagsrummet igen och fortsatte till köket. Hela tiden försökte han föreställa sig Herbert Molin vid sin sida. En ensam man i 75-årsåldern. Som stiger upp på morgonen, lagar mat, låter dagen gå.

En människa gör alltid någonting, tänkte han. Det måste också ha gällt för Herbert Molin. Ingen människa sitter bara orörlig på en stol. Även den mest passiva människa *gör* någonting. Men vad hade Herbert Molin gjort? Vad hade han använt sina dagar till? Han gick tillbaka till vardagsrummet igen och böjde sig ner på golvet. Framför honom, alldeles intill ett av de blodiga fotspåren låg en pusselbit. Över hela golvet fanns pusselbitar. Han reste sig upp och kände hur det högg till i ryggen. Sjukdomen, tänkte han. Eller kunde det bara bero på att han legat obekvämt i bilen under natten? Han väntade tills smärtan var borta.

Sedan gick han fram till den stora bokhyllan där cd-spelaren stod. Han böjde sig ner igen och öppnade ett skåp. Det var fullt av askar som han först trodde var olika spel. När han lyfte ut den översta upptäckte han att den innehöll ett pussel. Han betraktade omslaget. Det var en tavla av en konstnär som hette Matisse. Kanske hade han någon gång hört namnet? Han visste inte säkert. Motivbilden var en stor trädgård. Två kvinnor i vita kläder skymtade i bildens bakgrund. Han letade vidare bland pusslen. Nästan alla hade något konstverk som motiv. Det var stora pussel med många bitar. Han öppnade skåpet intill. Också det var fullt med pussel. Alla i obrutna förpackningar. Han reste sig försiktigt upp, rädd för att smärtan skulle återvända. Herbert Molin ägnade en del av sin tid åt pussel, tänkte han. Det var förbryllande. Men kanske inte konstigare än att han själv samlade på meningslösa urklipp om Elfsborgs fotbollslag.

Han såg sig om i rummet igen. Det var så tyst att han kunde känna pulsen som dunkade i hans öron. Han tänkte att han skulle ta kontakt med polismannen i Östersund med det ovanliga förnamnet. Kanske borde han köra dit och prata med honom på måndag? Men han hade ingenting med mordutredningen att göra. Det skulle han klargöra på en gång. Han hade inte kommit till Härjedalen för att bedriva egna efterforskningar om vem som hade dödat Herbert Molin. Med största sannolikhet fanns det en enkel förklaring till att han blivit dödad. Det brukade det göra. Motivet för ett våldsbrott var nästan alltid en fråga om pengar eller om hämnd. Dessutom ingick oftast alkohol i bilden. Och gärningsmannen fanns lika ofta i en cirkel av närstående, familjemedlemmar och vänner.

Kanske Giuseppe och hans kollegor redan hade ringat in ett motiv och kunnat presentera en misstänkt gärningsman för en åklagare? Ingenting talade emot det.

Stefan såg sig omkring ännu en gång. Frågade sig vad rummet berättade om det som hade hänt. Men han hittade inga svar. Sedan begrundade han fotspåren av blod mitt på golvet. De bildade ett mönster. Det som förvånade honom var att de var så tydliga, som om de var medvetet ditsatta, inte uppkomna under en strid eller av någon som höll på att dö. Han funderade på vad kriminalteknikerna och Giuseppe hade dragit för slutsats av dem.

Sedan gick han fram till det stora sönderskjutna fönstret i vardagsrummet.

Han hajade till och hukade sig.

Ute på gårdsplanen stod en man. Han hade ett gevär i handen. Han stod alldeles orörlig och stirrade rakt mot fönstret.

5.

Stefan hann aldrig bli rädd. När han upptäckte mannen som stod ute på gården med geväret i handen tog han ett steg bakåt och hukade vid sidan av fönstret. Nästan genast hörde han hur en nyckel sattes i låset till ytterdörren. Om tanken på att det var gärningsmannen som stod ute på gården hade virvlat förbi i hans tankar så försvann den nu genast. Den man som dödat Herbert Molin hade knappast nyckel till huset.

Dörren slogs upp. Mannen blev stående i dörröppningen till vardagsrummet. Han höll vapnet längs sidan av kroppen. Stefan såg att det var ett hagelgevär.

– Här skulle inte vara nån, sa mannen. Ändå är det nån här.

Han talade långsamt och tydligt. Men han talade inte som flickan i hotellets reception. Han hade en annan dialekt. Vilken kunde Stefan dock inte avgöra.

– Jag kände han som är död.

Mannen nickade.

– Jag tror dig, sa han. Frågan är bara vem du är.

– Herbert Molin och jag arbetade tillsammans i några år. Han var polis, jag är det fortfarande.

– Det är ungefär det enda jag vet om Herbert, sa mannen. Att han varit polis.

– Vem är du?

Mannen gjorde ett tecken åt Stefan att de skulle gå ut. Han nickade mot den tomma hundgården.

– Egentligen tror jag att jag kände Shaka bäst, sa han. Bättre än jag kände Herbert. Honom kände ingen.

Stefan såg bort mot hundgården och betraktade sedan mannen vid sin sida. Han var skallig, i 60-årsåldern, mager och klädd i snickarbyxor och jacka. På fötterna hade han gummistövlar. Han släppte hundgården med blicken och såg på Stefan.

– Du undrar vem jag är, sa han. Varför jag har nyckel. Och gevär.

Stefan nickade.

– I dom här delarna av landet är avstånden stora. Jag antar att du inte mötte så många bilar på vägen. Och inte såg så många människor heller. Även om jag bor en mil härifrån kan man nog säga att jag var en av Herberts närmaste grannar.

– Vad arbetar du med?

Mannen log.

– Man brukar fråga folk om vad dom heter, sa han. Sen frågar man om arbetet.

– Jag heter Stefan. Stefan Lindman. Jag är polis i Borås. Där Herbert arbetade.

– Abraham Andersson. Men här kallas jag mest för Dunkärr eftersom jag bor på en gård som heter Dunkärret.

– Är du jordbrukare?

Mannen skrattade och spottade i gruset.

– Nej, svarade han. Inte jordbruk, inte skogen. Jo, skogen, men inte för att hugga träd. Jag spelar fiol. I tjugo år satt jag i en symfoniorkester i Helsingborg. Sen en dag hade jag plötsligt fått nog. Och flyttade hit. Det händer att jag spelar. Mest för att hålla fingrarna i gång. Gamla violinister kan få svårt med lederna om dom slutar för tvärt. Det var faktiskt så Herbert och jag träffades.

– Hur menar du?

– Jag brukar ta med mig fiolen ut i skogen. Ibland ställer jag mig bland träden där dom är som tätast. Då låter fiolen på ett sätt. Andra gånger kan jag gå upp på ett berg eller spela intill en sjö. Ljudet blir hela tiden annorlunda. Efter alla år i en konsertsal känns det som om jag fått ett nytt instrument i händerna.

Han slog ut med armen ner mot sjön som skymtade bland träden.

– Jag stod där nere och spelade. Mendelssohns violinkonsert tror jag det var, andra satsen. Då kom Herbert med hunden. Han undrade vad i helvete det var som pågick. Jag kan förstå honom. Vem väntar sig att se en gubbe med fiol ute i skogen?

Och han var arg eftersom jag befann mig på hans mark. Men vi blev vänner sen. Eller vad man nu ska kalla det.

– Vad menar du med det?

– Att ingen nog blev vän med Herbert.

– Varför?

– Han hade köpt det här huset för att få vara ifred. Men alldeles kan man inte låta bli att umgås med människor. Efter nåt år talade han om att det hängde en reservnyckel i uthuset. Varför vet jag faktiskt inte.

– Men ni umgicks?

– Nej. Men han lät mig spela nere vid sjön om jag ville. Om jag ska säga precis som det var så satte jag aldrig min fot inne i huset. Och han var aldrig hemma hos mig heller.

– Och det var aldrig nån som kom på besök?

Mannens reaktion var nästan omärklig. Men Stefan upptäckte ändå att han tvekade innan han svarade.

– Inte vad jag vet.

Alltså kom ändå någon på besök, tänkte Stefan.

– Du är med andra ord pensionär du också, sa han i stället. På samma sätt som Herbert har du dragit dig tillbaka i skogen.

Mannen skrattade på nytt.

– Inte då, sa han. Inte är jag pensionär och inte har jag dragit mig tillbaka hit till skogen. Jag skriver lite för några dansband.

– Dansband?

– En sång då och då. Hjärta och smärta. Det mesta är rena skiten. Men jag har legat på Svensktoppen rätt många gånger. Fast inte som Abraham Andersson förstås. Jag använder mig av det som kallas pseudonym.

– Vad heter du då?

– Siv Nilsson.

– Ett kvinnonamn?

– Jag hade en klasskamrat i realskolan som jag var kär i. Hon hette Siv Nilsson. Jag tänkte det kunde vara en vacker kärleksförklaring.

Stefan undrade om Abraham Andersson skämtade. Men han bestämde sig för att det han hörde var sant. Han såg på mannens händer. Fingrarna var långa och smala. Han kunde mycket väl vara violinist.

– Man kan undra vad som hände, sa mannen plötsligt. Vem som kom hit och tog livet av Herbert. Här har varit poliser ända till i går. Dom har landat folk med helikopter och dom har haft hundar ute. Poliser har sprungit i gårdarna och ställt frågor. Men ingen vet nånting.

– Ingen?

– Ingen. Herbert Molin kom nånstans ifrån och ville vara ifred. Men nån ville inte att han skulle vara ifred. Och nu är han död.

– När träffade du honom senast?

– Du ställer samma frågor som polisen.

– Jag är polis.

Andersson såg granskande på honom.

– Men du är inte härifrån. Och då kan du inte vara inkopplad på fallet.

– Jag kände Herbert. Jag har semester. Jag for hit.

Andersson nickade. Men Stefan var övertygad om att han inte blivit trodd.

– Jag är borta en vecka i månaden. Då reser jag till Helsingborg och träffar min fru. Det konstiga var väl att det skulle hända när jag inte var här.

– Varför det?

– Därför att jag aldrig är borta på samma tider. Det kan vara mitt i månaden från en söndag till en lördag. Men lika gärna från en onsdag till påföljande tisdag. Aldrig samma. Och just när jag är borta sker det.

Stefan tänkte efter.

– Du menar alltså att nån skulle ha passat på medan du var borta?

– Jag menar ingenting. Jag bara säger att det är konstigt. Jag är väl den enda som rör mig i närheten här. Förutom Herbert.

– Vad tror du det var som hände?

– Jag vet inte. Och nu ska jag gå.

Stefan följde honom till bilen som stod parkerad nedanför backen. I baksätet skymtade han en fiollåda.

– Var är det du bor? frågade han. Dunkärret?

– Strax hitom Glöte. Bara fortsätt vägen. Sex kilometer ungefär. Skylten pekar mot vänster. »Dunkärret 2«.

Andersson satte sig bakom ratten.

– Man borde ta den som har gjort det här, sa han. Herbert var konstig. Men fredlig. Han som dödade Herbert måste ha varit galen.

Stefan såg bilen försvinna. Han stod kvar ända tills ljudet var borta. Han tänkte att ljud hörs länge inne i en skog. Sedan återvände han upp mot huset och fortsatte längs stigen som ledde ner mot sjön. Hela tiden tänkte han på vad Abraham Andersson hade sagt. Ingen kände Herbert Molin. Men någon hade tydligen ändå kommit på besök. Fast Andersson hade inte velat säga vem. Han tänkte också på det som oroat Andersson. Att mordet hade skett vid en tidpunkt när han inte fanns i närheten, om nu Dunkärret kunde anses vara i närheten. Stefan stannade på stigen och tänkte efter. Det kunde bara betyda en enda sak. Att Abraham Andersson misstänkte att den som dödat Herbert Molin hade varit medveten om att Andersson varit borta. Och det i sin tur kunde bara betyda två saker. Antingen att gärningsmannen var från bygden eller att han hade hållit Herbert under uppsikt en längre tid, minst en, kanske flera månader.

Han kom ner till sjön. Den var större än han trott. Vattnet var brunt och rördes bara svagt av krusningar. Han satte sig på huk och stoppade ner ena handen. Det var kallt. Han reste sig upp och såg plötsligt sjukhuset i Borås framför sig. Det var flera timmar sedan han sist hade tänkt på det som väntade honom. Han satte sig på en sten och såg ut över sjön. På andra sidan böljade skogsåsarna och på avstånd kunde han höra en motorsåg. Jag har ingenting här att göra, tänkte han. Kanske hade Herbert Molin något skäl för att gömma sig här uppe i skogarna och tystnaden. Men det har inte jag. Tvärtom bör jag förbereda mig på vad som väntar. Min läkare har gett mig stora möjligheter att överleva. Jag är fortfarande ung, och jag är stark. Men ingen kan egentligen veta om jag kommer att klara mig eller inte.

Han reste sig upp och började gå längs vattnet. När han vände sig om var huset borta. Han var alldeles ensam nu. Han fortsatte längs den steniga stranden och stötte efter en stund på en murken roddbåt som låg uppdragen på stranden. Inne i resterna av båten fanns en myrstack. Han fortsatte utan att han egentligen visste vart han var på väg. När han kom fram till en öppning mellan träden satte han sig ner igen, den här gången på en nerfallen trädstam. Marken var upptrampad. På stammen kunde han se skåror som måste ha gjorts av en kniv. Kanske Herbert brukade gå hit, tänkte han frånvarande. Mellan alla pussel han la. Kanske tog han med sig hunden hit? Vad var det den hette? Shaka? Märkligt namn på en hund.

Han var alldeles tom i huvudet. Plötsligt kunde han bara se vägen framför sig, den långa väg han kört från Borås för att komma hit.

Sedan var det någonting som störde bilden. Något han borde tänka på. Han insåg vad det var. Det han nyss hade tänkt. Att Herbert kanske hade brukat gå hit med hunden.

Det kan också ha varit någon annan, tänkte han. Någon annan som har suttit här. Han började titta sig omkring, uppmärksamt den här gången. Platsen hade blivit röjd. Det kunde han se tydligt nu. Någon hade rensat undan i slyn och jämnat till marken. Han reste sig från trädstammen och satte sig sedan på huk mitt ute på den jämna ytan. Den var inte stor, knappast mer än tjugo kvadratmeter, men väl dold för insyn. Rotvältor och några stora klippblock gjorde det nästan omöjligt att ta sig dit om man inte gick längs vattnet. Han synade marken. Om han kisade tyckte han sig urskilja en svag rand i mossan. En fyrkant. Han kände med fingrarna i fyrkantens hörn. Det fanns håligheter där. Han reste sig upp. Ett tält, tänkte han. Om jag inte tar alldeles fel så har här funnits ett tält. Hur länge kan jag inte avgöra. Inte heller när det blivit rest eller borttaget. Men det måste ha varit i år. Snön skulle annars ha tagit bort alla märken.

Han såg sig om igen, sakta, som om varje synintryck kunde vara avgörande. I huvudet gnagde hela tiden tanken att det han höll på med var meningslöst. Men han hade ingenting annat just nu. Ingenting annat som kunde distrahera honom. Några spår efter eld kunde han inte hitta. Men det betydde ingenting. Människor i dag använde Trangiakök när de var ute i skogen. Han synade marken kring trädstammen ytterligare en gång utan att hitta något.

Sedan gick han ner till vattnet igen. Precis i strandkanten låg en stor sten. Han gick dit och satte sig. Tittade ner i vattnet och sedan på baksidan av stenen. Han trevade med fingrarna och mossan lossnade. När han skrapade den åt sidan låg där rester av cigarettfimpar. Papperet var brunt. Men det hade varit cigaretter. Även om det var uppblött fanns tobaksflagor kvar. Han grävde vidare med händerna. Överallt låg cigarettfimpar. Den som suttit på stenen hade rökt mycket. Han hittade en fimp där pappret var missfärgat men ändå hade kvar något av det vita. Han tog försiktigt upp den och letade i fickorna efter något att stoppa den i. Det enda han hittade var ett kvitto. *Sjukhuscafeterian i Borås*. Han la försiktigt cigarettfimpen i kvittot och tryckte ihop det till ett litet paket. Han fortsatte att leta och försökte tänka sig vad han själv skulle ha gjort om han hade slagit upp ett tält på platsen. Man behöver en toalett, tänkte han. Det gick att komma upp i skogen på ena sidan av det största av klippblocken. Mossan verkade också ha blivit avskavd från klippblockets kant. Han synade marken alldeles bakom. Ingenting. Sedan gick han vidare inåt skogen, meter för meter. Han tänkte på polishundarna som Abraham hade talat om. Om de inte hade fått upp någon vittring hade de knappast sökt så långt bort som till den här tältplatsen. Antingen fick de upp ett luktspår eller också inte.

Han stannade. Framför honom, alldeles intill en tallstam fanns avföring från en människa. Avföring och toalettpapper. Hans hjärta slog fortare. Nu visste han att han hade rätt. Någon hade slagit upp sitt tält nere vid sjön. En människa som rökt cigaretter och uträttat sina behov.

Ändå saknade han det viktigaste. Något som band samman tältaren med Herbert Molin. Han gick tillbaka till tältplatsen igen. Egentligen borde han söka sig fram till huvudvägen, eller någon avtagsväg där tältaren kunde haft sin bil parkerad.

Han insåg dock genast bristerna i sitt resonemang. Tältplatsen kunde vara ett noga organiserat gömställe. Det rimmade dåligt med tanken att en bil skulle ha stått parkerad nära huvudvägen. Vilka alternativ fanns? En motorcykel eller en vanlig cykel som var lättare att gömma än en bil. Eller så hade någon transporterat tältaren till platsen.

Han såg ut mot sjön. Det fanns naturligtvis också ytterligare ett alternativ. Att tältaren kommit den vägen. Frågan var då bara var båten befann sig.

Giuseppe, tänkte han. Det är med honom jag måste prata. Det finns ingen anledning att bedriva privatspaning här i hemlighet. Det är Jämtlands och Härjedalens egna poliser som ska sköta det här.

Han satte sig på tallstammen igen. Det hade blivit kyligare. Solen höll på att gå ner. Det flaxade till bland träden. När han vände sig mot det håll varifrån ljudet kommit var fågeln redan borta. Han reste sig och gick tillbaka. Runt Herbert Molins hus ruvade en ödslig tystnad. Han märkte att han frös. Kylan från händelserna som utspelats här trängde in i honom.

Han körde tillbaka mot Sveg. I Linsell stannade han vid Icabutiken och köpte en lokaltidning, *Härjedalen*, som utkom varje helgfri torsdag. Mannen vid kassan nickade vänligt. Stefan märkte att han var nyfiken.

– Det är inte så mycket främmande här på hösten, sa mannen.

På hans namnskylt stod det att han hette Torbjörn Lundell. Stefan kunde lika gärna säga som det var.

– Jag kände Herbert Molin, sa han. Vi var vänner, vi arbetade tillsammans innan han gick i pension.

Lundell såg forskande på honom.

– Polis, sa han. Klarar inte våra egna konstaplar av det här?

– Jag har ingenting med utredningen att göra.

– Men du har kommit hit ända från ... vad blir det? Halland?

– Västergötland. Jag har semester. Men det berättade alltså Herbert? Att han kom från Borås.

Lundell skakade på huvudet.

– Det var det poliserna som sa. Men han brukade handla här. En gång varannan vecka. Alltid på torsdagar. Sa aldrig ett ord i onödan. Handlade alltid samma saker. Fast han var kinkig med kaffet. Det fick jag ta hem särskilt åt honom. Franskt kaffe.

– När såg du honom senast?

– Torsdagen veckan innan han dog.

– Du märkte ingenting på honom?

– Vad skulle jag ha märkt?

– Att han var annorlunda.

– Han var som vanligt. Sa inte ett ord mer än nödvändigt.

Stefan tänkte efter. Han borde inte ha fallit in i yrkesrollen så lätt. Ryktet skulle gå att det var en polis på besök långväga ifrån som var nyfiken. Men det var en fråga han inte kunde låta bli att ställa.

– Du har inte haft några andra kunder på sista tiden. Som inte brukat vara här?

– Det frågade dom från Östersund också. Och en polis från Sveg. Och jag sa som det var, att frånsett några norrmän och en belgisk bärplockare förra veckan har jag inte haft några här som jag inte känt igen.

Stefan tackade, lämnade affären och fortsatte mot Sveg. Det hade blivit mörkt nu. Hungern gjorde sig påmind.

En fråga hade han dock fått svar på. Det fanns poliser i Sveg. Även om utredningen styrdes från Östersund.

Just innan han kom till Glissjöberg sprang en älg plötsligt över vägen. Han fångade upp den med strålkastarna och hann bromsa. Älgen försvann bland träden vid sidan av vägen. Han väntade för att se om det kom ytterligare något djur. Men vägbanan låg öde. Han fortsatte till Sveg och parkerade utanför hotellet. I receptionen satt några av männen i overaller och pratade. Han gick upp till sitt rum och satte sig på sängen. Genast var tankarna på sjukdomen tillbaka. Nu såg han sig liggande i en säng med slangar fästade till kroppen och ansiktet. Elena satt på en stol intill sängen och grät.

Han reste sig häftigt och slog ena näven hårt i väggen. Nästan genast var det någon som knackade på dörren. En av testförarna stod där.

– Ville du nåt? frågade han.

– Vad skulle jag ha velat?

– Du dunkade i väggen?

– Det måste ha kommit utifrån.

Stefan slog igen dörren i ansiktet på testföraren. Nu har jag skaffat mig min första ovän i Härjedalen, tänkte han. När jag mest av allt borde skaffa mig vänner.

Frågan ekade inom honom. Varför hade han så få vänner? Varför flyttade han inte ihop med Elena och började leva det liv han egentligen önskade? Varför levde han ett liv som gjorde att han nu stod ensam när han drabbats av en svår sjukdom? Han hittade inga svar.

Han övervägde att ringa till Elena men bestämde sig för att äta först. I matsalen valde han ett ensamt bord vid ett fönster. Han var den enda gästen i lokalen. Inifrån puben hördes en teve. Till hans förvåning var det flickan från receptionen som nu hade bytt om till servitris. Han beställde biffstek och öl. Medan han åt bläddrade han igenom tidningen han köpt i Linsell. Dödsannonserna läste han grundligt och han försökte föreställa sig sin egen. Efter maten drack han kaffe och stirrade ut i mörkret.

När han hade ätit färdigt stannade han i receptionen och valde mellan att ta en promenad och att återvända till rummet. Han valde det senare. När han kommit upp till rummet satte han sig på sängen och ringde till Elena. Hon svarade genast. Stefan fick en känsla av att hon hade suttit och väntat på att han skulle höra av sig.

– Var är du?

– I Sveg.

– Och hur är det? frågade hon försiktigt.

– Ensamt och kallt.

– Jag förstår inte varför du åkte dit.

– Inte jag heller.

– Kom hem då.

– Kunde jag skulle jag komma i kväll. Men det dröjer några dagar.

– Kan du i alla fall inte säga att du saknar mig?

– Det vet du att jag gör.

Han gav henne numret till hotellet och de avslutade samtalet. Ingen av dem tyckte om att tala i telefon. Deras samtal var ofta korta. Men Stefan kände ändå att hon fanns alldeles intill honom.

Han märkte att han var trött. Dagen hade varit lång. Han började knyta upp skorna och sparkade undan dem från sängen. Sedan la han sig ner och tittade i taket. Jag måste bestämma mig för vad jag gör här, tänkte han. Jag for hit för att försöka förstå vad som har hänt, förstå varför Herbert Molin alltid var rädd. Nu har jag sett huset där mordet skedde och jag har hittat en tältplats som kanske var ett gömställe.

Han funderade på fortsättningen. Det naturliga skulle vara att resa upp till Östersund och träffa Giuseppe Larsson.

Men efter det? Vad skulle han göra då?

Han tänkte igen att resan var meningslös. Han borde ha valt Mallorca i stället. Polisen i Jämtland skulle göra sitt arbete. En dag skulle han få veta vad som hade hänt. Någonstans fanns en gärningsman som väntade på att bli gripen.

Han la sig på sidan och såg på den svarta teverutan. Från gatan hörde han några ungdomar som skrattade. Hade han själv skrattat under dagen? Han letade i minnet utan att hitta ens ett leende. Just nu är jag inte den jag brukar vara, tänkte han. En man som ofta skrattar. Just nu är jag en man med en tumör i tungan som är rädd för vad som ska hända.

Sedan såg han på sina skor. Någonting satt fast under ena skon, upptäckte han, inkilat i en av gummisulornas mönster. En sten från grusgången, tänkte han. Han sträckte sig efter skon för att pilla loss den.

Men det var ingen sten utan en del av en pusselbit. Han satte sig upp i sängen och vred på sänglampan. Pusselbiten var mjuk och färgad av jord. Han var säker på att han inte trampat på någon bit inne i huset. Den kunde ha legat utanför huset. Ändå sa hans intuition honom något annat. Pusselbiten hade fastnat under sulan när han trampat omkring på tältplatsen.

Den som hade dödat Herbert Molin hade under en längre eller kortare tid bott i ett tält vid sjön.

6.

Upptäckten av den trasiga pusselbiten gjorde att han kvicknade till igen. Han satte sig vid bordet. I ett block började han göra anteckningar om det han hade varit med om under dagen. Det tog formen av ett brev. Men han visste först inte vem han riktade det till. Sedan insåg han att han skrev det till den läkare som väntade honom i Borås på morgonen den 19 november. Varför han skrev detta brev till henne visste han inte. Kanske för att han inte hade någon annan? Eller för att Elena inte skulle begripa vad han talade om? Överst på papperet skrev han: *Herbert Molins rädsla* och strök under orden med kraftiga streck. Sedan noterade han punkt för punkt de iakttagelser han gjort i och omkring huset och på tältplatsen. När han var färdig försökte han dra några slutsatser. Men ingenting tycktes honom säkert annat än att mordet på Molin varit välplanerat.

Klockan var tio. Han tvekade men bestämde sig ändå för att ringa hem till Giuseppe och tala om att han skulle komma till Östersund dagen efter. Han letade rätt på numret i telefonkatalogen. Det fanns många som hette Larsson men naturligtvis bara en som hette Giuseppe och var polis. Det var hans fru som svarade. Stefan förklarade vem han var. Kvinnan lät vänlig. Hon sa att Giuseppe var ute i garaget och höll på med sin hobby. Medan han väntade frågade Stefan sig vad Giuseppe kunde tänkas ha för hobby. Och varför hade han ingen själv? Förutom fotbollen? Han lyckades inte ge sig själv något svar innan Giuseppe kom i luren.

– Stefan Lindman, sa han. Från Borås. Jag hoppas jag inte ringer för sent?

– Nästan. Om en halvtimme hade jag sovit. Var är du?
– I Sveg.
– Alldeles i närheten, alltså.
Giuseppe skrattade i luren.
– För oss är nitton mil inte så långt. Vart kommer du från Borås om du kör nitton mil?
– Nästan till Malmö.
– Där ser man.
– Jag hade tänkt resa till Östersund i morgon.
– Du är välkommen. Jag är där från tidigt på morgonen. Polishuset ligger på baksidan av Glesbygdsverket. Stan är liten. Du hittar lätt. När hade du tänkt komma?
– Jag anpassar mig efter dig. När du har tid.
– Elva blir bra. Nio har vi ett möte i vår lilla behändiga mordkommission.
– Har ni nån misstänkt?
– Vi har ingenting, svarade Giuseppe glatt. Men vi ska nog lösa det här också, får vi hoppas. I morgon ska vi diskutera om vi behöver hjälp från Stockholm. Åtminstone nån som kan försöka sig på att skissera upp en profil på vad det kan vara för en gynnare vi letar efter. Kunde vara intressant. Sånt har vi inte sysslat med här uppe tidigare.
– Dom är duktiga, sa Stefan. Vi har haft hjälp av dom i Borås då och då.
– Du är välkommen klockan elva.

Efteråt gick han ut. Testföraren i rummet intill snarkade. Stefan gick så tyst han kunde nerför trappan till bottenvåningen. Rumsnyckeln användes också till ytterdörren. Receptionen var nersläckt, dörren till matsalen stängd. Klockan var halv elva. När han kom ut märkte han att det hade börjat blåsa. Han drog jackan tätt omkring sig och började gå längs de öde gatorna. Han kom till järnvägsstationen som var mörk och igenbommad. Efter att ha läst på en anslagstavla insåg han att det inte längre fanns några tåg som passerade genom Sveg. »Inlandsbanan«, tänkte han. Så tror jag linjen hette tidigare. Nu ligger här bara tomma spår. Han fortsatte sin nattvandring, passerade en park med gungor och tennisbanor och kom sedan fram till kyrkan. Porten var låst. Mitt emot skolan stod en staty av en skogshuggare. I skenet från gatlyktan försökte han tolka skogshuggarens ansiktsuttryck. Men ansiktet var stumt. Hittills hade han inte mött en enda människa. Han gick vidare och kom till en bensinstation där en korvkiosk fortfarande var öppen. Efter att ha ätit gick han tillbaka till hotellet igen. Han låg en stund i sängen och såg på teve med ljudet nerskruvat. Testförarens snarkningar hördes genom den tunna väggen.

Klockan var närmare halv fem innan han lyckades slumra till. Huvudet var fullt av tomhet.

Klockan sju hade han stigit upp igen. Huvudet malde av trötta tankar. Han satte sig för sig själv i matsalen som var full av morgonpigga testförare. Flickan från receptionen var återigen servitris.

– Har du sovit bra? frågade hon.

– Ja tack, svarade han och undrade om hon trodde honom.

När han kom till Östersund hade det börjat regna. Han irrade omkring i staden innan han kom fram till den mörka byggnad som pryddes av en skylt i rött, »Glesbygdsverket«. Han undrade för sig själv vad en sådan institution sysslade med. Underlättade nedläggningen av den svenska landsbygden?

Han hittade en parkeringsplats på en tvärgata och blev sittande i bilen. Ännu var det 45 minuter tills han skulle träffa Giuseppe. Han fällde sätet bakåt och slöt ögonen. Jag har döden i kroppen, tänkte han. Jag borde ta det på allvar. Men jag lyckas inte. Döden går inte att fånga in, åtminstone inte den egna. Att Herbert Molin är död kan jag förstå. Jag har sett spåren efter hans dödskamp. Men min egen död? Den klarar jag inte att föreställa mig. Den är som älgen som sprang över vägbanan utanför Linsell. Jag är inte säker på att den verkligen fanns, eller om det var något jag inbillade mig.

Precis klockan elva steg Stefan in genom porten till polishuset. Kvinnan som satt i receptionen var till hans överraskning mycket lik en av receptionisterna i Borås. Han undrade hastigt om polisreceptionister enligt rikspolisstyrelsens beslut skulle ha ett visst utseende.

Han förklarade vem han var.

– Giuseppe har gett besked, sa hon och pekade mot den korridor som låg närmast. Han sitter där inne, andra rummet på vänster sida.

Stefan stannade utanför den dörr där det stod Giuseppe Larsson och knackade.

Mannen som öppnade var lång och mycket kraftig. Han hade läsglasögon uppskjutna i pannan.

– Du är punktlig, sa han och nästan föste in honom i rummet och stängde dörren.

Stefan satte sig i besöksstolen. Han kände igen möblemanget från polishuset i Borås. Vi bär inte bara uniformer, tänkte han. Även våra arbetsrum är uniformerade.

Giuseppe hade satt sig i sin stol och knäppte händerna över magen.

– Har du varit här uppe tidigare? frågade han.

– Aldrig. Uppsala en gång när jag var barn. Men inte längre.

– Uppsala är ju södra Sverige. Här i Östersund har du fortfarande halva Sverige norr om. En gång var det långt till Stockholm. Men inte nu längre. Med flyg tar man sig vart som helst i Sverige på ett par timmar. På bara några årtionden har Sverige förvandlats från ett stort land till ett litet.

Stefan pekade på den stora kartan som satt på väggen.

– Hur omfattande är polisdistriktet?

– Det räcker och blir över.

– Hur många poliser finns det egentligen i Härjedalen?

Giuseppe tänkte efter.

– Fem, sex stycken i Sveg, ett par man i Hede. Plus några till utspridda, i Funäsdalen till exempel. Kanske totalt femton man, beroende på hur många som arbetar.

De blev avbrutna av att det knackade. Dörren öppnades innan Giuseppe hann reagera. Mannen som stod i dörröppningen var Giuseppes raka motsats. Han var kortvuxen och mycket mager.

– Jag tänkte Nisse skulle vara med, sa Giuseppe. Det är vi som håller i utredningen.

Stefan reste sig och hälsade. Mannen som kommit in i rummet var tillknäppt och allvarlig. Han talade mycket tyst och det var bara med svårighet som Stefan uppfattade att han hette Rundström i efternamn. Giuseppe tycktes också påverkas av hans närvaro. Han stramade upp sig i stolen och leendet hade försvunnit. Stefan insåg att stämningen plötsligt hade ändrats.

– Vi tänkte vi skulle prata lite, sa Giuseppe försiktigt. Om det ena och det andra.

Rundström hade inte satt sig ner trots att det fanns en stol ledig. Han lutade sig mot dörrkarmen och undvek att se Stefan i ögonen.

– Vi blev uppringda av en man i morse, sa han. En man som kunde meddela att en polisman från Borås höll på med efterforskningar i trakten av Linsell. Han var upprörd och undrade om den egna polisen lämnat ifrån sig utredningen.

Innan han fortsatte tog han en paus och betraktade sina händer.

– Han var verkligen upprörd, sa Rundström på nytt. Och det kan man väl säga att vi blev också.

Stefan hade blivit svettig.

– Jag kan tänka mig två möjligheter, sa han. Antingen hette den man som ringde Abraham Andersson. Han bor på en gård som heter Dunkärret. Eller också var det Ica-handlaren i Linsell.

– Det var nog närmast Lundell, sa Rundström. Men vi tycker inte om att poliser från fjärran land kommer hit och rotar i våra utredningar.

Stefan blev arg.

– Jag bedriver ingen spaning på egen hand, svarade han. Jag har talat med Giuseppe här. Jag har berättat att jag arbetade tillsammans med Molin i några år. Jag har semester, jag åkte hit. Att jag for bort till mordplatsen kanske inte är så konstigt.

– Det skapar förvirring, sa Rundström med sin låga, knappt hörbara röst.

– Jag köpte en lokaltidning, sa Stefan och dolde inte längre att han var arg. Jag sa vem jag var och jag frågade om Molin hade handlat i affären.

Rundström tog fram ett papper han hade hållit dolt bakom ryggen.

– Du frågade nog om en del annat också, sa han. Lundell hade skrivit upp vad ni pratade om. Han läste upp det för mig i telefonen.

Detta är galenskap, tänkte Stefan och tittade på Giuseppe. Men han hade slagit ner blicken och stirrade på sin mage.

För första gången såg Rundström honom rakt i ögonen.

– Vad är det nu exakt du vill veta? frågade han.

– Vem som dödade min kollega Herbert Molin.

– Det vill vi också. Vi har naturligtvis gett högsta prioritet åt utredningen. Det är mycket länge sen vi organiserade en så brett sammansatt utredningsgrupp som nu. Och vi har trots allt haft grova våldsbrott här tidigare. Vi är inte alldeles ovana.

Stefan märkte att Rundström inte försökte dölja sin motvilja mot hans närvaro. Men han insåg också att Giuseppe var illa berörd av Rundströms sätt. Det gav honom en möjlighet.

– Jag ifrågasätter naturligtvis inte ert arbete.

– Har du några uppgifter att komma med som kan ha betydelse för utredningen?

– Nej, sa Stefan, som inte ville berätta för Rundström om tältplatsen förrän han hade diskuterat sin upptäckt med Giuseppe. Jag har inga uppgifter att komma med. Jag kände inte Herbert Molin så väl att jag kan uttala mig om det liv han levde vare sig i Borås eller här. Det finns det säkert andra som kan göra bättre. Jag ska dessutom snart åka härifrån.

Rundström nickade och öppnade dörren.

– Har Umeå hört av sig än?

Giuseppe skakade på huvudet.

– Ingenting hittills i dag.

Rundström nickade kort till Stefan och stängde dörren. Giuseppe slog lamt ut med ena armen.

– Rundström kan vara lite kantig ibland. Men han menar det inte så illa.

– Han har naturligtvis rätt i att jag inte ska komma hit och lägga mig i.

Giuseppe lutade sig bakåt i stolen och betraktade honom forskande.

– Gör du det? Lägger dig i?

– Inte på annat sätt än att man ibland inte kan undgå att snubbla över olika saker.

Giuseppe såg på klockan.

– Hur länge har du tänkt stanna i Östersund? Över natten?

– Jag har inte bestämt nånting.

– Stanna då över natten. Jag arbetar här i kväll också. Kom hit nån gång efter sju. Då är det förhoppningsvis lugnt i huset. Jag har fått rycka in på krimjouren eftersom vi har många sjuka. Du kan sitta här inne hos mig.

Giuseppe pekade på några pärmar som stod på hyllan bakom honom.

– Då kan du titta igenom materialet. Sen kan vi prata.

– Och Rundström?

– Han bor i Brunflo. Han kommer garanterat inte att vara här i kväll. Ingen kommer att ställa några frågor.

Giuseppe reste sig ur stolen. Stefan förstod att samtalet var över.

– Gamla teatern är ombyggd till hotell. Ett bra hotell. Dom har säkert inte fullt så här i oktober.

Stefan knäppte jackan.

– Umeå? frågade han.

– Vi skickar våra döda dit.

– Jag trodde det var Uppsala eller Stockholm.

Giuseppe log.

– Du befinner dig i Östersund nu. Då är Umeå närmare.

Giuseppe följde honom ut i receptionen. Stefan upptäckte att han haltade lätt på ena foten. Giuseppe märkte hans blick.

– Jag halkade i badrummet. Inget farligt.

Giuseppe öppnade porten och följde med honom ut på gatan.

– Det är vinter i luften, sa han och såg granskande mot himlen.

– Herbert Molin måste ha köpt huset av nån, sa Stefan. Privat eller genom en mäklare.

– Vi har naturligtvis undersökt den saken, svarade Giuseppe. Molin köpte huset av en fristående mäklare. Inte Svensk Fastighetsförmedling eller Sparbankernas. »Glesbygdsmäklaren«. Han heter Hans Marklund och driver företaget själv.

– Vad sa han?
– Ingenting än så länge. Han har varit på höstsemester i Spanien. Han tycks ha ett hus där. Han står på min lista för i morgon.
– Han har alltså kommit hem?
– I går.
Giuseppe funderade.
– Jag kan säga ifrån till kollegorna att jag tar på mig ansvaret för att höra honom. Vilket i sin tur innebär att ingenting hindrar dig från att tala med honom.
Giuseppe skrattade till.
– Rundström kan vara lite kantig, upprepade han. Fast vem fan kan inte vara det ibland? Men han är bra.
– Hans Marklund?
– Han har kontoret hemma i villan i Krokom. Kör norrut. I Krokom ser du skylten. »Glesbygdsmäklaren«. Ring på här kvart över sju. Så hämtar jag dig.
Giuseppe försvann in genom porten. Rundströms attityd hade retat Stefan men samtidigt gett honom förnyad energi. Och Giuseppe ville hjälpa honom genom att låta honom gå igenom utredningsmaterialet. Han anade att Giuseppe därmed utsatte sig för risken att drabbas av obehag, även om det knappast kunde anses vara en direkt oegentlighet att låta en kollega från ett annat polisdistrikt ta del av utredningen.
Stefan hittade utan svårighet hotellet som Giuseppe hade föreslagit. Han fick ett rum som låg tätt under takåsarna. Efter att ha ställt in väskan gick han tillbaka till bilen. Han ringde hotellet i Sveg och talade med flickan i receptionen.
– Ingen ska ta rummet ifrån dig, sa hon.
– Jag kommer tillbaka till Sveg i morgon.
– Du kommer när du kommer.
Stefan letade sig ut ur Östersund. Det var bara två mil till Krokom, där han genast hittade fastighetsförmedlingen. Den låg i ett gult hus med en stor trädgård. En man gick omkring på gräsmattan och körde en lövslunga. Han slog av maskinen när han upptäckte Stefan. Mannen var brunbränd och i Stefans egen ålder. Han var vältränad och hade en tatuering på ena handleden.
– Letar du hus? frågade mannen.

– Inte direkt. Är du Hans Marklund?
– Det är jag.
Sedan blev han allvarlig.
– Kommer du från skattemyndigheten?
– Inte precis. Det var Giuseppe Larsson som berättade att jag kunde hitta dig här.
Hans Marklund rynkade pannan. Sedan kom han på vem det var.
– Polismannen. Jag kommer just från Spanien. Där heter många Giuseppe. Eller nåt liknande. Här i Östersund finns bara en. Är du polis?
Stefan tvekade.
– Ja, sa han sedan. Jag är polis. En gång sålde du ett hus till en man som hette Herbert Molin. Som du vet är han död.
– Vi går in, sa Hans Marklund. Dom ringde mig i Spanien och sa att han blivit mördad. Jag trodde dom skulle höra av sig först i morgon.
– Det ska dom också.
Ett av rummen på undervåningen var inrett till kontor. På väggarna satt kartor och färgbilder av olika hus som var till salu. Stefan uppfattade att villapriserna var betydligt lägre än i Borås.
– Jag är ensam här, sa Hans Marklund. Min fru och barnen är kvar en vecka till i Spanien. Vi har ett litet hus i Marbella. Ett arv efter mina föräldrar. Barnen har höstlov, eller vad det kallas.
Hans Marklund gick och hämtade kaffe och de satte sig vid ett bord där det låg olika informationspärmar.
– Jag hade en del problem med skattemyndigheten förra året, sa Hans Marklund ursäktande. Det var därför jag undrade. Och eftersom kommunen har så dålig ekonomi behöver dom väl driva in varenda krona dom kan.
– För ungefär elva år sen sålde du huset utanför Linsell till Herbert Molin, sa Stefan. Jag arbetade tillsammans med honom i Borås. Han pensionerade sig och flyttade hit. Och nu är han död.
– Vad var det som hände?
– Han blev alltså mördad.
– Varför? Av vem?

– Det vet vi inte än.
Hans Marklund skakade på huvudet.
– Det låter obehagligt. Man tänker sig alltid att vi här uppe lever i ett någorlunda fredat område. Men det kanske inte finns såna längre?
– Kanske inte. Vad minns du från den gången för elva år sen?
Hans Marklund reste sig och försvann in i ett angränsande rum. När han kom tillbaka hade han en pärm i handen. Snabbt hittade han vad han sökte.
– Den 18 mars 1988, sa han. Då gjordes avslut på affären här på mitt kontor. Säljaren var en gammal jägmästare. Köpesumman var 198 000 kronor. Inga lån. Huset betalades med en postväxel.
– Vad minns du av Herbert Molin?
Svaret överraskade Stefan.
– Ingenting.
– Ingenting?
– Jag träffade honom aldrig.
Stefan såg undrande på honom.
– Det förstår jag inte?
– Det är mycket enkelt. Det var nån annan som skötte affären. Som kontaktade mig, som såg på olika hus och som till sist bestämde sig. Mig veterligt var Molin aldrig här. Åtminstone inte som jag vet om.
– Vem hade du kontakt med?
– En kvinna vid namn Elsa Berggren. Med adress i Sveg.
Hans Marklund vände på pärmen och sköt över den till Stefan.
– Du ser fullmakten. Hon hade rätt att fatta beslut och göra affär på Molins vägnar.
Stefan såg på namnteckningen. Han mindes den nu från Borås. Det var verkligen Herbert Molin som hade skrivit under med sitt namn. Stefan la undan pärmen.
– Du träffade alltså aldrig Herbert Molin?
– Jag talade inte ens med honom i telefon.
– Hur kom du i kontakt med den här kvinnan?
– Som man brukar. Hon ringde mig.
Hans Marklund bläddrade i pärmen och pekade.

– Här har du hennes adress och telefonnummer, sa han. Förmodligen är det henne du ska tala med. Inte med mig. Det är också vad jag kommer att säga till Giuseppe Larsson. Jag undrar för övrigt om jag kommer att kunna undvika att fråga hur han har fått sitt namn. Eller vet du det?

– Nej.

Hans Marklund slog igen pärmen.

– Är det inte lite ovanligt? Att du aldrig träffar den du gör affär med?

– Jag gjorde affären med Elsa Berggren och henne träffade jag. Men Herbert Molin träffade jag aldrig. Det är inte särskilt ovanligt. Jag säljer en del andelar i fritidshus uppe i fjällen till tyskar och holländare. Dom har andra som sköter affärerna åt dom.

Stefan nickade.

– Det var alltså inget ovanligt med den här transaktionen?

– Ingenting.

Hans Marklund följde honom ut till grinden.

– Kanske ändå, sa han när Stefan hade gått ut genom grinden.

– Kanske vad då?

– Jag har ett minne av att Elsa Berggren nån gång sa att hennes klient inte ville vända sig till nån av dom stora fastighetsförmedlingarna. Jag minns nu att jag tyckte det var konstigt.

– Varför det?

– Vill man ha tag på ett hus vänder man sig kanske inte i första hand till en liten förmedling.

– Hur tolkar du det?

Hans Marklund log.

– Jag tolkar det inte alls. Jag bara säger det jag minns.

Stefan for tillbaka mot Östersund. Efter ungefär en mil körde han in på en timmerväg och slog av motorn.

Elsa Berggren, vem hon nu än var, hade av Herbert Molin fått rådet att undvika de stora fastighetsbyråerna. Varför?

Stefan kunde egentligen bara tänka sig ett enda svar.

Herbert Molin hade velat köpa sitt hus så diskret som möjligt.

Det intryck han haft redan från början hade varit riktigt. Huset där Herbert Molin hade levt de sista åren av sitt liv var egentligen inte ett hus.

Utan ett gömställe.

7.

Den kvällen företog Stefan en vandring genom Herbert Molins liv. Mellan raderna i alla de anteckningar och rapporter, utlåtanden och teknikerprotokoll som redan samlats i Giuseppe Larssons pärmar trots att utredningen inte hållit på särskilt länge, avtecknade sig en bild av Herbert Molin som han tidigare inte hade känt till. Han upptäckte förhållanden som gjorde att han blev tankfull och ibland häpnade. Den man han en gång trodde sig ha känt hade visat sig vara en helt annan människa, en fullkomlig främling.

Klockan hade varit över midnatt när han slog igen den sista pärmen. Då och då under kvällen kom Giuseppe in till honom. De förde knappast några samtal, drack bara kaffe och växlade några ord om hur kvällen för krimjouren i Östersund gestaltade sig. De första timmarna var allting lugnt. Men strax efter nio fick Giuseppe göra en utryckning för att reda ut ett inbrott i Häggenås. Han var borta i flera timmar och när han kom tillbaka hade Stefan alltså nått till slutet av den sista pärmen.

Vad hade han egentligen hittat?

En karta, tänkte han. En karta med stora vita fläckar. En människa med en historia som då och då uppvisade egendomliga luckor. En människa som ibland vikit av från en utstakad väg och försvunnit för att sedan oväntat dyka upp igen. Herbert Molin var en man vars historia var undanglidande och bitvis mycket svår att följa.

Under kvällen hade Stefan då och då gjort anteckningar. När han slagit igen den sista pärmen och lagt den åt sidan såg han på sitt anteckningsblock och repeterade det han hade kunnat läsa sig till.

Det mest överraskande för Stefan var att Herbert Molin en gång hade hetat någonting helt annat. I de utdrag från skatteverket som Östersundspolisen begärt fram visade det sig att Herbert Molin fötts under ett annat namn. Den 10 mars 1923 hade han kommit till världen på sjukhuset i Kalmar och han hade vid dopet fått namnen August Gustaf Herbert. Hans efternamn hade inte varit Molin eftersom hans föräldrar var ryttmästaren Axel Mattson-Herzén och hustrun Marianne. Det namnet hade försvunnit i juni 1951 då han av Patent- och Registreringsverket beviljats namnbyte till Molin. Samtidigt hade han växlat förnamn från August till Herbert.

Stefan hade länge blivit sittande och stirrat på namnen. Två frågor hade genast trängt sig på. Två frågor som föreföll honom vara avgörande. Varför hade Mattson-Herzén egentligen bytt sitt efternamn och samtidigt valt ett annat av sina förnamn som tilltalsnamn? Vad hade varit den utlösande orsaken? Och varför hade han bytt namn till Molin, ett efternamn som sannolikt var lika vanligt som Mattson? De flesta människor bytte bort sina efternamn för att få något som de antingen var ensamma bärare av eller som åtminstone inte var lätt att förväxla.

Stefan hade noterat Herbert Molins biografi i sitt anteckningsblock. 1951 hade August Mattson-Herzén varit 28 år gammal. Han hade då tjänat som stamanställd militär, löjtnant vid infanteriregementet i Boden. Sedan måste någonting ha hänt, tänkte Stefan, medan han långsamt sökte sig vidare i Herbert Molins historia. Åren i början av 50-talet är viktiga i hans liv. Då sker många betydande förändringar. 1951 byter han namn. Året därefter, i mars 1952, begär han avsked från det militära. Han får goda vitsord. Men ingenstans lyckas Stefan hitta någon uppgift om vad Herbert då börjar försörja sig på. Däremot gifter han sig samma år han avslutar sin militära bana, och 1953 och 1955 får han barn, först en son, döpt till Herman, och sedan en dotter, Veronica. Han flyttar med hustrun Jeanette från Boden och det finns uppgifter om att han, när han 1952 begär utflyttning från Boden, har en ny bostadsadress i Solna utanför Stockholm, på Råsundavägen 132. Det är först fem år senare, i oktober 1957, som han åter uppträder som yrkesarbetande. Då börjar han en anställning på länsmanskontoret i Alingsås. Därifrån kommer han senare att förflyttas till Borås och efter förstatligandet av polisväsendet under 60-talet blir han polisman. 1980 tar hustrun ut skilsmässa. Året därpå gifter han om sig med Kristina Cedergren, ett äktenskap som också det kommer att upplösas några år senare, 1986.

Stefan studerade sina anteckningar. Mellan mars 1952 och oktober 1957 livnär sig Herbert Molin av något som inte framgår ur utredningsmaterialet. Det är en relativt lång tid, drygt fem år. Och han har dessutom bytt namn strax innan. Varför?

När Giuseppe kom tillbaka från utryckningen till Häggenås och steg in på sitt kontor hade Stefan stått vid fönstret och sett ut på den öde gatan. Giuseppe hade fåordigt berättat om inbrottet, egentligen ett struntärende, ett uppbrutet garage och två försvunna motorsågar.

– Vi tar dom, hade han sagt. Vi har några bröder i Järpen som brukar hålla på med såna saker. Vi tar dom. Och hur går det för dig? Vad hittar du i våra pärmar?

– Det är mycket märkligt, svarade Stefan. Jag ser en man som jag trodde jag kände. Men som var helt annorlunda.

– Hur då?

– Namnbytet. Varför gör han det? Och den där egendomliga luckan i hans liv mellan 1952 och 1957.

– Jag har naturligtvis frågat mig om namnbytet, sa Giuseppe. Men vi är inte riktigt där än i utredningen, om du förstår vad jag menar.

Stefan förstod. Mordutredningar följde alltid vissa mallar. I början fanns alltid hoppet att identifiera gärningsmannen på ett tidigt stadium. Om det misslyckades började det långa och ofta tunga insamlandet och sedan nerbrytningen av materialet.

Giuseppe gäspade.

– Det har varit en lång dag, sa han. Jag behöver sova eftersom morgondagen kommer att bli lika lång. När har du tänkt resa tillbaka till Västergötland?

– Jag vet inte.

Giuseppe gäspade igen.

– Jag förstod på dig att du hade nåt du ville berätta, sa han. Jag såg det på dig när Rundström var inne här. Frågan är om det kan vänta till i morgon?

– Det kan vänta.

– Du har alltså inte en gärningsman att visa fram?

– Nej.

Giuseppe reste sig upp ur stolen.

– Jag kommer till hotellet i morgon. Vi kanske kan äta frukost tillsammans? Halv åtta?

Stefan nickade. Giuseppe ställde tillbaka pärmarna och släckte skrivbordslampan. De gjorde sällskap ut genom den nersläckta receptionen. I ett inre rum satt en ensam polisman som tog emot inkommande larm.

– Det handlar alltid om motivet, sa Giuseppe när de kommit ut på gatan. Nån ville mörda Herbert Molin. Så mycket är säkert. Han var ett utvalt offer. Nån såg i honom ett motiv att begå mord.

Sedan gäspade han igen.

– Men det kan vi tala om i morgon.

Giuseppe gick till sin bil som han hade parkerat en bit bort på gatan. Stefan vinkade åt honom när han körde iväg. Sedan gick han uppför backen och svängde till vänster. Staden var öde.

Han märkte att han frös.

Och han tänkte på sin sjukdom.

Klockan halv åtta när Stefan kom ner i frukostmatsalen satt Giuseppe redan och väntade på honom. Han hade valt ett hörnbord där de skulle kunna vara ostörda. Medan de åt berättade Stefan om sitt möte med Abraham Andersson och den vandring längs sjön som lett honom till fyndet av tältplatsen. När han kommit så långt sköt Giuseppe undan sin halvätna omelett och lyssnade uppmärksamt. Stefan tog upp det lilla paket där han lagt tobaksresterna och pusselbiten.

– Jag antar att hundarna aldrig letade så långt bort, slutade han. Frågan är om det kan vara värt att skicka tillbaka en patrull.

– Det fanns ingenting att gå på, svarade Giuseppe. Vi fick ner tre hundar med helikopter dagen efter det att vi hade hittat honom. Men dom fick aldrig upp några spår.

Sedan tog han upp sin portfölj som stod på golvet och tog fram en fotostatkopia av den kartbild som visade området kring Herbert Molins hus. Stefan tog en tandpetare och letade rätt på den plats som borde vara den rätta. Giuseppe satte på sig ett par läsglasögon och studerade kartan.

– Det står några skoterspår markerade, sa han. Men det finns ingen bilväg som leder fram till platsen. Den som slagit läger där måste ha gått minst två kilometer genom besvärlig terräng. Om han inte använt sig av uppfarten till Molins hus. Men det är knappast troligt.

– Hur är det med sjön?

Giuseppe nickade.

– Det är möjligt. På andra sidan finns ett par timmervägar som har vändplatser alldeles intill sjökanten. Med en gummibåt eller en kanot kan man naturligtvis paddla över.

Han studerade kartan ytterligare några minuter. Stefan väntade.

– Du kan ha rätt, sa Giuseppe och sköt undan kartan.

– Jag bedrev ingen spaning. Jag råkade bara komma till platsen.

– Det är sällan poliser »råkar« nånting. Du kan ha letat efter nånting utan att ha varit medveten om det, sa Giuseppe och övergick till att studera tobaksresterna och pusselbiten.

– Jag tar med det här till teknikerna, fortsatte han. Din fyndplats måste naturligtvis också undersökas.

– Vad kommer Rundström att säga?

Giuseppe log.

– Ingenting hindrar ju att det var jag som hittade den där tänkbara tältplatsen.

De gick båda och hämtade påfyllning. Stefan märkte att Giuseppe fortfarande haltade.

– Vad sa mäklaren?

Stefan berättade. Återigen lyssnade Giuseppe med stor uppmärksamhet.

– Elsa Berggren?

– Jag har hennes adress och telefonnummer.

Giuseppe kisade mot honom.

– Har du talat med henne?

– Nej.

– Kanske bäst att du låter mig göra det.

– Naturligtvis.

– Du har gjort bra iakttagelser, sa Giuseppe. Men Rundström har förstås rätt i att vi måste sköta den här saken själva. Jag ville ge dig möjlighet att se vad vi har kommit fram till. Men längre än så kan jag inte släppa in dig.

– Det räknade jag inte med heller.

Giuseppe tömde långsamt sin kaffekopp.

– Varför kom du egentligen till Sveg? frågade han när han hade ställt ifrån sig koppen.

– Jag är sjukskriven. Jag hade inget att göra. Trots allt kände jag Herbert Molin ganska väl.

– Åtminstone trodde du det.

Stefan insåg att mannen som satt mitt emot honom var någon han däremot inte alls kände. Ändå fick han ett stort behov av att berätta om sin sjukdom. Det var som om han plötsligt inte längre orkade bära sitt elände ensam.

– Jag reste bort från Borås eftersom jag är sjuk, sa han. Jag har cancer och väntar på att få börja behandlingen. Jag valde mellan Mallorca och Sveg. Jag valde Sveg eftersom jag undrade över det som hade hänt Herbert Molin. Nu frågar jag mig om jag gjorde rätt.

Giuseppe nickade. De satt tysta någon minut.

– Människor brukar alltid fråga varifrån jag fått mitt namn, sa Giuseppe. Du har inte frågat. Eftersom du har tänkt på nånting annat. Jag undrade just vad det var. Vill du tala om det?

– Jag vet inte. Egentligen inte. Men jag ville att du skulle veta.

– Då frågar jag ingenting heller.

Giuseppe böjde sig ner mot väskan igen och tog upp ett anteckningsblock. Han bläddrade fram till sidan han sökte och vände sedan blocket mot Stefan. Sidan innehöll en skiss av fotsteg som bildade ett mönster. Stefan kunde genast se att de föreställde blodspåren inne i Molins hus. Han hade blivit påmind om dem kvällen innan på fotografier som funnits i Giuseppes pärmar. Samtidigt insåg han att han inte hade talat om för Giuseppe att han hade varit inne i huset. Att inte låtsas om det skulle bara vara dumt. Abraham Andersson hade sett honom och skulle säkert bli hörd av polisen igen.

Han sa som det var. Giuseppe tycktes inte bli förvånad och återvände genast till blocket.

– Det här föreställer dom grundläggande stegen i den fascinerande dans som kallas tango.

Stefan såg undrande på honom.

– Tango?

– Det råder inga tvivel om den saken. Men det betyder alltså att nån släpat omkring med Molins kropp och avsatt blodiga fotavtryck. Jag antar att du läste igenom rättsläkarens preliminära rapport? Ryggen sönderpiskad av remmar som torde härröra från huden av ett tills vidare ej fastslaget djur. Och fotsulorna sönderslagna på samma sätt.

Stefan hade läst rättsläkarens rapport med stort obehag. Bilderna hade varit förfärliga.

– Man kan undra över det här, fortsatte Giuseppe. Vem drar omkring med honom över golvet? Varför? Och vem är det egentligen som ska se dom här blodiga avtrycken?

– Det kan naturligtvis vara en hälsning till polisen.

– Riktigt. Men fortfarande kvarstår frågan: varför?

– Du har förstås tänkt på möjligheten att dom kan ha blivit fotograferade eller avfilmade?

Giuseppe stoppade tillbaka anteckningsblocket i väskan.

– Det leder oss också fram till slutsatsen att det här inte är nåt vanligt litet skitmord. Här har varit andra krafter i rörelse.

– En galning?

– En sadist. Vad var det egentligen som Molin utsattes för?

– Tortyr?

Giuseppe nickade.

– Nånting annat kan det knappast kallas. Och det gör mig bekymrad.

Giuseppe stängde väskan.

– Brukade Herbert Molin dansa tango under sina år i Borås?

– Inte vad jag vet.

– Vi kommer naturligtvis att få reda på det förr eller senare.

Ett barn började skrika någonstans i frukostmatsalen. Stefan såg sig runt i rummet.

– Det här var teaterns foajé, sa Giuseppe. Där bakom bardisken låg själva salongen.

– Det fanns en gammal vacker träteater i Borås en gång, sa Stefan. Men den byggde man inte om till hotell. Den rev man. Det var många som blev upprörda den gången.

Barnet fortsatte att skrika. Stefan följde med Giuseppe ut i receptionen.

– Du kanske borde resa till Mallorca ändå, sa Giuseppe. Jag kan hålla dig underrättad om vad som händer.

Stefan svarade inte. Men Giuseppe hade naturligtvis rätt. Det fanns ingen orsak längre för honom att stanna kvar i Härjedalen.

De skildes ute på gatan. Stefan gick tillbaka upp till sitt rum, hämtade väskan, betalade och lämnade Östersund. På raksträckorna ner mot Svenstavik körde han alldeles för fort. Sedan saktade han ner. Han försökte fatta ett beslut. Om han genast återvände till Borås skulle han fortfarande ha tid att resa söderut. Till Mallorca eller vart som helst. Två veckor kunde han vara borta. Att stanna kvar i Sveg skulle bara öka hans oro. Dessutom hade han lovat Giuseppe att inte blanda sig i mordutredningen mer än han redan hade gjort. Giuseppe hade låtit honom ta del av utredningsmaterialet. Nu kunde han inte fortsätta att krypa in under avspärrningsbanden. Det var polisen i Östersund som skulle söka reda på motivet till Herbert Molins död. Det var de som skulle spåra gärningsmannen.

Beslutet fattade sig självt. Han skulle resa tillbaka till Borås redan dagen efter. Utflykten till Sveg var slut.

Han fortsatte att köra långsamt. Hastighetsmätaren låg strax över 60 kilometer. Gång på gång blev han passerad av förare som betraktade honom undrande genom sidorutan. I tankarna malde det han hade läst i Giuseppes pärmar kvällen innan. Själva utredningen tycktes skötas omsorgsfullt och effektivt. När larmet kommit till polisen hade krimjouren reagerat enligt regelboken. De första poliserna hade snabbt varit på plats, avspärrningen hade skett som den skulle, tre hundpatruller hade kommit med helikopter från Östersund och polisteknikernas arbete verkade också ha blivit grundligt utfört. Att Stefan hade hittat tältplatsen var en ren tillfällighet. Förr eller senare hade någon av poliserna gjort samma upptäckt. Förhöret med Hanna Tunberg hade bekräftat bilden av Herbert Molin som en enstöring. Av den dörrknackning som pågick hade de dragit en entydig slutsats. Ingen hade lagt märke till misstänkta rörelser av fordon eller människor i trakten. Torbjörn Lundell i Ica-butiken i Linsell hade inte kunnat märka att Herbert Molin varit orolig eller hade förändrat sina varor.

Allt var som vanligt, tänkte Stefan.

Men in i den orörliga bilden kommer någon, troligen paddlande över en sjö, som slår upp sitt tält och sedan går till anfall mot den pensionerade polismannen. Han dödar hunden och han använder tårgas. Sedan släpar han runt den döde eller döende mannen på golvet och avsätter medvetet utvalda fotavtryck. Steg som bildar de grundläggande rörelserna i tango. Därefter paddlar han bort över sjön igen och tystnaden återvänder till skogen.

Stefan tyckte plötsligt att han kunde dra två försiktiga slutsatser. Den ena att hans tidigare tanke varit riktig. Herbert Molin och hans rädsla hade fört honom till gömstället i skogen.

Den andra slutsatsen var då logisk. Någon hade lyckats leta reda på hans gömställe.

Men varför?

I början av 1950-talet hände någonting, tänkte han. Herbert Molin lämnar sin militära bana och försvinner bakom ett nytt namn. Han gifter sig och får två barn. Ändå finns det en lucka beträffande förvärvsarbete i Herbert Molins liv, innan han 1957 dyker upp på länsmanskontoret i Alingsås.

Kunde händelser som låg nästan femtio år tillbaka i tiden ha hunnit ikapp honom i dag?

Han kom inte längre. Tankarna tog slut. Han stannade i Ytterhogdal och fyllde på bensin innan han fortsatte till Sveg och ställde bilen utanför hotellet. Det satt en man i receptionen som han inte sett tidigare, men som nickade vänligt och gav honom nyckeln. Stefan gick upp till sitt rum, tog av sig skorna och sträckte ut sig på sängen. Från rummet intill hördes en dammsugare. Han satte sig upp. Varför gav han sig inte av redan i dag? Han skulle inte hinna tillbaka till Borås men han kunde stanna någonstans på vägen. Sedan la han sig ner igen. Han skulle inte kunna uppbåda den energi som var nödvändig för att organisera en resa till Mallorca. Tanken på att återvända till lägenheten på Allégatan gjorde honom betryckt. Där skulle han bara bli sittande orolig och tänka på det som väntade honom.

Han blev liggande på sängen, oförmögen att fatta något beslut. Dammsugaren tystnade. När klockan blivit ett bestämde han sig för att äta lunch, trots att han inte kände sig hungrig. Någonstans måste det också finnas ett bibliotek. Där skulle han sätta sig och läsa allt han kunde komma över om vad det innebar att få strålbehandling. Läkaren i Borås hade förklarat det för honom. Men nu kändes det som om han hade glömt alltihop. Eller han kanske inte ens hade lyssnat? Eller inte kunnat ta till sig vad det innebar?

Han satte på sig skorna igen och bestämde sig för att byta skjorta. Han slog upp locket till väskan som stod på ett litet rangligt bord intill dörren till badrummet. När han sträckte sig efter skjortan som låg hopvikt överst hejdade han sig mitt i rörelsen. Först visste han inte vad som hade stoppat honom. Men någonting var annorlunda. Han tänkte att han inbillade sig, men visste att det inte var sant. Av sin mor hade han lärt sig hur man packade en väska. Han kunde vika ihop sina skjortor så att de inte skrynklades och han hade gjort det till en pedantisk vana att alltid ordentligt tänka igenom sin packning.

Ännu en gång tänkte han att han inbillade sig.

Sedan insåg han att någon hade rört om innehållet i hans väska. Inte mycket. Men tillräckligt för att han skulle märka det.

Långsamt gick han igenom innehållet. Ingenting fattades.

Men han var säker. Någon hade gått igenom hans resväska under den tid han hade varit i Östersund.

Det kunde naturligtvis ha varit en nyfiken och klåfingrig städerska. Men det trodde han inte på.

Någon annan hade varit inne i hans rum och undersökt hans bagage.

8.

Stefan gick ilsket ner till receptionen. Men när flickan som nu hade återkommit log mot honom kom han av sig. Det måste ha varit städerskan. Hon hade råkat stöta till väskan så att den ramlat i golvet. Allt annat var inbillning. Ingenting hade heller kommit bort. Han nickade bara, la nyckeln på disken och gick ut. På trappan blev han sedan stående och undrade vad han skulle göra. Det var som om han alldeles hade tappat förmågan att fatta ens de enklaste beslut. Han kände med tungan mot tänderna. Knölen fanns kvar. Jag bär döden i munnen, tänkte han. Om jag överlever det här lovar jag mig själv att alltid vakta min tunga. Han skakade på huvudet åt sin idiotiska tanke och bestämde sig samtidigt för att undersöka var Elsa Berggren bodde. Visserligen hade han lovat Giuseppe att inte tala med henne, men han kunde ändå ägna en stund åt att ta reda på var hon bodde. Han gick tillbaka in i receptionen. Flickan bakom disken talade i telefon och han studerade en karta som satt på väggen. Gatuadressen hittade han på andra sidan älven i något som hette Ulvkälla. Det fanns en annan bro, en gammal järnvägsbro, han kunde använda för att ta sig över älven.

Han lämnade hotellet. Ett tungt molntäcke hängde över Sveg. Han gick över gatan, stannade till vid fönstret där lokaltidningen hade sin redaktion och läste om mordet på Herbert Molin. Efter något hundratal meter längs Fjällvägen kom han fram till järnvägsövergången och svängde vänster. Bron som låg framför honom hade välvda bågspann. Han stannade mitt ute på den och såg ner i det bruna vattnet innan han fortsatte. Elsa Berggrens hus låg till vänster när han kommit över älven. Det var ett vitt trähus inne i en välvårdad trädgård. Intill huset fanns ett garage. Dörrarna stod öppna men där fanns ingen bil. Medan han gick förbi betraktade han huset och tyckte sig se en svag rörelse i en gardin på nedervåningen i tvåvåningshuset. Han fortsatte. En man stod på gatan och stirrade upp mot himlen. Han vred på huvudet och nickade mot Stefan.

– Blir det snö? frågade han.

Stefan tyckte om dialekten. Det fanns något vänligt, nästan oskuldsfullt i den.

– Kanske, svarade Stefan. Men är det inte lite tidigt? I oktober?

Mannen skakade på huvudet.

– Här kan det snöa i september, sa han. Och i juni.

Mannen var gammal. Hans ansikte var fårat och han var slarvigt rakad.

– Letar du efter nån? frågade han utan att försöka dölja sin nyfikenhet.

– Jag är bara på besök. Och tog en promenad.

Stefan bestämde sig hastigt. Han hade lovat Giuseppe att inte tala med Elsa Berggren. Men han hade inte lovat att låta bli att tala *om* henne.

– Ett vackert hus, sa han och pekade mot det vita hus han just gått förbi.

Mannen nickade.

– Elsas hus är alltid välskött. Trädgården också. Känner du henne?

– Nej.

Mannen såg på honom som om han väntade på en fortsättning.

– Jag heter Björn Wigren, sa han sedan. Den längsta resa jag gjort i mitt liv var till Hede en gång. Alla människor reser nu för tiden. Men inte jag. Jag bodde på andra sidan älven när jag var barn. Men sen flyttade jag hit. Fast en gång måste jag flytta tillbaka över älven. Till kyrkogården.

– Jag heter Stefan. Stefan Lindman.

– Och du är på besök?

– Ja.

– Har du släkt här?

– Nej. Egentligen är jag bara på genomresa.

– Och du är ute på en promenad?
– Ja.
Samtalet tog slut. Wigrens nyfikenhet var vänlig, inte alls påträngande. Stefan försökte komma på ett sätt att leda in samtalet på Elsa Berggren.
– Jag har bott här i mitt hus sen 1959, sa mannen plötsligt. Men jag har aldrig varit med om att nån främmande tagit en promenad här. Åtminstone inte i oktober.
– Nån gång ska vara den första.
– Du kan få kaffe, sa mannen. Om du vill? Min fru är död, barnen bor på andra orter.
– Det kunde vara gott.
De gick in genom grinden. Kanske hade Björn Wigren stått ute på gatan för att fånga in någon som kunde dela hans ensamhet? Huset de kom in i var byggt i ett plan. I tamburen hängde Zigenarkvinnan med det blottade bröstet, i vardagsrummet Fiskargubben. Men där fanns också några jaktsouvenirer, bland annat en älgkrona. Stefan räknade till fjorton taggar och undrade hastigt om det var mycket eller lite. På köksbordet stod en termos och ett fat med bullar övertäckta med en handduk. Wigren ställde fram ytterligare en kopp på bordet och bjöd honom att sitta ner.
– Vi behöver inte prata, sa han överraskande. Man kan dricka kaffe med en okänd och vara tyst.
De drack kaffe och åt varsin kanelbulle. En klocka på köksväggen slog ett kvartsslag. Stefan undrade för sig själv vad människor hade gjort tillsammans innan kaffet hade kommit till landet.
– Jag förstår att du är pensionär, sa Stefan och reagerade genast på sin idiotiska replik.
– I trettio år arbetade jag i skogen, svarade Björn Wigren. Jag kan ibland tänka att det var ett fullständigt obegripligt slit. Timmerhuggarna var slavar under skogsbolagen. Jag tror heller inte människor förstår vilken välsignelse från himlen det var när motorsågarna dök upp. Sen fick jag värk i ryggen och slutade. Jag arbetade på Vägverket dom sista åren. Om jag var till nån nytta vet jag inte. Jag stod mest vid en maskin och slipade skridskor till skolungar. Men en vettig sak gjorde jag dom där

åren på Vägverket. Jag lärde mig engelska. Satt på kvällarna och knotade med böcker och kassetter. Ofta var jag nära att ge upp. Men jag gav mig fan på att lyckas. Sen gick jag i pension. Två dar efter det att jag gjort min sista arbetsdag dog min hustru. Jag vaknade på morgonen. Då var hon redan kall. Det är sjutton år sen nu. Jag fyllde 82 i augusti.

Stefan rynkade pannan. Att Björn Wigren var över åttio hade han svårt att förstå.

– Jag ljuger inte, sa Wigren som tydligen förstått hans undran. Jag är 82 år gammal och jag är vid så god hälsa att jag nog kan räkna med att leva tills jag blir nittio och väl det. Om det nu ska tjäna nånting till.

– Jag har cancer, sa Stefan. Jag vet inte ens om jag blir fyrtio.

Orden kom från ingenstans. Wigren höjde på ögonbrynen.

– Det måste vara ovanligt att en människa meddelar en annan människa att hon har cancer, utan att dom känner varandra.

– Jag vet inte varför jag sa det.

Björn Wigren föste fram bullfatet.

– Du sa det väl för att du behövde säga det. Om du vill prata så lyssnar jag.

– Helst inte.

– Då gör vi inte det heller. Om du vill vara tyst går det bra, om du vill prata går det också bra.

Stefan insåg plötsligt hur han skulle kunna styra in samtalet på Elsa Berggren.

– Om man vill köpa ett hus här i trakten, ett sånt som grannhuset, vad skulle det kosta?

– Elsas hus? I dom här trakterna är husen billiga. Jag brukar läsa annonssidorna ibland. Inte i tidningarna. Men på internet. Jag tänkte att det var väl fan också om jag inte skulle kunna lära mig hantera det där. Det går inte så snabbt, men tid har jag ju gott om. Jag har en dotter i Gävle som arbetar åt kommunen. Hon kom hit med en dator och lärde mig. Nu brukar jag chatta med en gubbe som är 96 år. Han heter Jim och bor i Kanada och jobbade också i skogen. Det finns allt i den där datorn. Vi håller just på att bilda ett torg där gamla skogshuggare ska kunna prata skit med varandra. Vad har du för favoritplatser på webben?

– Jag vet ingenting om det där. Jag har inte ens nån dator.
Mannen på andra sidan bordet såg plötsligt bekymrad ut.
– Det bör du nog skaffa dig. Särskilt om du är sjuk. Det finns mycket folk ute i världen som har cancer. Det har jag sett. Jag slog en gång på skelettcancer som är det värsta jag kan tänka mig. Jag fick 250 000 träffar.
Han avbröt sig.
– Jag ska naturligtvis inte prata om cancer, sa han. Det sa du själv.
– Det gör ingenting. Dessutom har jag inte cancer i skelettet. Åtminstone inte vad jag vet.
– Jag tänkte mig inte för.
Stefan återvände till frågan om huspriserna.
– Ett hus som Elsas, vad skulle det kosta?
– Ett par tre hundra tusen. Knappast mer. Men jag tror inte Elsa har några tankar på att sälja.
– Bor hon ensam?
– Hon har nog aldrig varit gift. Hon kan vara lite snörpig ibland. Jag tänkte nån gång sen hustrun dött att jag kanske skulle försöka lägga an på Elsa. Men det ville hon inte.
– Hur gammal är hon?
– Sjuttiotre, tror jag.
Alltså ungefär jämngammal med Herbert Molin, tänkte Stefan.
– Har hon alltid bott här?
– När vi byggde fanns hon här. Det var i slutet av 50-talet. Nog har hon haft huset i minst fyrtio år.
– Vad arbetade hon med?
– Hon sa att hon varit lärarinna innan hon kom hit. Men det tror jag vad jag vill om.
– Varför det?
– Vem blir pensionär när man knappt fyllt trettio? Inte är det nåt fel på henne heller.
– Hon måste ha levt av nånting?
– Hon ärvde sina föräldrar. Det var då hon flyttade hit. Säger hon.
Stefan försökte tänka efter.
– Hon var alltså inte född här? Hon kom nånstans ifrån?

– Skåne tror jag det var. Eslöv? Kan det ligga där nere där Sverige tar slut?

– Det stämmer. Och hon kom hit. Varför hit? Hade hon släktingar här?

Björn Wigren såg roat på honom.

– Du pratar som en polis. Man kunde nästan tro att du höll på att förhöra mig.

– Jag är lika nyfiken som alla andra. Man undrar ju varför nån överhuvudtaget flyttar hit från Skåne om det inte är för att gifta sig eller för att man hittat sitt drömjobb, svarade Stefan och insåg att han nu begick en stor dumhet genom att inte säga som det var.

– Jag har undrat över det där också. Hustrun med. Men man frågar inte i onödan. Elsa är snäll och hjälpsam. Hon passade ungarna åt hustrun när det behövdes. Men inte vet jag varför hon kom hit. Inte hade hon nån släkt här heller.

Björn Wigren tystnade tvärt. Stefan väntade. Han anade att det skulle komma en fortsättning.

– Man kan säga att det är underligt, sa han när han bröt tystnaden. Jag har bott granne med Elsa i fyrtio år. En hel generation. Och jag vet inte varför hon köpte huset här i Ulvkälla. Men det finns en sak som är ännu underligare.

– Vad då?

– Under alla dom här åren har jag aldrig satt min fot inne i hennes hus. Inte hustrun heller när hon levde. Eller barnen när dom växte upp. Jag vet ingen som nånsin har varit inne hos henne. Och det får man nog säga är lite underligt.

Stefan nickade långsamt. Det finns något i Elsa Berggrens liv som påminner om Herbert Molins, tänkte han. Båda kommer någonstans ifrån och lever ensamma liv. Frågan är om det jag tror Herbert Molin gjorde, att han gömde sig för någonting, också gäller för Elsa Berggren. Det var hon som hade köpt huset åt honom. Men varför? Under vilka omständigheter hade de lärt känna varandra? Hade de också någonting annat gemensamt?

Nästa fråga var given.

– Hade hon aldrig några besök?

– Aldrig.

– Det låter inte rimligt.
– Det är det kanske inte heller. Men ingen av oss såg nånsin en enda människa stiga in i hennes hus. Och inte komma ut ur det heller, för den delen.
Stefan bestämde sig för att avsluta samtalet. Han såg på sin klocka.
– Jag måste nog gå nu, sa han. Men du ska ha tack för kaffet.
De reste sig och lämnade köket. Stefan pekade på fjortontaggaren på väggen i vardagsrummet.
– Den sköt jag när jag var med i ett jaktlag ner mot Lillhärdal.
– Var den stor?
Björn Wigren brast i skratt.
– Den största jag sköt. Annars skulle den knappast ha suttit där på väggen. När jag dör hamnar den på soptippen. Ingen av mina ungar vill ha den.
Björn Wigren följde honom ut.
– Det kan bli snö mot natten, sa han efter att ha kastat en blick mot himlen.
Sedan såg han på Stefan.
– Inte vet jag varför du frågar allt det här om Elsa. Och inte ska jag säga nånting heller. Men kanske du en dag kommer in här i köket igen och berättar.
Stefan nickade. Han hade gjort rätt i att inte underskatta Björn Wigren.
– Lycka till med cancern, sa mannen till avsked. Jag menar: lycka till med att bli frisk.

Stefan gick tillbaka samma väg han hade kommit. Fortfarande stod det ingen bil inne på Elsa Berggrens gård. Garaget gapade tomt. Han kastade en blick mot fönstren. Gardinerna rörde sig inte. När han kom ut på bron stannade han återigen och såg ner i vattnet. Skräcken för sjukdomen kom och gick i vågor. Han kunde inte längre skjuta undan tankarna på det som väntade. Det han sysselsatte sig med, att ströva runt i utkanterna av mordet på Herbert Molin, var en terapi med begränsad effekt.
Han fortsatte in mot samhället och letade sig fram till biblioteket som låg i medborgarhuset. I foajén stod en uppstoppad björn och stirrade på honom. Han fick plötsligt lust att kasta sig

över björnen och mäta sina krafter med den. Tanken gjorde att han brast i skratt. En man med papper i händerna som passerade såg nyfiket på honom.

Stefan gick in i biblioteket och letade sig fram till den medicinska litteraturen. Men när han hade satt sig vid ett bord med en bok som innehöll information om olika cancersjukdomar förmådde han inte öppna den. Det är för tidigt, tänkte han. En dag till. Men inte mer. Sedan måste jag angripa den här situationen, inte begrava den längre under mina meningslösa efterforskningar kring vad som hände Herbert Molin.

När han kom ut ur medborgarhuset kände han sig återigen obeslutsam. Ilsket började han marschera tillbaka mot hotellet. På vägen bestämde han sig för att stanna vid Systembolaget. Han hade inte fått några restriktioner av läkaren i Borås. Säkert var det inte lämpligt att han drack. Men just nu brydde han sig inte om det. Han köpte två flaskor vin och valde som vanligt ett italienskt märke. Just när han kommit ut på gatan igen ringde telefonen. Han ställde ner påsen och svarade. Det var Elena.

– Jag undrar bara varför du inte ringer.

Stefan fick genast dåligt samvete. Han kunde höra på hennes röst att hon var ledsen och sårad.

– Jag mår inte bra, svarade han urskuldande.

– Är du fortfarande i Sveg?

– Var skulle jag annars vara?

– Vad gör du där egentligen?

– Jag vet inte. Jag väntar kanske på att gå på Herbert Molins begravning.

– Vill du att jag ska komma? Jag kan ta ledigt.

Han var nära att svara ja. Ja, han ville att hon skulle komma.

– Nej, sa han. Jag tror jag mår bäst av att vara ensam.

Hon upprepade inte sin fråga. Samtalet fortsatte en stund utan att något blev sagt. Efteråt undrade han varför han inte talade sanning. Varför sa han inte till Elena att han saknade henne? Att han inte alls mådde bra av att vara ensam? Det var som om han förstod mindre och mindre av sig själv. Och allt på grund av den där förbannade knölen inne i munnen.

Han bar hem påsen till hotellet. Flickan stod ute i receptionen och vattnade blommor.

– Har du allt du behöver? frågade hon.
– Allt är bra, svarade han
Hon hämtade nyckeln åt honom, utan att ställa ifrån sig vattenkannan.
– Tänk att det redan börjar gråna, sa hon. Oktober. Och det värsta ligger framför en. Hela jävla förbannade vintern.
Hon återvände till blommorna. Stefan gick till sitt rum. Väskan var som han hade lämnat den. Han ställde påsen med vinflaskorna på bordet. Klockan var några minuter över tre. Det är för tidigt, tänkte han. Jag kan inte sätta mig och dricka vin mitt på eftermiddagen.
Han stod orörlig på golvet och såg ut genom fönstret. Sedan bestämde han sig hastigt. Han skulle hinna ut till sjön där han hittat resterna av tältplatsen Men han skulle åka till den andra sidan, till de timmervägar som Giuseppe hade talat om. Han räknade inte med att hitta någonting. Men han skulle ändå få tiden att gå.

Det tog honom en dryg timme att leta sig fram till en av timmervägarna. På kartan kunde han se att sjön hette Stångvattnet. Den var långsmal och bredast just där timmervägen hade sin vändplats alldeles intill sjökanten. Han steg ur bilen och gick ner till vattnet. Det hade redan börjat skymma. Han stod stilla och lyssnade. Det enda som hördes var det svaga bruset från träden. Han försökte erinra sig om han i utredningsmaterialet i Östersund hade sett något om vädret under det dygn då Herbert Molin blev mördad. Men det hade inte funnits någonting. Han tänkte att även om det varit stark motvind borde ljuden av skotten ha kunnat vandra över sjön ända hit.
Men vad var det egentligen som sa att någon hade befunnit sig här under morddygnet?
Ingenting. Absolut ingenting.
Han stod kvar vid vattnet tills det blev mörkt. Vindkårar drog fram över vattnet. Sedan var det stilla igen. Han tänkte att han egentligen aldrig i sitt liv hade befunnit sig ensam i en skog. Frånsett den gång han och Molin hade jagat den förrymde mördaren utanför Borås och han hade upptäckt kollegans rädsla.
Varför flyttade Herbert Molin hit? tänkte han igen. För att

han ville ha en tillflyktsort, ett gryt där han kunde krypa in och gömma sig? Eller låg det någonting annat bakom?

Han tänkte på det Björn Wigren hade sagt. Att Elsa Berggren aldrig fick några besök. Det hindrade inte att Molin kunde ha fått besök av henne.

Det fanns två frågor han borde ha ställt till Björn Wigren om han hade tänkt sig för.

Brukade Elsa Berggren vara borta om nätterna? Tyckte hon om att dansa?

Två enkla frågor som kunde ha gett honom många svar.

Det slog honom att det faktiskt varit Molin som en gång hade lärt honom denna enkla polisiära sanning. Ställde man rätt fråga i rätt ögonblick kunde man få många svar på en och samma gång.

Det skrapade till i mörkret bakom honom. Han ryckte till. Sedan var det tyst igen. En gren som bröts, tänkte han. Eller ett djur.

Sedan orkade han inte tänka mer på vare sig Herbert Molin eller Elsa Berggren. Det var meningslöst. Från och med i morgon skulle han ägna sina krafter åt att försöka förstå vad som höll på att hända med honom själv. Och han skulle lämna Härjedalen. Han hade ingenting här att göra. Det var Giuseppe Larsson som skulle försöka tränga igenom väven och leta sig fram till ett motiv och en gärningsman. Själv skulle han använda sin energi till att förbereda sig inför en strålbehandling.

Han dröjde sig kvar ytterligare en stund i mörkret. Träden stod runt honom som skyddande soldater, det svarta vattnet var en vallgrav. För ett ögonblick kände han sig osårbar.

Efter återkomsten till Sveg vilade han en timme på sitt rum, drack ett par glas vin och gick ner i matsalen när klockan blivit sju. Testförarna var försvunna. Flickan från receptionen hade återigen satt på sig servitriskläder. Hon spelar alla rollerna, tänkte han. Kanske det är enda möjligheten för att hotellet ska bära sig?

Han satte sig vid samma bord som tidigare kvällar. När han läste matsedeln upptäckte han till sin besvikelse att den var oförändrad. Han blundade och lät pekfingret välja i den begränsade spalten med huvudrätter. Det blev samma biffstek på älgkött igen. Just när han hade börjat äta hörde han att någon kom in i matsalen bakom honom. Han vred på huvudet och såg att det var en kvinna som var på väg fram mot hans bord. Hon stannade och såg på honom. Stefan slogs av att hon var mycket vacker.

– Jag vill inte störa, sa hon. Men jag fick höra av en polisman i Östersund att en av min pappas gamla arbetskamrater fanns här.

Först förstod Stefan inte vad hon menade. Sedan insåg han vad det var hon hade sagt.

Kvinnan som stod framför honom var Herbert Molins dotter.

9.

Efteråt skulle Stefan tänka att Veronica Molin var en av de vackraste kvinnor han någonsin träffat. Innan hon hade hunnit sätta sig ner, innan han ens hunnit säga sitt namn, hade han med ögonen klätt av henne och föreställt sig henne naken. I tankarna hade han samtidigt återvänt till utredningsmaterialet på Giuseppes kontor och bläddrat fram den sida där det stått att Herbert Molin år 1955 fått en dotter som blivit döpt till Veronica. Kvinnan som stod framför honom och doftade svagt av en diskret parfym var alltså 44 år gammal, 7 år äldre än han själv. Men hade han inte vetat hade han antagit att hon var i hans egen ålder.

Sedan presenterade han sig, sträckte fram handen och beklagade sorgen.

– Tack.

Hennes röst var egendomligt klanglös. Den stämde inte med hennes skönhet.

Hon liknar någon, tänkte han. Någon av dessa människor som alltid förekommer i tidningar och teve. Men han kom inte på vem det var.

Han bjöd henne att sitta ner. Flickan från receptionen närmade sig bordet.

– Nu slipper du kanske äta ensam, sa hon till Stefan.

Han var mycket nära att be henne dra åt helvete. Men han lyckades undvika att få ett utbrott.

– Om du vill äta ensam ska du naturligtvis göra det, sa Veronica Molin.

Han såg att hon bar vigselring. Ett kort ögonblick gjorde det honom nerslagen. Känslan var orimlig, häftig och gick hastigt över.

– Inte alls, svarade han.

Hon lyfte på ögonbrynen.

– Inte alls vad då?

– Vill jag sitta ensam.

Hon satte sig, tog matsedeln och la den sedan genast ifrån sig igen.

– Kan jag få en sallad? frågade hon. Och en omelett? Ingenting annat.

– Det går bra, sa flickan från receptionen.

Stefan slogs plötsligt av tanken att det kanske var hon som också lagade maten.

Veronica Molin beställde mineralvatten. Stefan letade fortfarande i sitt minne efter vem det var hon liknade.

– Det blev ett missförstånd, sa hon. Jag trodde att det var här i Sveg jag skulle träffa poliserna. Men det var i Östersund. Jag åker dit i morgon.

– Var kommer du ifrån?

– Köln. Jag fick dödsbudet där.

– Du bor alltså i Tyskland?

Hon skakade på huvudet.

– I Barcelona. Eller Boston. Det beror på. Men jag var i Köln. Det var mycket egendomligt och skrämmande. Jag hade just kommit in på hotellrummet. Dom Hotel, tror jag det hette. Det låg alldeles bredvid den stora katedralen. Kyrkklockorna började ringa samtidigt som telefonen, och en man nånstans långt bortifrån meddelade att min far hade blivit mördad. Sen frågade han om jag ville tala med en präst. I morse flög jag till Stockholm och vidare hit. Men jag borde alltså ha rest till Östersund.

Hon tystnade när hon fick sitt mineralvatten. I puben var det någon som skrattade till, högt och gällt. Stefan tyckte att det lät som en människa som försökte härma en hund.

Sedan kom han på vem det var hon liknade. En av skådespelerskorna i någon av de såpoperor i televisionen som aldrig tycktes ta slut. Han letade efter hennes namn i minnet utan att kunna hitta det.

Veronica Molin var allvarlig och spänd. Stefan undrade hastigt hur han själv skulle ha reagerat om han befunnit sig på ett hotell någonstans och nåtts av ett telefonmeddelande att hans far hade blivit mördad.

– Jag kan bara beklaga det som har hänt, sa han. Ett alldeles meningslöst mord.

– Är inte alla mord meningslösa?

– Naturligtvis. Men inte utan ett motiv som man trots allt kan förstå.

Hon nickade.

– Ingen kan ha haft nån anledning att döda min far. Han hade inga fiender, han var inte rik.

Men han var rädd, tänkte Stefan. Och den rädslan kanske var grunden till det som hände.

Hennes mat kom på bordet. Stefan hade fått en oklar känsla av att han var underlägsen kvinnan som satt mitt emot honom. Hon hade en säkerhet som han saknade.

– Jag förstod det så att ni arbetade tillsammans en gång. Att du också är polis?

– I Borås. Jag kom dit som ny och ung polisman. Din pappa hjälpte mig till rätta. Det blev tomt när han slutade.

Det låter som om vi var nära vänner, tänkte han hastigt. Det är inte sant. Vi var aldrig vänner. Vi var kollegor.

– Jag undrade naturligtvis varför han flyttade hit till Härjedalen, sa han efter en stund.

Hon genomskådade honom direkt.

– Jag tror aldrig han berättade för nån vart han skulle flytta.

– Jag kanske minns fel. Men jag blir naturligtvis nyfiken. Varför flyttade han egentligen hit?

– Han ville vara ifred. Min far var en enstöring. Det är jag också.

Vad säger man efter ett sådant uttalande? tänkte Stefan. Hon inte bara gav ett svar, hon klippte av samtalet. Varför sätter hon sig vid mitt bord om hon inte vill tala med mig?

Han märkte att han blev arg.

– Jag har ingenting med mordutredningen att göra, sa han. Men jag reste hit eftersom jag var ledig.

Hon la ner gaffeln och såg på honom.

– För att göra vad då?

– Kanske för att vara med om begravningen. Om den nu ska ske här. När rättsläkarna friger kroppen.

Hon trodde honom inte, det kunde han se. Det ökade hans ilska.

– Hade du ofta kontakt med honom?

– Mycket sällan. Jag är konsult för ett dataföretag som opererar över hela världen. Jag är nästan ständigt på resa. Jag skickade ett vykort några gånger per år, ringde kanske till jul. Men ingenting mer.

– Det låter inte som om ni hade särskilt bra kontakt.

Han såg stint på henne. Även om han fortfarande tyckte hon var mycket vacker utstrålade hon kyla och avståndstagande.

– Vad jag och min far hade för förhållande till varandra angår knappast nån annan. Han ville vara ifred. Det respekterade jag. Och han respekterade att jag var likadan.

– Du har också en bror?

Hennes svar var bestämt och rättframt.

– Vi undviker att tala med varandra om det inte är absolut nödvändigt. Det bästa sättet att beskriva vår relation är att säga att vi befinner oss på gränsen till öppen ovänskap. Varför det är så angår ingen. Jag har varit i kontakt med en begravningsbyrå som sköter allting. Min far blir begravd här i Sveg.

Samtalet tog slut.

Stefan for med tungan över tänderna. Knölen fanns kvar.

Efter maten drack de kaffe. Hon frågade om det besvärade honom att hon rökte. När han sa nej tände hon en cigarett och blåste några rökringar mot taket. Sedan såg hon plötsligt på honom.

– Varför kom du egentligen hit? frågade hon.

Stefan gav henne en del av sanningen.

– Jag är sjukskriven. Jag hade ingenting annat att göra.

– Polismannen i Östersund sa att du hade engagerat dig i utredningen.

– Man blir naturligtvis upprörd när en kollega mördas. Men mitt besök här betyder ingenting. Jag har pratat med några människor, det är allt.

– Vilka?

– Framför allt den polisman du ska träffa i Östersund i morgon. Giuseppe Larsson. Dessutom Abraham Andersson.

– Vem är det?

– Herberts närmaste granne. Även om han bor ganska långt bort.

– Hade han nånting att berätta?

– Nej. Men om det är nån som gjort några iakttagelser borde det ha varit han. Du kan ju tala med honom själv, om du vill.

Hon släckte cigaretten, krossade fimpen som om den varit en insekt.

– En gång bytte din far namn, sa Stefan långsamt. Från Mattson-Herzén till Molin. Det var några år innan du föddes. Ungefär samtidigt begärde han avsked från sin stamanställning som militär och flyttade till Stockholm. När du var två år gammal gick färden vidare till Alingsås. Du kan knappast minnas nånting av det som hände i Stockholm. En tvååring har inga medvetna minnen. Men en sak undrar jag över. Vad gjorde han där?

– Han hade en musikaffär.

Hon såg att han blev förvånad.

– Jag minns, som du säger, ingenting av det där. Men jag hörde det senare. Han hade försökt sig på att ha affär och öppnat en i Solna. Dom första åren gick det bra. Sen öppnade han ytterligare en affär, i Sollentuna. Men ganska snabbt gick allt omkull. Mina första minnen i livet är från Alingsås. Vi bodde utanför stan i ett gammalt hus där det aldrig gick att få varmt om vintrarna.

Hon gjorde en paus och tände en ny cigarett.

– Nu undrar jag naturligtvis varför du vill veta det här?

– Din far är död. Då blir alla frågor viktiga.

– Skulle nån ha dödat honom för att han en gång hade en musikaffär?

Stefan svarade inte. I stället gick han vidare till nästa fråga.

– Varför bytte han namn?

– Jag vet inte.

– Varför byter man namn från Herzén till Molin?

– Jag vet inte.

Plötsligt fick Stefan en känsla av att han borde vara försiktig. Varifrån ingivelsen kom kunde han inte avgöra. Men känslan fanns där. Han ställde frågor och hon svarade. Samtidigt pågick något helt annat.

Veronica Molin höll på att ta reda på hur mycket han egentligen visste om hennes far.

Han lyfte kaffekannan och frågade om hon ville ha påtår. Hon avböjde.

– När vi arbetade tillsammans hade jag en känsla av att din far var orolig. Att han var rädd. För vad vet jag inte. Men rädslan kan jag fortfarande minnas, trots att det gått över tio år sen vi skildes åt.

Hon rynkade pannan.

– Vad skulle han ha varit rädd för?

– Jag vet inte. Jag frågar.

Hon skakade på huvudet.

– Min far var ingen rädd människa. Tvärtom var han modig.

– På vilket sätt?

– Han var aldrig rädd för att gripa in. Inte rädd för att säga ifrån.

Hennes mobiltelefon ringde. Hon ursäktade sig och svarade. Samtalet fördes på ett främmande språk. Stefan var osäker på om det var spanska eller franska. När samtalet var över vinkade hon till sig flickan från receptionen och bad om räkningen.

– Har du varit ute vid huset? frågade Stefan.

Hon såg länge på honom innan hon svarade.

– Jag har ett gott minne av min far. Vi stod aldrig varandra nära. Men jag har levt tillräckligt länge för att veta hur barn kan ha det i förhållande till sina föräldrar. Jag vill inte förstöra den bilden genom att se den plats där han blev mördad.

Stefan förstod. Åtminstone trodde han att han gjorde det.

– Din far måste ha tyckt mycket om att dansa, sa han.

– Varför skulle han ha gjort det?

Hennes förvåning gav intryck av att vara äkta.

– Det var nån som sa det, svarade Stefan undvikande.

Flickan från receptionen kom med två räkningar. Stefan försökte ta båda men hon drog till sig sin.

– Jag betalar helst för mig själv.

Flickan försvann för att växla.

– Vad gör en datakonsult? frågade Stefan.

Hon log men svarade inte.

De skildes ute i receptionen. Hon bodde på nedre botten.

– Hur kommer du till Östersund? frågade han.

– Sveg är inte stort, sa hon. Men det gick ändå att hyra en bil här. Tack för sällskapet.

Han såg efter henne när hon gick. Tänkte att hennes kläder och skor var dyrbara. Samtalet med Veronica Molin hade återgett honom något av den försvunna energin. Frågan var bara vad han skulle göra med den. Han tänkte ironiskt att nattlivet i Sveg sannolikt var obefintligt.

Han bestämde sig för att ta en promenad. Det Björn Wigren hade berättat hade gjort honom fundersam. Mellan Elsa Berggren och Herbert Molin fanns ett samband som han ville veta mer om.

Gardinen hade rört sig. Det var han säker på.

Han hämtade jackan och lämnade hotellet.

Det var kyligare än kvällen innan.

Han följde samma väg som tidigare under dagen. Stannade på bron. Hörde hur vattnet rann där under honom. Han mötte en man som var ute med sin hund. Det var som att möta ett skepp med släckta lanternor ute på ett svart hav. När han kom fram till huset ställde han sig i skuggan utanför gatlampans sken. Det stod en bil inne på gården nu. Men det var för mörkt för att han skulle kunna avgöra vilket märke det var. På övervåningen lyste det bakom en fördragen gardin. Han stod orörlig. Vad han väntade på visste han inte. Ändå stod han kvar.

Mannen som närmade sig rörde sig mycket tyst.

Han hade länge stått och betraktat Stefan innan han bestämde sig för att han hade sett tillräckligt. Han kom snett bakifrån och höll sig hela tiden utanför gatljuset. Först när han bara var några meter ifrån ryckte Stefan till.

Erik Johansson visste inte vem det var han hade framför sig. Han var drygt femtio år gammal, men vältränad. Han höll händerna vid sidorna och släppte inte främlingen med blicken.

– Hej, sa han. Jag bara undrar vad du gör här.

Stefan hade blivit rädd. Mannen hade rört sig så tyst att han ingenting hört.

– Vem är det som frågar?

– Erik Johansson. Jag är polis. Jag bara undrar vad du gör här.

– Jag står och ser på ett hus, svarade Stefan. Jag befinner mig på allmän plats, jag är nykter, jag för inte oväsen. Jag står inte ens och pissar. Är det förbjudet att stå och se på ett vackert hus?

– Inte alls. Men hon som bor där blev lite nervös och ringde. Och blir folk nervösa här så är det mig dom ringer till. Jag tänkte bara jag skulle ta reda på vem du var. Folk är inte så vana vid att nån står på gatan och stirrar. I alla fall inte på kvällen.

Stefan tog fram sin plånbok och visade polislegitimationen. Han hade flyttat sig några meter så att han kommit in i ljuset från gatlyktan. Erik Johansson nickade.

– Det är du, sa han, som om han kände Stefan från förr och först nu hade kommit ihåg det.

– Stefan Lindman.

Erik Johansson kliade sig i pannan. Stefan såg att han bara hade en tunn undertröja på sig under jackan.

– Det ser inte bättre ut än att vi är poliser båda två. Giuseppe nämnde för mig att du var här. Men inte kunde jag veta att det var du som stod och stirrade på Elsas hus.

– Det var Elsa som köpte huset för Molins räkning, sa Stefan. Men det visste du väl?

– Det visste jag inte alls.

– Det framgick av en mäklare i Krokom som jag besökte. Jag trodde Giuseppe hade berättat det?

– Han har bara förklarat att du var på besök och att du jobbat ihop med Herbert Molin. Minst av allt har han berättat att du skulle stå här och spana på Elsa.

– Jag spanar inte, sa Stefan. Jag tog en promenad. Varför jag stannade vet jag inte.

Han insåg att svaret var idiotiskt. Han hade stått ganska länge på samma ställe.

– Det är bäst vi går, sa Erik Johansson. Annars börjar nog Elsa undra.

Erik Johansson hade sin bil parkerad på en tvärgata. Det var ingen blåvit polisbil utan en Toyota med hundgaller framför lastutrymmet.

– Så du tog alltså en promenad, sa Erik Johansson igen. Och råkade hamna utanför Elsas hus?

– Ja.

Erik Johansson såg bekymrad ut. Han tänkte efter innan han svarade.

– Det är kanske bäst att vi inte säger nåt om det här till Giuseppe, sa han. Han skulle nog bli lite orolig över det. Jag tror inte dom i Östersund är så förtjusta över att du spanar på folk.

– Jag spanar inte.

– Nej, du sa det. Men det blir ändå lite konstigt att du står här och stirrar på Elsas hus. Även om det var hon som köpte kåken till Herbert Molin.

– Känner du henne?

– Hon har alltid funnits här. Snäll och vänlig. Intresserar sig för barn.

– Hur då?

– Hon har en dansskola nere på Folkets Hus. Eller hade. Ungarna fick lära sig dansa. Men jag vet inte om hon håller på längre.

Stefan nickade. Men han ställde inga frågor.

– Bor du på hotellet? Du kan få skjuts.

– Jag går hellre, svarade Stefan. Men tack för erbjudandet. Jag har inte sett nån polisstation här i Sveg.

– Vi finns i medborgarhuset.

Stefan tänkte efter.

– Kan jag titta förbi i morgon? Bara för att se hur ni har det. Och prata lite.

– Det går bra.

Erik Johansson öppnade bildörren.

– Det är bäst jag ringer till Elsa och säger att allt är som det ska.

Han satte sig i bilen, sa hej och slog igen dörren. Stefan väntade tills bilen hade försvunnit innan han gick därifrån.

För fjärde gången stannade han på bron. Sambandet, tänkte han. Det handlar inte bara om att Herbert Molin och Elsa Berggren kände varandra. Det handlar om något mer. Men vad?

Han började gå långsamt, väntade på att tankarna skulle haka i varandra. Herbert Molin hade använt sig av Elsa Berggren för att hon skulle hitta ett hus åt honom. De kände varandra från tidigare. Kanske var det för att komma i hennes närhet som Herbert Molin hade flyttat till Härjedalen?

Han hade kommit till brofästet när han stannade igen. En

annan tanke hade slagit honom. Han borde ha tänkt den tidigare. Elsa Berggren hade upptäckt honom på gatan, trots att han hade stått utanför ljuset som kom från gatlyktan. Det kunde bara tyda på en sak. Att hon höll uppsikt över gatan. Att hon antingen väntade eller fruktade att någon skulle komma.

Det var han säker på. Hon kunde inte ha upptäckt honom av en tillfällighet.

Han började gå, fortare den här gången. Tänkte att inte heller Elsa Berggrens och Herbert Molins gemensamma intresse för dans kunde vara någon tillfällighet.

När han kom tillbaka till hotellet var receptionen stängd. Han gick uppför trappan samtidigt som han undrade om Veronica Molin sov. Om hon nu hette Molin fortfarande.

Han låste upp och tände ljuset. På golvet, instoppat under dörren låg ett telefonmeddelande. Han tog upp lappen och läste.

Ring Giuseppe Larsson i Östersund. Brådskande.

10.

Det var Giuseppe själv som svarade.

– Jag hittade inte ditt mobilnummer, sa han. Det måste ha blivit liggande på kontoret. Därför ringde jag hotellet. Men dom sa att du var ute.

Stefan undrade tyst om Erik Johansson trots allt hade ringt och berättat om deras möte.

– Jag tog en promenad. Mycket annat finns inte att göra här.

Giuseppe skrockade i telefonen.

– Dom visar väl bio ibland på Folkets Hus?

– Jag behöver röra på mig. Inte sitta i en biosalong.

Stefan hörde att Giuseppe talade med någon och hur en teve skruvades ner.

– Jag tänkte jag skulle underhålla dig med nåt som kom från Umeå i dag. Ett papper undertecknat av doktor Hollander. Man kan ju fråga sig hur det kommer sig att han inte nämnde nåt om det här i den första preliminära rapporten han skickade. Men rättsläkarna går sina egna vägar. Har du tid?

– Jag har all tid i världen.

– Han skriver här att han har funnit tre gamla ingångshål.

– Vad menar han med det?

– Helt enkelt att Herbert Molin nån gång blivit skjuten. Kände du till det?

– Nej.

– Inte med ett skott. Utan med tre. Och doktor Hollander tillåter sig en utvikning från det strikta protokollet. Han anser att Herbert Molin haft en sagolik tur som inte avlidit. Han använde faktiskt det ordet, »sagolik«. Två av skotten har träffat honom i bröstet alldeles under hjärtat, det tredje har tagit i vänsterarmen. Av ärrbildningen och annat som jag inte begriper drar Hollander slutsatsen att Molin träffats av dom här skotten i ungdomen. Han kan inte avgöra om han träffats av alla samtidigt men det kan man väl hålla för troligt.

Giuseppe började plötsligt nysa. Stefan väntade.

– Jag tål inte rödvin, sa han ursäktande. Men i kväll kunde jag inte motstå frestelsen. Och det straffar sig.

– I utredningsmaterialet stod väl ingenting om några skottskador?

– Det gjorde inte det. Men jag ringde ner till Borås och pratade med en vänlig man som skrattade mest hela tiden.

– Intendent Olausson?

– Just han. Jag nämnde inte att du var här, jag frågade bara om han kände till att Herbert Molin nån gång blivit skjuten. Det förnekade han. Och då kan man dra en väldigt enkel slutsats.

– Att det skedde innan han blev polis?

– Tidigare än så. Innan han blev länsman. När länsmanskontoren försvann tog polisen över deras arkiv och personaluppgifter. Det borde alltså ha funnits med när polisväsendet förstatligades och Herbert Molin blev en Kungliga Majestätets tjänsteman.

– Det har alltså inträffat under den tid han var militär.

– Ungefär så är det jag också tänker. Men dom militära arkiven tar det tid att tränga in i. Och man bör redan nu ställa sig frågan vad som kan ha hänt om det visar sig att han inte heller blev skadad under sin tid som militär.

Giuseppe tystnade.

– Förändrar det bilden? frågade Stefan.

– Allting förändras i bilden. Eller rättare sagt: vi har ingen bild. Nån gärningsman tror jag inte vi kommer att gripa i första taget. Min erfarenhet säger mig att det här kommer att ta tid eftersom det måste grävas djupt. Vad säger dig din erfarenhet?

– Att du kan ha rätt.

Giuseppe började nysa igen. Stefan väntade.

– Jag tänkte du ville veta det här, sa Giuseppe när han återkom i telefonen. I morgon ska jag för övrigt träffa Molins dotter.

– Hon bor här på hotellet.

– Jag anade att ni kanske skulle träffas. Hur verkar hon?

– Reserverad. Men hon är mycket vacker.

– Då har jag nåt trevligt att se fram emot. Har du pratat med henne?

– Vi åt middag tillsammans. Hon sa nåt som i alla fall jag inte kände till, om dom där försvunna åren under mitten av 50-talet. Hon påstår att Herbert Molin hade två musikaffärer i Stockholmstrakten. Men att han gick i konkurs.

– Jag antar att hon inte skulle ha nåt skäl att ljuga om det?

– Knappast. Men du träffar henne ju i morgon.

– Jag kommer i alla fall att fråga henne om skottskadorna. Har du bestämt hur länge du stannar?

– Kanske i morgon också. Sen reser jag. Men jag hör av mig.

– Gör så.

Samtalet avslutades. Stefan satte sig tungt på sängen. Han märkte att han var trött. Utan att ens ta av sig skorna sträckte han ut sig och somnade.

Han vaknade med ett ryck och såg på armbandsuret. Kvart i fem. Han hade drömt. Någon hade jagat honom. Sedan hade han plötsligt blivit omgiven av en flock hundar som börjat slita sönder hans kläder och hugga till sig stora stycken av hans kropp. Någonstans hade hans far också funnits med, och Elena. Han gick ut i badrummet och sköljde av ansiktet. Drömmen var inte svår att tyda, tänkte han. Sjukdomen jag bär på, cellerna som förökar sig okontrollerat, det är som en flock vilda hundar som jagar runt i mitt inre. Han klädde av sig och kröp ner mellan lakanen men lyckades inte somna om.

Det var alltid på morgonen, innan gryningen, som han kände sig som mest försvarslös. Han tänkte att han var 37 år gammal, en polisman som försökte leva ett anständigt liv. Ingenting märkvärdigt alls, ett liv som inte gick utanför det vanliga. Men vad var egentligen det vanliga? Han närmade sig snabbt medelåldern och hade inte ens barn. Och nu skulle han kämpa mot en sjukdom som kanske skulle bli honom övermäktig. Då blev hans liv i slutänden inte ens vanligt. Det blev ett prov som aldrig fick möjlighet att visa sitt värde.

Han steg upp när klockan blivit sex. Frukosten skulle börja serveras först om en halvtimme. Han plockade fram ett ombyte kläder ur väskan. Tänkte att han borde raka sig, men lät det vara. Halv sju var han nere i receptionen. Dörrarna till matsalen stod på glänt. När han kikade in upptäckte han till sin förvåning att flickan som växlade mellan att sköta receptionen och att servera satt på en stol och torkade sig i ögonen med en servett. Han drog sig hastigt tillbaka. Sedan tittade han igen. Tydligen hade hon gråtit. Han gick tyst tillbaka uppför halvtrappan som ledde ner till matsalen och väntade. Dörrarna drogs upp. Flickan log.

– Du är tidig, sa hon.

Han gick in i matsalen. Medan han åt undrade han varför hon hade gråtit. Men det var inte hans sak. Var och en har sitt elände, tänkte han. Sina hundflockar att slåss mot.

När han hade ätit hade han fattat ett beslut. Han skulle åka tillbaka till Herbert Molins hus. Inte för att han trodde sig kunna upptäcka något nytt. Men för att ännu en gång i huvudet gå igenom det han nu visste. Eller det han inte visste. Sedan skulle han lämna allt åt sitt öde. Han skulle inte stanna kvar i Sveg i väntan på en begravning han ändå inte ville gå på. Just nu var det något han minst av allt ville utsätta sig för. Han skulle återvända till Borås, packa om sin väska och hoppas på att hitta en billig resa till Mallorca.

Jag behöver en plan, tänkte han medan han åt. Utan en plan klarar jag inte att hålla ihop inför det som väntar mig.

Kvart över sju lämnade han hotellet. Veronica Molin hade inte visat sig. Flickan i receptionen log inte som hon brukade när han lämnade in sin nyckel. Något måste ha hänt, tänkte han. Men hon har knappast fått besked om att hon har cancer.

Han körde västerut genom hösten och tystnaden. Då och då föll några enstaka regnstänk mot rutan. I bilradion lyssnade han förstrött på nyheterna. Börsen i New York hade gått upp eller ner, han hörde inte vilket. När han passerade Linsell såg han några barn med ryggsäckar som stod vid vägen och väntade på en skolskjuts. På hustaken satt parabolantenner. Han påminde sig sin egen uppväxt i Kinna. Plötsligt kom det förflutna mycket nära honom. Han såg på vägbanan och tänkte på alla de tröstlösa resor han gjort genom Mellansverige under sin tid som hjälpreda åt den motocrossförare som nästan aldrig hade vunnit ett enda lopp. Han var så djupt inne i sina tankar att han körde förbi avtagsvägen till Rätmyren. Han vände och parkerade på samma ställe som tidigare.

Någon hade varit där, det kunde han se. Det fanns nya bilspår i gruset. Kanske Veronica Molin hade ändrat sig? Han steg ur och drog in den kyliga luften i lungorna. Det blåste en byig vind som drev genom trädtopparna. Så här ser Sverige ut, tänkte han. Träd, vind, kyla. Grus och mossa. En ensam människa djupt inne i en skog. Men vanligtvis har denna människa inte en cancertumör i sin tunga.

Han gick långsamt runt huset och tänkte igenom allt det han nu visste om omständigheterna kring Herbert Molins död. Han gjorde upp en lista i huvudet. Där fanns först av allt tältplatsen, resterna av ett läger dit någon kanske kommit roende och sedan försvunnit ifrån igen. Giuseppes uppgifter om skottskadorna. Stefan stannade. Vad var det Giuseppe hade sagt? Två ingångshål alldeles under hjärtat och ett i vänster arm. Herbert Molin hade alltså blivit träffad framifrån. Tre skott. Han försökte föreställa sig vad som hade hänt utan att lyckas.

Sedan fanns Elsa Berggren där, som en osynlig skugga bakom en gardin. Om han hade rätt i sina antaganden så var hon på sin vakt. Men mot vad? Erik Johansson beskrev henne som en vänlig människa som hade en dansskola för barn. Där fanns ännu ett samband, dans. Men vad betydde det egentligen? Betydde det överhuvudtaget någonting? Han fortsatte sin vandring runt det sönderskjutna huset. Undrade varför polisen inte täckt för de trasiga fönstren bättre. Sönderriven plast vajade i de gapande hålen. Veronica Molin hade plötsligt stått framför honom. En vacker kvinna som fått dödsbudet på ett hotell i Köln under sitt cirklande runt världen. Stefan hade kommit runt huset nu. Tänkte tillbaka på den gång han jagat den förrymde mördaren från Tidaholmsanstalten tillsammans med Herbert Molin. Hans rädsla. *Jag trodde det var nån annan*. Stefan stannade igen. Om inte Herbert Molin hade råkat ut för en galning måste det vara en avgörande utgångspunkt. Rädslan. Flykten upp till

Härjedalens skogar. Ett gömställe vid slutänden av en avtagsväg som Stefan själv hade haft svårigheter att hitta.

Längre kom han inte. Molins död var en gåta där han kanske lyckats få tag på några lösa trådar som ledde mot ett inre som fortfarande var ett tomrum. Han gick tillbaka till bilen. Vinden hade tilltagit. Just när han skulle öppna bildörren fick han en känsla av att vara iakttagen. Han såg sig hastigt runt. Skogen var tom. Hundgården låg övergiven. Den sönderrivna plasten slog mot fönsterkarmarna. Han satte sig i bilen och körde därifrån och tänkte att han aldrig mer skulle återvända.

Han parkerade utanför medborgarhuset och gick in. Björnen stod fortfarande och stirrade på honom. Han letade sig fram till polisens kontor och mötte i dörren Erik Johansson som var på väg ut.

– Jag skulle dricka kaffe med biblioteksfolket, sa han. Men det kan vänta. Jag har nyheter åt dig.

De gick in på hans kontor. Stefan satte sig i besöksstolen. Erik Johansson hade muntrat upp den trista inredningen med en djävulsmask som hängde på väggen.

– Jag köpte den i New Orleans en gång. Jag var full och betalade säkert alldeles för mycket. Jag tänkte den kunde hänga här. Som en påminnelse om alla onda makter som ställer till oreda för polisen.

– Är du ensam här i dag? frågade Stefan.

– Ja, svarade Erik Johansson glatt. Vi ska egentligen vara fyra, fem stycken. Men folk är sjukskrivna eller lediga för studier eller för att dom fått barn. Så det är bara jag här. Vikarier är det omöjligt att få tag på.

– Hur går det?

– Det går inte alls. Men folk som ringer hit på dagtid slipper i alla fall möta en telefonsvarare.

– Elsa Berggren ringde dig på kvällen?

– Det är väl ett provisoriskt larmnummer som många känner till här i stan, svarade Erik Johansson.

– Stan?

– Jag kallar Sveg för stan. Det blir lite större på det sättet.

Telefonen ringde. Stefan såg på masken och undrade vad det

var för nyheter som Erik Johansson hade lovat honom. Telefonsamtalet handlade om någon som hittat ett traktordäck på en väg. Erik Johansson verkade vara en man med stort tålamod. Till slut la han på luren.

– Elsa Berggren ringde i morse. Jag försökte få tag på dig på hotellet.

– Vad ville hon?

– Bjuda dig på kaffe.

– Det låter konstigt.

– Inte underligare än att du står och stirrar på hennes hus.

Erik Johansson spratt upp ur stolen.

– Hon är hemma nu, sa han. Åk dit med en gång. Hon skulle ut och göra ärenden sen. Och kom gärna tillbaka och berätta vad hon sa om det är nåt av intresse. Men inte i eftermiddag eller i kväll. Då ska jag till Funäsdalen. Dels har jag ett tjänsteärende där, dels ska jag spela poker med några kompisar. Trots att vi är mitt inne i en mordutredning måste man försöka leva som vanligt.

Erik Johansson försvann till sitt väntande kaffe. Stefan ställde sig att se på björnen.

Sedan for han till Ulvkälla och parkerade utanför det vita huset. När han vände bilen såg han Björn Wigren stå ute på gatan och spana efter någon som han kunde locka in att dricka kaffe med i köket.

Hon öppnade dörren innan han hann ringa på. Stefan visste inte vad han hade väntat sig. Men knappast den välklädda dam som stod framför honom. Hon hade långt svart hår, färgat kunde han se, och hon var hårt målad runt ögonen.

– Jag tänkte det var lika bra att du kom hit, sa hon. I stället för att stå där ute på vägen.

Stefan steg in i tamburen. Nu hade han kommit längre än Björn Wigren hade gjort på fyrtio år. Hon förde honom in i vardagsrummet som vette mot baksidan och trädgården. På avstånd kunde Stefan se skogsåsarna som höjde sig mot Orsa Finnmark.

Rummet var dyrbart inrett. I motsats till hos Björn Wigren fanns inga zigenarkvinnor med blottade bröst på Elsa Berggrens väggar. Där hängde i stället oljemålningar och Stefan tänkte att hon hade god smak. Hon ursäktade sig och försvann ut i köket. Han satte sig i soffan och väntade.

Sedan reste han sig hastigt. På en bokhylla stod ett antal inramade fotografier. En av bilderna föreställde två flickor som satt på en parkbänk. Det var taget för åtskilliga decennier sedan. I bildens bakgrund fanns ett hus där det hängde en skylt. Stefan lutade sig fram för att försöka tyda vad det stod. Det var inte svenska, tänkte han. Men skylten var för otydlig. Samtidigt hörde han en bricka som skramlade. Han satte sig i soffan igen. Hon dukade upp och serverade.

– En man står och stirrar på mitt hus, sa hon. Jag blir naturligtvis förvånad. Och samtidigt orolig. Efter det som hände Herbert blir det sig aldrig mer likt här.

– Jag ska förklara varför jag stod här, sa Stefan. Herbert Molin var min arbetskamrat en gång. Jag är också polis.

– Erik sa det.

– Jag är sjukskriven och hade tid över. Jag for hit. Av en tillfällighet talade jag med Hans Marklund, mäklaren i Krokom, som berättade att det var du som en gång köpte huset till Herbert.

– Han bad mig. Han ringde strax innan han blev pensionerad. Han ville att jag skulle hjälpa honom.

– Ni kände alltså varandra?

Hon såg avvisande på honom.

– Varför skulle han annars ha bett mig om hjälp?

– Jag försöker förstå vem han var. Jag har insett att den man jag arbetade tillsammans med inte var den jag trodde.

– På vilket sätt?

– På många sätt.

Hon reste sig ur stolen och rättade till en gardin framför ett av fönstren.

– Jag kände Herberts första hustru, sa hon. Vi var skolkamrater. På så vis lärde jag också känna Herbert. Det var under den tid han bodde i Stockholm. Sen när de skilde sig förlorade jag kontakten med henne. Men inte med Herbert.

Hon återvände till stolen.

– Märkligare var det inte. Nu är han död. Och jag sörjer honom.

– Vet du om att hans dotter Veronica är här?
Hon skakade på huvudet.
– Det visste jag inte. Men jag räknar inte med att hon besöker mig. Det var Herbert jag kände. Inte hans barn.
– Var det för att du fanns här som han flyttade hit?
Hon såg honom stint i ögonen.
– Den saken angick bara honom och mig. Nu angår den bara mig.
– Naturligtvis.
Stefan drack sitt kaffe. Någonting sa honom att Elsa Berggren inte talade sanning. Historien om den första hustrun var trovärdig. Men Stefan kände ändå att det var någonting som inte stämde i det hon sa. Något som han borde kunna upptäcka.
Han ställde ifrån sig koppen som var blå med en guldrand.
– Kan du tänka dig vem som dödade honom?
– Nej. Kan du?
Stefan skakade på huvudet.
– En gammal man som ville leva ifred, fortsatte hon. Vem skulle vilja döda honom?
Stefan såg ner på sina händer.
– Det måste ha funnits nån som ville det, sa han försiktigt.
Sedan tänkte han att han egentligen bara hade en fråga kvar.
– Jag tycker kanske det är konstigt att du inte talat med polisen i Östersund. Dom som har hand om utredningen.
– Jag har väntat på att dom skulle kontakta mig.
Plötsligt var Stefan övertygad. Kvinnan som satt mitt emot honom sa inte hela sanningen. Men han kunde inte peka på vad det var.
– Jag undrar mycket över varför Herbert flyttade hit, sa Stefan. Varför väljer man att bo så ensamt?
– Här är inte ensamt, svarade Elsa Berggren. Vill man finns det mycket man kan göra. I kväll ska jag till exempel gå på en konsert i kyrkan. Det kommer en organist hit från Sundsvall.
– Jag hörde av Erik Johansson att du driver en dansskola?
– Barn ska lära sig dansa. Om ingen annan lär dom det kan jag göra det. Men jag vet inte om jag orkar hålla på längre.
Stefan bestämde sig för att inte ställa några frågor om Herbert Molins dansintresse. Han hade överhuvudtaget inga fler

frågor. Det var Giuseppe som skulle ställa dem, ingen annan.

En telefon ringde någonstans. Hon ursäktade sig och lämnade rummet. Stefan reste sig, valde hastigt mellan balkongdörren och ett fönster, lossade sedan två hakar i fönstret och sköt upp det så långt han kunde utan att det gläntade. Sedan satte han sig igen. Hon kom tillbaka efter några minuter.

– Jag ska inte störa mer, sa Stefan och reste sig. Tack för kaffet. Det är sällan man får så starkt kaffe.

– Varför ska allting behöva vara så svagt? svarade hon. Allting är så svagt nuförtiden. Både kaffe och människor.

Stefan hade hängt av sig sin jacka i tamburen. Medan han satte den på sig sökte han efter tecken på att huset skulle vara larmat. Men han hittade ingenting.

Han for tillbaka till hotellet, medan han tänkte på det Elsa Berggren hade sagt om svagt kaffe och svaga människor.

Flickan i receptionen verkade gladare när han kom. Intill receptionen fanns en anslagstavla. Där satt en gul lapp som meddelade att det i kyrkan samma kväll skulle bli en orgelkonsert som började halv åtta. Hela programmet bestod av Johann Sebastian Bachs musik.

Strax efter sju på kvällen gick Stefan till kyrkan. Han ställde sig vid sidan av kyrkomuren och väntade. Inifrån kyrkan kunde han höra hur organisten repeterade. När klockan blivit fem i halv åtta tog han ett steg djupare in i mörkret. Elsa Berggren kom gående och försvann in i kyrkan.

Stefan skyndade tillbaka till hotellet och satte sig i bilen. Han körde över älven och parkerade på en obebyggd tomt intill brofästet. Sedan närmade han sig Elsa Berggrens hus från baksidan. Han räknade med att konserten skulle pågå minst en timme. Han såg på klockan. Nitton minuter i åtta. Längs baksidan av det vita huset ledde en smal stig. Han hade ingen ficklampa utan trevade sig försiktigt fram i dunklet. Det lyste i det rum där han tidigare under dagen druckit kaffe. När han kom fram till staketet stannade han och lyssnade. Sedan hoppade han över och sprang nerhukad fram till husväggen. Han hävde sig försiktigt upp på tå och kände på fönstrets undersida. Elsa Berggren hade inte upptäckt att han lossat på hakarna. Han öppnade försiktigt, hävde sig upp och undvek att stöta till den blomvas som stod på fönsterbrädan.

Han tänkte att han nu tog sig in i Elsa Berggrens hem på samma sätt som han några dagar tidigare skaffat sig tillträde till Herbert Molins hus.

Med en näsduk torkade han av skorna på undersidan. Klockan var kvart i åtta. Han såg sig omkring i rummet. Vad han letade efter visste han inte. Kanske ett tecken på att han hade haft rätt, att Elsa Berggren inte talade sanning. Han visste av erfarenhet att ett osant ord kunde avslöjas av ett föremål. Han lämnade vardagsrummet, kastade en blick in i köket och fortsatte sedan till något som verkade vara ett arbetsrum. Det är här jag ska sluta leta, tänkte han. Först ville han se övervåningen. Han sprang uppför trappan. Det första rum han kom in i verkade vara ett gästrum. Han gick vidare till det som var Elsa Berggrens sovrum. Hon sov i en bred dubbelsäng. På golvet låg en heltäckningsmatta. Han kastade en blick in i hennes badrum. Flaskor och burkar stod i jämna rader på en hylla framför spegeln.

Han skulle just återvända till arbetsrummet på nedre botten när han av en ingivelse bestämde sig för att öppna dubbeldörrarna till garderoben. Där hängde många klädesplagg. Han strök med händerna över tygerna. De verkade vara av hög kvalitet.

Djupt inne i garderoben hängde något som fångade hans blick. Han vek undan några klänningar för att kunna se bättre.

En uniform.

Det tog några sekunder för honom att inse vad det var. Sedan upptäckte han att det var en tysk militäruniform.

På en hylla ovanför låg en uniformsmössa.

Han tog ner den och såg dödskallen.

Det som hängde i garderoben var en SS-uniform.

11.

Stefan brydde sig aldrig om att leta igenom Elsa Berggrens arbetsrum. Han lämnade huset i Ulvkälla samma väg han kommit och sköt noga igen fönstret. När han skyndade sig tillbaka till bilen märkte han att det hade börjat falla tung blötsnö. Han for raka vägen tillbaka till hotellet, hällde upp ett glas vin och försökte bestämma sig för om han skulle ringa till Giuseppe Larsson redan samma kväll. Men han tvekade. Han hade lovat att inte ha någon kontakt med Elsa Berggren. Nu hade han inte bara talat med henne utan också tagit sig in i hennes hus. Det här är ingenting man talar om i telefon, tänkte han. Giuseppe kommer nog att förstå. Men det kräver att vi sitter mitt emot varandra och har gott om tid.

Han satte på teven och bläddrade sig fram mellan kanalerna. Stannade för en gammal västernfilm i urblekta färger. En man med gevär kröp omkring bland några klippor i ett kulisslandskap och försökte undkomma andra män som kom ridande. Stefan skruvade ner ljudet och letade reda på sitt anteckningsblock. Sedan försökte han göra en sammanfattning av det som hänt sedan han kom till Sveg. Vad visste han nu som han inte hade vetat tidigare? Han försökte ställa upp en provisorisk hypotes om vad som eventuellt kunde vara orsaken till Herbert Molins död. Han gjorde det enkelt, som om han hade berättat en färdigskriven historia för sig själv.

Någon gång blir en man som heter Herbert Molin skjuten tre gånger. Han överlever.

Någon gång driver också denne man en musikaffär.

På något sätt har han ett särskilt förhållande till att dansa. Kanske det är så enkelt som att dansen varit en hemlig livspassion? Som andra människor ägnar sig åt att plocka svamp eller fiska öring i norska älvar?

I hans liv finns en kvinna som heter Elsa Berggren. När Herbert Molin pensioneras ber han henne att skaffa ett avsides beläget hus djupt inne i de härjedalska skogarna, inte långt från den plats där hon själv bor. Han kommer dock aldrig på besök hos henne. Till det finns det bästa vittne man kan få tag på, en nyfiken granne. I Elsa Berggrens garderob, allra längst in i ett hörn, hänger en tysk SS-uniform.

Och någon har kanske kommit paddlande över en sjö med mörkt vatten och slagit läger i närheten av Herbert Molins hus för att sedan ta livet av honom.

I Stefans huvud slutade berättelsen just där. Med en man som paddlar bort över en sjö och försvinner spårlöst.

Men det fanns också andra stolpar att foga in i det staket som utgjorde berättelsen. De blodiga fotspåren som föreställde grundstegen i tango. Herbert Molins rädsla. Och det faktum att han en gång bytte namn. Ett nerköp, tänkte Stefan. Mattson-Herzén finns det sannolikt inte många som heter i Sverige. Men däremot Molin. Han tänkte att det bara fanns en förklaring. Även bytet av namn var ett gömställe. Herbert Molin sopade igen sina spår. Men vilka spår? Och varför? Om det var så att han tyckte Mattson-Herzén var långt och besvärligt, kunde han ju bara kallat sig Mattson.

Han läste igenom vad han hade skrivit. Han vände blad och noterade två årtal. *Född 1923, död 1999.* Sedan återvände han till de anteckningar han gjort den kväll han suttit instängd i Giuseppe Larssons rum. 1941, när Molin är 18 år, gör han sin militärtjänst mitt under pågående krig. Han är krigsplacerad vid kustförsvaret. Stefans anteckningar var inte fullständiga, men han mindes att Herbert legat ute på en kobbe någonstans i Östergötlands skärgård och bevakat en av de svenska farlederna. Stefan antog att han varit kvar i kustförsvaret ända till krigsslutet och att han då hunnit bli officer. Sju år senare bryter han upp, prövar sig som butiksägare och blir sedan först anställd på ett länsmanskontor och övergår därefter till polisen.

Av militärsläkt, noterade Stefan. Pappan ryttmästare i Kalmar, mamman hemmafru. Herbert Molin tar alltså i början inget långt kliv från stamträdet. Han prövar en karriär som officer men bryter plötsligt av från den inslagna vägen.

Stefan la ifrån sig anteckningsblocket och fyllde på sitt vinglas. Mannen som kröp omkring bland klipporna någonstans utanför Hollywood hade nu blivit tillfångatagen av männen till häst. De höll just på att hänga honom. Mannen som fått repet runt halsen verkade egendomligt obekymrad över sitt öde. Färgerna var fortfarande mycket bleka.

Om händelserna kring Herbert Molins död vore en film, tänkte Stefan, skulle det nu vara nödvändigt att någonting hände. Annars skulle publiken tröttna. Även poliser kan tröttna. Men det betyder inte att man ger upp sökandet efter en förklaring och en gärningsman.

Han sträckte sig efter anteckningsblocket igen. Samtidigt lyckades mannen i filmen rymma på ett fullständigt osannolikt sätt. Stefan försökte ställa upp några tänkbara teorier. Den ena, den mest givna, var att tänka sig att Molin trots allt hade råkat ut för en galning. Varifrån denne hade kommit och varför han varit utrustad med tält och tårgas gick naturligtvis inte att förklara. Teorin om en galning var dålig men måste ändå formuleras.

Den andra teorin handlade om ett oklart samband mellan mordet på Herbert Molin och något som låg dolt i det förflutna. Som Veronica Molin påpekat hade Herbert Molin ingen förmögenhet. Pengar kunde knappast vara skälet till att han blivit dödad. Även om dottern fått det att låta som att det vore det enda tänkbara skälet att mörda någon. Men poliser får fiender, tänkte Stefan. I dag är det vanligare än tidigare att poliser blir mordhotade, att bomber placeras under åklagares bilar, eller att det anstiftas mordbränder. En riktigt hämndlysten människa kan förmodligen vänta hur länge som helst för att ge igen. Det kommer också att betyda att ett långt och tålmodigt grävande i arkiven måste till.

Det fanns också en tredje möjlighet. Något som hängde ihop med Elsa Berggren. Hade uniformen i hennes garderob något med Herbert Molin att göra? Eller hade Elsa Berggren i sitt förflutna något som kunde förknippas med Hitlertiden i Tyskland?

Stefan räknade efter. Enligt Björn Wigren var Elsa Berggren och Herbert Molin ungefär jämngamla. Om han var född 1923 kunde Elsa Berggren vara född något år senare, ungefär 1924 eller 1925. Hon var alltså 15 år när kriget bröt ut och 21 när det tog slut. Stefan skakade på huvudet. Det stämde inte. Men Elsa Berggren hade en far, tänkte han. Och kanske en äldre bror. Han antecknade. Elsa Berggren lever ensam, har en inkomst som kommer från okänt håll, är vaksam. Han noterade igen. Herbert och Elsa. Enligt hennes egen utsago har hon känt Herbert sedan hans första äktenskap. När hon berättade det hade han fått en stark känsla av att hon inte talade sanning. Men han kunde ha tagit fel. Det hon sa kanske var alldeles sant.

Längre kom han inte. Han la undan anteckningsblocket. Dagen efter skulle han tala med Giuseppe. Det betydde att han måste åka tillbaka till Östersund. När det var gjort kunde han återvända till Borås. Medan han klädde av sig funderade han på om han skulle fråga Elena om hon hade möjlighet att ta ledigt en vecka och följa med honom söderut. Men han var osäker på om han egentligen orkade. Valet mellan att ha henne som sällskap och att vara ensam skulle inte bli enkelt.

Han gick ut i badrummet, spärrade upp munnen och sträckte ut tungan. Knölen syntes inte, men den fanns där. Han betraktade sitt ansikte och såg att han var blek. Sedan satte han i tankarna på sig uniformsmössan han hittat på hyllan i Elsa Berggrens garderob. Försökte minnas de titlar som funnits inom SS, *Rottenführer* Lindman. *Unterscharführer* Lindman.

Han tog av sig den osynliga uniformsmössan och tvättade ansiktet. När han lämnade badrummet närmade sig västernfilmen sitt slut. Mannen som nyss haft ett rep om halsen satt vid ett matbord i en timmerstuga tillsammans med en kvinna som hade stor byst. Stefan sträckte sig efter fjärrkontrollen och stängde av teven.

Sedan ringde han till Elena. Hon svarade nästan genast.

– Jag reser härifrån i morgon. Kanske hinner jag hem redan till i morgon kväll.

– Kör inte för fort bara.

– Jag ville bara säga det. Jag är trött. Vi pratar när jag har kommit hem igen.

– Hur går det?

– Med vad då?

– Dig själv.

Han sa att han inte orkade tala om hur han mådde och Elena förstod.

Han drack ytterligare ett glas vin innan han kröp ner i sängen. Utanför fönstret fortsatte blötsnön att falla mot marken som redan hade blivit vit.

Ett besök har jag kvar att göra, tänkte han innan han somnade. En människa till ska jag träffa innan jag talar med Giuseppe och lämnar allt det här bakom mig.

Just innan gryningen vaknade han med starka smärtor i ena kinden. Dessutom hade han feber. Han låg orörlig i mörkret och försökte tänka bort smärtorna. Men det var omöjligt. När han steg upp ur sängen högg det till i kinden. Han letade reda på en tub huvudvärkstabletter och löste upp två stycken i ett glas vatten. Undrade om han legat konstigt på natten. Men han visste att smärtan kom inifrån. Läkaren hade varnat honom. Plötsligt skulle han kunna få ont. Han tömde glaset och la sig igen för att vänta ut smärtorna. Men det blev inte bättre. Klockan blev sju utan att han orkade gå ner och äta frukost.

En timme senare stod han inte ut längre. Han letade reda på telefonnumret till sjukhuset i Borås och hade tur. Hans läkare svarade så fort han hade blivit kopplad. Han förklarade sina smärtor. Hon lovade att skriva ut ett recept och ringa in det till apoteket i Sveg. Om smärtorna inte släppte skulle han höra av sig på nytt. Stefan la sig i sängen igen. Läkaren hade lovat att ringa genast. Han bestämde sig för att försöka uthärda en timme till. Sedan skulle han åka ner till apoteket som han sett vid infarten till samhället. Han låg orörlig i sängen. Det enda han kunde koncentrera sig på var värken. När klockan blivit nio steg han upp, klädde sig med möda och gick nerför trappan. Flickan i receptionen hälsade. Han la nyckeln på disken och nickade.

På apoteket fick han sina tabletter och tog den första dosen direkt. Sedan återvände han till hotellet. Flickan gav honom nyckeln.

– Mår du inte bra? frågade hon.

– Nej, sa han. Jag har ont. Men det går över.

– Du har inte ätit nån frukost. Vill du ha upp nånting på rummet?

– Bara kaffe. Och ett par extra kuddar.

Han väntade tills hon kommit upp med en bricka och kuddarna.

– Ring ner om det är nåt du behöver.

– I går morse var du ledsen, sa han. Jag hoppas du har det bättre nu.

Hon verkade inte förvånad över hans replik.

– Jag märkte att du stod där i dörren, sa hon. Det var bara en tillfällig svaghet. Ingenting annat.

Hon lämnade rummet. Stefan la sig ovanpå sängen och undrade vad en »tillfällig svaghet« egentligen innebar. Han kom också att tänka på att han inte visste vad hon hette. Han tog en tablett till.

Efter en stund började det onda långsamt minska. Han läste på asken vad det var han hade fått. »Doleron.« Det fanns en röd varningstriangel på förpackningen. Han märkte att han blev dåsig. Men han tänkte också att det knappast fanns större glädje i livet än när en svår smärta börjar avta.

Resten av dagen blev han liggande. Smärtorna kom och gick. Han dåsade och drömde återigen om flocken med vilda hundar. Först sent på eftermiddagen märkte han att smärtorna var på väg att försvinna, inte bara dämpas av de tabletter han tog. Trots att han inte hade ätit på hela dagen kände han ingen hunger. Strax efter fyra ringde hans mobiltelefon. Det var Erik Johansson.

– Hur gick det? frågade Stefan.

– Med vad?

– Pokerspelet i Funäsdalen.

Erik Johansson skrattade.

– Jag vann nitton kronor. Efter fyra timmars spel. Men jag trodde du skulle höra av dig?

– Jag är sjuk i dag.

– Allvarligt?

– Bara lite värk. Men jag träffade Elsa Berggren.

– Hade hon nåt att berätta?

– Egentligen inte. Men hon påstod att hon kände Herbert Molin sen lång tid tillbaka.

– Hade hon några tankar om varför han blev mördad?

– För henne var det helt obegripligt.

– Jag tänkte väl det. Kommer du förbi i morgon? Jag glömde att fråga hur länge du stannar.

– Jag reser i morgon. Men jag kommer.

– Vid niotiden skulle passa bra.

Han stängde av telefonen. Smärtorna var nu nästan helt borta.

Han klädde sig och gick ner i receptionen. Han la nyckeln på disken och öppnade hotelldörren. Snön var borta. Han tog en promenad genom samhället Gick in på Agardhs Färghandel och köpte engångsrakhyvlar.

Kvällen innan hade han bestämt sig för att göra ett besök hos Abraham Andersson. Nu kände han efter om han skulle orka. Det var mörkt. Han undrade om han skulle hitta. Men Abraham hade sagt att det fanns en skylt som angav var Dunkärret låg. Han gick tillbaka till hotellet och satte sig i bilen. Jag åker, tänkte han. I morgon gör jag ett kort besök hos Erik Johansson. Sedan far jag till Östersund och pratar med Giuseppe Larsson. På natten är jag tillbaka i Borås igen.

Innan han lämnade Sveg stannade han vid en bensinstation och tankade. När han skulle betala såg han ett ställ med ficklampor intill disken. Han köpte en och la i handskfacket.

Sedan körde han mot Linsell och kände hela tiden efter om smärtorna var på väg att komma tillbaka. Men just nu lämnade de honom ifred. Han körde långsamt och spanade hela tiden efter tecken på djur vid vägrenarna. Han saktade ner ytterligare när han passerade avtagsvägen till Herbert Molins hus. Ett kort ögonblick övervägde han om han skulle stanna och köra in. Men han hade ingenting där att göra. Han fortsatte och undrade vad Veronica Molin och hennes bror hade för planer med fastigheten. Vem ville köpa ett hus där en man brutalt hade blivit mördad? Ryktet om mordet skulle leva länge i trakten.

Han passerade Dravagen, fortsatte mot Glöte och saktade ner ytterligare. Sedan såg han skylten, »Dunkärret 2«. Vägen var smal och knagglig. Efter ungefär en kilometer delade den sig i två. Stefan höll vänster eftersom den andra vägen verkade nästan oanvänd. Efter ytterligare en kilometer var han framme. Abraham Andersson hade satt upp en egen skylt med namnet »Dunkärr«. Det lyste i huset. Stefan stängde av motorn och steg ur. En hund skällde. Stefan gick uppför en backe. Huset låg högt, omgivet av mörker. Han undrade vad som drev människor att bosätta sig så ensligt. Vad var det en människa kunde hitta i mörkret? Mer än ett gömställe? Han kunde se hunden nu. Den löpte fram och tillbaka i en lina som var sträckt mellan ett träd och husväggen. Vid trädet hade hunden en koja. Det var en gråhund, samma sort som den Herbert Molin hade haft. Stefan undrade plötsligt vem som hade grävt ner den döda hunden. Polisen? Han gick uppför trappan till dörren och knackade på. Hunden skällde igen. Efter en stund knackade han en gång till, hårdare nu. Han kände på dörren. Den var olåst. Han öppnade och ropade in i huset. Kanske Abraham Andersson var en man som gick tidigt till sängs? Han såg på klockan. Kvart över åtta. Det var för tidigt. Han steg in i tamburen och ropade ännu en gång.

Plötsligt blev han på sin vakt. Vad det var visste han inte. Ändå hade han fått en känsla av att allt inte var som det skulle. Han gick in i köket. En tom kaffekopp stod på bordet, där bredvid låg ett program för Helsingborgs symfoniorkester. Han ropade igen men fick inget svar. Från köket fortsatte han till vardagsrummet. Bredvid teven stod ett notställ, på en soffa låg en fiol. Han rynkade pannan. Sedan gick han uppför trappan till övervåningen utan att finna något spår efter Abraham Andersson. Känslan var starkare nu. Något var definitivt inte som det skulle.

Stefan gick ut på gården igen och ropade på nytt. Hunden fortsatte att skälla och löpa fram och tillbaka i linan. Stefan gick närmare. Hunden tystnade och viftade på svansen. Försiktigt klappade han den. Inte mycket till vakthund, tänkte han. Sedan gick han tillbaka till bilen och hämtade den nyinköpta ficklampan. Han lyste omkring sig på gården, hela tiden med känslan att något hade hänt. Abraham Anderssons bil stod parkerad intill ett uthus. Stefan konstaterade att den var olåst. När han tittade in i förarsätet såg han att nycklarna satt i tändningslåset. Hunden gav till några korta skall. Sedan blev den tyst igen. Vinden brusade i mörkret. Han lyssnade. Så ropade han igen. Hunden svarade med ett skall. Stefan gick tillbaka till huset. I köket kände han på spisen men plattorna var kalla. En telefon ringde. Stefan hajade till. Telefonen stod på ett bord i vardagsrummet. Han lyfte på luren. Någon ville sända ett fax. Han tryckte på startknappen och la på luren. Efter ett ögonblick matades ett papper fram. Det var en handskriven hälsning från någon som hette Katarina att »Monteverdi-noterna har kommit«.

Stefan gick ut på trappan igen. Nu var han säker på att någonting hade hänt.

Hunden, tänkte han. Den vet. Han gick tillbaka in i huset och tog ett koppel som hängde på väggen.

Hunden ryckte i linan när han kom fram men stod alldeles stilla när han satte på kopplet och häktade loss den från linan. Den började genast dra hårt mot skogen bakom huset. Stefan lyste med ficklampan. Hunden drog mot en stig som ledde rakt in bland tallarna. Stefan försökte hålla igen. Jag borde inte göra det här, tänkte han, inte om det springer en galning lös här i skogen.

Plötsligt böjde hunden av från stigen. Stefan följde med och höll emot med kopplet. Terrängen var besvärlig och han snubblade till i riset. Hunden drev hela tiden vidare.

Sedan stannade den, lyfte på ena framtassen och vädrade. Ficklampan lyste bland träden.

Hunden satte ner tassen. Stefan drog i kopplet. Hunden spjärnade emot.

Kopplet var tillräckligt långt för att Stefan skulle kunna binda fast den vid en trädstam.

Den stirrade spänt mot några stora klippblock som nästan var dolda av en tät granklunga

Stefan gick fram mot träden och fortsatte runt dem. Han märkte att det fanns en öppning in mot klippblocken.

Sedan tvärstannade han.

Först visste han inte vad det var han såg. Något vitt som lyste bland träden.

Så insåg han till sin förfäran att det var Abraham Andersson. Han var naken, fastsurrad vid ett träd. Bröstkorgen var täckt med blod. Ögonen var öppna och stirrade rakt emot honom.

Men blicken var lika död som Abraham Andersson själv.

Del II

Mannen från Buenos Aires | oktober–november 1999

12.

När Aron Silberstein vaknade visste han inte vem han var. Det låg ett dimbälte mellan drömmen och verkligheten som han måste tränga igenom för att ta reda på om han verkligen var Aron Silberstein eller om han just i det ögonblicket var Fernando Hereira. I drömmarna bytte hans två namn ofta plats med varandra. Varje uppvaknande innebar ett ögonblick av stor förvirring. Denna morgon när han slog upp ögonen och såg ljuset tränga igenom tältduken utgjorde inget undantag. Han drog upp armen ur sovsäcken och såg på klockan. Några minuter över nio. Han lyssnade. Utanför var det stilla. Kvällen innan hade han svängt av från huvudvägen strax efter det att han passerat en stad som hette Falköping. Sedan hade han kört igenom ett litet samhälle som kanske hette Gudhem och hittat kärrvägen som ledde in i skogen där han hade kunnat slå upp sitt tält.

Det var där han nu vaknade med en känsla av att han var tvungen att slita sig loss från drömmarna. Han märkte att det regnade. Inte hårt eller ihållande utan ett glest duggande där enstaka droppar pickade mot tältduken. Han drog in armen i sovsäcken igen för att behålla värmen. Varje morgon uppfylldes han av samma längtan efter värmen. Sverige om hösten var ett kyligt land. Det hade han lärt sig under sin långa vistelse.

Men snart skulle den vara över. I dag skulle han ta sig till Malmö. Där skulle han lämna bilen, göra sig av med tältet och tillbringa en natt på hotell. Tidigt dagen efter skulle han resa över till Köpenhamn för att på eftermiddagen sätta sig på ett plan som via Frankfurt och São Paulo förde honom hem till Buenos Aires.

Han makade sig till rätta i sovsäcken och slöt ögonen. Än behövde han inte stiga upp. Munnen var torr och han hade huvudvärk. I går kväll gick jag över gränsen, tänkte han. Jag drack för mycket, mer än jag behövde, för att somna.

Frestelsen var stor att öppna ryggsäcken och ta fram en av flaskorna som låg där. Men han kunde inte ta risken att hamna i en poliskontroll. Innan han lämnade Argentina hade han besökt Svenska ambassaden i Buenos Aires för att förhöra sig om trafikbestämmelserna i Sverige. Han hade förstått att toleransen mot att köra bil med alkohol i kroppen var obefintlig. Det hade förvånat honom eftersom han vid något tillfälle hade läst en tidningsartikel om att svenskarna drack mycket och ofta uppträdde berusade. Men han lyckades stå emot suget efter spriten. Han skulle i alla fall inte lukta alkohol om polisen stoppade honom.

Ljuset silade in genom tältduken. Han tänkte på drömmen han hade haft under natten. I den var han Aron Silberstein igen. Han var barn och hans far Lukas fanns fortfarande i hans närhet. Fadern var danslärare och tog emot sina elever hemma i lägenheten i Berlin. Det var under det sista förfärliga året, det visste han, eftersom fadern i drömmen hade rakat av sig mustaschen. Det hade han gjort bara några månader innan katastrofen inträffade. De satt i det enda rum där fönsterrutorna fortfarande var hela. Det var bara Aron och hans far, de andra i familjen var försvunna. Och de hade väntat. De var tysta och väntade, ingenting annat. Ännu efter femtiofem år tänkte han att hela hans barndom hade varit en enda utdragen väntan. Väntan och skräck. Allt det fruktansvärda som hände ute på gatorna under nätterna när flyglarmet gick och de störtade ner i källaren hade egentligen aldrig satt några spår hos honom. Det var denna väntan som kommit att styra hans liv.

Han kröp ut ur sovsäcken. Letade reda på en huvudvärkstablett och vattenflaskan. Han såg på sina händer. De skakade. Han tog tabletten i munnen och sköljde ner den. Sedan kröp han ut ur tältet och pissade. Marken var våt och kall under hans bara fötter. Om ett dygn är jag borta härifrån, tänkte han. All den här kylan, de långa nätterna. Han kröp in i tältet igen, ner i sovsäcken och drog upp den till hakan. Frestelsen att ta en klunk ur någon av spritflaskorna fanns där hela tiden. Men han skulle vänta. Hade han kommit så här långt tänkte han inte ta några onödiga risker.

Regnet utanför tältet tilltog plötsligt. Det gick som det måste gå, sa han till sig själv. Jag väntade i över femtio år på att ögonblicket skulle vara inne. Jag hade nästan, men bara nästan, gett upp hoppet om att finna förklaringen på och lösningen till det som förstörde mitt liv. Då hände det som jag aldrig väntat mig. En människa kom av en alldeles obegriplig tillfällighet i min väg och kunde ge mig en viktig pusselbit till vad som egentligen hade hänt. Ett sammanträffande som egentligen borde ha varit omöjligt.

Han bestämde sig för att han så snart han var tillbaka i Buenos Aires skulle besöka kyrkogården där Höllner låg och lägga en blomma på graven. Utan honom hade han aldrig kunnat utföra sitt uppdrag. Någonstans fanns ändå en mystisk, kanske gudomlig rättvisa som låtit honom möta Höllner före hans död, och av honom få svar på de frågor han haft. Insikten om vad som egentligen hade hänt den där gången när han varit barn hade försatt honom i ett chocktillstånd. Han hade aldrig i sitt liv druckit så mycket som under tiden närmast efter deras sammanträffande. Men sedan, när Höllner redan var död, hade han tvingat sig att bli nykter igen, dra ner på drickandet så att han kunde återuppta sitt arbete och därefter börja utforma en plan.

Och nu var allting över.

Medan regnet smällde mot tältduken gick han ännu en gång i tankarna igenom det som hade hänt. Först var det alltså Höllner som han stött ihop med på restaurang La Cãbana. Det var över två år sedan nu. Höllner var redan den gången märkt av den magcancer som senare skulle döda honom. Det var Filip Monteiro, den gamle kyparen med emaljögat, som hade frågat honom om han kunde tänka sig att dela bord en kväll när restaurangen hade många gäster. Och det var tillsammans med Höllner han hade blivit placerad.

De hade naturligtvis genast kunnat konstatera att de båda var invandrare från Tyskland, de bröt på samma sätt. Han hade varit beredd på att Höllner kunde tillhöra den stora grupp tyskar som kom till Argentina genom de välorganiserade livlinor som hjälpte nazister ut ur det sammanstörtade tusenåriga riket och Aron hade först inte uppgivit sitt riktiga namn. Höllner kunde mycket väl ha varit en av dem som med falska papper kommit illegalt, kanske blivit landsatt från någon av de ubåtar som strök omkring utanför den argentinska kusten under våren 1945. Han kunde också ha fått hjälp genom någon av de nazistiska grupper som opererade från Sverige, Norge och Danmark. Eller så kunde han ha kommit senare, när Juan Peron öppnade sin politiska famn för tyska invandrare utan att någonsin ställa några frågor om deras förflutna. Aron visste att Argentina var fullt med nazister som gått under jorden, krigsförbrytare som levde med skräcken för att bli gripna. Människor som aldrig någonsin hade gjort avbön, som fortfarande hade en byst av Hitler på en hedersplats i sina hem. Men Höllner hade inte varit sådan. Han hade talat om kriget som den katastrof det var. Han hade snart förstått att Höllners far visserligen varit en högt uppsatt nazist, men att Höllner själv var en av de många tyska invandrare som helt enkelt begett sig till Argentina i jakt på en bättre framtid än den de trodde sig kunna finna i det raserade Europa.

De hade delat bord den där kvällen på La Cãbana. Aron kunde fortfarande minnas att de hade beställt samma mat, en köttstuvning som kockarna på La Cãbana lagade bättre än några andra. Efteråt hade de promenerat genom staden tillsammans eftersom de bodde åt samma håll, han själv på Avenida Corrientes och Höllner några kvarter längre bort. De hade bestämt sig för att träffas igen. Höllner berättade att han var änkeman, att hans barn hade återvänt till Europa. Han hade till ganska nyligen haft ett tryckeri som han nu hade sålt. Aron hade bjudit honom att komma till den verkstad där han renoverade möbler. Höllner hade tackat ja och sedan hade det blivit en vana att han besökte Aron på förmiddagarna. Han tycktes aldrig tröttna på att se hur Aron långsamt klädde om någon gammal stol som en eller annan rik representant för den argentinska överklassen hade lämnat in. Då och då gick de ut på gården och drack kaffe och rökte.

På gamla människors vis hade de jämfört sina liv med varandra. Och det var då, i en bisats eller en utvikning, som Höllner hade frågat om Aron möjligen var släkt med en viss herr Jacob Silberstein i Berlin som hade undkommit deporteringarna av judar under 30-talet och all form av förföljelse senare under krigsåren, eftersom han var den ende som kunde ge Hermann Göring en tillfredsställande massage mot hans återkommande ryggsmärtor. Som om historien i ett enda slag hade hunnit ikapp honom hade Aron svarat att massören Jacob Silberstein varit hans farbror. Och att det var genom det beskydd Jacob åtnjöt som hans bror Lukas, Arons far, också hade lyckats undgå att bli deporterad. Höllner hade sett undrande på honom och sedan förklarat att han själv hade träffat Jacob Silberstein eftersom hans egen far också hade fått massage av honom.

Den dagen hade Aron slagit igen sin verkstad och satt upp ett meddelande på porten med besked att han inte skulle vara tillbaka förrän dagen efter. Sedan hade han följt med hem till Höllner som bodde längre ner mot hamnen, i ett illa underhållet hyreshus. Höllner hade en liten lägenhet mot bakgården. Aron kunde minnas den starka doften av lavendel där inne, och alla de dåliga akvareller från Pampas som hans hustru hade målat. De hade suttit till långt in på natten och talat om detta märkliga, att deras historier korsade varandra i ett Berlin som låg så långt tillbaka i tiden. Höllner var tre år yngre än Aron. 1945 hade han bara varit nio och hans minnesbilder var oklara. Men han mindes mycket väl den man som blev hämtad en gång i veckan med bil för att ge hans far massage. Han mindes även känslan att det låg något märkligt i detta, något märkligt och lite farligt i att en jude, som han den gången inte vetat namnet på, fortfarande fanns kvar i Berlin. Och att det dessutom var en man som levde under den fruktade marskalken Görings beskydd. Men när han beskrev sina minnesbilder av Jacob Silbersteins utseende och sätt att röra sig visste Aron att det inte kunde föreligga något missförstånd, det var hans farbror Höllner talade om.

Mest handlade det om det ena örat, det vänstra, som Jacob Silberstein en gång fått deformerat när han som barn skar sig på en trasig fönsterruta. Aron hade märkt hur han började svettas när Höllner beskrev det öra han själv kom ihåg så väl. Det rådde inga som helst tvivel och Aron blev så rörd att han omfamnade Höllner.

Nu när han låg i tältet mindes han allt det här som om det hade hänt dagen innan. Han skulle aldrig helt kunna förstå att tillfälligheter hade fört Höllner i hans väg. Och att det innebar att han till sist förstod vad som hade hänt.

Aron såg på klockan. Kvart över tio. I tankarna bytte han identitet igen. Nu var han Fernando Hereira. Det var som Hereira han anlänt till Sverige. Han var argentinsk medborgare på turistresa i Sverige. Ingenting annat. Minst av allt Aron Silberstein som kommit till Buenos Aires en vårdag 1953 och sedan aldrig återvänt till Europa. Förrän nu, när han äntligen kunnat genomföra det han väntat på i alla år.

Han klädde sig, rev tältet och körde tillbaka till huvudvägen igen. Utanför Varberg stannade han och åt lunch. Huvudvärken var borta nu. Om två timmar skulle han vara i Malmö. Biluthyrningsfirman låg intill järnvägsstationen. Det var där han hämtat bilen fyrtio dagar tidigare och det var också där han skulle lämna tillbaka den. I närheten skulle han säkert kunna hitta ett hotell. Dessförinnan måste han göra sig av med tältet och sovsäcken. Campingköket, kastrullerna och tallrikarna hade han slängt i en soptunna på en rastplats någonstans i Dalarna. Besticken hade han kastat i en älv som han passerat. Han skulle hålla utkik efter en rastplats för att bli av med resten innan han kom fram till Malmö.

Strax norr om Helsingborg hittade han vad han sökte. En container bakom en bensinstation där han stannat för att tanka en sista gång. Han grävde ner tältet och sovsäcken under de tomkartonger och plastdunkar som redan fyllde containern. Sedan tog han upp en plastpåse som låg överst i ryggsäcken. Där fanns en blodig skjorta. Trots att han varit klädd i en heltäckande overall som han bränt där uppe i skogen, hade Herbert Molin lyckats bloda ner hans skjorta. Hur det hade gått till var fortfarande en gåta. En lika stor gåta som varför han inte också hade bränt skjortan när han gjorde sig av med overallen.

Men innerst inne visste han svaret. Han hade behållit skjortan för att kunna se på den och övertyga sig själv om att det som hänt inte var någonting han hade drömt. Nu behövde han den inte längre. Tiden för påminnelser var förbi. Han grävde ner plastpåsen så djupt i containern han kunde. Samtidigt dök tanken på Höllner upp igen i hans huvud, den bleke och dödsmärkte man som han hade mött på La Cãbana. Utan honom hade han inte stått här och gjort sig av med de sista fysiska spåren efter en resa till Sverige där han tagit livet av en människa och sänt en sista ohygglig hälsning till det lika ohyggliga förflutna genom ett antal blodspår han lämnat efter sig på ett trägolv.

Nu skulle spåren bara finnas kvar i hans hjärna.

Han gick tillbaka till bilen och satte sig bakom ratten men utan att starta motorn. En fråga gnagde i hans huvud. Den hade funnits där sedan den natt han gått till anfall mot Herbert Molins hus. En fråga om en oväntad upptäckt som gällde honom själv. På vägen till Sverige hade han varit rädd. Under hela den långa flygresan hade han undrat hur han skulle klara av att utföra det uppdrag han ålagt sig själv. Ett uppdrag som bara gick ut på en enda sak, att döda en människa. Han hade aldrig tidigare i sitt liv ens varit i närheten av att tillfoga en människa någon skada. Han hatade våld, han skrämdes av tanken på att själv bli slagen. Och nu var han på väg till en annan kontinent för att med berått mod döda en människa. En man han träffat vid sex eller sju tillfällen, när han var tolv år gammal.

Sedan hade det visat sig att det inte alls var svårt.

Det var det han inte kunde förstå. Det skrämde honom och tvingade honom att söka sig tillbaka till allt det som hade hänt över femtio år tidigare, själva upprinnelsen till den handling han nu hade utfört.

Varför var det så enkelt? Det borde vara det svåraste som fanns, att ta livet av en annan människa.

Tanken gjorde honom nedslagen.

Han hade velat att det skulle vara svårt att ta livet av Herbert Molin. Han hade hela tiden innan tänkt att han i själva gärningsögonblicket skulle vackla och att han efteråt skulle drabbas av stor ångest över det han gjort. Men hans samvete hade varit tyst.

Han satt länge i bilen och försökte förstå. Till sist, när sprittörsten gjorde sig alltför starkt påmind, startade han motorn och lämnade bensinstationen.

Han fortsatte mot Malmö. Till höger kunde han efter en stund se hur en stor bro höll på att sträcka ut sig över vattnet mellan Sverige och Danmark. Han körde in i staden och hittade ganska enkelt fram till biluthyrningsfirman. När han betalade räkningen blev han förvånad över hur dyrt det var. Men han sa naturligtvis ingenting och han betalade kontant även om han lämnat sitt kreditkort när han hyrt bilen. Nu hoppades han att de papper som berättade att Fernando Hereira hade hyrt en bil i Sverige skulle försvinna djupt ner i något arkiv.

När han steg ut på gatan blåste det en kall vind från havet men regnet hade upphört. Han gick in mot staden och stannade framför ett hotell på en tvärgata till det första torg han kom till. Så fort han hade stigit in i rummet tog han av sig alla kläder och ställde sig under duschen. Under tiden i skogen hade han en gång i veckan tvingat sig ner i det iskalla sjövattnet för att tvätta sig. Men nu när han stod under duschen i Malmö var det som om han äntligen befriade sig från all sin ingrodda smuts.

Efteråt satt han inlindad i ett badlakan och öppnade den sista flaskan han hade i ryggsäcken. Det var den största befrielsen. Han halsade, tog tre stora klunkar och kände hur värmen bredde ut sig i kroppen. Natten innan hade han druckit för mycket. Det hade irriterat honom. Men den här kvällen behövde han inte sätta upp några andra gränser för sig själv än att han skulle kunna ta sig till flygplatsen dagen efter.

Han sträckte ut sig på sängen. Tankarna flöt lättare nu när han hade konjaken i blodet. Det som hade hänt började redan bli ett minne. Nu längtade han efter att komma hem till sin verkstad. Den var själva centrum i hans liv. Den trånga verkstaden på baksidan av huset vid Avenida Corrientes var den katedral dit han gick varje morgon. Sedan hade han naturligtvis också sin familj. Barnen som var stora nu. Dottern Dolores som flyttat till Montevideo och snart skulle föda hans första barnbarn. Rakel som fortfarande studerade vid universitetet och skulle bli läkare. Och Marcus som var den oroliga sökaren i familjen och drömde om att bli poet fast han nu livnärde sig på att göra research åt reportrarna på ett samhällskritiskt program i den argentinska televisionen. Han älskade sin fru Maria och sina barn. Men det var ändå verkstaden som var själva navet i hans liv. Nu skulle han snart vara tillbaka där. Herbert Molin var död. Kanske nu också alla de händelser som förföljt honom sedan 1945 skulle lämna honom ifred.

Han blev liggande en stund. Då och då sträckte han ut armen efter konjaksflaskan. Varje gång han tog en klunk skålade han tyst för Höllner. Utan honom hade ingenting av detta blivit av. Utan Höllner hade han aldrig kunnat få reda på sanningen om vem som dödat hans far. Han reste sig från sängen och vände upp och ner på ryggsäcken. Innehållet hamnade på golvet. Han böjde sig ner och tog upp den dagbok han fört under de 43 dagar han tillbringat i Sverige, en sida för varje dag. Men i dagboken befann han sig redan på sidan 45. Han hade börjat skriva på flygplanet som tagit honom till Frankfurt och sedan till Köpenhamn. Han återvände till sängen, tände läslampan och bläddrade långsamt igenom boken. Här fanns hela historien. Han hade skrivit den för att kanske ge den till sina barn, men de skulle få den först när han var död. Det var sin släkthistoria han hade skrivit ner. Och han hade försökt förklara varför han gjort det han gjort. Det han för sin fru hade beskrivit som en resa till Europa för att besöka några möbelsnickare som kunde lära honom något han inte redan kunde, hade varit något helt annat, en resa bakåt i hans förflutna. I dagboken hade han beskrivit det som en dörr som måste stängas.

Nu när han låg och bläddrade i anteckningsboken blev han plötsligt tveksam. Hans barn skulle kanske inte förstå varför deras far hade gjort den långa resan för att ta livet av en gammal man som bodde ensam i en skog.

Han släppte boken på golvet och tog en ny klunk konjak. Det var den sista innan han klädde sig för att gå ut och äta. Till maten skulle han också ha någonting att dricka. Det som var kvar i flaskan skulle han ha till natten och morgonen.

Han märkte att han var berusad nu. Hade han varit i Buenos Aires skulle Maria ha sett på honom med tysta och anklagande ögon. Men nu behövde han inte bry sig om det. Dagen efter skulle han resa hem. Denna kväll tillhörde bara honom och hans tankar.

När klockan blivit halv sju steg han upp, klädde sig och lämnade hotellet. Den hårda och kalla vinden grep tag i honom när han kom ut på gatan. Egentligen hade han tänkt ta en promenad, men vädret fick honom att tappa lusten. Han såg sig omkring. Längre ner på gatan vajade en restaurangskylt i vinden. Han gick dit, men när han kom in i lokalen tvekade han. En teve stod i ett hörn och visade ishockey med hög ljudvolym. Vid ett bord framför teven satt några män och drack öl och följde spelet. Han anade att maten på detta ställe inte skulle vara särskilt god, men han ville inte ut i kylan igen. Han satte sig vid ett ledigt bord. Vid bordet intill satt en ensam man och stirrade på sitt nästan tomma ölglas. Servitrisen kom fram med en matsedel, och han beställde en biff med béarnaisesås och pommes frites. Till det en flaska vin. Rött vin och konjak var det han drack. Aldrig öl, aldrig något annat.

– *I hear that you speak English*, sa plötsligt mannen med ölglaset.

Aron nickade till svar. Han hoppades innerligt att mannen bredvid honom inte skulle börja konversera. Det orkade han inte. Nu ville han vara ifred med sina egna tankar.

– *Where do you come from?* fortsatte mannen.

– *Argentina*, svarade Aron.

Mannen fortsatte att se på honom med blanka ögon.

– *Entonces, debe hablar español*, sa han.

Hans spanska uttal var i det närmaste perfekt. Aron såg förvånat på honom.

– Jag har varit till sjöss, sa mannen, fortfarande på spanska. Jag bodde i Sydamerika några år. Det är länge sen nu. Men när man lär sig ett språk ordentligt sitter det ofta kvar länge.

Aron nickade.

– Jag ser att du vill vara ifred, fortsatte mannen. Det passar mig utmärkt. Jag vill också vara ifred.

Han beställde in ett glas öl till. Aron smakade på vinet. Han hade beställt det som kallades »Husets vin«. Det borde han inte ha gjort. Men han orkade inte ändra sin beställning nu. Det enda som egentligen intresserade honom var att berusningen inte skulle avta.

Ett vrål fyllde lokalen. Något hade hänt i den pågående ishockeymatchen. Blågula spelare kramade om varandra. Maten kom på bordet. Till hans förvåning smakade den bra. Han beställde in mer vin. Det var alldeles lugnt nu inom honom. Anspänningen hade börjat ge vika för ett stort och befriande tomrum.

Herbert Molin var död. Han hade utfört sitt uppdrag.

Han hade just avslutat måltiden när han råkade kasta en blick på teverutan. Tydligen var det paus i matchen. En kvinna läste nyheter. Han höll på att tappa vinglaset när Herbert Molins ansikte plötsligt dök upp i rutan. Vad kvinnan sa begrep han inte. Han satt alldeles stilla och kände hur hjärtat slog. Ett kort ögonblick tänkte han att hans eget ansikte skulle dyka upp på samma sätt.

Men det var inte sig själv han ögonblicket därpå såg i rutan. Det var en annan gammal man. Ett ansikte som han kände igen.

Han vände sig hastigt till mannen bredvid som satt försjunken i tankar.

– Vad säger dom på nyheterna? frågade han.

Mannen såg på teven och lyssnade.

– Det är två män som blivit mördade, sa han. Först en och sen en till. Nånstans uppe i Norrland. En var polis, den andre spelade fiol. Man tror att det är samma gärningsman.

Bilden i rutan försvann. Men han visste nu att han inte hade sett fel. Först hade det varit Herbert Molin, sedan den andre mannen som han en gång sett besöka Molin.

Han hade också blivit mördad.

Aron ställde ner glaset och försökte tänka. *Samma gärningsman.* Det stämde inte. Han hade dödat Herbert Molin. Men inte den andre mannen.

Han satt alldeles stilla.

Ishockeymatchen började igen.

Han kunde inte alls förstå vad som hade hänt.

13.

Natten till den 4 november 1999 var en av de längsta som Stefan Lindman någonsin hade upplevt. När gryningen äntligen kom, med det svaga ljuset över skogsåsarna, kände han det som om han befann sig inne i ett viktlöst tomrum. Han hade för länge sedan slutat tänka. Allt som pågick runt honom var som en egendomlig mardröm. En mardröm som börjat när han hade gått runt klippblocken och hittat Abraham Anderssons döda kropp fastspänd vid ett träd. Nu, när det äntligen börjat ljusna, hade han inte längre några helt klara minnesbilder av det som hänt under natten.

Han hade tvingat sig fram till den döda kroppen och sökt efter tecken på den puls han redan visste hade stannat för gott. Men Abraham Anderssons kropp hade fortfarande varit varm, eller åtminstone hade likstelheten ännu inte inträtt. Det kunde betyda att den man som skjutit honom fortfarande fanns i närheten. Att mannen som hängde i repen var skjuten rådde det inget tvivel om. I ficklampans sken kunde han se ingångshålet, precis över hjärtat. Han hade varit mycket nära att svimma eller åtminstone börja kräkas. Hålet var mycket stort. Andersson hade blivit avrättad på nära håll med ett hagelgevär.

Hunden hade plötsligt börjat yla där Stefan hade bundit den. Hans första tanke hade varit att den fått upp vittringen av gärningsmannen som kanske fanns alldeles i närheten. Stefan hade sprungit tillbaka och rispat upp ansiktet på utstickande grenar. Någonstans på vägen hade han också tappat sin mobiltelefon ur bröstfickan på skjortan. Han hade dragit med sig hunden tillbaka till huset och slagit larmnumret. Mannen som svarat i

Östersund hade genast förstått allvaret. Stefan hade nämnt Giuseppe Larssons namn och efter det hade mannen i andra änden av telefonlinjen inte ställt några onödiga frågor. Han hade undrat om Stefan hade någon mobiltelefon och han svarade att han hade tappat den. Mannen i Östersund lovade att ringa upp hans nummer för att hjälpa Stefan att hitta den i mörkret. Men nu när det hade börjat ljusna var telefonen fortfarande försvunnen, han hade aldrig hört några signaler. Vad hade hänt sedan? Stefan hade hela tiden haft känslan av att gärningsmannen befann sig mycket nära. Han hade hukat medan han sprang till bilen och han hade backat på en soptunna när han skulle vända för att ta sig ner till huvudvägen och invänta de första poliserna. Mannen i Östersund hade sagt att det skulle vara folk från Sveg.

Den förste som kom var också Erik Johansson. Han hade en kollega med sig som hette Sune Hodell. Stefan hade fört dem till den döda kroppen och både Erik Johansson och den andre polismannen hade ryggat av förfäran. Sedan hade tiden släpat sig fram i väntan på gryningen. De hade upprättat sitt högkvarter i Abraham Anderssons hus. Erik Johansson hade stått i ständig telefonkontakt med Östersund. Någon gång hade han kommit in till Stefan, som lagt sig på vardagsrumssoffan eftersom han plötsligt drabbats av näsblod, och sagt att Giuseppe Larsson nu var på väg från Östersund. Bilarna från Jämtland hade kommit fram strax efter midnatt och kort därefter även den läkare som Erik Johansson med stora svårigheter hade lyckats spåra till en jaktstuga norr om Funäsdalen. Han hade jagat upp kollegor i både Hälsingland och Dalarna för att informera om vad som hänt. Någon gång under natten hörde Stefan också hur han talade med polisen i norska Röros. Kriminalteknikerna hade riggat upp en strålkastare inne i det oländiga skogspartiet. Men utredningen hade hela tiden stått och stampat i väntan på morgonljuset.

Någon gång vid fyratiden hade Giuseppe och Stefan blivit ensamma i köket.

– Rundström kommer så fort det ljusnar, sa Giuseppe. Han och tre hundförare. Vi tar hit dom med helikopter. Det går lättast så. Men han kommer att undra vad du gjorde här. Och jag måste ha ett bra svar att ge honom.

– Inte *du*, svarade Stefan. *Jag* måste ha ett bra svar.

– Och vilket är det?

Stefan tänkte efter innan han svarade.

– Jag vet inte, sa han till sist. Kanske det bara var så enkelt att jag ville höra om han hade kommit på nånting. Om Herbert Molin.

– Och du stiger rakt in i ett mord? Rundström kommer att förstå det du säger. Men han kommer ändå att tycka att det är konstigt.

– Jag reser härifrån.

Giuseppe nickade.

– Men inte innan vi pratat igenom det som hänt här ordentligt.

Längre än så hade deras nattliga samtal inte varat. Sedan hade någon av Giuseppes kollegor kommit och gett besked om att polisen i Helsingborg hade framfört dödsbudet till Abraham Anderssons hustru. Giuseppe försvann för att tala med någon, kanske med hustrun, i en av alla de mobiltelefoner som oavbrutet ringde. Stefan undrade hur det egentligen hade gått att bedriva brottsutredningar före mobiltelefonernas tid. Han undrade överhuvudtaget den natten vilka mekanismer som träder i kraft när en mordutredning ska dras i gång. Där fanns alla rutiner som skulle följas och som ingen behövde tveka om. Men bortom alla dessa rutiner, vad hände där? Stefan tyckte sig se vad som utspelade sig inne i Giuseppes huvud och han tänkte samma tankar själv. Eller försökte tänka. Men han förlamades av bilden som hela tiden återkom innanför pannbenet. Abraham Andersson som hängde i repen vid trädet. Det stora ingångshålet. Ett eller flera skott från ett hagelgevär som avlossats på mycket nära håll.

Abraham Andersson hade blivit avrättad. Någonstans ifrån hade en osynlig exekutionspluton dykt upp i mörkret, hållit sin ståndrätt, verkställt domen och sedan försvunnit lika osynligt igen.

Inte heller det här är något vanligt litet skitmord, tänkte Stefan många gånger den natten. Men om det inte är det, vad är det då? Mellan Herbert Molin och Abraham Andersson måste ha funnits ett samband. De utgör basen i en triangel. I spetsen som fattas finns någon som dyker upp i mörkret, inte bara en gång, utan två och dödar två äldre män som till synes inte har något gemensamt.

Där slog alla dörrar igen rakt i ansiktet på honom. Det är det här som är mordutredningens kärna, tänkte han. Det uppstår ett oförklarligt samband mellan två människor, en förbindelse som är så djupgående att någon bestämmer sig för att döda båda två. Det här är vad Giuseppe går och tänker på medan han försöker sköta rutinerna och väntar på gryningen som aldrig kommer. Han försöker se det som ligger gömt under stenarna.

Stefan hade hållit sig i Giuseppes närhet under natten. Han hade följt honom när de skyndade mellan själva brottsplatsen och huset som blev deras högkvarter och förvånats över med vilken lätthet Giuseppe skred till verket. Trots den förfärliga bilden av en man som hängde sönderskjuten mot ett träd hörde han hur Giuseppe skrattade flera gånger under natten. Det fanns inte skymten av råhet eller cynism hos honom, bara detta befriande skratt som hjälpte honom att stå ut med alla vidrigheter.

Till sist blev det ändå morgon och en helikopter sänkte sig ner mot gräsplanen bakom huset. Ut hoppade Rundström och tre hundförare med ivriga schäfrar som slet i kopplen. Helikoptern lyfte genast och försvann.

Med gryningsljuset ändrade alla de sysslor som gått så långsamt under natten helt karaktär. Även om poliserna som arbetat oavbrutet sedan de kommit till platsen var trötta och deras ansikten lika gråa som dagbräckningen ökade de nu tempot. Efter att ha gett Rundström en kort resumé samlade Giuseppe hundförarna kring ett kartblad och la upp sökandet. Sedan försvann de mot platsen där man nu hade börjat ta loss den döda kroppen från trädet.

Den första hunden hittade genast Stefans mobiltelefon. Någon hade trampat på den under natten och haft sönder batteriet. Stefan stoppade den i fickan och undrade plötsligt vem som skulle ärva den efter honom om han inte överlevde den cancer han bar på.

Efter någon timmes tyst och sammanbitet arbete samlade Rundström alla poliser till en genomgång inne i huset. Då hade ytterligare två bilar kommit från Östersund med kompletterande utrustning åt teknikerna. Helikoptern hade sedan återvänt och fört bort Abraham Anderssons kropp. Från Östersund skulle den fraktas med bil till rättsläkarstationen i Umeå.

Alldeles innan genomgången hade Rundström kommit fram till Stefan som satt sig i bilen och bett honom vara med. Ännu hade han inte ställt några frågor om hur det kom sig att Stefan hade varit den som hittat Abraham Andersson.

Poliserna som stod hopträngda i det rymliga köket var trötta och frusna. Giuseppe lutade sig mot en vägg och ryckte hårstrån ur sin ena näsborre. Stefan tänkte att han såg äldre ut än 43 år. Hans ansikte var insjunket, ögonlocken tunga. Ibland kunde han ge intryck av att vara alldeles frånvarande. Men Stefan trodde snarare att han befann sig djupt inne i ett virrvarr av frågeställningar kring det som hade hänt. Hans koncentration pekade inåt. Stefan anade att han sökte ett svar på den fråga alla poliser gång på gång ställer sig. Vad är det jag inte ser?

Rundström började med att tala om vägspärrarna. De hade upprättats på alla större tillfartsvägar. Innan polisen i Särna varit på plats hade det kommit rapport om en bil som i hög fart passerat söderut mot Idre. Iakttagelsen var viktig. Rundström bad Erik Johansson att tala med kollegorna i Dalarna.

Sedan vände han sig mot Stefan.

– Jag vet inte om alla här känner dig, sa han. Men vi har en kollega från Borås ibland oss, som en gång arbetade med Herbert Molin. Jag tror att det blir enklast om du själv berättar hur du upptäckte Abraham Andersson.

Stefan talade om vad som hänt efter det att han kört upp till Dunkärret från Sveg. Rundström ställde några frågor när han hade slutat. Framför allt ville han veta de olika tidpunkterna. Stefan hade haft sinnesnärvaro och rutin nog att se på klockan, både när han kom till gården och när han upptäckte den döda kroppen.

Samlingen blev mycket kort. Kriminalteknikerna ville fortsätta sitt arbete så fort som möjligt eftersom väderleksrapporten talade om risk för snöblandat regn senare under dagen. Stefan följde med Giuseppe ut på gårdsplanen.

– Det är nånting som inte stämmer, sa Giuseppe efter en stunds tystnad. Du har gett uttryck för tanken att orsaken till Herbert Molins död kunde ligga nånstans i hans förflutna. Det tyckte jag lät rimligt. Men hur ska vi ställa oss till det nu? Abraham Andersson var inte polis. Han hade spelat fiol i en symfoniorkester. Han och Herbert Molin kände knappast varandra innan de råkade bosätta sig i samma glesbygd. Där havererar teorin kring Herbert Molins död.

– Det måste väl undersökas? Herbert Molin och Abraham Andersson kan ju trots allt ha haft nåt gemensamt som vi inte känner till.

Giuseppe skakade på huvudet.

– Naturligtvis ska vi undersöka det. Men jag tror ändå inte på det.

Sedan brast han i skratt.

– Poliser ska inte tro, jag vet. Men ändå är det det vi gör. Från det första ögonblicket på en brottsplats börjar vi bygga upp provisoriska slutsatser. Vi spinner nät utan att vara säkra på hur stora maskorna ska vara. Eller vilken fisk vi är ute efter, eller ens i vilken typ av vatten vi ska lägga ut det. Havet eller en fjällsjö? En älv eller en tjärn?

Stefan hade svårt att helt hänga med i Giuseppes bildspråk. Men det lät medryckande.

En av hundförarna kom ut ur skogen. Stefan kunde se på hunden att den verkligen hade ansträngt sig.

– Ingenting, sa hundföraren. Dessutom tror jag Stamp är sjuk.

– Vad är det för fel?

– Han får upp maten. Det är möjligt att han har drabbats av nån infektion.

Giuseppe nickade. Hundföraren gick sin väg. Stefan såg på gråhunden som stod orörlig i sin lina och stirrade in mot den plats där rösterna från teknikerna kunde höras.

– Vad är det som händer här i skogarna? sa Giuseppe plötsligt. Jag tycker inte om det. Det är som en skugga som rör sig i skymningen. Man vet inte om det är inbillning eller verklighet.

– Vad då för sorts skugga?

– Såna som vi inte är vana vid här uppe. Herbert Molin utsattes för ett välplanerat överfall. Abraham Andersson blir avrättad. Jag förstår det inte.

Samtalet avbröts av att Erik Johansson kom skyndande över gårdsplanen.

– Vi kan avskriva den där bilen utanför Särna. Det var en man som hade bråttom med frun till BB.

Giuseppe mumlade något otydbart till svar. Erik Johansson återvände in i huset.

– Vad tror du? frågade Giuseppe. Vad är det som har hänt egentligen?

– Jag skulle nog använda samma uttryck som du. En avrättning. Varför gör man sig egentligen besvär med att ta ut en man i skogen, surra fast honom vid ett träd och sen skjuta honom?

– Om det nu skedde i den ordningen. Men det är naturligtvis min tanke också, svarade Giuseppe. Varför gör man sig besväret? Där finns också en likhet med mordet på Herbert Molin. Varför gör man sig besvär med att placera ut blodiga tangosteg på golvet?

Han gav själv svaret.

– För att berätta nånting. Frågan är bara för vem? Vi har talat om det tidigare. Gärningsmannen sänder en hälsning. Men till vem? Till oss eller till nån annan? Och varför gör han det? Eller dom. Vi vet fortfarande inte om det är mer än en gärningsman.

Giuseppe såg upp mot den molntäckta himlen.

– Har vi råkat ut för en galning? sa han. Är det här slutet? Eller kommer det mer?

De återvände in i huset. Rundström talade i telefon. Teknikerna hade börjat gå igenom Abraham Anderssons bostad. Stefan hade en mycket stark känsla av att han var i vägen. Rundström avslutade samtalet och pekade på Stefan.

– Vi bör växla några ord, sa han. Vi går ut.

De gick till baksidan av huset. Molnen som drog fram över himlen blev allt mörkare.

– Hur länge har du tänkt stanna? frågade Rundström.

– Jag hade tänkt ge mig av i dag. Nu antar jag att det blir först i morgon.

Rundström såg granskande på honom.

– Jag har en känsla av att det är nåt du inte berättar för mig. Har jag rätt?

Stefan skakade på huvudet.

– Du hade ingenting gemensamt med Molin som du borde tala om för oss?

– Ingenting.

Rundström sparkade till en sten som låg på marken.

– Det är kanske bäst att du låter oss ta hand om utredningen nu. Bäst att du inte blandar dig i.

– Jag har inga som helst tankar på att lägga mig i ert arbete.

Stefan märkte att han höll på att ilskna till. Rundström bäddade in sina ord i en sorts förströdd vänlighet. Stefan irriterades över att han inte talade klarspråk.

– Då säger vi det, sa Rundström. Det var naturligtvis bra att du råkade komma hit. Så att han inte hann hänga där för länge.

Rundström gick sin väg. Stefan upptäckte att Giuseppe stod i ett fönster och såg på honom. Stefan vinkade åt honom att komma ut.

De skildes vid Stefans bil.

– Du reser alltså?

– I morgon.

– Jag kontaktar dig senare i dag.

– Ring mig på hotellet. Min mobiltelefon är trasig.

Stefan körde därifrån. Men redan efter några kilometer kände han sig sömnig. Han körde in på en skogsväg, stängde av motorn och fällde ner sätet.

När han vaknade var han omsluten av tysta, vita väggar. Under det att han sovit hade snön börjat falla och täckte redan alla fönster. Han satt orörlig och höll andan. Kunde döden vara så? tänkte han. Ett vitt rum där ett svagt ljus silar in? Han fällde upp sätet igen och kände att han var stel och öm i hela kroppen. Någonting hade han drömt, det visste han, men han kunde inte komma ihåg vad det var. Kanske någonting om Abraham Anderssons hund? Hade den inte plötsligt börjat tugga på sitt ena ben? Han ruskade på sig. Vad han än hade drömt ville han helst inte minnas det. Han såg på klockan. Kvart över elva. Han hade sovit i mer än två timmar. Han öppnade dörren och steg ut för att pissa. Marken var vit. Men snöfallet hade varit kort. Det hade redan upphört. Träden stod orörliga. Ingen vind. Ingenting, tänkte han. Ställde jag mig orörlig här skulle jag snart förvandlas till ett träd.

Han körde ut på huvudvägen igen. Han skulle köra till Sveg, äta någonting och sedan vänta på att Giuseppe kanske hörde av sig. Ingenting annat. För Giuseppe skulle han berätta om sitt besök hos Elsa Berggren. Om nazistuniformen som hängde längst inne i hennes garderob. Det hade aldrig blivit tillfälle att tala om det under natten. Men han skulle inte lämna Sveg innan han hade lämnat över allt som kunde hjälpa Giuseppe i hans arbete.

Han närmade sig avtagsvägen till Herbert Molins hus. Några tankar på att stanna hade han inte. Ändå tvärbromsade han så hårt att bilen slirade på den blöta vägbanan. Varför stannade han? Ett sista besök, tänkte han. Ett sista kort besök, ingenting annat. Han körde vägen fram till huset och steg ur. Det fanns djurspår på den vita marken. En hare, gissade han. Ur minnet försökte han plocka fram mönstret av de blodiga fotstegen. Han trampade upp dem i den vita marken. Försökte se Herbert Molin och hans docka framför sig. En man och en docka dansar tango i snön. Någonstans i skogsbrynet sitter en argentinsk orkester och spelar. Vilka instrument ingår i en tangoorkester? Gitarr och fiol? Bas? Kanske dragspel? Han visste inte. Det var heller inte viktigt. Herbert Molin dansade med döden utan att veta om det. Eller så visste han att döden fanns där ute i skogen och väntade på honom. Han var redan medveten om rörelsen i skuggorna, den gång jag kände honom, eller åtminstone trodde att jag visste vem han var. En äldre polisman som aldrig hade utmärkt sig på något sätt. Men som ändå tog sig tid att tala med mig som var ung och ny och inte visste någonting om hur det kunde kännas att bli nerspydd av ett fyllo, spottad i ansiktet av en berusad kvinna eller nästan dödad av en ursinnig psykopat.

Stefan stod och betraktade huset. Det såg annorlunda ut nu när marken hade blivit vit.

Sedan föll hans blick på uthuset. Han hade varit inne där första gången han besökte mordplatsen. Men då hade det varit boningshuset som intresserade honom. Han gick bort och öppnade dörren till uthuset. Det bestod av ett enda rum med betonggolv. Han tände ljuset. Vid ena väggen fanns en vedstapel. På motsatta sidan stod en hylla med verktyg och ett plåtskåp. Stefan öppnade skåpet och tänkte att där kanske skulle hänga en uniform. Men där fanns bara en smutsig overall och ett par gummistövlar. Han stängde plåtdörren och fortsatte att se sig omkring i rummet. Vad berättar det? frågade han sig tyst. Vedstapeln berättar nog inget mer än att Herbert Molin visste hur man kunde skapa en perfekt vedstapel. Han gick fram till hyllan med verktyg. Vad berättade verktygen? Ingen historia som var oväntad.

Stefan tänkte på när han var barn och hans far hade ett uthus med verktyg i Kinna. Det hade sett likadant ut. Herbert Molin hade precis det han behövde för att kunna göra mindre reparationer på huset och bilen. Det fanns ingenting som inte passade in i bilden, ingen detalj bland verktygen som fångade hans uppmärksamhet och började berätta en oväntad historia. Han fortsatte att se sig runt i uthuset.

I ett hörn stod skidor och stavar. Stefan tog en av skidorna och bar fram den till dörröppningen. Han kunde se att bindningen var sliten. Herbert Molin hade alltså använt skidorna. Kanske han hade gått över sjön när vattnet var fruset och vädret bra? För att han tyckte om det? Eller för att han skulle få den nödvändiga motionen? Eller för att pilka? Han ställde tillbaka skidan. Här var någonting oväntat. Ytterligare ett par skidor, kortare, kanske damskidor. Plötsligt kunde han se två människor staka sig fram över den frusna sjön, i gnistrande klart vinterväder. Herbert Molin och Elsa Berggren. Vad talade de om när de var ute på skidutflykt? Eller man kanske inte talade när man åkte skidor? Stefan visste inte eftersom han aldrig hade åkt skidor annat än som barn. Han fortsatte att vandra med blicken runt rummet. I ett hörn låg en trasig spark, några ståltrådsnystan och ett antal takpannor.

Någonting fångade hans uppmärksamhet. Han skärpte blicken. Efter nästan en minut insåg han vad det var. Tegelpannorna låg i oordning. Här var det någonting som inte stämde med mönstret. Herbert Molin la pussel, han staplade ved med stor känsla för symmetri och ordning. Samma sak med verktygen. Där härskade också ordning. Men inte bland tegelpannorna. Där rådde oordning. Eller åtminstone en annan ordning, tänke han. Han böjde sig ner och började flytta undan dem, en efter en.

Där under fanns en platta av metall nersänkt i det gjutna golvet. En lucka som var låst. Stefan reste på sig och hämtade en kofot som låg bland verktygen. Han lyckades pressa in den i skarven mellan golvet och luckans kant och fick ta i med alla krafter för att kunna bända upp den. Plötsligt lossnade den och Stefan ramlade framstupa. Han slog pannan i väggen. Handen blev blodig när han strök den över huvudet. Det stod en låda med trassel under verktygsbänken. Han torkade sig i pannan och höll trasslet tryckt mot huden tills det hade slutat blöda.

Sedan böjde han sig fram och tittade ner i hålet i golvet. Där låg ett paket. När han lyfte upp det såg han att det var en gammal svart regnrock som utgjorde paketets omslag. Herbert Molin var nära honom nu. I golvet hade han gömt något som han inte ville att någon skulle se. Stefan la paketet på verktygshyllan, bad Herbert Molin tyst om ursäkt, och flyttade sedan undan verktygen. Det satt ett grovt snöre om paketet. Stefan petade upp knuten och vecklade upp regnrocken.

Framför sig hade han tre olika föremål. En svart anteckningsbok, några brev med ett rött band om, och ett kuvert. Han började med att öppna kuvertet. Det innehöll fotografier. Han insåg att han inte blev förvånad över det han såg. Han hade vetat det sedan besöket hos Elsa Berggren, innerst inne hade han vetat, och nu fick han det bekräftat.

Det var tre fotografier, alla svartvita. Det första föreställde fyra unga män med armarna runt varandras axlar. De log rakt in i kameran. En av dem var Herbert Molin, som då ännu hette Mattson-Herzén. Bakgrunden var otydlig men kunde vara en husvägg. Det andra fotografiet föreställde också Molin. Det var taget i en ateljé, vars namn stod inskrivet i bildens nederkant.

Det tredje fotografiet föreställde också Molin som ung. Här

stod han bredvid en motorcykel med sidovagn. I händerna höll han ett vapen. Han fortsatte att le rakt emot kameran.

Stefan la bilderna bredvid varandra.

En sak gick igen på alla tre.

Herbert Molins kläder. Hans uniform.

Likadan som den som hängde i Elsa Berggrens garderob.

14.

Det fanns en historia om Skottland.

Den låg ungefär i mitten av dagboken, inkilad som en oväntad parentes i den redogörelse som Herbert Molin hade skrivit om sitt liv. I maj 1972 tar Herbert Molin två veckors semester. Med båt reser han från Göteborg till Immingham på den engelska östkusten. Han fortsätter resan med tåg och kommer till Glasgow sent på eftermiddagen den 11 maj. Där tar han in på Smiths hotel som enligt hans beskrivning ligger »nära några museer och ett universitet«. Men han besöker inga museer. Dagen efter hyr han en bil och fortsätter resan norrut. I dagboken noterar han att han passerar städer som Kinross, Dunkeld och Spean Bridge. Han reser långt den dagen, ända till Drumnadrochit på västsidan av Loch Ness där han stannar över natten. Några sjöodjur bryr han sig dock aldrig om att leta efter.

Tidigt på morgonen den 13 maj fortsätter han i bilen norrut och samma eftermiddag är han framme vid sitt mål, staden Dornoch, som ligger på en udde på östkusten av de skotska högländerna. Han tar in på ett hotell nere i hamnen som heter The Rosedale Hotel och han noterar i dagboken att »luften är annorlunda här än i Västergötland«. Men vad det är som gör att den känns annorlunda skriver han inte. Nu är han framme i Dornoch, det är i mitten av maj 1972 och hittills har han inte skrivit något om varför han har rest dit. Ingenting annat än att han ska träffa »M«. Och »M« träffar han redan samma kväll. »Lång promenad genom staden tillsammans med M«, skriver han. »Kraftig blåst men inget regn.« Under de följande sju dagarna noterar han sedan samma sak. »Lång promenad genom staden tillsammans med M.« Ingenting annat. Det enda han finner värt att minnas är att vädret växlar. Det tycks alltid blåsa i Dornoch. Men ibland »strilregnar det«, ibland ser vädret »hotfullt« ut, en enda gång, torsdagen den 18 maj, »skiner solen« och det är »ganska varmt«. Några dagar senare reser han tillbaka samma väg han kommit. Om det är med samma hyrbil eller om han lämnat den första och sedan har hyrt en ny för återresan framgår inte. Däremot att han blir förvånad när han ska betala sin räkning på The Rosedale Hotel att »det inte kostade mer«. Några dagar senare, efter att ha tvingats vänta 24 timmar i Immingham eftersom »en färja fått maskinhaveri«, återvänder han till Göteborg och Borås. Den 26 maj är han tillbaka i tjänst igen.

Historien om Skottland låg där som ett förbryllande undantag i mitten av dagboken. En dagbok som är förd med stora luckor i tiden. Ibland har det gått flera år mellan de gånger Herbert Molin har fattat pennan, oftast en bläckpenna. Men ibland har han använt blyerts för att föra in sina anteckningar. Resan till Skottland, till staden Dornoch utgör ett gåtfullt undantag. Han reser dit för att träffa någon som heter »M«. De promenerar. Alltid på kvällen. Vem »M« är och vad de talar om framgår inte. De promenerar, ingenting annat. Vid ett enda tillfälle, onsdagen den 17 maj, tillåter sig Herbert Molin att göra en av sina ytterst få personliga kommentarer i dagboken. »Vaknar denna morgon utsövd. Inser att jag borde ha gjort denna resa för länge sedan.« Det är allt. »Vaknar denna morgon utsövd.« Det är en kommentar som på många sätt är avgörande eftersom stora delar av dagboken i övrigt handlar om hur svårt han har att sova. Men i Dornoch vaknar han utsövd och inser att han borde ha gjort resan för länge sedan.

Det hade redan börjat bli eftermiddag när Stefan hade kommit så långt i sin läsning. När han hittat paketet i uthuset hade han först tänkt ta med dagboken till hotellet i Sveg. Sedan hade han plötsligt ändrat sig och för andra gången klättrat in i Herbert Molins hus genom ett fönster. Han hade sopat undan pusselbitarna på bordet i vardagsrummet och lagt dagboken framför sig. Han ville läsa den här i det förstörda huset, där Herbert

Molin på något sätt fortfarande fanns i hans närhet. Vid sidan av dagboken la han de tre fotografierna. Innan han öppnade dagboken löste han upp det röda bandet som höll ihop breven. Det var nio stycken. Det var Molin själv som hade skickat dem till sina föräldrar i Kalmar. Breven var daterade från oktober 1942 till april 1945. Alla var skrivna i Tyskland. Stefan bestämde sig för att vänta med breven. Först skulle han gå igenom dagboken.

Den första anteckningen var från Oslo den 3 juni 1942. Herbert Molin noterar att han har köpt dagboken i en bok- och pappershandel på Stortingsgaten i Oslo, i akt och mening att börja »skriva ner viktiga händelser i mitt liv«. Han har tagit sig över gränsen till Norge väster om Idre i norra Dalarna, på en väg som leder genom Flötningen. Vägen har han fått sig anbefalld av en »löjtnant W i Stockholm som ombesörjer att de som vilja ta värvning hos tyskarna hitta rätt bland fjällen«. Hur han sedan tagit sig från gränsen till Oslo framgår inte. Men nu är han i Oslo, det är i juni 1942 och han köper en anteckningsbok och börjar föra dagbok.

Stefan hade stannat redan där och tänkt efter. Herbert Molin är 1942 19 år gammal. Egentligen heter han då August Mattson-Herzén. Dagboken börjar han föra när han redan befinner sig mitt inne i ett avgörande livsskede. Han är 19 år och har bestämt sig för att ta värvning i den tyska krigsmakten. Han vill slåss för Hitler. Han har lämnat Kalmar och på något sätt känt till en löjtnant W i Stockholm som har med den tyska värvningen att göra. Men reser Herbert Molin ut i kriget med eller emot sina föräldrars vilja? Vilka är hans motiv? Ska han slåss emot bolsjevismen? Eller är han bara en äventyrare? Det framgår inte. Bara att han nu är 19 år och befinner sig i Oslo.

Stefan läste vidare. Den 4 juni noterar Herbert Molin bara dagens datum och börjar skriva en rad som han sedan stryker över. Därefter är det en lucka fram till den 28 juni. Då antecknar han med versaler och fetstil att han »blivit antagen«. Och att han redan den 2 juli ska transporteras till Tyskland. Bokstäverna utstrålar triumf. Han har blivit accepterad av den tyska krigsmakten! Sedan skriver han att han äter glass. Och går på Karl Johan och ser vackra flickor som »göra mig generad när jag någon gång fångar en av deras blickar«. Det är den första personliga kommentaren i dagboken. Han äter glass och ser på flickor. Och blir generad.

Nästa anteckning är svårtydbar. Efter en stund insåg Stefan varför. Herbert Molin sitter och skriver på ett tåg som vaggar och skakar. Han är på väg till Tyskland. Han noterar att han är spänd men full av tillförsikt. Och att han inte är alldeles ensam. I sällskap har han nu ytterligare en svensk som tagit värvning i Waffen-SS, Anders Nilsson från Lycksele. Han noterar att »Nilsson pratar inte så mycket och det passar mig ju bra, eftersom jag är rätt tystlåten själv«. Dessutom finns det några norrmän. Men deras namn finner han det inte mödan värt att skriva upp.

Resten av sidan är tom så när som på en stor brun fläck. Stefan tyckte sig kunna se Molin framför sig, hur han spiller kaffe över dagboken och stoppar undan den i ryggsäcken för att inte förstöra den.

Nästa anteckning är från Österrike. Det har redan blivit oktober. »12 oktober 1942. Klagenfurt. Jag håller just på att avsluta min vapenutbildning här i Waffen-SS. Jag håller alltså på att bli en av Hitlers elitsoldater och har bestämt mig för att lyckas. Har skrivit brev som Erngren tar med sig hem till Sverige eftersom han blivit sjuk och fått avsked.«

Stefan drog till sig högen med brev. Det översta var daterat den 11 oktober i Klagenfurt. Han kunde se att det var skrivet med samma penna som Molin använt i dagboken, en bläckpenna som då och då läckte och lämnade plumpar efter sig. Stefan reste sig från bordet och gick fram till det sönderskjutna fönstret och läste. En fågel flaxade till bland grenarna.

Kära Mor och Far!

Jag förstår att Ni kanske varit oroliga eftersom jag inte skrivit innan. Men Far som själv är militär vet säkert att det inte alltid är så lätt att få vare sig tid eller plats att sätta sig med brevpapper och penna. Jag vill bara hälsa Er, kära föräldrar, att jag mår bra. Från Norge kom jag via Tyskland till Frankrike där den första utbildningen ägde rum. Och nu är jag i Österrike för att lära mig rätt hantera vapen. Vi äro många svenskar här, dessutom även norrmän, danskar, holländare och tre från Belgien. Disciplinen är hård och alla klara inte av den rätt. Men jag har hittills skött mig och fått beröm av en kapten Stirnholz som sköter en del av utbildningen här. Den tyska krigsmakten och särskilt Waffen-SS som jag nu tillhör måste ha världens bästa soldater. Jag måste erkänna att vi alla nu otåligt vänta på att få komma ut och göra nytta. Maten är för det mesta bra men inte alltid. Fast jag klagar inte. När jag kan komma till Sverige vet jag inte. Permissioner beviljas inte förrän man har varit aktiv tillräckligt länge. Jag längtar förstås efter Er men biter ihop tänderna och gör det jag skall. För en stor sak är det att kämpa för det nya Europa och mot bolsjevismen.

Hälsar
Eder son August

Pappret var sprött och hade gulnat. Stefan höll upp det mot ljuset. Vattenstämpeln, den tyska örnen, framträdde tydligt. Han blev stående vid fönstret. Herbert Molin lämnar Sverige, söker sig i hemlighet över gränsen till Norge och tar värvning i Waffen-SS. I brevet till föräldrarna framkommer motivet. Herbert Molin är ingen äventyrare. Han söker sig till den tyska krigsmakten, till nazismen för att vara med om framväxten av ett nytt Europa som förutsätter att bolsjevismen krossas.

Herbert Molin är redan vid 19 års ålder övertygad nazist.

Stefan återvände till dagboken igen. I början av januari 1943 befinner Molin sig djupt inne i Ryssland, vid östfronten. Den optimism som funnits tidigare förbyts nu först i tvekan, sedan i förtvivlan och till sist i rädsla. Stefan stannade upp vid några meningar från senare under vintern:

»14 mars. Plats: okänd. Ryssland. Kölden lika intensiv. Varje natt orolig för att förfrysa någon kroppsdel. Strömberg dödad av granatskärva i går. Hyttler har deserterat. Blir han infångad antingen skjuts eller hängs han. Vi ligga nergrävda och vänta på en motoffensiv. Jag är rädd. Det enda som håller modet uppe på mig är tanken på att komma till Berlin och ta danslektioner. Undrar om jag någonsin kommer tillbaka dit.«

Han dansar, tänkte Stefan. Han ligger nergrävd någonstans och överlever genom att drömma om hur han glider omkring på ett dansgolv.

Stefan såg på de tre fotografierna. Herbert Molin ler. Där finns ingen rädsla. Ett riktigt danslejonleende. Rädslan finns bakom bilderna. Fotografier som aldrig blev tagna. Eller så har han valt att inte spara dem där rädslan syns, för att slippa påminnas.

Herbert Molins liv kan klyvas på mitten, tänkte Stefan vidare. Där finns en avgörande vattendelare, före rädslan och efter rädslan. Vintern 1943 kommer den krypande inom honom när han försöker överleva på östfronten. Då är han tjugo år gammal. Möjligen var det samma rädsla jag upptäckte där i skogen utanför Borås. Samma rädsla över fyrtio år senare.

Stefan fortsatte att långsamt läsa igenom boken. Det hade redan börjat skymma. Från de sönderskjutna fönstren drog kylan in i rummet. Han tog med sig boken ut i köket, stängde dörren, täckte för det trasiga fönstret med en filt som han hämtade i sovrummet och läste vidare.

I april antecknar Herbert Molin för första gången att han vill resa hem. Han är rädd för att dö. Soldaterna befinner sig på en tröstlös och tung reträtt, inte bara från ett omöjligt krig utan också från en ideologi som brutit samman. Omständigheterna är vidriga. Då och då talar han om alla döda som omger honom, alla sönderskjutna kroppsdelar, ögonlösa ansikten, avskurna strupar. Han letar hela tiden efter en möjlighet att undkomma, men han hittar ingen lösning. Däremot inser han vad som inte är lösningen. Senare under våren blir han en dag uttagen till att delta i en avrättning. De ska skjuta två belgare och en norrman som fångats in efter att ha deserterat. Det är en av de längsta anteckningarna.

»19 maj 1943. Ryssland. Eller möjligen polskt territorium. Uttogs av kapten Emmers att vara med i en exekutionspluton. Två belgare och norrmannen Lauritzen skulle skjutas för desertering. De ställdes i ett dike, vi stodo på vägen. Svårt att skjuta nedåt. Lauritzen grät, försökte krypa undan i leran. Kapten Emmers beordrade att han skulle bindas fast vid en telefonstolpe. Belgarna tysta. Lauritzen skrek. Jag siktade rakt mot hjärtat. De voro desertörer. Krigslagar gälla. Vem vill dö? Efteråt fingo vi var sitt glas konjak. Det är vår i Kalmar nu. Blundar jag kan jag se havet. Kommer jag någonsin hem?«

Stefan märkte hur Herbert Molins rädsla kom emot honom ur texterna. Han skjuter desertörer, han anser det vara en rättvis dom, han får konjak och han drömmer om Östersjön. Mitt i allt kryper rädslan omkring, tränger sig in i hans hjärna och lämnar honom ingen ro. Stefan försökte föreställa sig vad det innebar att ligga i en skyttegrav någonstans på östfronten. Ett helvete, tänkte han. På mindre än ett år har den naiva hängivenheten övergått i skräck. Nu står det ingenting om det nya Europa längre, nu handlar det om att överleva. Och kanske en dag komma tillbaka till Kalmar.

Men det dröjer ända till våren 1945. Från Ryssland har Herbert Molin återvänt till Tyskland. Han är skadad. Den 19 oktober 1944 får Stefan förklaringen till de skottskador som rättsläkaren i Umeå har hittat. Exakt vad som hänt framgår inte. Men någon gång i augusti 1944 blir Herbert Molin skjuten. Han överlever tydligen som genom ett under. Men det som präglar anteckningarna handlar inte om tacksamhet. Stefan märkte att någonting nytt höll på att hända med Herbert Molin. Det var inte bara rädslan som dominerade innehållet i dagboken. Nu smyger sig också en annan känsla in.

Herbert Molin börjar hata. Han uttrycker vrede över det som händer och han talar om nödvändigheten av att visa »skoningslöshet« och inte tveka att »utmäta straff«. Trots att han inser att kriget är förlorat tappar han inte tron på att uppsåtet varit gott, syftet rätt. Hitler har kanske svikit. Men inte lika mycket som alla de som inte förstått att kriget varit ett heligt korståg mot bolsjevikerna. Det är dessa människor Herbert Molin börjar hata någon gång under år 1944. I ett av de brev han skriver hem till Kalmar framgår det mycket tydligt. Det är daterat i januari 1945 och saknar som vanligt avsändaradress. Tydligen har han då fått ett brev från sina föräldrar som oroar sig för honom. Stefan undrade varför Herbert Molin inte hade sparat de brev han mottagit, bara dem han skrivit. Men kanske förklaringen kunde vara att hans egna brev var ett komplement till dagboken. Där är det hela tiden hans egen röst som talar, hans egen hand som för pennan.

Kära Mor och Far!
Ursäkta att brevet fått vänta. Men vi ha företagit ständiga truppförflyttningar och befinna oss nu inte alltför långt från Berlin. Ni behöva inte vara oroliga. Kriget är lidande och uppoffring. Men jag klarar det ganska väl och har haft tur. Även om jag nu har sett många av mina tidigare kamrater dödas har jag inte tappat modet. Men jag undrar över varför inte fler svenska unga män och även äldre ta värvning under de tyska fanorna. Begriper man inte i fosterlandet vad som sker? Har man inte förstått att ryssen kommer att lägga under sig allt om vi inte sätta oss till motvärn? Nå, jag ska inte trötta Er mer med mina funderingar och min ilska, men jag tror säkert Ni, Far och Mor, förstå mig. Ni sade inte emot när jag gav mig av och Du Far sade att Du hade gjort det samma om Du varit yngre och inte haft skadan i benet. Här måste jag sluta men nu veta Ni att jag finns kvar här på jorden och kämpar vidare. Ofta drömmer jag om Kalmar. Hur må Karin och Nils? Hur går det med faster Annas rosenodlingar? Det är så mycket jag undrar över i ensamma stunder. Men de äro inte så många.
Eder son
August Mattson-Herzén
Numera befordrad till Unterscharführer

Herbert Molins motiv framstod nu allt klarare. Han hade uppmuntrats av sina föräldrar att kämpa för Hitler mot bolsjevismen. När han begav sig till Norge var det inte som någon äventyrare. Han hade gett sig själv ett uppdrag. Mot slutet av 1944, kanske i samband med de skottskador han ådragit sig, blir han befordrad. Vad var en »Unterscharführer»? Vad var den svenska motsvarigheten? Fanns det överhuvudtaget någon motsvarighet?

Stefan fortsatte läsningen. Anteckningarna blir färre och kortare. Men Herbert Molin finns kvar i Tyskland till krigsslutet. Han är i Berlin under slutstriderna som rasar gata för gata. Han berättar om hur han för första gången på nära håll ser en rysk pansarvagn. Han noterar att han vid flera tillfällen är mycket nära att »falla i ryssarnas klor, och då må Gud vara min själ nådig«. Det förekommer inga svenska namn längre, inte heller några norska eller danska. Han är ensam svensk nu bland tyska kamrater. Den 30 april finns den sista anteckningen i krigsdagboken.

»30 april. Jag slåss för livet nu, att komma levande ur detta helvete. Det är förlorat. Bytte min uniform mot kläder jag drog av en död tysk civilperson. Det är detsamma som att desertera. Men allt är ändå i upplösning nu. Jag skall försöka ta mig över en bro i natt. Sedan får det gå som det går.«

Där tog krigsdagboken slut. Vad som hände sedan framgår inte. Men Herbert Molin har alltså överlevt och lyckats ta sig tillbaka till Sverige. Först ett år senare tar han fram sin dagbok igen. Då befinner han sig i Kalmar. Hans mor har avlidit den 8 april 1946. Han skriver samma dag hon har blivit begravd: »Mor kommer jag att sakna. Hon var en god människa. Begravningen vacker. Far kämpade med gråten men höll emot. Tänker ständigt på kriget. Granaterna vissla i öronen på mig även när jag sitter i snipan och seglar i Kalmarsund.«

Stefan läste vidare. Anteckningarna blir allt glesare, allt kortare. Herbert Molin noterar att han gifter sig. Att han får barn. Men inte att han byter namn. Om musikaffären i Stockholm står ingenting. En dag i juli 1955 börjar han plötsligt, till synes helt omotiverat, att skriva en dikt. Men han stryker över orden, dock inte bättre än att de fortfarande gick att läsa.

Morgonsol över Kalmarsund
jag märker hur fåglarna kvittra
det sjunger en fågel i grönan lund

Han kanske inte hittade något rimord på »kvittra«, tänkte Stefan. »Cittra« hade gått bra. Eller »glittra«. Stefan tog fram en penna ur fickan och skrev på ett anteckningsblock som låg på diskbänken: »Alltmedan havet glittra.« Det hade blivit en mycket dålig dikt. Herbert Molin kanske ändå hade förstånd nog att inse sin poetiska begränsning.

Stefan fortsatte läsningen. Herbert Molin flyttar till Alingsås, sedan till Borås. Ett tiotal dagar i Skottland ger upphov till en oväntad skrivglädje. För att hitta något liknande måste Stefan gå tillbaka till den första tiden i Tyskland när Molins optimism fortfarande är obruten.

Efter resan till Skottland återgår allt till det vanliga igen. Sällan fattar Herbert Molin pennan. Han noterar bara enstaka händelser utan att göra några personliga kommentarer.

Stefan skärpte uppmärksamheten när han kom till slutet av dagboken. Innan dess har Herbert Molin noterat när han gör sin sista arbetsdag på polishuset och när han flyttar till Härjedalen.

En notis gjorde honom nyfiken:

»12 mars 1993. Gratulationskort från gamle Wetterstedt, porträttmålaren, till min högtidsdag.«

Den 2 maj 1999 gör han sin sista anteckning i dagboken.

»2 maj 1999. +7 grader.

Min pusselmästare Castro i Barcelona är död. Brev från hans hustru. Jag förstår nu att han måste haft det mycket svårt de sista åren. En obotlig njursjukdom.«

Det är allt. Dagboken är långt ifrån fullskriven. Den bok Herbert Molin köpte i en bok- och pappershandel i Oslo i juni 1942 har följt honom genom åren men förblir ofullbordad. Om nu en dagbok någonsin kan bli färdig. Den gången han började skriva var han en ung man, övertygad nazist, på väg från Norge till Tyskland och kriget. Han äter glass och blir generad när unga norska jenter ser honom i ögonen. Femtiosju år senare skriver han om en pusselmästare i Barcelona som har dött. Ett halvår senare är han själv död.

Stefan slog igen boken. Det var nu nästan helt mörkt utanför det trasiga fönstret. Finns lösningen i dagboken eller utanför den? tänkte han. Det kan jag inte svara på. Jag vet inte vad han utelämnat, bara vad han skrivit. Men jag vet nu något om Herbert Molin jag inte kände till innan. Han var nazist, han deltog i andra världskriget på Hitlertysklands sida. Dessutom gör han en resa till Skottland och tar många och långa promenader tillsammans med någon som han kallar »M«.

Stefan packade in breven, fotografierna och dagboken i regnkappan. Han lämnade huset genom fönstret samma väg han kommit. Just innan han skulle öppna bildörren blev han stående. En vag känsla av sorg hade huggit tag i honom. Över det liv som varit Herbert Molins. Men han tänkte också att sorgen kunde vara riktad mot honom själv. Han var trettiosju år gammal, barnlös och bärare av en sjukdom som kunde sända honom i graven innan han ens hade fyllt fyrtio.

Han for tillbaka till Sveg. Bilarna på vägen var få. Strax efter Linsell blev han omkörd av en polisbil på väg mot Sveg, sedan av ännu en. Händelserna natten innan verkade egendomligt avlägsna och overkliga. Ändå var det mindre än ett dygn sedan han hade gjort den förfärande upptäckten. Herbert Molin hade inte nämnt Abraham Andersson i dagboken. Inte heller Elsa Berggren. Hans två fruar och de två barnen hade bara blivit omnämnda sakligt och kortfattat, aldrig med några personliga kommentarer tillfogade.

Receptionen var öde när han steg in på hotellet. Han böjde sig över disken och tog sin nyckel. När han kom upp till sitt rum undersökte han sin väska. Ingen hade rört den. Han började mer och mer tro att han hade inbillat sig.

Strax efter sju gick han ner i matsalen. Giuseppe hade fortfarande inte ringt. Flickan som kom ut genom svängdörrarna log när hon gett honom matsedeln.

– Jag såg att du hade tagit nyckeln, sa hon.

Sedan blev hon plötsligt allvarlig.

– Jag hör att nånting mer har hänt, sa hon. Att ännu en gammal man har blivit dödad där bortåt Glöte.

Stefan nickade.

– Det är ju fruktansvärt. Vad är det som pågår egentligen?

Hon skakade uppgivet på huvudet, väntade sig inget svar, och gav honom matsedeln.

– Vi har bytt i dag, sa hon. Men kalvkotletterna är inget jag kan rekommendera.

Stefan valde i stället älgfilé med béarnaisesås och kokt potatis och hade just ätit färdigt när flickan kom ut genom svängdörren till köket och sa att han hade telefon. Han gick trappan upp till receptionen. Det var Giuseppe.

– Jag stannar över natten, sa han. Jag bor på hotellet.

– Hur går det?

– Vi har ingenting påtagligt att gå efter.

– Hundarna?

– Dom hittar ingenting. Jag räknar med att vara inne om en timme. Håller du mig sällskap när jag äter?

Det lovade Stefan.

Någonting kan jag ändå ge honom, tänkte han när samtalet var över. Vilket förhållande Herbert Molin och Abraham Andersson hade till varandra kan jag inte svara på. Men jag kan ändå öppna en dörr åt Giuseppe.

Hos Elsa Berggren hänger en nazistuniform längst inne i en garderob.

Och Herbert Molin hade för omvärlden noga dolt ett vittnesbörd om sitt förflutna.

Möjligheten finns, tänkte Stefan. Att uniformen i Elsa Berggrens garderob tillhörde Herbert Molin. Även om han en gång bytte ut sin uniform mot civila kläder, för att rädda sig ut ur det brinnande Berlin.

15.

När Giuseppe kom till hotellet var han trött. Ändå brast han i skratt när han satte sig vid matbordet. Restaurangen skulle snart stänga. Flickan som alternerade mellan receptionen och serveringen höll redan på att göra i ordning för frukosten dagen efter. Frånsett Stefan och Giuseppe fanns bara en annan gäst i lokalen, en man som satt vid ett bord intill väggen. Stefan antog att det var en av testförarna även om han gav intryck av att vara för gammal för att köra bilar i oländig och påfrestande terräng.

– När jag var yngre gick jag ofta på restaurang, sa Giuseppe som förklaring till varför han skrattat. Nu blir det bara av när jag måste sova över nånstans. När jag har ett våldsbrott eller nåt annat obehagligt att reda ut.

Under måltiden berättade Giuseppe vad som hade hänt under dagen. Det han sa kunde sammanfattas i ett enda ord. »Ingenting.«

– Vi står och stampar, sa han. Vi hittar inga spår. Ingen har gjort några iakttagelser trots att vi redan haft kontakt med fyra eller fem personer som passerade på vägen under kvällen. Vad både jag och Rundström nu frågar oss är om det verkligen finns ett samband mellan Abraham Andersson och Herbert Molin. Eller är det inte så? Och vad är det då?

Efter maten beställde han en kopp te. Stefan tog kaffe. Sedan berättade han om sitt besök hos Elsa Berggren, om sitt inbrott hos henne och om hur han hittat dagboken i Herbert Molins uthus. Han sköt undan kaffekoppen och la breven, fotografierna och dagboken framför Giuseppe.

– Nu har du gått för långt, sa Giuseppe irriterat. Jag trodde vi var överens om att du inte skulle gräva på egen hand.

– Jag kan bara beklaga.

– Vad tror du hade hänt om Elsa Berggren hade upptäckt dig?

Stefan hade inget svar.

– Det sker inte en gång till, sa Giuseppe efter en stund. Men det är bäst att vi inte talar med Rundström om ditt kvällsbesök hos tanten. Han kan vara lite känslig för såna saker. Det ska helst gå efter regelboken. Och som du redan märkt är han inte så road av att utsocknes trampar omkring i hans utredningar. Jag säger »hans utredningar« eftersom han har en ovana att se svårare våldsbrott som sin personliga angelägenhet.

– Erik Johansson kanske berättar för honom? Trots att han sa att han skulle hålla det för sig själv?

Giuseppe skakade på huvudet.

– Erik Johansson är nog inte så förtjust i Rundström, sa han. Man ska inte underskatta det faktum att det finns spänningar både mellan enskilda personer och mellan grannlandskapen. Det är inte så populärt i Härjedalen att vara lillebror till stora Jämtland. Dom här problemen existerar även mellan poliser.

Han serverade sig påfyllning ur tekannan och såg på fotografierna.

– Det är en egendomlig historia du berättar, sa han. Herbert Molin var alltså organiserad nazist och tog värvning hos Hitler. »Unterscharführer«? Vad var det? Hade han med Gestapo att göra? Koncentrationslägren? Vad var det som stod ovanför ingången till Auschwitz? »*Arbeit macht frei.*« Förfärliga saker.

– Jag vet inte så mycket om nazismen, svarade Stefan. Men om man var Hitleranhängare antar jag att det är nåt man inte talar högt om. Herbert Molin bytte namn. Nu kanske vi har förklaringen. Han sopade igen sina spår.

Giuseppe hade begärt notan och betalat. Nu tog han fram en penna och noterade Herbert Molin på baksidan.

– Jag tänker bättre när jag skriver, sa han. August Mattson-Herzén förvandlar sig till *Herbert Molin*. Du talar om hans rädsla. Som alltså kan tolkas som att han är rädd för att hans förflutna ska hinna ikapp honom. Du talade med hans dotter?

– Veronica Molin nämnde ingenting om att hennes far skulle

ha varit nazist. Men jag frågade förstås inte heller.

– Jag antar att det är som med människor som begått brott. Man talar inte så gärna om dom i familjen.

– Det var så jag tänkte också. Man kan fråga sig om Abraham Andersson också har ett förflutet?

– Vi får se vad vi hittar i hans hus, sa Giuseppe och skrev *Abraham Andersson*. Teknikerna skulle vila några timmar. Men sen fortsätter dom natten igenom.

Giuseppe drog en pil med två spetsar mellan de två namnen, Abraham Andersson och Herbert Molin. Sedan ritade han ett hakkors följt av ett frågetecken bredvid Anderssons namn.

– Vi ska naturligtvis börja morgondagen med att ha ett ordentligt samtal med Elsa Berggren, sa han medan han skrev hennes namn och drog pilar till de två andra.

Så knycklade han ihop räkningen och la den i askfatet.

– »Vi«?

– Vi kan ju säga att du följer med som min högst privata assistent, helt utan befogenheter.

Giuseppe skrattade till men blev sedan genast allvarlig igen.

– Vi har två förfärliga våldsbrott att hantera, sa han. Jag bryr mig inte om Rundström. Eller om allt inte går formellt riktigt till. Jag vill att du följer med. Två personer lyssnar bättre än en.

De lämnade matsalen. Den ensamme mannen satt kvar vid sitt bord. De skildes i receptionen och bestämde att träffas dagen efter klockan halv åtta.

Den natten sov Stefan tungt. När han vaknade hade han drömt om sin far. De hade gått och letat efter varandra i en skog. När Stefan till sist hittade honom hade han i drömmen känt en oändlig lättnad och glädje.

Giuseppe hade däremot sovit dåligt. Redan klockan fyra hade han stigit upp och nu när han mötte Stefan i receptionen hade han hunnit med ett besök på mordplatsen.

Resultatet var fortfarande detsamma. Ingenting. De hade inga som helst spår efter den som dödat Abraham Andersson och som kanske också var Herbert Molins mördare.

Just när de skulle lämna hotellet vände sig Giuseppe till flickan i receptionen och frågade om hon hade tagit vara på hans nota från kvällen innan. Först när han gått och lagt sig hade han insett att han behövde den när han skulle skriva sin reseräkning. Men hon hade inte sett den.

– Lämnade jag den inte på bordet? frågade Giuseppe.

– Du knycklade ihop den och la den i askfatet, svarade Stefan.

Giuseppe ryckte på axlarna. De beslöt sig för att ta en promenad till Elsa Berggrens hus. Det var vindstilla och molntäcket hade dragit undan. Det var fortfarande mörkt när de gick mot bron för att komma över till Ulvkälla. Giuseppe pekade på det vita tingshuset.

– Vi hade ett rätt okänt mål här för några år sen. Med rasistiska förtecken. Det var ett grovt överfall. Två av dom som blev dömda beskrev sig som nynazister. Jag minns inte vad deras organisation hette. »Bevara Sverige Svenskt«, tror jag. Men den kanske inte finns längre?

– Nuförtiden kallar dom sig »VAM«, svarade Stefan tveksamt.

– Vad betyder det?

– »Vitt ariskt motstånd.«

Giuseppe skakade på huvudet.

– Otäcka saker, det där. Nog trodde man att nazismen var begravd en gång för alla. Men tydligen lever den. Även om det mest är kalrakade snorungar som springer omkring på gatorna.

De passerade bron.

– Det gick tåg här när jag var barn, sa Giuseppe. Inlandsbanan. Från Östersund åkte man via Sveg till Orsa. Där bytte man. Eller det kanske var i Mora? Jag for där med en moster när jag var liten. Nu går tåget bara på sommaren. Den italienske sångaren som morsan såg i folkparken kom också med tåg. Inga flyg eller limousiner den gången. Hon var med och vinkade av honom vid tåget. Hon har en bild på det där. Suddigt och skakigt. Taget med vanlig lådkamera. Men hon bevakar den som en dyrgrip. Hon måste ha varit väldigt kär i den där killen.

De var framme vid Elsa Berggrens hus.

– Har du förvarnat? frågade Stefan.

– Jag tänkte vi skulle överraska henne.

De gick in genom grinden. Giuseppe ringde på. Hon öppnade nästan genast, som om hon väntat dem.

– Giuseppe Larsson. Kriminalpolis i Östersund. Och Stefan här har du träffat tidigare. Vi har en del frågor att ställa till dig. Det gäller utredningen om mordet på Herbert Molin. Du kände visst honom?

»Vi«, tänkte Stefan. Jag tänker inte ställa några frågor. Han såg på Giuseppe som blinkade till honom när de steg in i tamburen.

– Det måste vara viktigt eftersom ni kommer så tidigt på morgonen?

– Alldeles riktigt, sa Giuseppe. Var kan vi sätta oss? Det kommer nog att ta en stund.

Stefan märkte att Giuseppe var oväntat brysk i tonfallet. Han undrade hastigt hur han själv skulle ha uppträtt om det varit han som skulle ställa frågorna.

De gick in i vardagsrummet. Elsa Berggren frågade inte om de ville ha kaffe.

Giuseppe visade sig vara en man som gick rakt på sak.

– I en av dina garderober har du en nazistuniform, började han.

Elsa Berggren stelnade. Sedan såg hon på Stefan. Hennes ögon var kalla. Stefan insåg att hon genast börjat misstänka honom utan att förstå hur han hade kunnat ta sig in i hennes sovrum.

– Jag vet inte om det är förbjudet att inneha en nazistuniform, fortsatte Giuseppe. Förmodligen går förbudet vid att man uppträder offentligt i den. Kan du hämta den?

– Hur vet du att jag har en uniform i min garderob?

– Det tänker jag inte svara på. Men du ska ha klart för dig att den är av intresse i två pågående mordutredningar.

Hon såg förvånat på dem. Stefan tyckte att hennes ansiktsuttryck verkade äkta. Stefan insåg att hon ingenting visste om mordet utanför Glöte. Det förvånade honom. Trots att det hade gått två dygn kände hon inte till det. Hon har inte sett på teve, tänkte han. Eller lyssnat på radio. Sådana människor finns också, även om de är få.

– Vem är det mer än Herbert Molin som blivit dödad?

– Abraham Andersson. Säger namnet dig nånting?

Hon nickade.

– Han bodde inte så långt från Herbert. Vad är det som har hänt?

– Än så länge säger jag bara att han har blivit mördad.

Hon reste sig och lämnade rummet.

– Lika bra att gå rakt på sak, sa Giuseppe lågt. Men att Abraham Andersson var död visste hon alltså inte.

– Nyheten är ju ute för länge sen?

– Hon ljuger knappast.

Hon kom tillbaka med uniformen och mössan. La dem på soffan. Giuseppe böjde sig fram och synade dem.

– Vem tillhör den?

– Mig.

– Men det är knappast du som har burit den?

– Jag tror inte jag behöver svara på den frågan. Inte bara för att den är idiotisk.

– Inte just nu. Men du kan bli kallad till Östersund och en helt annan typ av förhör. Du bestämmer själv.

Hon tänkte efter innan hon svarade.

– Den tillhörde min far. Karl-Evert Berggren. Han är död sen många år tillbaka.

– Han deltog alltså i andra världskriget på Hitlers sida?

– Han ingick i den frivilligkår som hette Svenska Kompaniet. Han fick två medaljer för tapperhet. Om ni vill kan jag visa dom också.

Giuseppe skakade på huvudet.

– Det är inte nödvändigt. Jag utgår ifrån att du vet att Herbert Molin också hade varit nazist i sin ungdom och gått ut i kriget som frivillig inom Waffen-SS?

Hon rätade på ryggen där hon satt i stolen, men frågade inte hur de fått reda på det.

– Inte »varit«. Herbert var lika övertygad nazist fram till sin död som när han var ung. Han och min far slogs sida vid sida. Även om min far var mycket äldre än Herbert var dom goda vänner livet ut.

– Och du själv?

– Jag tror inte jag behöver svara på den frågan heller. Sina politiska åsikter behöver man inte uppge.

– Om dom innebär anslutning till nån grupp som kan antas

syssla med ett brott som heter hets mot folkgrupp kan frågan ställas.

– Jag är inte ansluten till nån grupp, svarade hon upprört. Vilka skulle det vara? Det där slöddret med rakade huvuden som springer omkring på gatorna och skändar Hitlerhälsningen?

– Låt mig formulera frågan på ett annat sätt. Hade du samma politiska uppfattning som Herbert Molin?

Hennes svar kom utan tvekan.

– Naturligtvis hade jag det. Jag växte upp i en rasmedveten familj. Min far var med och bildade Nationalsocialistiska Arbetarepartiet 1933. Sven-Olov Lindholm, vår ledare, var ofta på besök i vårt hem. Min far var läkare och reservofficer. Vi bodde i Stockholm då. Jag minns fortfarande hur min mor tog mig med när kvinnorna i den nationalsocialistiska organisationen Kristina Gyllenstierna marscherade på Östermalm. Jag har gjort Hitlerhälsningen sen jag var tio år gammal. Mina föräldrar såg vad som höll på att hända. Judeimporten, förfallet, den moraliska upplösningen. Och hotet från kommunisterna. Ingenting har förändrats. I dag håller Sverige på att ätas upp inifrån av all okontrollerad invandring. Bara tanken på att det i dag på svensk jord byggs moskéer kan få mig att må illa. Sverige är ett samhälle som håller på att ruttna sönder. Och ingen gör nånting åt det.

Det hon sagt hade gjort henne så upprörd att hon börjat skaka. Stefan undrade med obehag varifrån allt hennes hat kunde komma.

– Det där var inga vackra synpunkter, sa Giuseppe.

– Jag står för vartenda ord. Sverige är ett samhälle som knappast finns längre. Man kan inte känna annat än hat mot dom som låtit detta ske.

– Det var alltså ingen tillfällighet att Herbert Molin flyttade hit?

– Naturligtvis inte. I dom svåra tider som råder har vi som fortfarande håller dom gamla idealen vid liv en skyldighet att hjälpa varandra.

– Det finns trots allt en organisation?

– Nej. Men vi vet vilka som är dom riktiga vännerna.

– Men ni håller det hemligt?

Hon fnös av förakt när hon svarade.

– Att vara fosterlandsvän i dag är nästan straffbart. Om vi ska få vara ifred måste vi dölja våra åsikter.

Giuseppe spratt till i stolen och anföll med sin nästa fråga.

– Men nån letade reda på Herbert Molin och dödade honom?

– Varför skulle det ha med hans patriotiska hållning att göra?

– Du sa det själv. Ni tvingas leva i hemlighet med era vansinniga idéer dolda.

– Det måste ha funnits nåt annat skäl till att Herbert blev dödad.

– Som till exempel?

– Så väl kände jag honom inte.

– Men du måste ha funderat?

– Naturligtvis. Men det är obegripligt.

– Under den sista tiden? Hände det nånting? Betedde han sig annorlunda?

– Han var som vanligt. Jag besökte honom en gång i veckan.

– Han sa ingenting om att nåt oroade honom?

– Ingenting.

Giuseppe tystnade. Stefan tänkte att Elsa Berggren verkade tala sanning. Hon hade inte märkt någon förändring hos Herbert Molin.

– Vad har hänt med Abraham Andersson? frågade hon.

– Han har blivit skjuten. Det ger intryck av att ha varit en avrättning. Tillhörde han också er grupp som inte är nån grupp?

– Nej. Herbert pratade med honom ibland. Men han diskuterade aldrig politik. Han var mycket försiktig. Han hade få verkliga vänner.

– Har du nåt förslag till vem som kan ha dödat Abraham Andersson?

– Jag kände honom inte.

– Kan du säga mig vem som stod Herbert Molin närmast i livet?

– Jag antar att det var jag. Och hans barn. Åtminstone dottern. Förhållandet med sonen var brutet.

– Av vem?

– Det vet jag inte.

– Nån annan? Har du hört talas om nån Wetterstedt i Kalmar?

Hon tvekade innan hon svarade. Giuseppe och Stefan såg hastigt på varandra. Det var uppenbart att hon blivit förvånad över att höra namnet Wetterstedt.

– Han talade ibland om en person i Kalmar med det namnet. Herbert var född och uppvuxen där. Wetterstedt var visst släkt med en tidigare justitieminister, han som också blev mördad för några år sen. Jag tror han var porträttmålare. Men jag är inte alldeles säker.

Giuseppe hade tagit upp ett anteckningsblock och noterade det hon sa.

– Ingen mer?

– Nej. Men Herbert var inte den som talade i onödan. Människor har sin integritet, eller hur?

Giuseppe såg på Stefan.

– Jag har en fråga till, sa han sedan. Brukade du och Herbert Molin ta en svängom när du besökte honom?

– Vad menas med det?

– Med det menas att jag undrar om ni brukade dansa?

För tredje gången under samtalet såg hon uppriktigt förvånad ut.

– Vi brukade faktiskt göra det.

– Tango?

– Inte bara. Men ofta. Också dom gamla sällskapsdanserna håller på att försvinna. Dom som kräver teknik och ett minsta mått av förfining. Hur dansar man i dag? Som apor?

– Du vet förstås om att Herbert Molin hade en sorts docka som han dansade med?

– Han var en passionerad dansör. Mycket skicklig. Han övade ofta. Till det behövde han dockan. När han var ung tror jag han drömde om att bli dansare. Men sen gjorde han sin plikt när fanorna kallade på honom.

Stefan tänkte att hon talade ett gammaldags högtravande språk. Det var som om hon försökte besvärja tiden att gå bakåt, till 30- och 40-talet.

– Jag antar att det inte var så många som kände till att Herbert Molin tyckte om att dansa?

– Han hade inte många vänner. Hur många gånger ska jag behöva upprepa det?

Giuseppe strök sig över näsan medan han formulerade nästa fråga.

– Hade han alltid varit intresserad av att dansa?

– Jag tror hans intresse väcktes under kriget. Eller strax innan. Han var ju ung då.

– Varför tror du det?

– Nån gång sa han det.

– Vad sa han?

– Just det jag nyss berättade. Ingenting mer. Kriget var hårt. Men ibland hade han haft permission. Den tyska krigsmakten tog väl hand om sina soldater. Dom fick ledigt när det var möjligt och hade allt betalt.

– Talade han ofta om kriget?

– Nej. Men det gjorde min far. En gång hade dom en veckas permission samtidigt. Då reste dom till Berlin. Min far berättade att Herbert ville gå ut och dansa varje kväll. Jag tror det var så att Herbert alltid for till Berlin och dansade så fort han kunde lämna fronten.

Giuseppe satt tyst en stund innan han ställde nästa fråga.

– Har du nånting mer att säga som du tror kan vara till nån hjälp?

– Nej. Men jag vill att ni griper den som har mördat honom. Naturligtvis kommer den skyldige inte att få nåt kännbart straff. I Sverige skyddar man brottslingarna, inte deras offer. Dessutom kommer det naturligtvis att avslöjas att Herbert var trogen sina gamla ideal. Han kommer att bli dömd trots att han är borta. Men jag vill ändå att ni hittar den som dödade honom. Jag vill veta vem det var.

– Då har vi inga flera frågor för tillfället. Men du kommer att kallas till ytterligare samtal.

– Är jag misstänkt för nånting?

– Nej.

– Kan jag då få veta hur du kände till att det fanns en uniform i min garderob?

– En annan gång, sa Giuseppe och reste sig upp.

Hon följde med dem ut i tamburen.

– Jag måste säga att dina åsikter snuddar vid det outhärdliga, sa Giuseppe när han redan hade gått ut genom dörren.

– För Sverige finns inte längre nån räddning, svarade hon. När jag var ung kunde man ofta träffa poliser som var politiskt medvetna och som omfattade våra ideal. Men det är slut med det också.

Hon stängde dörren. Giuseppe hade bråttom att komma bort från hennes hus.

– Det kan man verkligen kalla en förfärlig människa, sa han när de hade kommit fram till grinden. Jag hade mest lust att ge henne en örfil.

– Det är nog fler människor än man tror som delar hennes uppfattningar, sa Stefan.

De gick tillbaka mot hotellet under tystnad. Plötsligt stannade Giuseppe.

– Vad sa hon egentligen? Om Herbert Molin?

– Att han alltid hade varit nazist.

– Och mer?

Stefan skakade på huvudet.

– Vad hon egentligen sa, fortsatte Giuseppe, var ingenting annat än att Herbert Molin in till sin död var en människa som hyste förfärliga åsikter. Jag har inte läst hans dagbok i detalj. Men det har du. Man kan fråga sig vad han egentligen gjorde i Tyskland? Och man kan fråga sig om det inte fanns många människor som skulle ha önskat livet ur honom.

– Ändå är jag tveksam, svarade Stefan. Andra världskriget tog slut för 54 år sen. Det är en lång tid att vänta.

Giuseppe var inte övertygad.

– Kanske, sa han bara. Kanske.

De fortsatte att gå. Just när de hade passerat tingshuset var det Stefans tur att stanna.

– Vad händer om man vänder på det hela? Nu tänker vi att allting börjar med Molin, eftersom han blev dödad först. Det gör att vi tror att det är med Molin som det här har sin utgångspunkt. Men vad händer om det är tvärtom? Om vi egentligen borde koncentrera oss på Abraham Andersson?

– Inte »vi«, svarade Giuseppe. »Jag.« Jag håller naturligtvis också den vägen öppen. Men det är knappast troligt. Abraham Andersson flyttade hit av andra skäl än Herbert Molin. Dessutom gömde han sig inte. Av det lilla vi hittills vet om honom umgicks han med sina övriga grannar och var en helt annan personlighet.

De återvände till hotellet. Stefan märkte att han blivit irriterad över Giuseppes plötsliga markering, att det var han och den lokala polisen som skötte utredningen. Stefan stod utanför igen. Han tänkte att irritationen var helt obefogad. Men känslan fanns där.

– Vad gör du nu? frågade Giuseppe.

Stefan ryckte på axlarna.

– Jag reser härifrån.

Giuseppe tvekade innan han ställde nästa fråga.

– Hur mår du?

– Jag hade ont en dag. Men det har gått över nu.

– Jag försöker föreställa mig hur det är. Men jag kan inte.

De stod utanför trappan till hotellet. Stefan betraktade en gråsparv som hackade i en död mask. Jag kan inte föreställa mig det själv, tänkte han. Fortfarande tror jag att det hela är en mardröm, att jag inte alls ska infinna mig på sjukhuset i Borås den 19 november för att börja en strålbehandling.

– Innan du åker skulle jag vilja att du visade mig den där tältplatsen.

Stefan tänkte att han ville lämna Sveg så fort som möjligt. Men han kunde knappast säga nej till Giuseppe.

– När? frågade han.

– Nu.

De satte sig i Giuseppes bil och for mot Linsell.

– Skogarna i den här delen av landet är oändliga, sa Giuseppe plötsligt och bröt tystnaden i bilen. Om man stannar här och går tio meter rakt in bland träden befinner man sig i en annan värld. Men det vet du kanske redan?

– Jag har provat.

– En människa som Herbert Molin kanske har lättare att leva med sina minnen inne i skogen, fortsatte Giuseppe. Där ingenting stör honom. Där tiden står stilla, om man så vill. Det låg ingen uniform där du hittade dagboken? Han kan ju ha stått där ute i skogen och gjort Hitlerhälsning och marscherat längs stigarna.

– Han skriver själv att han deserterar. Han byter ut uniformen mot civila kläder som han drar av ett lik medan Berlin står i lågor omkring honom. Om jag uppfattar hans dagbok rätt blir han fanflykting samma dag som Hitler tar livet av sig i bunkern. Men det får man väl anta att Herbert Molin inte kände till.

– Jag tror det var så att man förteg nyheten om hans självmord några dagar, svarade Giuseppe tveksamt. Sen höll nån ett radiotal där man sa att Führern hade stupat på sin post. Men det är möjligt att jag minns historien dåligt.

De svängde in på avtagsvägen till Herbert Molins hus. Trasiga avspärrningsband hade fastnat bland trädgrenarna.

– Vi borde städa efter oss, sa Giuseppe misslynt. Men vi har lämnat tillbaka huset till dottern nu. Har du sett till henne?

– Inte sen vi talades vid på hotellet.

– En mycket bestämd kvinna, sa Giuseppe. Jag undrar verkligen om hon känner till sin fars historia. Det är i alla fall nåt jag ska tala med henne om.

– Det borde hon väl göra?

– Hon skäms nog. Vem skulle inte göra det om man hade haft en nazist till far?

De steg ur bilen. Stod orörliga och lyssnade på bruset från träden. Sedan ledde Stefan vandringen ner mot sjön, längs den kuperade stranden fram till tältplatsen.

Så snart de kom fram upptäckte han att någon hade varit där. Han tvärstannade. Giuseppe såg undrande på honom.

– Vad är det?

– Jag vet inte. Jag tror nån har varit här efter mig.

– Är nånting förändrat?

– Jag vet inte.

Stefan betraktade tältplatsen. På ytan verkade allt som när han var där förra gången. Ändå visste han att någon kommit dit efter honom. Någonting var annorlunda. Giuseppe väntade. Stefan gick runt öppningen bland träden, ringade in tältplatsen med blicken. Han gick ytterligare ett varv. Då såg han vad det var. Han hade suttit på den nerfallna trädstammen. Medan han såg sig runt hade han hållit en avbruten grankvist i händerna. Den hade han släppt på marken framför fötterna när han reste sig upp. Nu var kvisten flyttad. Den låg längre bort vid stigen ner mot sjön.

– Nån har varit här, sa Stefan. Nån har suttit här på trädstammen.

Han pekade på kvisten.

– Kan man ta fingeravtryck på en kvist?

– Mycket möjligt, svarade Giuseppe och tog upp en plastpåse ur fickan. Man kan alltid försöka. Är du säker?

Stefan nickade. Han mindes var han hade lagt kvisten. Och nu var den flyttad. Han kunde se någon sitta där på trädstammen, precis som han själv hade gjort, böja sig efter kvisten och sedan kasta den ifrån sig.

– Då kallar vi hit en hundpatrull, sa Giuseppe och tog upp mobiltelefonen.

Stefan såg in mot skogen Plötsligt fick han en känsla av att det kunde finnas en människa alldeles i närheten. Någon som höll dem under uppsikt.

Samtidigt tänkte han att det var någonting han borde komma ihåg. Någonting som hade med Giuseppe att göra. Han sökte i huvudet utan att få tag på minnesbilden.

Giuseppe lyssnade i telefonen, ställde några frågor, begärde att en hundpatrull skulle komma och avslutade sedan samtalet.

– Egendomligt, sa Giuseppe.

– Vad?

– Abraham Anderssons hund är borta.

– Hur då »borta«?

Giuseppe skakade på huvudet.

– Borta. Den har helt enkelt försvunnit. Trots att där är fullt med poliser.

De såg undrande på varandra. En fågel flaxade upp från en gren och försvann ut över sjön. Under tystnad följde de den med blicken tills den hade försvunnit.

16.

Aron Silberstein låg på en bergknalle från vilken han hade uppsikt över Abraham Anderssons hus. Han riktade in kikaren mot gården som låg där nedanför. Han räknade till tre polisbilar, två skåpvagnar och tre privatbilar. Då och då kom någon i overall ut från skogen. Han hade förstått att det var där inne, dolt för insyn, som Abraham Andersson hade blivit dödad. Men dit hade han ännu inte kunnat ta sig. Den expeditionen skulle han genomföra under natten om det var möjligt.

Han lät kikaren glida över gårdsplanen. En hund, av samma ras som den han hade varit tvungen att döda hos Herbert Molin, stod bunden vid en lina som löpte mellan huset och ett träd i skogsbrynet. Han slogs plötsligt av tanken att det kanske var två hundar ur samma kull, eller åtminstone att de hade samma härstamning. Tanken på hunden han skurit halsen av gjorde honom illamående. Han sänkte kikaren, la sig på rygg och drog några djupa andetag. Det doftade från den våta mossan. Ovanför hans huvud drog molnen förbi.

Jag är galen, tänkte han. Jag borde ha varit i Buenos Aires nu. Inte här i den svenska vildmarken. Maria skulle ha varit glad över att jag kommit hem. Kanske hade vi till och med legat med varandra? Vad som än hände skulle jag ha sovit gott den natten och på morgonen skulle jag ha öppnat min verkstad igen. Don Antonio hade säkert, allt mer irriterat, försökt ringa och undrat varför stolen som han lämnat in för tre månader sedan ännu inte var färdig.

Hade han inte råkat sitta bredvid en svensk sjöman på en restaurang i Malmö, en sjöman som förstod och talade spanska, och hade inte den förbannade teven stått på och visat honom ansiktet på en död gammal man, så hade han inte behövt uppleva att alla hans planer kastades omkull. Då hade han nu kunnat se fram mot kvällen på La Cãbana.

Framför allt hade han inte behövt bli påmind om det som hade hänt. Han hade trott att det äntligen var över nu, det som hade förföljt honom genom hela hans liv. De år han hade kvar skulle bli som han drömt om, präglade av ett stort lugn.

På ett enda ögonblick, av en enda tevebild, hade allting förändrats. Han hade lämnat restaurangen och den svenske sjömannen. När han kommit in på hotellrummet hade han satt sig på sängkanten och han hade suttit kvar tills han hade fattat sitt beslut. Den natten hade han inte druckit någonting. I gryningen hade han tagit en taxi till flygplatsen som låg några mil utanför staden. En vänlig kvinna hade där hjälpt honom att ordna en flygbiljett till Östersund. Där hade en hyrbil väntat på honom. Han hade åkt in i staden, ännu en gång köpt ett tält och en sovsäck, köksutrustning, ytterligare varma kläder och en ficklampa. På Systembolaget hade han sedan inhandlat vin och konjak så att det skulle räcka för en vecka. I bokhandeln som låg vid ett sluttande torg hade han slutligen köpt en karta. Den han tidigare haft hade han slängt, på samma sätt som han hade gjort sig av med kastruller, campingkök, tält och sovsäck. Det var som om mardrömmen höll på att upprepas, tänkte han. I Dantes helvete fanns en nivå där människor plågades genom att allting upprepades. Han försökte erinra sig vilka synder dessa människor hade begått, men han lyckades inte.

Sedan hade han kört ut ur staden och stannat vid en bensinstation, där han hade köpt alla lokaltidningar han kunnat hitta. Han hade satt sig bakom ratten och letat upp det som stod skrivet om den döde mannen. Det var förstasidesnyhet i båda tidningarna. Han förstod inte orden. Men det var ett namn som nämndes efter Abraham Andersson. Glöte. Han gissade att det var den plats där Andersson bott, dit han följt efter honom en gång och där han också hade blivit mördad. Det var också ett annat namn som återkom, »Dunkärret«. Men det fanns inte på kartan. Han hade gått ur bilen och vecklat ut hela den oformliga kartan över motorhuven och försökt göra en plan. Han ville inte komma för nära. Risken fanns också att polisen hade upprättat vägspärrar.

På olika omvägar letade han sig fram till en plats som hette Idre. Han gjorde bedömningen att det låg tillräckligt långt från Abraham Anderssons hus. Gömde han tältet väl skulle ingen misstänka annat än att han var en turist som bestämt sig för att besöka Sverige under hösten.

Han hade varit mycket trött när han kom fram och rest sitt tält vid änden av en skogsväg där han kände sig säker. Han hade lämnat platsen efter att ha täckt över tältet med grenar och ris som han mödosamt dragit ihop. Sedan hade han åkt norrut mot Sörvattnet, tagit av mot Linsell och utan problem hittat den avtagsväg där det stod en skylt med namnet »Dunkärret 2«. Men han hade inte kört in på vägen utan fortsatt mot Sveg.

Strax innan han kommit fram till avtagsvägen till Molins hus hade han mött en polisbil. Ungefär en kilometer efter avtagsvägen hade han kört in bland träden, på en nästan helt igenvuxen skogsväg. Under de tre veckor han hade funnits i Herbert Molins närhet hade han noga utforskat terrängen. Han hade sett på sig själv som ett djur som grävde många utgångar till sitt bo.

Nu ställde han bilen och följde en väg han tidigare hade gått. Även om han inte trodde att Herbert Molins hus var bevakat stannade han ofta och lyssnade. Till slut hade han kommit så nära att han kunde skymta huset mellan träden. Han väntade i tjugo minuter. Sedan gick han fram mot huset och den plats där han hade lämnat Herbert Molins döda kropp. Marken var upptrampad. Rester av rödvita avspärrningsband hängde i några träd. Han undrade om mannen han dödat hade blivit begravd än. Kanske polisens läkare fortfarande höll på att undersöka kroppen? Han undrade om de förstått att märkena på ryggen kom från en oxpiska som boskapsdrivarna på Pampas använde. Han gick fram till huset och hävde sig upp på tå så att han kunde se in i vardagsrummet. Blodspåren på golvet hade torkat in men syntes fortfarande. Kvinnan som ibland kommit för att städa hos Herbert Molin hade inte återvänt för att göra rent en sista gång.

Han lämnade huset och gick sin gamla väg tillbaka mot sjön. Det var härifrån han hade kommit den natt när han hade väntat tillräckligt länge. Den andra kvinnan, hon som brukade besöka Molin och dansa med honom, hade varit där dagen innan. Om de följde sina vanor skulle det nu gå en vecka innan hon kom tillbaka. Dessutom hade den andre mannen, han som alltså hette Abraham Andersson, också varit där dagen innan. Han hade följt efter Andersson till hans hem och i skydd av några träd sett hur denne slog igen fönsterluckor och låste uthuset och visade alla tecken på att han tänkte resa bort. Han kunde fortfarande minnas hur han fattat sitt beslut att tiden var inne. Det hade regnat den dagen. På kvällen hade molnen plötsligt skingrats och han hade gått ner till sjön och simmat ut i det kalla vattnet för att huvudet skulle vara alldeles klart när han bestämde sig. Efteråt hade han suttit nerkrupen i sovsäcken för att värmen i kroppen skulle återvända. Alla de vapen han kommit åt när han gjort sitt inbrott på vägen mot Härjedalen låg på en plastduk framför honom.

Tiden hade varit inne. Ändå hade han drabbats av en egendomlig tvekan. Det var som om han hade väntat så länge att han inte visste vad som skulle hända när väntan var över. I tankarna hade han som så många gånger tidigare återvänt till de uppskakande händelserna det sista krigsåret, då hela hans liv störtade samman för att sedan aldrig helt kunna byggas upp igen. Han hade ofta tänkt på sig själv som ett fartyg där någon av masterna varit knäckt och seglen söndertrasade. Så hade hans liv varit och ingenting av detta skulle på allvar förändras av det han nu tänkte göra. I hela sitt liv hade han levt med tanken på hämnd och han hade ibland hatat den känslan mer än den man han riktade sitt hat emot. Men även om han hade önskat det var det nu för sent. Han kunde inte återvända till Buenos Aires med gärningen ogjord. Han hade bestämt sig den där kvällen efter att ha simmat i den mörka sjön. På natten hade han sedan slagit till, följt den plan han hade gjort upp och Herbert Molin hade aldrig hunnit uppfatta vad som hade drabbat honom.

Han hade följt den kuperade strandkanten. Hela tiden hade han lyssnat. Men där hade bara funnits vindens brus i träden som omgav honom.

När han kommit fram till den plats där han hade haft sitt tält tänkte han att våldet ändå inte helt hade deformerat honom. Han var en vänlig man som hade svårt att uthärda lidande. Att han under några andra omständigheter än just dessa skulle utöva våld mot en annan människa var otänkbart. Det han hade gjort mot Herbert Molin hade försvunnit i samma ögonblick han hade lämnat den avklädda döda kroppen i skogsbrynet.

Våldet har inte förgiftat mig, hade han tänkt. Allt det hat som fanns uppdämt inom mig under alla år gjorde mig bedövad. Det var jag som piskade Herbert Molins hud till blodiga strimlor. Men det var ändå inte jag.

Han hade satt sig på den nerfallna trädstammen och vänt och vridit på en grankvist. Hade hatet lämnat honom nu? Skulle han få vara ifred under de år han hade kvar att leva? Han kunde inte veta. Men åtminstone var det hans hopp. Han skulle till och med tända ett ljus för Herbert Molin i den lilla kyrkan som han passerade varje gång han gick till sin verkstad. Kanske kunde han till och med skåla för Herbert Molin nu när han var död?

Han hade stannat där i skogen tills det började skymma. Tanken från den gången då han hade haft tältet uppslaget där, att skogen var en katedral, träden höga pelare som bar upp ett osynligt tak, hade återkommit. Även om han frös kände han sig uppfylld av ett stort lugn. Hade han haft en handduk med sig hade han nog också gått ner i det kalla vattnet och simmat ut tills han inte bottnade längre.

I skymningen hade han återvänt till bilen och fortsatt mot Sveg. Där hade det märkliga hänt att han åt middag i en matsal på ett hotell, och vid ett annat bord hade det suttit två män som talade om både Herbert Molin och Abraham Andersson. Först hade han trott att det var inbillning. Han förstod inte svenska, men namnen hade återkommit gång på gång. Efter en stund hade han gått ut i receptionen och eftersom där var tomt hade han kunnat se i hotelliggaren att det fanns två gäster på hotellet som titulerade sig »kriminalinspektör«. Han hade återvänt till matsalen och ingen av dem hade ägnat honom något intresse. Han hade lyssnat på helspänn och uppfattat ytterligare några namn, bland annat någon som hetat »Elsa Bergén« eller något liknande. Sedan hade han sett hur en av polismännen hade börjat skriva någonting på baksidan av notan och när de gått hade han knycklat samman pappret och lämnat det i askfatet. Han hade väntat tills servitrisen gått ut i köket. Då hade han snappat åt sig pappret och sedan hastigt lämnat hotellet. Han hade kört till en undanskymd parkeringsplats i närheten. I ljuset från ficklampan hade han sedan försökt tyda det som stod på baksidan av notan. Det viktigaste var namnet på kvinnan, Elsa Berggren. Mellan de tre namnen – Herbert Molin, Abraham Andersson och Elsa Berggren – fanns pilar som utgjorde en triangel.

Och bredvid Anderssons namn ett hakkors. Efter det ett stort frågetecken.

Efter middagen hade han åter satt sig i bilen och kört mot Linsell och sedan vidare mot Glöte. Han hade ställt bilen bakom några timmerstaplar och sedan börjat leta sig fram genom skogen till en plats i närheten av Abraham Anderssons hus och klättrat upp på den höjd där han nu befann sig. Vad det var han trodde sig kunna upptäcka visste han inte. Men han insåg att han måste befinna sig alldeles nära det som hade hänt om han överhuvudtaget skulle kunna få svar på den fråga han ställde sig. Vem hade dödat Abraham Andersson? Och var det han själv som indirekt bar skulden eftersom det var han som dödat Herbert Molin? Det måste han få klarhet i innan han kunde återvända till Buenos Aires. Annars skulle den tanken och oron förfölja honom resten av hans liv. Då var det som om Herbert Molin hade fått sista ordet. Uppdraget, att befria sig från allt hat, skulle ha slagit tillbaka mot honom med full kraft.

Genom kikaren betraktade han polismännen som kom och gick mellan skogsstigen och huset. Naturligtvis förutsatte de att det var samma person som hade dödat både Herbert Molin och Abraham Andersson.

Det finns bara två personer som vet att det inte stämmer, tänkte han. Den ena är jag, den andra den person som dödade Abraham Andersson. De letar efter en person när de egentligen borde söka två.

Han insåg nu på allvar varför han hade återvänt. Varför han inte fortsatt till Köpenhamn och satt sig på flygplanet till Buenos Aires. Han hade återvänt för att på något vis klargöra att det inte var han som hade dödat Abraham Andersson. Poliserna han såg genom kikaren befann sig på ett spår som inte skulle leda dem rätt. Naturligtvis kunde han inte med bestämdhet veta vad männen som rörde sig där nere i skogsbrynet hade för tankar och föreställningar i sina huvuden. Men det finns alltid en logik, tänkte han. Utan att veta förmodar jag att det inte är särskilt vanligt med grova våldsbrott djupt inne i dessa skogar. Här lever människorna glest, de säger inte mycket och de tycks hålla fred med varandra. På samma sätt som Herbert Molin och Abraham Andersson verkade ha levt i ömsesidig sämja. Nu var de båda döda. Molin hade han själv slagit ihjäl. Men Abraham Andersson? Den tillfällige grannen? Vem hade dödat honom? Och varför?

Han tog ner kikaren och gnuggade sig i ögonen. Spriten hade börjat försvinna ur kroppen nu. Fortfarande var han torr i munnen och halsen sved varje gång han svalde. Men det var som om han kunde börja tänka klart igen. Han sträckte ut sig där han låg i den fuktiga mossan. Ryggen värkte. Molnen seglade ovanför honom. En bilmotor startade där nere och han hörde hur bilen backade, vände och försvann.

Ännu en gång gick han i tankarna igenom det som hade hänt. Kunde det finnas ett samband mellan Herbert Molin och Abraham Andersson som han inte hade känt till eller lyckats upptäcka? Frågorna var många. Var det kanske ingen tillfällighet att Molin hade valt att bosätta sig i närheten av Andersson? Vem av dem hade kommit först? Var Andersson bördig från trakten? Hade Abraham Andersson också sökt sig ett gömställe i skogen? Hade även han en gång kämpat för Hitler? Var också han en människa som begått vidriga handlingar och undgått sitt straff? Tanken föreföll honom ytterst osannolik. Men den var inte omöjlig.

Han hörde en bil närma sig och satte sig upp. I kikaren kunde han se en man stiga ur en personbil utan den blåvita färgen och ordet »POLIS« skrivet på sidorna. Han försökte hålla kikaren stilla. Han kände igen mannen som stigit ur bilen. Det var den polis som suttit på restaurangen och ritat på baksidan av notan. Så långt hade det alltså varit rätt. Han hade med bägge utredningarna att göra, inte bara sökandet efter den som dödat Abraham Andersson utan även den som tagit livet av Herbert Molin.

Det var en märklig känsla att i en kikare betrakta en polisman som jagade en själv. Lusten att fly kom genast över honom. Han hade dödat Herbert Molin. För det brottet kunde de gripa och anklaga honom. Men hans längtan efter att få veta vad som hänt Abraham Andersson var starkare än lusten att ge sig av. Var han på något sätt indirekt ansvarig för mordet eller inte? Han kunde inte ge sig av förrän han visste. Vilket var motivet? Vem var gärningsmannen? Varför hade det överhuvudtaget inträffat? Han sänkte kikaren och kände med ena handen över nacken som börjat bli stel. Situationen är egendomlig, tänkte han. Han kunde helt enkelt inte ta på sig någon skuld för det som hade hänt Abraham Andersson. Vem det än var som dödat honom hade mördaren haft ett motiv som inte kunde härledas till honom själv. Hade han bara valt en annan restaurang, hade där inte funnits en teve eller en sjöman som råkade tala spanska, hade han nu varit hemma i Buenos Aires igen. Inte gjort detta långa återtåg till en brottsplats som gränsade till en annan brottsplats där han själv varit gärningsmannen. Han satte kikaren framför ögonen igen och följde mannen när han gick fram till hunden och klappade den på huvudet. Sedan försvann han in i skogen.

Aron lät kikaren stanna vid hunden. En tanke började plötsligt ta form i hans huvud. Han tog ner kikaren och la sig på rygg igen. Jag måste tala om att de är på fel spår, tänkte han. Det kan jag bara göra genom att låta min närvaro bli känd. Inte berätta vem jag är, inte heller att det var jag som dödade Herbert Molin eller varför. Jag måste tala om att det var någon annan som dödade Abraham Andersson. Min enda möjlighet är att störa maskineriet, skapa en osäkerhet om vad som egentligen har hänt.

Hunden kan hjälpa mig, tänkte han.

Han reste sig, mjukade upp sin stela kropp och gick sedan in i skogen. Trots att han alltid hade levt i storstäder hade han gott lokalsinne och lätt för att orientera sig i naturen. Det tog honom mindre än en timme att komma tillbaka till sin bil. Han hade tagit med sig mat och några flaskor vatten. Tanken på ett glas vin eller konjak frestade honom. Men han visste att han kunde stå emot. Han hade en uppgift som väntade. Den fick han inte äventyra genom att berusa sig. Han åt sig mätt och rullade sedan ihop sig i bilens baksäte. Han kunde vila en timme innan han måste återvända om han skulle vara framme vid midnatt. För att vara säker på att vakna i tid ställde han in väckningen som fanns i armbandsuret.

När han slöt ögonen var han genast tillbaka i Buenos Aires igen. I tankarna valde han mellan att lägga sig i sängen där Maria redan sov eller på den madrass han hade längst inne i sin verkstad. Han valde det senare. Ljuden som omgav honom kom inte från träden längre. Nu var det gatuljuden från Buenos Aires han hörde.

När han vaknade hade han drömt någonting han inte omedelbart kunde påminna sig. Samtidigt ringde klockan på armen. Han stängde av den och steg ur bilen, öppnade bagageluckan, tog den nyinköpta ficklampan och gav sig av.

Den sista biten av vägen leddes han av ljuset från strålkastarna som stod påslagna inne i skogen. Ljuset som sköt upp från träden påminde honom om kriget. Det tillhörde hans allra tidigaste minnen, att han försiktigt, när ingen fanns i närheten och kunde se honom, kikade genom springor i mörkläggningsgardinerna och såg det tyska luftvärnet leta efter de fientliga bombplanen som flög in över Berlin om nätterna. Han hade alltid varit mycket rädd att en bomb skulle träffa just deras hus, döda just hans föräldrar. Själv överlevde han alltid. Men det gjorde bara rädslan ännu större. Hur skulle han kunna leva vidare om hans föräldrar och syskon inte fanns längre?

Han slog bort tankarna, skärmade av ficklampan och lyste sig fram till kikaren som låg i en plastpåse för att skyddas mot fukt. Han satte sig till rätta i mossan, lutade ryggen mot en trädstam och såg genom kikaren ner mot huset. Det var ljus i alla fönster på nedre våningen. Då och då öppnades dörren och någon gick ut eller in. Men det stod bara två bilar på gårdsplanen. Strax efter det att han hade kommit satte sig två män i den ena bilen och körde därifrån. Någon hade då också släckt en del av ljuset ute i skogen. Han lät kikaren fortsätta sin vandring, tills han hittade det han sökte. Hunden satt orörlig, alldeles i utkanten av ljuset som föll från ett av fönstren. Någon hade ställt ett matfat framför den.

Han såg på klockan. Halv elva. Så här dags borde han vara på väg hem från La Cãbana dit han hade gått för att träffa en kund. Det var åtminstone vad Maria trodde. Han grimaserade vid tanken. Nu när han hade allting på avstånd plågade det honom att han så ofta ljög för Maria. Han hade aldrig någonsin träffat någon av sina kunder på La Cãbana eller någon restaurang överhuvudtaget. Han vågade inte säga som det var, att han inte ville äta tillsammans med henne, svara på hennes frågor, lyssna på hennes röst. Hela mitt liv har långsamt smalnat av och blivit en stig som består av många lögner, tänkte han. Även det är ett pris jag har betalat. Frågan är bara om jag kommer att bli ärlig mot Maria nu när jag dödat Herbert Molin? Jag älskar Maria. Men jag inser samtidigt att jag egentligen föredrar att vara ensam. Det finns en spricka i mig, mellan det jag gör och det jag vill. Den sprickan har funnits i mig sedan katastrofen som inträffade den där gången i Berlin.

Livet har smalnat.

Vad återstår annat än att inse att det mesta redan är förlorat och inte går att återfå?

Tiden gick långsamt. Då och då singlade en ensam snöflinga ner från himlen. Han höll andan och väntade. Snöfall var det han minst av allt behövde just nu. Det skulle göra det omöjligt för honom att genomföra sin plan. Men det kom ingenting annat än dessa ensamma snöflingor.

Kvart över elva steg en av polismännen ut på trappan och pissade. Han visslade på hunden, men den reagerade inte. Just när han pissat färdigt kom en annan man ut med en cigarett i handen. I det ögonblicket förstod han att det bara fanns två poliser där, två män som skulle hålla vakt.

Han fortsatte att vänta tills klockan passerat midnatt. Det var tyst inne i huset. Ibland trodde han sig höra ljudet från en teveapparat eller kanske en radio. Men han var inte säker. Han lyste på marken och kontrollerade att han inte hade glömt någonting. Sedan började han försiktigt ta sig ner på baksidan av kullen. Egentligen borde han nu göra det han hade bestämt sig för. Men han kunde inte motstå tanken att se den plats där Abraham Andersson blivit dödad. Det kunde finnas någon där som vakt, någon som han inte hade sett. Det innebar en risk. Men han kände att han måste ta den.

När han kommit ner till skogsbrynet släckte han ficklampan. Han rörde sig mycket försiktigt, trevade sig fram med fötterna och var hela tiden beredd på att hunden skulle ge upp ett skall. Han försvann in i skogen igen på andra sidan gårdsplanen. Nu kunde han ta hjälp av strålkastarljuset som skymtade mellan träden.

Det fanns ingen vakt där. Det fanns ingenting alls. Bara ett ensamt träd där polisen satt olika märken. Han vågade sig ända fram till trädet och synade stammen. Ungefär i brösthöjd hade en del av barken slitits upp. Han rynkade pannan. Hade Abraham Andersson stått vid ett träd när han blev dödad? Då måste han ha varit bunden? Och då hade mordet varit en avrättning? Plötsligt blev han alldeles kallsvettig och vände sig hastigt om. Men det fanns ingen där. Jag var ute efter Herbert Molin, tänkte han. Sedan dök någon upp i mörkret bakom Abraham Andersson, och nu har jag en känsla av att det också finns någon bakom mig. Han gled ut ur ljuset och gjorde sig osynlig. Försökte tänka. Hade han satt igång ett spel mellan olika krafter som han inte kunde kontrollera? Hade han trätt in i något som han inte kände till när han äntligen beslutat sig för att utkräva sin hämnd? Han visste inte. Frågorna och rädslan rusade runt i hans huvud. Han var under några minuter mycket nära att göra samma sak som Herbert Molin hade gjort, fly, försvinna, gömma sig och glömma det som hänt, inte i en skog utan i Buenos Aires. Han borde inte ha kommit tillbaka. Men det var för sent nu. Han skulle inte återvända förrän han fått klarhet i vad som hade hänt med Abraham Andersson. Det är Herbert Molins hämnd på mig, tänkte han, och tanken gjorde honom ursinnig. Hade det varit möjligt skulle han inte ha tvekat att döda honom en gång till.

Sedan tvingade han sig att bli lugn. Han drog några djupa andetag och tänkte på vågor som rullade in mot en strand. Efter en stund såg han på klockan. Kvart över ett. Det var dags. Han återvände till gårdsplanen. Nu hörde han musik inifrån huset och några röster som förde ett lågmält samtal. Antagligen var det en radio som stod på. Och två trötta poliser som höll sig vakna genom att prata. Han närmade sig försiktigt hunden och kallade på den med låg röst. Den morrade svagt men viftade samtidigt på svansen. Han ställde sig utanför ljusskenet från fönstren. Hunden kom in i skuggan. Han klappade den. Den såg orolig ut men fortsatte att vifta på svansen.

Sedan lösgjorde han kopplet från linan och tog hunden med sig.

I mörkret lämnade de inga spår.

17.

Stefan hade sett det många gånger tidigare. Hur en polisman som fick ett oväntat besked reagerade med att genast börja gripa efter en telefon. Men Giuseppe hade redan en telefon i handen och det var heller inte nödvändigt att ringa till någon.

Både Stefan och Giuseppe insåg att de genast borde hitta ett sätt att förhålla sig till hunden. Det kunde innebära någon form av genombrott i utredningen. Men det kunde också, vilket var troligast, bara vara ett sidospår.

– Det finns inte en möjlighet att den helt enkelt sprungit bort? frågade Stefan.

– Det verkar inte så.

– Kan man inte tänka sig att nån har stulit den?

Giuseppe skakade tveksamt på huvudet.

– Mitt framför ögonen på ett antal poliser? Jag tror inte det är det som hänt.

– Man kan väl knappast föreställa sig att gärningsmannen återvänt för att hämta hunden.

– Om vi inte har med en galning att göra. Vilket vi faktiskt inte kan vara alldeles säkra på.

De övervägde under tystnad de olika möjligheterna.

– Vi får avvakta, sa Giuseppe till sist. Vi måste akta oss för att stirra oss blinda på det här med hunden. Dessutom kanske den kommer till rätta. Hundar brukar göra det.

Giuseppe stoppade ner telefonen i jackfickan och började gå tillbaka mot Molins hus. Stefan blev stående. Det var många timmar sedan han senast hade tänkt på sin sjukdom, känt den smygande oron för att de svåra smärtorna skulle återkomma.

När han såg Giuseppe gå sin väg var det som om han plötsligt blev övergiven.

En gång när han var mycket liten hade han sett en fotbollsmatch på Ryavallen i Borås tillsammans med sin far. Det hade varit en allsvensk match, på något oklart sätt mycket viktig, kanske avgörande för mästerskapet, och han hade fått följa med. Han visste att motståndarlaget hade varit IFK Göteborg. Hans far hade sagt att »det gäller att vinna«, gång på gång under bilresan mellan Kinna och Borås hade han upprepat den frasen, »det gäller att vinna«. När de parkerat bilen utanför arenan hade fadern köpt en gulsvart halsduk åt honom. Stefan hade ibland tänkt att det var den halsduken och inte själva spelet som skapat hans intresse för fotboll. Myllret av människor hade gjort honom rädd och han hade hållit ett krampaktigt tag i sin fars hand när de gick mot en av ingångarna. Inne i trängseln hade han koncentrerat sig på denna enda sak, att hålla fast i faderns hand. Det var skillnaden mellan liv och död. Miste han greppet skulle han vara hopplöst förlorad bland alla dessa förväntansfulla människor som hade bråttom att komma in. Och det var då, just utanför vändkorset som han hade kastat en blick mot sin far och upptäckt ett främmande ansikte. Också handen var främmande när han såg efter. Han hade utan att han märkt det släppt greppet under några sekunder och sedan gripit tag i fel hand. Paniken hade varit fullständig, han hade börjat tjuta och människor hade vänt sig om för att se vad som hänt. Den främmande mannen som inte tycktes ha märkt att en pojke med gulsvart halsduk hade gripit tag i honom ryckte till sig handen, som om pojken hade varit på väg att stjäla den från honom. I samma ögonblick hade hans far funnits där igen. Paniken hade försvunnit och de trängde sig in genom vändkorsen. De hade sittplatsbiljetter högt uppe på ena långsidan där man hade överblick och kunde se de blåvita och de gulsvarta spelarnas kamp om den ljusbruna bollen. Hur matchen hade slutat mindes han inte. Förmodligen hade IFK Göteborg vunnit eftersom hans far varit tyst under resan tillbaka till Kinna. Men det Stefan aldrig hade glömt var den där korta stunden när han mist greppet med handen och varit alldeles övergiven.

Han påminde sig händelsen när han såg Giuseppe gå in i skogen framför honom.

Giuseppe vände sig om.

– Åker du inte med?

Stefan drog jackan tätare omkring sig och skyndade efter honom.

– Jag trodde du ville åka ensam. Med tanke på Rundström.

– Tänk inte på Rundström. Så länge du är kvar här är du min personliga assistent.

De lämnade Rätmyren bakom sig. Giuseppe körde fort.

När de kom fram till Dunkärret började Giuseppe genast gräla med en av de poliser som fanns på platsen. Det var en man i 50-årsåldern, liten och mycket mager, som hette Näsblom. Stefan förstod av samtalet att han var en av de polismän som var stationerade i Hede. Giuseppe hade genast ilsknat till när han inte kunde få ett begripligt svar på tidpunkten när hunden hade försvunnit. Ingen tycktes veta med säkerhet.

– Vi gav den mat i går kväll, sa Näsblom. Jag har hundar själv så jag tog med mat hemifrån.

– Den kan du naturligtvis kräva ersättning för om du skriver räkning, sa Giuseppe elakt. Men när försvann hunden?

– Det måste ha varit efteråt.

– Det kan jag också räkna ut. Men när insåg ni att den var borta?

– Precis innan jag ringde till dig.

Giuseppe såg på klockan.

– Du gav hunden mat i går kväll. När då?

– Nån gång vid sjutiden.

– Nu är klockan halv två på eftermiddagen. Ger man inte hundar mat på morgonen också?

– Jag var inte här då. Jag for hem i morse och kom tillbaka nu på eftermiddagen.

– Men du måste ha lagt märke till om hunden fanns här när du åkte?

– Jag gjorde nog inte det.

– Och du har hundar själv?

Näsblom betraktade den tomma linan.

– Det är klart jag borde ha upptäckt det, sa han. Men jag gjorde det inte. Kanske jag trodde att den var inne i kojan.

Giuseppe skakade uppgivet på huvudet.

– Vad är lättast att upptäcka? sa han irriterat. En hund som har försvunnit eller en hund som inte har försvunnit?

Han vände sig till Stefan.

– Vad tror du?

– Om en hund är där den ska tänker man kanske inte på det. Men om den är borta borde man märka det.

– Så tänker jag också. Vad anser du?

Det sista var riktat till Näsblom.

– Jag vet inte. Men jag tror nog hunden var borta i morse.

– Men du är inte säker?

– Nej.

– Du har förstås talat med dina kollegor? Ingen har sett den försvinna, ingen har hört nånting?

– Ingen har lagt märke till nånting.

De gick bort till den tomma linan.

– Hur kan du vara säker på att den inte slitit sig?

– Jag såg på kopplet när jag gav den mat. Det var mycket avancerat. Hunden kan omöjligt ha tagit sig loss av egen kraft.

Giuseppe betraktade linan tankfullt.

– Det var mörkt klockan sju i går kväll, sa han. Hur kunde du se nånting då?

Näsblom pekade på den tomma matskålen.

– Det kom ljus från köksfönstret. Jag kunde se alldeles tydligt.

Giuseppe nickade och vände demonstrativt Näsblom ryggen.

– Vad säger du om det här? frågade han Stefan.

– Nån måste alltså ha kommit hit under natten och tagit med sig hunden.

– Och mer?

– Jag vet inte så mycket om hundar. Men om den inte gav skall måste det ha varit nån som den kände. Åtminstone om det var en vakthund.

Giuseppe nickade frånvarande. Han stod och såg mot skogen som omgav huset.

– Det måste ha varit viktigt, sa han efter en stund. Nån tar sig hit i mörkret och hämtar hunden. Här har begåtts ett mord, här finns poliser och det är avspärrat. Ändå kommer det nån och tar med sig hunden. Det finns två frågor som jag gärna skulle vilja ha svar på omedelbart.

– Vem och varför?

Giuseppe nickade.

– Jag tycker inte om det här, sa han sedan. Vem annat än gärningsmannen kan ha hämtat hunden? Abraham Andersson har sin familj i Helsingborg. Hustrun är chockad och har gett besked om att hon inte kommer. Har nåt av Anderssons barn varit här? Det skulle vi vetat om. Och inte hade dom hämtat hunden mitt i natten. Om det inte är nån galning eller sjuklig djurvän eller nån som livnär sig på att stjäla hundar måste det vara gärningsmannen. Det betyder att han är kvar här i trakten. Han har stannat efter att ha dödat Herbert Molin och han har inte heller gett sig av sen han tagit livet av Abraham Andersson. Av det kan man dra många slutsatser.

– Han kan naturligtvis ha kommit tillbaka, sa Stefan.

Giuseppe såg undrande på honom.

– Varför skulle han komma tillbaka hit? För att han hade glömt att han hade ytterligare en person att ta livet av? Eller för att han hade glömt hunden? Det stämmer inte. Den man vi har att göra med, om det nu är en man och om han är ensam, planerar noga det han gör.

Stefan insåg att Giuseppe resonerade riktigt. Ändå var det något som gnagde i honom.

– Vad tänker du på?

– Jag vet inte.

– Man vet alltid vad man tänker på. Ibland är man bara för lat för att reda ut sina tankar för sig själv.

– Trots allt vet vi inte om det är en och samma person som dödat både Molin och Andersson, sa Stefan. Vi tror det. Men vi vet inte.

– Det strider mot både sunt förnuft och all min erfarenhet att två såna här händelser skulle inträffa nästan samtidigt och på samma plats utan att det existerar en gemensam gärningsman och ett gemensamt motiv.

– Jag håller med om det. Men ändå händer ibland det oväntade.

– Förr eller senare får vi veta, svarade Giuseppe. Vi kommer att gräva djupt i båda dom här männens liv. Nånstans kommer vi att hitta en gemensam länk mellan dom.

Under samtalet hade Näsblom försvunnit in i huset. Nu kom

han tillbaka och närmade sig försiktigt. Stefan insåg att han hade stor respekt för Giuseppe Larsson.

– Jag tänkte föreslå att jag hämtar en av mina egna hundar och låter den spåra.

– Är det en polishund?

– Det är en jakthund. En blandras. Den kanske kan få upp nåt spår.

– Borde vi inte hellre få ner en av våra egna hundar från Östersund?

– Dom säger nej.

Giuseppe stirrade förvånat på Näsblom.

– Vem säger nej?

– Rundström. Han tyckte det var onödigt. »Hundjäveln har väl sprungit bort«, sa han.

– Åk och hämta din jycke, sa Giuseppe. Det är ett bra initiativ. Men du borde ha kommit på det genast när du såg att hunden var borta.

Den hund som Näsblom hämtade fick genast upp ett spår. Från linan som gick mellan husväggen och trädet drog den i full fart mot skogen med Näsblom efter sig.

Giuseppe talade med en av de poliser Stefan inte visste namnet på om den dörrknackning som pågick i trakten. Stefan lyssnade till en början men gick sedan åt sidan. Han insåg att tiden var inne för honom att ge sig av. Resan till Härjedalen var över. Han hade öppnat en tidning på lasarettscafeterian i Borås och upptäckt fotografiet av Herbert Molin. Nu hade han varit i Sveg i en vecka. Fortfarande visste varken han eller någon annan vem som hade dödat Herbert Molin och sannolikt också Abraham Andersson. Kanske Giuseppe hade rätt i att det fanns en länk mellan de två? Stefan kände sig tveksam. Däremot visste han nu att Herbert Molin en gång i sitt liv hade kämpat på den tyska östfronten, att han varit övertygad nazist, kanske varit det intill sin sista stund i livet, och att det var en kvinna som delade hans åsikter, Elsa Berggren, som hade hjälpt honom att hitta huset i skogen.

Herbert Molin hade varit på flykt. Han hade lämnat sin tjänst i Borås och krupit in i ett gryt där någon till sist hittade honom. Stefan var övertygad om att Herbert Molin varit medveten om att någon var ute efter honom.

Någonting hände i Tyskland under kriget, tänkte han. Någonting som inte står i dagboken. Eller så är det skrivet på ett sådant sätt att jag inte kan tyda det. Där finns också resan till Skottland och de långa promenaderna med »M«. På något sätt hänger kanske allt ihop med det som skedde i Tyskland.

Men nu lämnar jag Sveg. Giuseppe Larsson är en man med stor erfarenhet, en duktig polis. En dag kommer han och hans kollegor att lösa fallet.

Han undrade om han själv skulle leva så länge att han fick veta svaret. Plötsligt kunde han inte värja sig mot insikten längre. Den behandling han skulle börja med om någon vecka skulle kanske inte vara nog. Läkaren hade sagt att de kunde sätta in cellgifter om inte strålbehandling och operation fick önskad effekt. Det fanns också många andra medicinska insatser de kunde ta till. Att drabbas av cancer var inte längre samma sak som att få sin dödsdom. Men det är inte heller självklart att man blir botad, tänkte han. Om ett år kan jag vara död. Det måste jag inse, hur outhärdligt det än är.

Rädslan högg tag i honom. Hade han kunnat hade han sprungit bort från sig själv.

Giuseppe kom fram till honom.

– Jag reser nu, sa Stefan.

Giuseppe såg forskande på honom.

– Du har varit till stor hjälp, sa han. Och jag undrar förstås hur du mår.

Stefan ryckte på axlarna utan att säga någonting. Giuseppe sträckte fram handen.

– Vill du att jag ska höra av mig och berätta hur det går? frågade han.

Stefan tänkte efter innan han svarade. Vad ville han egentligen? Förutom att bli frisk?

– Det är bättre att jag hör av mig, svarade han. Jag vet inte hur jag kommer att må när jag börjar med strålbehandlingen.

De tog i hand. Stefan tänkte att Giuseppe Larsson var en man han tyckte om. Trots att han egentligen ingenting visste om honom.

Sedan insåg han att hans bil stod kvar i Sveg.
– Jag borde naturligtvis köra dig till hotellet, sa Giuseppe. Men jag vill stanna här en stund och invänta Näsblom. Jag ber Persson i stället.
Den polisman som hette Persson var tystlåten. Stefan såg på träden genom vindrutan och tänkte att han hade velat träffa Veronica Molin ännu en gång. Han hade velat ställa frågor till henne om det han hade läst i hennes fars dagbok. Vad visste hon egentligen om faderns förflutna? Och var fanns Herbert Molins son? Varför hade han inte dykt upp?
Persson släppte av honom på hotellets gård. Flickan i receptionen log när han kom in.
– Jag reser nu.
– Det kan bli kallt mot kvällen, sa hon. Kallt och kanske halt.
– Jag kör försiktigt.
Han gick upp till sitt rum, packade ihop sina tillhörigheter och lämnade rummet. När han slog igen dörren var det som om han redan hade glömt hur rummet såg ut.
Han betalade sin räkning utan att kontrollera den.
– Välkommen tillbaka, sa hon när hon hade fått pengarna. Hur går det? Kommer dom att gripa mördaren?
– Det får vi hoppas.
Stefan lämnade hotellet. Det var kallt. Han ställde in väskan i bilen och skulle just sätta sig bakom ratten när han såg Veronica Molin komma ut genom hotelldörren. Hon kom fram till honom.
– Jag hörde att du skulle resa.
– Av vem?
– Hon som sitter i receptionen.
– Det måste betyda att du frågade efter mig?
– Ja.
– Varför det?
– Jag vill naturligtvis veta hur det går.
– Det ska du inte fråga mig om.
– Giuseppe Larsson tyckte i alla fall det. Jag talade med honom i telefon nyss. Han sa att du kanske var kvar. Jag hade tur.
Stefan slog igen bildörren och följde med henne tillbaka in på hotellet. De satte sig i matsalen som för tillfället var tom.

– Giuseppe Larsson sa att han hade hittat en dagbok. Stämmer det?

– Det är riktigt, svarade Stefan. Jag har bläddrat i den. Men den tillhör naturligtvis dig och din bror. När den släpps fri. Just nu är den viktig för utredningen.

– Jag visste inte om att min far skrev dagbok. Det förvånar mig.

– Varför det?

– Han var inte en människa som skrev nånting i onödan.

– Många människor för dagbok i hemlighet. Alla har förmodligen gjort det nån gång under sitt liv.

Han betraktade henne medan hon tog upp ett paket cigaretter. Hon tände en och såg honom i ögonen.

– Giuseppe Larsson sa att polisen fortfarande arbetar förutsättningslöst. Inga spår åt nåt bestämt håll. Allt talar dessutom för att det är samme man som dödade min far som också tog livet av den andre.

– Som du inte kände?

Hon såg förvånat på honom.

– Varför skulle jag ha känt honom? Du glömmer att jag knappast ens kände min far.

Stefan tänkte att han lika gärna kunde gå rakt på sak. Ställa de frågor han redan formulerat för henne.

– Visste du att din far var nazist?

Han kunde inte upptäcka om frågan överraskade henne.

– Vad menar du med det?

– Kan man mena så många olika saker? I dagboken läste jag om en ung man från Kalmar som tar sig över gränsen till Norge 1942 för att skriva in sig i den tyska krigsmakten. Han kämpar sen för Hitler ända tills kriget är över våren 1945. Då reser han tillbaka till Sverige. Han gifter sig, får barn, först din bror, sen dig. Han byter namn, skiljer sig, gifter om sig och skiljer sig igen, men han är hela tiden övertygad nazist. Om jag inte tar alldeles fel var han det ända till sin sista stund.

– Det skrev han i dagboken?

– Där fanns också några brev. Och fotografier. Din far i tysk uniform.

Hon skakade på huvudet.

– Det kommer som en fullständig överraskning.
– Han pratade alltså aldrig om kriget?
– Aldrig.
– Inte heller om sina politiska åsikter?
– Jag visste inte ens att han hade några. Det pratades aldrig om politik när jag växte upp.
– Man kan ge uttryck för åsikter även när man inte direkt talar om politiska frågor.
– Hur då?
– Man kan avslöja sin människosyn på många andra sätt.
Hon tänkte efter och skakade sedan på huvudet.
– Jag kan minnas från det jag var barn att han nån gång sa att han inte var intresserad av politik. Att han hyste extrema värderingar visste jag inte. Dom dolde han väl. Om det nu stämmer, det du säger.
– Allting står mycket tydligt i dagboken.
– Handlar den bara om det? Skrev han ingenting om sin familj?
– Mycket lite.
– Det förvånar mig egentligen inte. Jag växte upp med en känsla av att vi barn bara var i vägen för vår far. Han brydde sig aldrig om oss på allvar, han bara låtsades göra det.
– För övrigt hade din far en kvinna här i Sveg. Om hon var hans älskarinna vet jag inte. Jag vet inte vad människor sysslar med som är över sjuttio år gamla.
– En kvinna här i Sveg?
Han ångrade att han hade sagt det. Det var en upplysning hon borde ha fått genom Giuseppe, inte av honom. Men nu var det för sent att gå tillbaka.
– Hon heter Elsa Berggren och bor söder om älven. Det var hon som skaffade din far hans hus. Hon delar för övrigt hans politiska åsikter. Om man kan kalla nazistiska åsikter för politiska.
– Vad skulle dom annars vara?
– Kriminella.
Plötsligt var det som om hon förstod bakgrunden till hans frågor.
– Menar du att min fars åsikter skulle ha nåt med hans död att göra?

– Jag menar ingenting. Men polisen måste arbeta förutsättningslöst.

Hon tände en ny cigarett. Stefan upptäckte att hon skakade på handen.

– Jag förstår inte varför ingen har berättat det här för mig, sa hon. Vare sig att min far varit nazist eller om den där kvinnan.

– Förr eller senare hade dom naturligtvis talat med dig om det. En mordutredning tar ibland lång tid. Nu har dom två döda att försöka hitta gärningsmän till. Plus en försvunnen hund.

– Jag fick höra att hunden var död?

– Det var din fars hund. Men nu är det Abraham Anderssons hund som är försvunnen.

Hon ruskade på sig som om hon börjat frysa.

– Jag vill bort härifrån, sa hon. Ännu mer nu än innan. Jag ska så småningom läsa den där dagboken. Men först ska jag se till att min far blir begravd. Sen reser jag. Och jag ska alltså tvingas upptäcka att den far som bara låtsades bry sig om mig dessutom var nazist.

– Vad kommer att hända med huset?

– Jag har talat med en mäklare. När bouppteckningen är gjord ska det säljas. Om nu nån vill ha det.

– Har du varit där?

Hon nickade.

– Jag åkte dit trots allt. Det var värre än jag hade kunnat föreställa mig. Framför allt dom där blodiga fotspåren.

Samtalet dog ut. Stefan såg på klockan. Han borde ge sig av nu innan det blev för sent.

– Det är synd att du reser.

– Varför det?

– Jag är inte van att sitta ensam på ett litet hotell i obygden. Jag undrar hur det är att leva här.

– Din far valde det.

Hon följde honom ut till receptionen.

– Tack för att du tog dig tid, sa hon.

Innan han gav sig iväg ringde han till Giuseppe för att höra om de hittat hunden. Men spåret hade upphört vid en grusväg sedan Näsblom hade halvsprungit med den ivriga hunden i över en halvtimme genom skogen.

– Nån tog med den i en bil som väntade där, sa Giuseppe. Frågan är bara vem det var och vart dom tog vägen.

Han körde söderut, över älven och in i skogen. Då och då bromsade han in när han märkte att han körde för fort. Huvudet var tomt. Den enda tanke som då och då dök upp i hans huvud var frågan om vad som hade hänt med Abraham Anderssons hund.

Strax efter midnatt stannade han vid ett gatukök i Mora som höll på att stänga. När han ätit var han för trött för att fortsätta. Han körde undan bilen till utkanten av parkeringsplatsen och flyttade över till baksätet där han rullade ihop sig. När han vaknade såg han på armbandsuret att klockan blivit tre. Han gick ut i mörkret och pissade. Sedan fortsatte han söderut genom natten. Efter ett par timmar stannade han igen för att sova.

När han vaknade hade klockan blivit nio. Han gick några varv runt bilen för att sträcka på lederna. Till kvällen skulle han vara tillbaka i Borås. När han väl kommit till Jönköping kunde han ringa till Elena och överraska henne. Drygt en timme senare skulle han stanna utanför hennes hus.

Men när han passerat Örebro svängde han av från vägen igen. Han var klar i huvudet nu. Och han hade börjat tänka tillbaka på sitt samtal med Veronica kvällen innan. Plötsligt var han säker på att hon inte hade varit sanningsenlig.

Det var det där med hennes far. Om hon hade vetat att han var nazist eller inte. Hon hade bara spelat överraskad. Hon hade vetat om det men försökt dölja det. Hur han kunde vara säker på att hon inte talat sanning, hade han inget svar på. Det fanns dock en annan fråga han inte kunde besvara. Om hon också känt till Elsa Berggren trots att hon förnekat det.

Stefan gick ut ur bilen. Jag har inte med det här att göra, tänkte han, jag har min sjukdom som jag ska ägna mig åt. Jag ska åka hem till Borås och jag ska erkänna för mig själv att jag under de här dagarna har saknat Elena. När jag får lust ska jag sedan ringa till Giuseppe och fråga hur det går. Ingenting annat.

Sedan bestämde han sig hastigt för att åka till Kalmar. Där Herbert Molin en gång fötts under namnet Mattson-Herzén. Där allting hade börjat, i en familj som hade dyrkat Hitler och hans nationalsocialism.

Där skulle också finnas en man som hette Wetterstedt. En porträttmålare. Som kände Herbert Molin.

Han letade reda på en trasig karta över Sverige som låg i bagageutrymmet. Det är vansinne, tänkte han, medan han övervägde vilken väg han skulle köra till Kalmar. Jag ska ju till Borås.

Men han visste att han inte kunde släppa taget nu. Han ville veta vad som hade hänt med Herbert Molin. Och Abraham Andersson. Kanske också vad som låg bakom hundens försvinnande.

På kvällen kom han fram till Kalmar. Det var den 5 november. Om 14 dagar skulle han påbörja sin strålbehandling.

Några mil norr om Västervik hade det börjat regna. Vattnet glittrade i strålkastarljuset när han körde in i staden och letade efter någonstans att bo.

18.

Tidigt dagen efter sökte han sig ner till vattnet. Ölandsbron skymtade i morgondimman som låg över sundet. Han gick ända ner till strandkanten och stod och såg på vattnet som sakta skvalpade. Han hade fortfarande den långa bilresan i kroppen. Två gånger hade han drömt att stora lastbilar hade kommit emot honom. Han hade försökt väja, det hade varit för sent och han hade kastats upp ur sömnen. Hotellet låg i centrum av staden. Genom den tunna pappväggen hade han länge lyssnat på en kvinna som talade i telefon. Efter en timme hade han bultat i väggen och samtalet hade strax därefter tagit slut. Innan han hade somnat hade han legat och sett upp i taket och undrat varför han egentligen hade valt att åka till Kalmar. Var det så att han in i det längsta ville undvika att återvända till Borås? Hade han tröttnat på Elenas sällskap utan att han vågade klargöra det för sig själv? Han visste inte. Men han tvivlade på att resan till Kalmar enbart berodde på nyfikenhet på Herbert Molins förflutna.

Härjedalens skogar var redan avlägsna. Nu fanns bara han själv, sjukdomen och 13 dagar tills han skulle inställa sig för att påbörja sin behandling. Ingenting annat. Stefan Lindmans 13 dagar i november, tänkte han. Hur kommer jag att se på dem om tio eller tjugo år, om jag lever så länge? Han försökte aldrig besvara frågan utan vandrade in mot staden igen, lämnade vattnet och dimman bakom sig. Han gick in på ett café, hämtade en kopp kaffe och lånade en telefonkatalog.

Det fanns bara en person med namnet Wetterstedt i Kalmardelen. Emil Wetterstedt, konstnär. Han bodde på Lagmansgatan. Stefan slog upp stadskartan och hittade den genast, mitt i staden, bara några kvarter från caféet. Han tog fram sin telefon men kom plötsligt ihåg att den var trasig. Kunde han bara få tag på ett nytt batteri skulle telefonen fungera igen. Jag kan gå dit, tänkte han. Ringa på dörren. Men vad ska jag säga? Att jag var vän till Herbert Molin? Men det är lögn eftersom vi aldrig var vänner. Vi arbetade på samma polisstation, i samma polisdistrikt. En gång letade vi efter en mördare tillsammans. Det var allt. Då och då gav han mig goda råd. Men om de verkligen var så goda som jag nu vill få det till, det vet jag inte. Jag kan knappast heller säga att jag har kommit för att få mitt porträtt målat. Dessutom kan man nog förutsätta att Emil Wetterstedt är en gammal man, jämnårig med Herbert Molin. En gammal man som inte bryr sig om världen längre.

Han drack kaffet i långsamma klunkar. När han hade avfärdat sina idéer en efter en återstod till sist bara att ringa på Emil Wetterstedts dörr och säga att han var polis och gärna ville tala med honom om Herbert Molin. Vad som sedan hände berodde på hur Wetterstedt reagerade.

Han tömde kaffekoppen och lämnade caféet. Luften var annorlunda mot den han upplevt i Härjedalen. Där hade den varit torr och hög medan den luft han nu drog ner i lungorna var fuktig. Fortfarande var alla affärer stängda, men han la märke till en som sålde mobiltelefoner när han gick mot huset där Emil Wetterstedt bodde. Han undrade frånvarande om gamla porträttmålare kanske sov länge på morgnarna?

Huset vid Lagmansgatan var i tre våningar, en grå fasad, utan balkonger. Porten var olåst. På namntavlan såg han att Emil Wetterstedt bodde på översta våningen. Det fanns ingen hiss. Den gamle mannen måtte ha starka ben, tänkte han. En dörr slog igen någonstans. Det ekade i hela trappuppgången. När han kommit uppför de tre trapporna märkte han att han blivit andfådd. Han förvånades över att hans normalt så goda kondition alldeles tycktes ha försvunnit.

Han tryckte på ringklockan och räknade tyst till tjugo. Sedan tryckte han igen. Han kunde inte höra någon signal inne i lägenheten. Han ringde en tredje gång. Fortfarande var det ingen som öppnade. Han knackade på dörren, väntade och bultade till slut. Dörren bakom honom öppnades. Där stod en äldre man i morgonrock.

– Jag söker herr Wetterstedt, sa Stefan. Men han kanske inte är hemma?

– Han befinner sig alltid på sitt sommarställe när det är höst. Då tar han semester.

Mannen i dörren betraktade Stefan med upphöjt förakt. Som om det var den naturligaste sak i världen att man tog semester i november. Och att man som pensionär fortfarande hade ett arbete att ta semester ifrån.

– Var ligger hans sommarställe?

– Vem är det som frågar? Vi försöker hålla reda på vilka som springer här i huset. Ska ni ha ert porträtt målat?

– Jag vill tala med honom i en viktig angelägenhet.

Mannen betraktade Stefan med misstänksamma ögon.

– Emil har sitt sommarställe på södra Öland. När man passerat Alvaret kommer en skylt där det står Lavendel. Samt en annan skylt som påpekar att det är enskild väg och privat område. Där bor han.

– Heter det så? Lavendel?

– Emil talar om en blå nyans som drar mot lavendel. Det är enligt honom den vackraste blåa färg som existerar. Omöjlig för målare att åstadkomma. Där är naturen den enda mästaren.

– Tack för hjälpen.

– För all del.

Stefan stannade i steget.

– En sak till. Hur gammal är Emil Wetterstedt?

– 88 år. Men han är mycket vital.

Mannen stängde dörren. Stefan gick långsamt nerför trappan. Alltså har jag ett skäl att åka över bron, in i dimman, tänkte han. Även jag befinner mig på en sorts ofrivillig semesterresa, utan andra mål än att få tiden att gå till den 19 november.

Han gick tillbaka samma väg han hade kommit. Affären som sålde mobiltelefoner hade just öppnat. En ung man gäspade ointresserat och letade fram ett batteri som passade. Redan medan han höll på att betala pep telefonen för att tala om att han hade meddelanden. Innan han lämnade Kalmar lyssnade han av dem.

Tre gånger hade Elena ringt, för varje gång lät hon allt mer uppgiven och blev allt mer kortfattad. Sedan var det ett meddelande från hans tandläkare som sa att det var dags för den årliga kontrollen. Det var allt. Giuseppe hade inte ringt. Det hade han inte heller räknat med, men kanske ändå hoppats på. Inte heller hade någon av hans arbetskamrater hört av sig. Men inte heller det hade han räknat med. Han var en människa praktiskt taget utan vänner.

Han la telefonen på sätet, körde ut från parkeringsplatsen och började leta efter en avfart till bron. Dimman låg fortfarande tät när han körde ut över vattnet. Kanske det är så här att dö, tänkte han. Förr hade man föreställningen att en färjkarl kom med en båt och rodde en över Dödens flod. Nu kanske det är en bro man ska passera, rakt in i dimman och sedan ingenting mer.

Han kom fram till Öland, svängde mot höger, passerade infarten till en djurpark och fortsatte sedan söderut. Han körde långsamt. Bilarna som kom emot honom var få. Det fanns inget landskap runt honom, bara denna dimma. Någonstans stannade han på en parkeringsplats och steg ur bilen. På avstånd hörde han en mistlur och kanske också bruset från vattnet. Annars var det tyst. Det var som om dimman hade krupit in i hans huvud och lagt sig som ett täcke över hans medvetande. Han höll upp ena handen framför sig. Också den var mycket vit.

Han fortsatte och höll på att köra förbi skylten där det stod »Lavendel 2«. Det påminde honom om en annan skylt han nyligen hade letat efter, »Dunkärret 2«. Sverige är ett land där människor lever två kilometer från huvudvägen, tänkte han.

Grusvägen som han svängde in på var full av gropar och verkade vara obetydligt använd. Den var alldeles rak och försvann in i dimman. Vägen tog slut vid en grind som var stängd. Där stod en gammal Volvo 444 och en motorcykel. Stefan slog av tändningen och steg ur. Motorcykeln var av märket Harley-Davidson. Sedan den gång Stefan hade kuskat runt med motocrossföraren hade han vissa kunskaper om motorcyklar. Det här var ingen av Harley-Davidsons standardmaskiner. Det här var ett hembygge, en dyrbar maskin. Men körde verkligen en 88-åring motorcykel? Då måste han verkligen vara i mycket god kondition. Han öppnade grinden och följde vägen. Fortfarande såg han inget hus. Men där kom plötsligt någon emot honom, en person som lösgjorde sig ur dimman. Det var en ung man med kortklippt hår, prydligt klädd i skinnjacka och en ljusblå skjorta som var öppen i halsen. Stefan såg att han var vältränad.

– Vad gör du här?

Rösten var gäll, nästan skrikande.

– Jag söker Emil Wetterstedt.

– Varför det?

– Jag vill tala med honom.

– Vem är du? Vad är det som gör att du tror att han vill tala med dig?

Stefan ilsknade till över det förhör han tyckte sig utsatt för. Ynglingens röst skar i öronen på honom.

– Jag vill tala med honom om Herbert Molin. Dessutom kan jag upplysa om att jag är polis.

Pojken fortsatte att stirra på honom. Han hade tuggummi i munnen. Käkarna malde.

– Vänta här, sa han. Gå ingenstans.

Pojken uppslukades av dimman. Stefan följde sakta efter. Ett hus blev synligt efter bara några meter. Pojken försvann in genom dörren. Huset var vitt, ett kalkhus, långsmalt och med en länga som vinklade sig från ena gaveln. Stefan väntade. Han undrade hur landskapet såg ut, hur nära eller långt bort havet fanns. Dörren öppnades igen och pojken kom fram till honom.

– Jag sa åt dig att vänta! skrek han med sin gälla röst.

– Man kan inte alltid få som man vill, svarade Stefan. Tar han emot eller inte?

Pojken nickade åt honom att följa med. Det luktade målarfärg inne i huset. Lamporna var tända. Stefan måste böja på nacken när han steg in genom dörren. Pojken visade in honom i ett rum på baksidan av huset där långväggen bestod av ett enda stort fönster.

Emil Wetterstedt satt i en fåtölj i ett hörn. Han hade en filt över knäna och på ett bord intill honom låg en bokstapel och ett par glasögon. Pojken ställde sig bakom fåtöljen. Den gamle mannen hade tunt vitt hår och ansiktet var rynkigt. Men blicken han riktade mot Stefan var alldeles klar.

– Jag tycker inte om att bli störd under min semester, sa han.

Hans röst var raka motsatsen till pojkens gälla stämma. Wetterstedt talade mycket lågt.

– Jag ska inte bli långvarig.

– Jag tar inga beställningar på porträtt längre. Ditt ansikte hade dessutom aldrig kunnat väcka min inspiration. Det är alldeles för runt. Jag föredrar långsmala ansikten.

– Det är inte för att få ett porträtt som jag har kommit.

Emil Wetterstedt bytte ställning i stolen. Filten över benen hasade ner. Genast var pojken där och rättade till den.

– Varför har du då kommit hit?

– Jag heter Stefan Lindman och är polis. Under några år arbetade jag tillsammans med Herbert Molin i Borås. Jag är inte säker på att ni vet att han är död.

– Jag har blivit informerad om att han blev dödad. Vet man av vem?

– Nej.

Emil Wetterstedt vinkade mot en ledig stol. Pojken drog motvilligt fram den åt Stefan.

– Av vem fick ni informationen att Herbert Molin var död?

– Är det viktigt?

– Nej.

– Är det här ett förhör?

– Nej, bara ett samtal.

– Jag är för gammal för att samtala. Jag slutade med det när jag fyllde sextio. Då hade jag talat nog i mitt liv. Jag varken talar eller lyssnar på vad andra människor säger. Med undantag av min läkare. Och ett fåtal unga människor.

Han log och nickade åt pojken som vakade bakom stolen. Stefan började känna sig underlig till mods. Vem var pojken som tycktes vara uppassare åt den gamle mannen?

– Du har kommit hit eftersom du vill tala med mig om Herbert Molin. Men vad är det egentligen du vill veta? Och vad är det egentligen som har hänt? Herbert mördad?

Stefan bestämde sig hastigt för att undvika alla omvägar. För Wetterstedt hade det knappast någon betydelse om han visste att Stefan var en person som egentligen inte hade med mordutredningen att göra.

– Vi saknar direkta spår efter såväl motiv som gärningsman,

sa Stefan. Det innebär att vi måste arbeta oss ner på djupet. Vem var Herbert Molin? Kan man hitta motivet i hans förflutna? Det är såna frågor vi ställer till oss själva och andra. Människor som kände honom.

Emil Wetterstedt satt tyst. Pojken fortsatte att betrakta Stefan med öppet ogillande.

– Egentligen var det Herberts far jag kände. Jag var yngre än han men äldre än Herbert.

– Axel Mattson-Herzén var ryttmästare?

– En gammal fin titel som gått i arv i familjen. En av hans anfäder var med vid Narva. Svenskarna vann slaget men anfadern stupade. Det fanns en familjetradition kring den där händelsen. Varje år firade man slaget vid Narva. Jag minns att dom hade en stor byst av Karl XII på ett bord. Det stod alltid blommor i en vas intill. Det kan jag minnas fortfarande.

– Ni var inte släkt med varandra?

– Nej. Men däremot hade jag en bror som det också gick illa för.

– Justitieministern?

– Just han. Jag försökte alltid avråda honom från att ägna sig åt politik. Särskilt som hans åsikter var alldeles befängda.

– Han var socialdemokrat.

Wetterstedt såg Stefan stint in i ögonen.

– Jag sa att hans åsikter var befängda. Du kanske känner till att han blev dödad av en galning. Dom hittade hans lik under en båt nånstans på en strand vid Ystad. Jag besökte honom aldrig. Vi hade ingen kontakt med varandra under dom sista tjugo åren han levde.

– Det stod ingen annan byst där på bordet? Bredvid den av Karl den XII?

– Vem skulle den ha varit av?

– Hitler.

Pojken bakom stolen ryckte till. Det gick fort men undgick inte Stefan. Wetterstedt var däremot alldeles lugn.

– Vart vill du egentligen komma?

– Herbert Molin slogs på Hitlers sida som frivillig under kriget. Det har framkommit att hans familj var övertygade nazister. Stämmer det?

– Naturligtvis stämmer det.

Wetterstedts svar hade kommit utan tvekan.

– Jag var också övertygad nazist, fortsatte han. Vi behöver inte låtsas eller leka, herr polisman. Hur mycket vet du om mitt förflutna?

– Ingenting annat än att ni har varit porträttmålare och att ni hade kontakt med Herbert Molin.

– Jag hyste stor tillgivenhet för honom. Han visade stort mod under kriget. Naturligtvis stod alla förnuftiga människor på Hitlers sida den gången. Vi hade att välja mellan att se hur kommunismen drog segrande fram eller att bjuda motstånd. Vi hade en regering som vi bara delvis kunde lita på. Allt var förberett den gången.

– Förberett för vad då?

– För en tysk invasion.

Svaret kom från pojken. Stefan såg undrande på honom.

– Allt har ändå inte varit förgäves, fortsatte Wetterstedt. Jag har snart målat mitt sista porträtt och är borta. Men det finns en ung generation som ser med förnuft på tillståndet i Sverige, i Europa, i världen. Man kan glädja sig åt att Östeuropa har fallit. En ömklig syn. Men glädjande. Däremot är tillståndet i Sverige värre än nånsin. Sönderfall överallt. Ingen disciplin. Landets gränser existerar inte längre. Vem som helst med vilka motiv som helst kan ta sig in hur som helst och när som helst och var som helst i det här landet. Jag tvivlar på att man kan rädda den svenska nationalkaraktären. Det är förmodligen redan för sent. Men ändå är det vad man måste försöka göra.

Wetterstedt avbröt sig och såg med ett leende på Stefan.

– Som du ser står jag för mina åsikter. Jag har aldrig ångrat dom, aldrig försökt dölja dom. Visst har jag varit med om att människor vägrat hälsa eller till och med spottat efter mig. Men det har alltid varit obetydliga människor. Såna som min bror. Och jag har aldrig haft några problem med att få porträttbeställningar. Snarare tvärtom.

– Vad menar ni med det?

– Att det alltid har funnits människor i det här landet som har respekterat mig för att jag vågat stå för mina åsikter. Människor som har tyckt som jag, men som av olika skäl har valt att inte göra sina åsikter offentliga. Ibland har jag kunnat förstå dom. Ibland har det bara berott på feghet. Men deras porträtt har jag målat.

Wetterstedt gjorde tecken att han ville resa sig ur stolen. Pojken hjälpte honom upp och gav honom en käpp. Stefan undrade hur Wetterstedt klarade trapporna i huset inne i Kalmar.

– Jag har nånting jag vill visa dig.

De kom ut i en korridor med stenlagt golv. Wetterstedt stannade plötsligt och såg på Stefan.

– Var det Lindman du hette?

– Stefan Lindman.

– Om jag inte tar alldeles fel talar du nån form av dialekt från Västergötland?

– Jag är född i Kinna utanför Borås.

Wetterstedt nickade eftertänksamt och gick vidare.

– Jag har nog aldrig besökt Kinna, sa han. Borås har jag rest igenom. Men jag trivs bäst här på Öland eller i Kalmar. Jag har aldrig begripit varför människor måste resa så mycket.

Wetterstedt slog käppen i golvet. Stefan tänkte att han några dagar tidigare hade hört en annan gammal man, Björn Wigren, tala med samma motvilja om att resa. De fortsatte och kom in i ett rum där det inte fanns några möbler alls. På en av väggarna hängde ett draperi. Wetterstedt drog undan det med käppen. Där hängde tre oljemålningar i ovala förgyllda ramar. Den i mitten föreställde Hitler i halvprofil. Till vänster hängde en av Göring, till höger en av en kvinna.

– Här har jag mina gudar, sa Wetterstedt. Porträttet av Hitler målade jag 1944, när alla, inklusive hans generaler, hade börjat vända honom ryggen. Det är det enda porträtt jag har gjort enbart med fotografier som förlaga.

– Göring har ni alltså träffat?

– Både i Sverige och i Berlin. Under mellankrigstiden var han några år gift med en svenska som hette Karin. Jag mötte honom då. I maj 1941 hörde Tyska legationen i Stockholm av sig. Göring ville ha sitt porträtt målat och han ville att jag skulle göra det. Det var en stor ära. Jag hade målat av Karin och han hade varit nöjd med resultatet. Jag for till Berlin och gjorde hans porträtt. Han var mycket vänlig. Vid ett tillfälle var det också meningen att jag skulle få möta Hitler på en mottagning. Men nånting kom emellan. Det är min stora sorg i livet. Jag var så nära men kom aldrig så långt att jag fick trycka hans hand.

– Vem är kvinnan?

– Min hustru. Teresa. Jag målade hennes porträtt samma år vi gifte oss, 1943. Om du har förmågan att verkligen se upptäcker du kärleken i bilden. Den målade jag in. Vi fick tio år tillsammans. Sen dog hon av en inflammerad hjärtmuskel. Hade det hänt i dag hade hon överlevt.

Wetterstedt nickade åt pojken som drog för draperiet igen.

De återvände till ateljén.

– Nu vet du vem jag är, sa Wetterstedt när han satt sig i fåtöljen och fått filten över benen igen. Pojken hade återtagit sin plats bakom honom.

– Ni måste ha reagerat när ni fick veta att Herbert Molin var död. En pensionerad polisman, mördad i Härjedalens skogar. Ni måste ha undrat över vad som hade hänt?

– Jag tänkte naturligtvis att det var nån galning. Kanske nån av alla dessa kriminella som tar sig in över våra gränser och begår brott som dom sen inte straffas för.

Stefan började bli tung i huvudet av de åsikter som Wetterstedt gav uttryck för.

– Det var ingen galning. Mordet var välplanerat.

– Då vet jag inte.

Svaret kom fort och bestämt. Lite för fort, tänkte Stefan. Lite för fort och lite för bestämt. Han gick försiktigt vidare.

– Nånting kan ha hänt. Det kan ligga långt tillbaka. Kanske var han med om nåt särskilt under kriget.

– Vad skulle det ha varit?

– Det är vad jag också undrar.

– Herbert Molin var soldat. Ingenting annat. Han skulle ha berättat för mig om nåt speciellt hade hänt. Men det gjorde han aldrig.

– Träffades ni ofta?

– Vi träffades aldrig under dom senaste trettio åren. Vår kontakt skedde genom brev. Han skrev brev och jag svarade med vykort. Jag har aldrig tyckt om brev. Varken att få dom eller att skriva dom.

– Han gav aldrig uttryck för att han var rädd?

Wetterstedt trummade irriterat med sina smala fingrar mot fåtöljens armstöd.

– Naturligtvis var han rädd. På samma sätt som jag är det. Över vad som håller på att hända med det här landet.

– Han var inte rädd för nånting annat? Nåt som gällde honom personligen?

– Vad skulle det ha varit? Han valde att dölja sin politiska identitet. Och jag förstår honom. Men jag tror inte han kände nån rädsla för att bli avslöjad. För att papper skulle hamna i orätta händer.

Pojken hostade till och Wetterstedt tystnade tvärt. Han sa för mycket nu, tänkte Stefan. Pojken vakar över honom.

– Vad då för papper? frågade Stefan.

Wetterstedt skakade irriterat på huvudet.

– Det finns så mycket papper här i världen, svarade han undvikande.

Stefan väntade på en fortsättning som aldrig kom. Wetterstedt trummade otåligt på armstödet.

– Jag är en gammal man. Samtal tynger mig. Jag lever i ett utdraget skymningsland. Jag väntar på ingenting. Nu vill jag att du lämnar mig ifred.

Pojken bakom stolen log elakt. Stefan tänkte att de flesta av de frågor han bar på skulle förbli obesvarade. Audiensen som Wetterstedt hade beviljat var slut.

– Magnus följer dig ut, sa Wetterstedt. Du behöver inte ta mig i hand. Jag fruktar bakterier mer än jag räds människor.

Pojken som hette Magnus öppnade ytterdörren. Den tjocka dimman låg fortfarande orörlig över landskapet.

– Hur långt är det till havet? frågade Stefan när de gick mot bilen.

– Det är ingenting jag behöver svara på, eller hur?

Stefan stannade. Ilskan vällde upp i honom.

– Jag har alltid föreställt mig dom svenska smånassarna med kalrakade huvuden och soldatkängor. Nu inser jag att dom kan se ut hur som helst. Som du till exempel.

Pojken log.

– Emil har lärt mig att stå emot provokationer.

– Vad är det egentligen du inbillar dig? Att nazismen skulle ha en framtid i Sverige? Ska ni förfölja alla invandrare? Då får ni jaga ut ett par miljoner svenskar över gränsen. Nazismen är död, den dog med Hitler. Vad är det du håller på med? Tvättar en gammal man i arslet? En man som haft den tvivelaktiga äran att ta Hermann Göring i handen? Vad är det du tror han kan lära dig?

De hade kommit fram till bilarna och motorcykeln. Stefan hade blivit svettig av sin ilska.

– Vad är det du tror han kan lära dig? upprepade han.

– Att inte begå samma misstag som dom gjorde. Att inte tappa humöret. Åk härifrån nu.

Stefan vände bilen och for därifrån. I backspegeln kunde han se hur pojken stod och såg efter honom.

Han körde långsamt tillbaka mot bron och tänkte på det Wetterstedt hade sagt. Den gamle mannen kunde avfärdas som en politisk stolle. Hans åsikter var inte farliga längre. De var bara vaga minnen av en förfärlig tid som redan låg långt tillbaka. Han var en gammal man som aldrig hade velat förstå, på samma sätt som Herbert Molin och Elsa Berggren. Pojken som hette Magnus innebar däremot något annat. Han trodde på fullt allvar att den nazistiska läran fortfarande var levande.

Stefan kom fram till brofästet. Han skulle just köra ut på bron när telefonen ringde.

Han stannade vid vägrenen, slog på varningsblinkern och svarade.

– Giuseppe här. Har du kommit fram till Borås?

Stefan övervägde om han skulle berätta om sitt möte med Emil Wetterstedt men beslöt sig för att tills vidare inte säga någonting.

– Jag är nästan hemma. Vädret har varit dåligt.

– Jag ville ringa dig för att berätta att vi har hittat hunden.

– Var då?

– På en plats vi inte hade kunnat tänka oss.

– Var?

– Gissa.

Stefan försökte tänka. Men han hade inget förslag.

– Jag kan inte.

– I Herbert Molins hundgård.
– Var den också död?
– Högst levande. Men utsvulten.
Giuseppe skrattade glatt i andra änden av luren.
– Nån hämtar Abraham Anderssons hund på natten när våra trötta poliser ingenting märker. Sen placerar denna okända person hunden i Molins hundgård. Fast den var inte kopplad. Vad säger du om det?
– Att det finns nån alldeles i närheten av er som vill berätta nånting.
– Just det. Frågan är bara vad? Hunden är en sorts flaskpost som flyter omkring i skogarna. Ett meddelande. Som ska säga vad? Och till vem? Fundera på det och hör av dig till mig. Men jag reser tillbaka till Östersund nu.
– Det låter mycket märkligt.
– Det *är* mycket märkligt. Och skrämmande. Jag är övertygad nu om att det som hänt här döljer nåt vi inte har en aning om vad det kan vara.
– Och det är samma gärningsman.
– Säkert. Hör av dig. Och kör försiktigt.
Det knastrade till i telefonen. Sedan var den död. Stefan lyssnade på ljudet från blinkern. En bil passerade, så ytterligare en. Jag åker hem nu, tänkte han. Emil Wetterstedt hade ingenting nytt att komma med. Däremot bekräftade han det jag redan visste. Herbert Molin var en nazist som aldrig kom på andra tankar, en av de oförbätterliga.
Han körde ut på bron med ambitionen att åka hem till Borås. Men redan innan han kommit till brofästet på fastlandssidan hade han ändrat sig.

19.

Han drömde att han kom gående genom skogen mot Herbert Molins hus. Det blåste så hårt att han nästan inte kunde hålla balansen. Han hade en yxa i handen och han var rädd för någonting som fanns bakom honom. När han kom fram stannade han vid hundgården. Den starka vinden hade plötsligt försvunnit, som om någon klippt av ett ljudband i drömmen. Det fanns två hundar där som bägge rasande kastade sig mot stängslet.

Han ryckte till och slungades ut ur drömmen. Men det var inte hundarna som brutit igenom stängslet utan en kvinna som stod framför honom och knackade honom på axeln.

– Vi vill inte att folk sitter här och sover, sa hon strängt. Det här är ett bibliotek, inte en värmestuga.

– Förlåt.

Stefan såg sig yrvaket omkring i läsesalen. En äldre man med uppvridna mustascher satt och läste »Punch«; han såg ut som en karikatyr av en brittisk gentleman. Han betraktade Stefan med ogillande. Stefan drog till sig den bok han somnat över och såg på klockan. Kvart över sex. Hur länge hade han sovit? Kanske tio minuter, knappast mer. Han ruskade på huvudet, trängde bort hundarna ur medvetandet och lutade sig över boken igen.

På bron hade han fattat sitt beslut. Han skulle göra ett nattligt besök i Emil Wetterstedts lägenhet. Men han orkade inte ännu en gång bo på hotell. Han skulle bara vänta tills det blev natt. Då skulle han ta sig in i lägenheten.

Till dess kunde han inte göra något annat än vänta. Han hade parkerat bilen på lagom gångavstånd från Lagmansgatan och sedan gått till en järnaffär, där han köpt en skruvmejsel och det minsta bräckjärn han kunde hitta. I en butik för herrkläder hade han valt ut ett par billiga handskar.

Sedan hade han irrat omkring i staden tills hungern gjorde sig påmind. Han hade ätit på en pizzeria och läst lokaltidningen Barometern. Efter att ha druckit två koppar kaffe hade han valt mellan att gå tillbaka till bilen och sova några timmar eller att fortsätta sin promenad. Det var då han kommit på att han kunde uppsöka stadens bibliotek. Han hade frågat sig fram och bland böckerna på avdelningen för historia hittat det han sökte. Dels en tjock volym om den tyska nazismens historia, dels en mindre skrift om Hitlertiden i Sverige. Den stora volymen hade han snart lagt åt sidan.

Men den tunnare boken hade fångat hans intresse.

Historien berättades mycket åskådligt. Han insåg efter en knapp timmes läsning något han tidigare inte förstått. Något som Emil Wetterstedt hade sagt och kanske också Elsa Berggren: att nazismen i Sverige under 30-talet och fram till 1943 eller 1944 varit mycket mer omfattande än vad de flesta i dag var medvetna om. Det hade funnits flera nazistiska partier som stridit inbördes. Men bakom de paraderande männen och kvinnorna hade funnits en grå massa av anonyma människor som hyllat Hitler och inget hellre önskat än en tysk invasion och en nazistisk regim även i Sverige. Han mötte i texten häpnadsväckande uppgifter om den svenska regeringens eftergifter till tyskarna, om hur den svenska järnmalmsexporten på ett avgörande sätt bidragit till den tyska rustningsindustrins möjligheter att leva upp till Hitlers ständiga krav på fler pansarfordon och annan krigsmateriel. Han undrade var all denna historia hade funnits när han gick i skolan. Det han vagt kunde minnas från historieundervisningen var en helt annan bild: ett Sverige som genom klokhet och en försiktig balansgång hade lyckats hålla sig utanför kriget. Landets regering hade iakttagit en strikt neutralitet som räddat landet från att krossas av den tyska krigsmakten. Några större mängder inhemska nazister hade han aldrig hört talas om under skoltiden. Nu mötte han en helt annan bild, som förklarade Herbert Molins handlingar, hans glädje när han kommit över gränsen till Norge och väntade på att färdas vidare till Tyskland. Han kunde se både Herbert Molin, hans far och mor, och Emil Wetterstedt i den grå massa som fanns någonstans mellan raderna i texten, eller i den suddiga bakgrunden på fotografierna från de svenska nazisternas gatumanifestationer.

Det var när han kommit så långt som han måste ha somnat och börjat drömma om de rasande hundarna.

Mannen med »Punch« reste sig från stolen och lämnade rummet. Två flickor satt med huvudena tätt ihop och viskade och fnittrade. Stefan gissade att de kom från något land i Mellanöstern. Han tänkte på det han hade läst, om hur studenterna i Uppsala hade protesterat mot att judiska läkare sökte asyl i Sverige från förföljelserna i Tyskland. Men de hade nekats inresa.

Han reste sig och gick trappan ner till lånedisken. Kvinnan som hade väckt honom syntes inte till. Han letade reda på en toalett där han sköljde av ansiktet och återvände sedan till läsesalen. De två viskande flickorna var borta. Det låg en tidning där de suttit. Han gick dit för att se vad det var de hade läst. En tidning med arabiska skrivtecken. De hade lämnat en svag doft av parfym efter sig. Han tänkte på Elena, att han borde ringa till henne. Sedan satte han sig igen för att läsa det sista kapitlet, »Nazismen i Sverige efter kriget«. Han läste om sekter och olika, mer eller mindre valhänta, försök att organisera ett svenskt nazistiskt parti som kunde få verklig politisk betydelse. Bakom alla dessa smågrupper och lokala organisationer, som kom och gick, bytte namn och symboliskt klöste ögonen ur varandra, anade han fortfarande den grå massan som fanns någonstans i en suddig periferi. De hade ingenting med smånassarna som rakade sina huvuden att göra. Det var inte de som begick bankrån, mördade poliser eller slog ner oskyldiga invandrare. Han förstod att det fanns en klar gränslinje mellan dem och de andra som skrek på gatorna och hyllade Karl XII. Han sköt undan boken och undrade var i den här bilden pojken som vaktade Emil Wetterstedt skulle placeras in. Fanns det trots allt en organisation som ingen visste om, där sådana som Herbert Molin, Elsa Berggren och Emil Wetterstedt kunde propagera för sina åsikter? Ett hemligt rum någonstans där en ny generation, som den pojken bakom Wetterstedts fåtölj tillhörde, kunde släppas in? Han tänkte på det Wetterstedt hade sagt, om att »papper skulle hamna i orätta händer«. Pojken hade reagerat och Wetterstedt hade genast tystnat.

Han satte tillbaka böckerna på sina platser. När han kom ut från biblioteket var det mörkt. Han gick till sin bil och ringde till Elena. Nu kunde han inte vänta längre. Hon lät glad när hon hörde hans röst, men också avvaktande.

– Var är du? frågade hon.

– På väg.

– Varför tar det så lång tid?

– Bilen har krånglat.

– Vad är det för fel?

– Nånting med växellådan. Men jag kommer i morgon.

– Varför låter du så irriterad?

– Jag är trött.

– Hur mår du egentligen?

– Jag orkar inte tala om det nu. Jag ville bara ringa och säga att jag är på väg.

– Du måste förstå att jag blir orolig.

– Jag kommer till Borås i morgon, det lovar jag.

– Kan du inte svara på varför du är så irriterad?

– Jag har redan sagt att jag är trött.

– Kör inte för fort.

– Det gör jag aldrig.

– Det gör du alltid.

Samtalet bröts. Stefan suckade men ringde inte upp igen utan stängde av telefonen. Klockan i bilen visade fem minuter i halv åtta. Före midnatt skulle han inte våga försöka bryta sig in hos Wetterstedt. Jag borde resa hem, tänkte han. Vad händer om jag blir ertappad? Jag blir avskedad och utskämd. En polis som begår inbrott är ingenting som en åklagare kommer att ta lätt på. Jag ställer inte bara till det för mig själv, jag skapar oreda för varenda kollega inom kåren. Giuseppe kommer att tro att han har haft en galning på besök, Olausson i Borås kommer aldrig mer att skratta i sitt liv.

Han undrade om det var så att han egentligen ville bli gripen.

Om det var en självdestruktiv reaktion. Han hade cancer och alltså ingenting att förlora.

Var det så? Han visste inte. Han drog jackan tätt omkring sig och slöt ögonen.

När han vaknade var klockan halv nio. Han hade inte drömt om hundarna igen. Ännu en gång försökte han övertyga sig om att han borde lämna Kalmar så fort som möjligt, men förgäves.

De sista ljusen slocknade i fönstren på Lagmansgatan. Stefan stod i skuggan under ett träd och såg upp mot husfasaden. Det hade börjat blåsa och regna. Han gick hastigt över gatan och kände på porten. Till hans förvåning var den fortfarande olåst. Han gled in i den mörka trapphallen och lyssnade. Verktygen hade han i fickan. Han tände ficklampan och gick upp till det översta våningsplanet. Han lyste på dörren till Wetterstedts lägenhet. Han hade kommit ihåg rätt. När han tidigare under dagen varit där och väntat på att någon skulle öppna hade han betraktat låsen. Det var två, men inget av dem var ett säkerhetslås. Det förvånade honom. Borde inte en man som Wetterstedt eftersträva största möjliga säkerhet? I värsta fall var det larmat. Men det var en risk han fick ta.

Han öppnade brevlådan och lyssnade. Han kunde inte vara helt säker på att det inte fanns någon inne i lägenheten. Men allt var tyst. Han tog fram bräckjärnet. Ficklampan var inte större än att han kunde hålla den mellan tänderna. Han visste att han kunde bryta en gång. Antingen fick han upp dörren då eller så måste han ge sig av. Redan i början av sin tid som polis hade han lärt sig den mest elementära tekniken som inbrottstjuvar använde sig av. En brytning, inte mer om möjligt. Ett enda oväntat ljud väckte oftast ingen uppmärksamhet. Men bröt man mer än en gång var risken stor att någon skulle höra och bli misstänksam. Han hukade, la bräckjärnet på golvet och petade sedan in skruvmejseln så långt det gick. När det tog emot började han bända. Dörren gav efter. Han pressade in skruvmejseln och drog den sedan så högt upp han kunde, tills den satt inkilad under det nedre låset. Han böjde sig efter bräckjärnet, tryckte in det mellan de två låsen, och pressade med benet mot skruvmejseln för att vidga dörrspringan så mycket som möjligt. Han hade börjat svettas av ansträngningen. Fortfarande var han inte nöjd. Bröt han nu var risken stor att bara dörrkarmen splittrades och låsen inte revs upp. Han pressade på skruvmejseln och lyckades få in bräckjärnet djupare mellan dörren och karmen. Han hämtade andan innan han kände på bräckjärnet igen. Längre in kunde han inte pressa det.

Han torkade sig i pannan. Sedan bröt han med all kraft samtidigt som han pressade benet mot skruvmejseln. Dörren gick upp. Allt som hördes var ett knakande och ljudet av skruvmejseln som föll ner på hans ena fot. Han släckte ficklampan och lyssnade ut i mörkret, beredd att ge sig iväg. Ingenting hände. Han öppnade försiktigt dörren och drog igen den bakom ryggen. Det luktade instängt i lägenheten. Vagt tyckte han att det påminde om hans mormors hus utanför Värnamo där han varit på besök några gånger som barn. Lukten av gamla möbler. Han lyste med ficklampan och undvek att rikta ljusstrålen mot fönstren. Han hade ingen plan, visste inte vad han letade efter. Hade han varit en vanlig inbrottstjuv hade allt varit enklare. Då skulle han ha letat efter värdeföremål, försökt hitta tänkbara gömställen. Han undersökte en tidningshög som låg på ett bord. Ingenting tydde på att Wetterstedt prenumererade på någon tidning som skulle anlända med ett morgontidigt tidningsbud.

Han fortsatte tyst genom lägenheten. Den var inte stor, tre rum. I motsats till det spartanskt inredda sommarhuset var Wetterstedts stadsvåning överbelamrad med möbler. Han kastade en blick in i sovrummet och fortsatte sedan till vardagsrummet som tydligen också tjänade som ateljé. Där fanns ett tomt staffli. Vid ena väggen stod en chiffonjé. Han drog ut en låda.

Gamla glasögon, kortlekar, tidningsurklipp. »Porträttmålaren Emil Wetterstedt 50 år.« Fotografiet var bleknat, men Wetterstedts klara ögon som var bestämt riktade mot fotografen kände han igen. Texten var full av vördnad. *»Den nationellt såväl som internationellt kände porträttmålaren som aldrig har lämnat sin hemstad Kalmar även om möjligheterna varit många att etablera sig annorstädes... Det ryktas om anbud från Rivieran för vår konstnär att slå sig ner bland rika och förnäma kunder.«* Han la tillbaka urklippet och tänkte att det var sällsynt illa skrivet. Vad hade Wetterstedt sagt? Att han inte tyckte om att skriva brev, bara korthuggna meddelanden som rymdes på ett vykort. Kanske var det han som själv hade formulerat det som stod i tidningen och gjort det så dåligt eftersom han inte hade vana att skriva? Stefan fortsatte att gå igenom lådorna. Fortfarande visste han inte vad han letade efter. Han lämnade chiffonjén, gick in i det sista rummet, ett arbetsrum, och fram till skrivbordet. Gardinerna var fördragna. Han tog av sig jackan och hängde den över lampan på skrivbordet innan han tände den.

På bordet låg två pappershögar. Han bläddrade igenom den första. Den bestod av räkningar och broschyrer från Toscana och Provence. Han undrade om Wetterstedt trots allt tyckte om att resa, även om han hade påstått motsatsen. Han la tillbaka högen och drog till sig den andra. Den bestod till största delen av korsord, utrivna ur tidningar. Alla var lösta, ingenstans fanns några överstrykningar eller ändringar. Han tänkte ännu en gång på vad Wetterstedt hade sagt. Han var ingen skrivande människa. Men ord kunde han.

Underst i högen låg ett öppnat kuvert. Han tog ut ett inbjudningskort med en stil som förde tankarna till runor. Det var en påminnelse. »Den 30 november möts vi som vanligt kl. 13.00 i Stora Salen. Efter middag, utbyte av minnen och musik lyssnar vi på föredrag av vår kamrat, Captain Akan Forbes, som berättar om sina år i kampen för ett vitt Sydrhodesia. Därefter årsmötesförhandlingar.« Inbjudan var undertecknad av »Överste ceremonimästaren«. Stefan såg på kuvertet. Poststämpeln angav Hässleholm. Han drog skrivbordslampan närmare och läste texten ännu en gång. Vad gällde egentligen denna inbjudan? Var låg det som kallades Stora Salen? Han stoppade kortet i kuvertet och la tillbaka högen.

Sedan började han gå igenom lådorna som var olåsta. Hela tiden lyssnade han efter ljud. I den nedersta lådan i skivbordets vänstra hurts låg en brun pärm. Den fyllde hela lådan. När Stefan hade tagit upp den på bordet såg han genast att det fanns ett hakkors inpräglat i lädret. Han öppnade den försiktigt eftersom ryggen var sprucken och trasig. Inuti satt en tjock bunt maskinskrivna papper. Han såg att det var kopior, inte original. Pappren var tunna. Texten var skriven på en maskin där »a« och

»e« hoppade ur fältet och blev liggande något högre än de andra bokstäverna.

Det var någon sorts redovisning, kunde han se. Överst på den första sidan hade en okänd hand skrivit: »Kamrater, hädangångna och döda, som sköter sitt försvurna åtagande.« Ingenting mer. Under det kom sedan långa rader av namn i bokstavsordning. Före varje namn stod ett nummer. Stefan bläddrade försiktigt fram nästa sida. Fortfarande bara en lång lista med namn. Han ögnade igenom dem utan att känna igen något. Men det var svenska namn. Han vände blad igen.

På bokstaven D, efter Karl-Evert Danielsson, hade samma hand som skrivit på första sidan gjort en notering: »Har avlidit. Donerat årsavgift för 30 år.« Årsavgift till vad? tänkte Stefan. Det finns inget namn på någon organisation här, bara alla dessa namn. Han kunde se att många hade avlidit. På några ställen stod det noterat för hand att en donation till årsavgiften hade skett, på andra att »dödsboet betalar« eller »betalas av ej namngiven son eller dotter«. Han bläddrade bakåt till bokstaven »B«. Där fanns hon, Elsa Berggren. Han hoppade vidare i pappren till bokstaven »M«. Samma sak där, Herbert Molin. Nu började han om från början igen. Bokstaven »A«. Där fanns ingen Abraham Andersson. Han bläddrade sig fram till slutet. Sista namnet var Öxe, Hans, med nummer 1.430.

Stefan stängde försiktigt pärmen och la tillbaka den i lådan. Var det de här pappren Wetterstedt hade talat om? En nazistisk vänförening eller en politisk organisation? Han försökte förstå vad det var han egentligen hade hittat. Någon borde se det här, tänkte han. Det borde offentliggöras. Men jag kan inte ta pärmen med mig eftersom jag har begått inbrott. Han släckte skrivbordslampan och blev sittande i mörkret. Luften var tjock av det obehag han kände. Det var inte gamla mattor eller tyger som luktade, det var namnlistorna. Alla dessa levande och döda som betalade in sin årsavgift, själva eller genom dödsbon, söner eller döttrar, till något som inte ens hade ett namn. 1.430 personer som fortfarande bekände sig till åsikter som en gång för alla borde ha varit oskadliggjorda och borta. Men så var det inte. Bakom Wetterstedt hade det stått en yngling som en påminnelse om att allting levde.

Han blev sittande i mörkret och tänkte att han genast borde ge sig av. Men någonting höll honom tillbaka. Till slut tog han fram den slitna pärmen ur lådan igen, öppnade den och letade sig fram till bokstaven »L«. Längst ner på en sida stod namnet »Lennartsson, David. Årsavgiften betalas av hustrun«. Han vände blad igen.

Det var som om han hade fått ett slag, tänkte han efteråt, när han satt i bilen och körde mot Borås, alldeles för fort genom mörkret. Han hade varit helt oförberedd. Det var som om någon smugit sig på honom bakifrån. Men han hade aldrig behövt tveka. Det var hans fars namn som stod där: »Evert Lindman, avliden, donerat årsavgift för tjugofem år.« Det hade funnits ett datum också, det var hans fars dödsdag för sju år sedan, och det hade funnits ytterligare något som hade sopat bort alla tvivel. Han kunde minnas alldeles klart hur han hade suttit med en av sin fars vänner som var advokat och gått igenom bouppteckningen. Det hade funnits en gåva där, inskriven i ett testamente som upprättats något år innan fadern dog. Det var ingen större summa, men ändå påfallande. 15.000 kronor hade han testamenterat till något som kallade sig Stiftelsen Sveriges Väl. Det hade funnits ett postgironummer, men inget namn, ingen adress. Stefan hade undrat över denna gåva, och vad det egentligen var för en stiftelse. Men advokaten hade sagt att det inte rådde något tvivel, hans far hade varit mycket bestämd på den punkten, och Stefan hade i sorgen och saknaden efter sin far inte orkat tänka på det mer.

Nu, i Emil Wetterstedts ovädrade lägenhet, hade den där gåvan hunnit ikapp honom. Han kunde inte blunda för fakta. Hans far hade varit nazist. En av dem som dolt det, inte talat öppet om sin politiska åskådning. Det var alldeles obegripligt. Men ändå sant. Stefan insåg nu varför Wetterstedt hade frågat om hans namn, om varifrån han kom. Han hade vetat något som Stefan inte visste, att hans egen far tillhörde de människor som Wetterstedt värderade högst. Stefans far hade varit som Herbert Molin, som Elsa Berggren.

Han stängde skrivbordslådorna, flyttade tillbaka lampan och märkte att hans hand skakade. Sedan såg han sig noga omkring och lämnade rummet. Klockan hade blivit kvart i två. Han hade bråttom att komma därifrån, bort från det som dolde sig i Wetterstedts skrivbord. Han stannade och lyssnade i tamburen. Sedan öppnade han försiktigt dörren och drog igen den så tätt han kunde.

I samma ögonblick slog det i porten. Någon hade antingen kommit in eller gått ut. Han stod alldeles still i mörkret, höll andan och lyssnade. Men det hördes inga fotsteg i trappan. Det kan stå någon där nere i mörkret, tänkte han. Han fortsatte att lyssna. Samtidigt kände han efter att han hade allting med sig. Ficklampan, skruvmejseln, bräckjärnet. Ingenting saknades. Han gick ner en våning, försiktigt, smygande. Nu var det som om vansinnet i hela företaget skrek honom rakt upp i ansiktet. Han hade inte bara begått ett meningslöst inbrott, han hade också fått en hemlighet avslöjad som han helst inte hade velat känna till.

Han stannade och lyssnade och tände sedan trappljuset. Allt var fortfarande tyst. Han gick ner till porten. När han kom ut såg han sig omkring. Men gatan var tom. Han följde husväggen tills den tog slut och sneddade sedan över gatan. När han kommit fram till bilen såg han sig om ännu en gång utan att kunna upptäcka att någon hade följt efter honom. Ändå var han säker. Han hade inte inbillat sig. Någon hade lämnat huset just som han försiktigt hade stängt den uppbrutna dörren.

Han startade motorn och backade ut från parkeringsrutan.

Han såg aldrig den man som i skuggorna noterade hans bilnummer.

Han körde ut ur Kalmar, norrut mot Västervik. Där fanns ett café som höll nattöppet. En ensam långtradare fanns på parkeringsplatsen. När han kom in såg han chauffören som satt med huvudet lutat mot väggen och sov med öppen mun. Här är det ingen som väcker dig, tänkte han. Ett nattcafé är inte som ett bibliotek.

Kvinnan bakom disken log mot honom. Hon bar en namnskylt där det stod »Erika«. Han tog en kopp kaffe.

– Är du chaufför? frågade hon.

– Egentligen inte.

– Yrkeschaufförerna behöver inte betala för kaffet på nätterna.

– Då kanske jag borde byta yrke, sa han.

Hon skakade på huvudet när han ville betala. Han såg på henne och tänkte att hon hade ett vackert ansikte, trots det vassa ljuset från neonrören i taket.

När han satte sig ner märkte han hur trött han var. Fortfarande var det som han hade upptäckt i Wetterstedts skrivbordslåda alltför svårt för honom att ta till sig. Det fick komma sedan, inte nu.

Han drack ur kaffet, tog ingen påtår och fortsatte resan norrut. Sedan svängde han västerut, körde över Jönköping och var framme i Borås klockan nio. Två gånger hade han stannat och sovit korta stunder, djupt och drömlöst. Båda gångerna hade han vaknat av helljus från långtradare som lyst honom i ansiktet.

Han klädde av sig och la sig raklång på sängen. Jag kom undan, tänkte han. Ingen kan bevisa att det var jag som tog mig in i Wetterstedts lägenhet. Ingen såg mig.

Innan han somnade försökte han räkna ut hur många dagar han hade varit borta. Men räknestycket gick inte ihop. Ingenting gick ihop.

Han slöt ögonen och tänkte på den kvinna som inte velat ha betalt för kaffet. Men att hon hette Erika hade han redan glömt.

20.

Någonstans längs vägen hade han gjort sig av med verktygen. Men när han vaknade efter några timmars orolig sömn hade han börjat tvivla. Det första han gjorde var att leta igenom sina kläder. Men verktygen var borta. Någonstans i närheten av Jönköping, under nattens allra mörkaste och kallaste timmar, hade han stannat för att sova en stund. Innan han gav sig av från rastplatsen hade han begravt bräckjärnet och skruvmejseln under mossan. Han mindes exakt vad han hade gjort. Ändå undrade han. Det var som om han inte var säker på någonting längre.

Han stod vid fönstret och såg ut över Allégatan. Från våningen under hörde han gamla fru Håkansson spela piano. Det upprepades varje dag utom söndagar. Mellan kvart över elva och kvart över tolv spelade hon på sitt piano. Alltid samma stycke, gång på gång. Det fanns en kriminalinspektör på polishuset som intresserade sig för klassisk musik. En gång hade Stefan försökt gnola pianostycket för honom och han hade genast sagt att det var Chopin. Senare hade Stefan köpt en skiva där just denna mazurka hade ingått. Under en period när han arbetade på nätterna och sov på dagarna hade han försökt sätta på skivan samtidigt som fru Håkansson började spela. Men det hade aldrig lyckats honom att helt få de två versionerna att stämma överens.

Nu spelade hon igen. I min kaotiska värld är hon det enda som är fast och oföränderligt, tänkte han. Han såg ut över gatan. Den självdisciplin han alltid tidigare hade betraktat som självklar existerade inte längre. Det hade varit ett vansinnigt företag att bryta sig in i Wetterstedts lägenhet. Även om han inte hade lämnat några spår efter sig, även om han inte hade tagit med sig någonting annat än en insikt han helst av allt hade velat vara utan.

Han åt frukost och samlade ihop smutskläder som han skulle ta med hem till Elena. Det fanns tvättstuga i hans egen källare men han använde den nästan aldrig. Sedan tog han fram ett fotoalbum som han förvarade i en byrå och satte sig i soffan i vardagsrummet. Det var hans mor som hade satt samman bilderna och gett honom albumet den dag han fyllde 21. Från sina tidigaste år kunde han minnas en urmodig lådkamera som funnits i familjen. Sedan hade hans far köpt nya modeller, och de sista fotografierna i albumet var tagna med en Minolta systemkamera. Det var alltid fadern som tagit bilderna, aldrig modern. Men fadern hade om möjligt använt sig av självutlösare. Stefan såg på bilderna: modern på vänstra sidan, fadern på den högra. Det fanns alltid något ansträngt i faderns ansikte eftersom han sprungit in i bilden precis innan den exponerades. Många gånger hade det misslyckats. Stefan mindes särskilt ett tillfälle när de bara haft en bildruta kvar på filmen och fadern hade snubblat när han störtat iväg från kameran. Han bläddrade igenom albumet. Där fanns systrarna, alltid bredvid varandra, och modern som stirrade rakt in i kameraögat.

Vad vet mina systrar om fars åsikter? tänkte han. Förmodligen ingenting. Vad visste mor? Hade hon samma övertygelse som han?

Han gick långsamt igenom albumet, bild efter bild.

1969 är han sju år. Den första skoldagen. Färger som börjat blekna. Men han mindes hur stolt han varit över sin nya mörkblå jacka.

1971 är han nio år. Det är sommar. De har rest till Varberg och hyrt ett litet hus på Getterön. Badhanddukar bland klipporna, en transistorradio. Han kunde till och med minnas musiken som spelades när bilden togs, »Sail along silvery moon«. Han mindes den eftersom hans far hade sagt namnet just innan han tryckt på självutlösaren. Det var en idyll där bland klipporna, far, mor, han själv och de två tonåriga systrarna. Solen är skarp, skuggorna hårda och färgerna som vanligt urblekta.

Bilden är yta, tänkte han. Där under fanns alltså något helt annat. Jag hade en far som levde ett dubbelliv. Kanske gick han ut på klipporna om natten när resten av familjen sov och gjorde Hitlerhälsningen? Kanske fanns det andra människor i andra stugor på Getterön som han besökte och förde samtal med om det Fjärde rike som han måste ha hoppats förr eller senare skulle komma. När Stefan växte upp, under 60- och 70-talen, hade det aldrig talats om nazismen. Vagt kunde han erinra sig skolkamrater som väste »judesvin« efter någon misshaglig person som överhuvudtaget inte var jude. Det fanns hakkors inristade på toalettväggar på skolan där vaktmästarna ilsket gick och skrubbade. Men att den nazistiska rörelsen skulle ha varit levande, inte en avslutad historia, kunde han omöjligt minnas.

Bilderna väckte långsamt minnen till liv. Albumet bestod av brostenar som han kunde hoppa sig fram över. Men där emellan fanns andra minnen som inte var avfotograferade och som nu återvände i hans medvetande.

Han måste ha varit tolv år den gången. Han har väntat länge på en ny cykel. Hans far är inte snål, men det har tagit tid att övertyga honom om att den gamla är för dålig. Till sist har fadern gett med sig och de åker till Borås.

I butiken får de vänta på sin tur. En annan man ska också köpa en cykel till sin son. Mannen talar dålig svenska. Det tar tid innan affären är avslutad och mannen och pojken försvinner med den nya cykeln. Butiksinnehavaren är i hans fars ålder. Nu beklagar han sig över att det har tagit tid.

– Jugoslaver. Dom blir fler och fler.

– Vad gör dom här? säger fadern. Dom borde skickas hem. Dom har ingenting i Sverige att göra. Räcker det inte med alla finnar? För att inte tala om alla zigenare. Dom borde utrotas.

Stefan minns det ordagrant. Det är ingen efterhandskonstruktion, exakt så uttryckte sig fadern, och expediten svarade inte på det sista. »Dom borde utrotas.« Kanske log han eller nickade, men han sa ingenting. Framför allt opponerade han sig inte. Sedan hade de köpt cykeln, spänt fast den på taket och återvänt hem mot Kinna. Minnet var mycket tydligt nu. Vad hade hans egen reaktion varit? Han hade varit uppslukad av den cykel som nu var hans. Han kunde minnas dofterna i affären, av gummi och olja. Men någonting kunde han ändå gräva upp ur djupet av minnesbrunnen. Han hade trots allt reagerat. Inte på att hans far menade att zigenare borde utrotas eller jugoslaver sändas hem utan på det faktum att hans far gav uttryck för en åsikt, vilket var ovanligt. En politisk åsikt.

Under hans uppväxt diskuterades aldrig annat än ofarligheter. Vad man skulle ha till middag, om gräsmattan behövde klippas, vilken färg man skulle välja när den nya vaxduken till köket inköptes.

Det fanns dock ett undantag. Musiken. Den kunde diskuteras. Hans far hade enbart lyssnat på gammal jazzmusik. Stefan kunde fortfarande minnas namnen på några av de musiker hans far förgäves försökt få honom att lyssna till och beundra. King Oliver, kornettisten som varit den stora inspirationskällan för Louis Armstrong. Han hade spelat med en näsduk över fingrarna för att andra trumpetare inte skulle se hur han bar sig åt för att åstadkomma sina avancerade solon. Det fanns en klarinettist som hette Johnny Doods. Och framför allt den store Bix Beiderbecke. Gång på gång tvingades han lyssna på dessa raspiga gamla inspelningar och han låtsades tycka om det, låtsades vara så förtjust som fadern önskade. Det kunde göra det lättare att få ett nytt ishockeyspel eller något annat han ville ha. Men egentligen lyssnade han helst på samma musik som systrarna. Ofta Beatles, men mest Rolling Stones. Fadern hade sett döttrarna som förtappade i sin musiksmak. Men Stefan skulle kanske vara möjlig att rädda.

I yngre år hade hans far själv spelat den musik han vördade. Det hängde en banjo på väggen i vardagsrummet. Fortfarande hände det att han tog ner den och spelade en stund. Bara ackord, aldrig något annat. Den var av märket Levin och hade lång hals. En dyrgrip, hade fadern förklarat, tillverkad på 1920-talet. Det hade också funnits ett fotografi av fadern när han ingick i en orkester som hette Bourbon Street Band. Det bestod av trummor, bas, trumpet, klarinett och trombon. Samt fadern på banjo.

De hade alltså diskuterat musik i hemmet. Men aldrig någonting annat som kunde vara farligt och ge upphov till faderns sällsynta men våldsamma raserianfall. Stefans uppväxt hade präglats av den ständigt närvarande rädslan för faderns oberäkneliga vredesutbrott.

Men den gången de hade åkt till Borås för att köpa en cykel hade fadern gett uttryck för en åsikt som inte handlade om det förkastliga i att lyssna på den gräsliga popmusiken. Nu hade det gällt människor och deras existens. »Dom borde utrotas.« Minnet växte i hans medvetande när han återkallade händelsen.

Det existerade också en epilog.

Han hade suttit i framsätet. I sidospegeln kunde han se cykelstyret sticka ut från biltaket.

– Varför ska zigenare utrotas? hade han frågat.

– Dom är odugliga människor, hade fadern svarat. Lägre stående. Dom är inte som vi. Håller vi inte rent i vårt land kommer allt att förfalla.

Han mindes orden tydligt. Men där fanns också ett minne av själva minnet. Han hade känt en oro över det fadern hade sagt. Inte för vad som kunde drabba zigenare om de inte hade vett nog att lämna landet. Oron handlade om honom själv. Om hans far hade rätt skulle han själv bli tvungen att tänka samma sak, att zigenare borde utrotas.

Efter det slocknade minnesbilden. Från resten av bilresan fanns ingenting kvar. Först när de har kommit tillbaka och hans mor kommer ut på gården och beundrar den nya cykeln har han minnesbilder igen.

Telefonen ringde. Han ryckte till, la ifrån sig albumet och svarade.

– Olausson här. Hur mår du?

Han hade varit säker på att det var Elena som ringde. Genast blev han på sin vakt.

– Jag vet inte hur jag mår. Jag går och väntar.

– Kan du komma förbi? Orkar du det?

– Vad gäller det?

– En småsak. När kan du vara här?

– Om fem minuter.

– Då säger vi en halvtimme. Kom direkt upp till mig.

Stefan la på luren. Olausson hade inte skrattat. Kalmar har redan hunnit ikapp mig, tänkte han. Den uppbrutna dörren, poliser i Kalmar som ställer frågor, en annan polis, en kollega från Borås har varit på ett oväntat besök. *Vet han någonting om inbrottet? Vi ringer kollegorna i Borås och frågar.*

Så måste det vara. Klockan närmade sig två. Då hade polisen i Kalmar haft tid att undersöka lägenheten och tala med Wetterstedt.

Han märkte att han blev svettig. Han var säker på att ingen skulle kunna binda honom till brottet. Men han skulle bli tvungen att sitta hos Olausson utan att kunna säga någonting om innehållet i den bruna läderpärm han hittat i skrivbordslådan.

Telefonen ringde igen. Nu var det Elena.

– Jag trodde du skulle komma hit?

– Jag har några ärenden att uträtta. Sen kommer jag.

– Vad då för ärenden?

Det var nära att han smällde luren tillbaka i klykan.

– Jag måste till jobbet. Vi pratar sen. Hej då.

Just nu orkade han inga frågor, det skulle bli svårt nog att sitta framför Olausson och ljuga ihop något som kunde låta som en sanning.

Han ställde sig vid fönstret och repeterade sitt påhittade tidsschema från gårdagen. Sedan tog han jackan och gick upp till polishuset.

Han stannade och hälsade på flickorna i receptionen. Ingen frågade hur han mådde. Det övertygade honom om att alla på polishuset nu visste att han hade cancer. Vakthavande som hette Corneliusson kom också ut och hälsade. Inga frågor, ingen cancer, ingenting. Stefan tog hissen upp till det våningsplan där Olausson hade sitt kontor. Dörren till rummet stod halvöppen. Han knackade. Olausson ropade. Varje gång Stefan kom in till honom undrade han vilken slips han skulle möta. Olausson var känd för att bära slipsar med egendomliga motiv eller färgkombinationer. I dag var den dock bara oförargligt mörkblå. Stefan satte sig. Olausson brast i skratt.

– Vi tog en inbrottstjuv i morse. Han är nog en av dom största dumskallar jag råkat ut för. Du känner till radioaffären som ligger på Österlånggatan alldeles innan Södra torget? Han hade tagit sig in på baksidan där. Men han hade blivit svettig så han hade hängt av sig jackan. Och sen glömde han den när han gav sig av. I fickan hade han sin plånbok med körkort och visitkort. Den jäveln hade tryckt upp egna visitkort. »Konsult« kallade han sig. Det var bara att åka hem till honom och hämta honom. Han sov. Han hade alldeles glömt bort jackan.

Olausson tystnade. Stefan gjorde sig beredd. Han tänkte att det var bäst att han själv tog initiativet.

– Vad var det du ville?

Olausson tog upp några faxpapper som låg på skrivbordet.

– Bara en bagatell. Men det här kom nu på förmiddagen från kollegorna i Kalmar.

– Jag har varit där om du undrar.

– Det var just det. Du har tydligen hälsat på en man som heter Wetterstedt på Öland. Jag tycker förresten jag känner igen det namnet?

– Han hade en bror som var justitieminister. Han blev mördad för några år sen i Skåne.

– Så var det. Du har rätt. Vad var det som hände?

– Det var en ung pojke som gjorde det. Han tog livet av sig läste jag i en tidning för några år sen.

Olausson nickade eftertänksamt.

– Har det hänt nåt? frågade Stefan.

– Tydligen har det varit inbrott i Wetterstedts lägenhet inne i Kalmar i natt. Och en av grannarna har påstått att du varit där under dagen. Hans beskrivning av dig stämmer rätt väl med den Wetterstedt själv gav.

– Jag var där på morgonen för att få tag på honom. En gubbe öppnade en dörr och berättade att Wetterstedt befann sig på sitt sommarställe på Öland.

Olausson släppte pappren på bordet.

– Det var väl det jag tänkte.

– Vad var det du tänkte?

– Att det fanns en förklaring.

Stefan fortsatte att driva samtalet.

– På vad då? Är det nån som tror att det är jag som har begått inbrott? Jag fick ju tag på Wetterstedt på Öland?

– Det är bara frågor. Ingenting annat.

Stefan tänkte att han måste behålla initiativet. Annars skulle Olausson börja undra.

– Var det allt?
– I stort sett.
– Är jag misstänkt för nånting?
– Inte alls. Du letade alltså efter Wetterstedt och han var inte hemma?
– Jag trodde det var fel på ringklockan. Jag bultade på dörren. Kanske jag också trodde att Wetterstedt hörde dåligt, det minns jag inte. Men han är en bra bit över 80 år gammal. Grannen måste ha hört bultandet.
– Och sen for du till Öland?
– Ja.
– Och sen hem?
– Inte direkt. Jag lämnade stan först på kvällen. Jag satt på biblioteket några timmar. Sen stannade jag utanför Jönköping och sov.
Olausson nickade.
– Om jag hade haft för avsikt att komma tillbaka på kvällen och göra inbrott hade jag väl knappast bultat på dörren för att dra till mig uppmärksamhet?
– Naturligtvis inte.
Olausson började retirera nu. Stefan kände att han hade lyckats styra samtalet dit han ville. Ändå var han orolig. Någon kunde ha sett hans bil. Och det var det där med porten som öppnats just när han lämnade lägenheten.
– Det är naturligtvis ingen som tror att du begått nåt inbrott. Men vi vill svara på kollegornas frågor så fort som möjligt.
– Nu har jag svarat.
– Du gjorde inga iakttagelser som kan vara av värde för dom?
– Vad skulle det ha varit?
Olausson brast ut i ett kort skratt.
– Inte vet jag.
– Inte jag heller.
Stefan insåg att Olausson trodde honom. Han förvånades över att det kunde vara så lätt att ljuga. Han tänkte hastigt att tiden nu var inne att vrida samtalet åt ett annat håll.
– Jag hoppas det inte var nåt värdefullt som stals hemma hos Wetterstedt.
Olausson tog upp ett av faxpappren.

– Enligt uppgift stals ingenting alls. Vilket kan tyckas märkligt eftersom Wetterstedt enligt egen uppgift hade en del dyrbar konst i lägenheten.

– Knarkare är oftast inte insatta i priserna på konstmarknaden. Vilka konstnärer som är efterfrågade bland hälare och samlare.

Olausson fortsatte att läsa.

– Det ska också ha funnits en del smycken och kontanter där. Sånt som brukar intressera normala tjuvar. Men allt fanns kvar.

– Tjuvarna kanske blev skrämda?

– Om det nu var fler än en. Men förfaringssättet tyder på en kunnig person. Ingen amatör.

Olausson lutade sig bakåt i stolen.

– Jag ringer Kalmar och talar om att jag pratat med dig. Inga iakttagelser, säger jag. Ingenting som kan hjälpa dom.

– Jag kan naturligtvis inte bevisa att jag for från stan som jag sa.

– Varför skulle du behöva bevisa nånting?

Olausson reste sig från stolen och öppnade fönstret på glänt. Först nu märkte Stefan att det var kvavt i rummet.

– Det är fel på ventilationen i hela polishuset, klagade Olausson. Folk får allergiutslag. Nere i häktet klagar dom på huvudvärk. Men ingen gör nånting eftersom det inte finns några pengar.

Olausson satte sig igen. Stefan märkte att han hade börjat lägga ut. Magen hängde ut över byxorna.

– Jag har aldrig varit i Kalmar, sa Olausson. Inte på Öland heller. Men där ska vara vackert har jag hört.

– Om du inte hade hört av dig hade jag själv ringt. Det fanns ett skäl till att jag sökte upp Wetterstedt. Ett skäl som hade med Herbert Molin att göra.

– Vad då?

– Herbert Molin var övertygad nazist.

Olausson såg undrande på honom.

– Nazist?

– Långt innan han blev polis, när han var ung, gick han ut som frivillig på Hitlers sida i andra världskriget. Han var kvar i Tyskland ända till krigsslutet. Och han övergav aldrig sina åsikter. Wetterstedt hade känt honom som ung och dom hade fortfarande kontakt med varandra. Wetterstedt var en riktigt obehaglig människa.

– For du till Kalmar för att tala med honom om Herbert?

– Det kan väl knappast vara förbjudet?

– Nej. Men det är klart jag blir förvånad.

– Visste du nånting om Herbert Molins förflutna? Eller hans åsikter?

– Ingenting. Det kommer som en total överraskning.

Olausson lutade sig fram över skrivbordet.

– Har det här nånting med mordet på honom att göra?

– Kanske.

– Och den andre mannen som också blivit dödad där uppe? Violinisten?

– Det finns inga klara samband. Åtminstone fanns det inte det när jag reste därifrån. Men Herbert Molin hade flyttat dit eftersom det var en kvinna där, också hon gammal nazist, som hjälpt honom att köpa huset. Hon heter Elsa Berggren.

Olausson skakade på huvudet. Namnet sa honom ingenting. Stefan tänkte att Kalmar var borta nu. Om Olausson haft någon vag misstanke om att det trots allt hade varit Stefan som begått inbrottet hos Wetterstedt var den tanken nu försvunnen.

– Det låter mycket märkligt alltsammans.

– Jag håller med. Men vi behöver inte betvivla att det arbetade en man som polis här i Borås under många år som var nazist.

– Vad han än hade för åsikter så var han en bra polis.

Olausson reste sig upp som tecken på att samtalet var slut. Han följde Stefan till hissen.

– Jag undrar naturligtvis hur du mår?

– Den nittonde ska jag till sjukhuset igen. Sen får vi se.

Hissdörren gled upp.

– Jag ska tala med Kalmar, sa Olausson.

Stefan steg in i hissen.

– Då visste du kanske inte heller att Herbert Molin var en passionerad dansör?

– Nej? Vad dansade han?

– Helst tango.

– Det är alldeles uppenbart att det var mycket jag inte visste om Herbert Molin.

– Är det inte så med oss alla? Att vi egentligen inte vet särskilt mycket mer än det vi möter på ytan?

Dörren gled igen. Olausson hann aldrig ge något svar. Stefan lämnade polishuset. När han kom ner på gatan var han plötsligt osäker på vad han skulle göra. Kalmar skulle inte bli något problem. Om det inte visade sig att någon trots allt hade sett honom på natten. Men det var knappast troligt.

Han blev stående utan att kunna bestämma sig för vad han skulle göra. Det gjorde honom av någon anledning upprörd och han svor rakt ut i luften. En kvinna som just skulle gå förbi honom tog ett steg åt sidan.

Stefan gick tillbaka till lägenheten och bytte skjorta. Han såg på sitt ansikte i spegeln. När han var barn hade alla sagt att han liknade sin mor. Men ju äldre han blev, desto tydligare blev det att det var faderns ansikte som hans eget påminde om. Någon vet, tänkte han. Någon måste kunna berätta för mig om min far och hans politiska åsikter. Jag måste kontakta mina systrar. Men det finns ytterligare en person som måste veta. Han som var min fars vän, advokaten som upprättade hans testamente. Stefan insåg plötsligt att han inte ens visste om advokaten fortfarande levde. Hans Jacobi hade han hetat. Kanske var det ett judiskt namn. Men Jacobi hade varit ljushårig, lång och kraftig, tennisspelare kunde Stefan minnas. Han letade reda på telefonkatalogen och slog upp namnet. Han stod där fortfarande, advokatfirman Jacobi & Brandell.

Han slog numret. En kvinna svarade med firmanamnet.

– Jag söker advokat Jacobi.

– Vem är det som frågar?

– Mitt namn är Stefan Lindman.

– Advokat Jacobi har gått i pension.

– Han var god vän till min far.

– Det kan jag minnas. Men advokat Jacobi är gammal. Han slutade här för mer än fem år sen.

– Jag ringde nog mest för att ta reda på om han lever.

– Han är sjuk.

– Bor han kvar i Kinna?

– Han vårdas av sin dotter i hennes hem utanför Varberg.

– Jag vill gärna ha kontakt med honom.

– Jag kan inte ge er vare sig adress eller telefonnummer eftersom advokat Jacobi har bett att få vara ifred. När han slutade här så gjorde han det som man ska.

– Vad innebär det?

– Att han överlät allt arbete till sina yngre kollegor. Framför allt till sin brorson Lennart Jacobi som nu är delägare i firman.

Stefan tackade och la på luren. Det skulle inte vara svårt att hitta adressen i Varberg. Men plötsligt blev han osäker. Skulle han verkligen besvära en sjuk gammal man med frågor om det förgångna? Han kunde inte bestämma sig och uppsköt beslutet till dagen efter. Just nu var det någonting annat som väntade, något annat som var viktigare.

Strax efter sju på kvällen stannade han bilen utanför det hus på Norrby där Elena bodde. Han såg upp mot de fönster som var hennes.

Utan Elena är jag just nu ingenting, tänkte han. Ingenting alls.

21.

Någonting hade gjort Aron Silberstein orolig under natten. En gång hade han vaknat av att hunden gnydde vid tältduken. Han hade väst till och den hade genast tystnat. Sedan hade han somnat om och drömt om La Cãbana och Höllner. När han vaknade igen var det fortfarande mörkt. Han låg stilla och lyssnade. Klockan han hängt upp i en av tältpinnarna visade på kvart i fem. Han försökte förstå vad som fått honom att bli orolig, om det fanns inom honom eller var något där ute i den kalla höstnatten. Trots att det var långt före gryningen orkade han inte ligga kvar i sovsäcken längre. Mörkret där utanför var fyllt av frågor.

Om det gick så illa att han blev ställd inför rätta skulle han dömas för mordet på Herbert Molin, eftersom han inte hade några som helst avsikter att förneka det han gjort. Hade allt följt den uppgjorda planen, hade han återvänt som han tänkt till Buenos Aires, skulle han aldrig ha blivit gripen. Mordet på Herbert Molin skulle ha sjunkit undan i den svenska polisens arkiv och aldrig fått sin lösning.

Han hade flera gånger, framför allt under den långa tid han legat i tältet vid sjön och väntat på att tiden skulle bli mogen, övervägt att kanske skriva ner ett erkännande och be en advokat sända det till den svenska polisen när han var död. Han kunde lämna en berättelse efter sig, om varför han varit tvungen att döda Herbert Molin. Det skulle vara en berättelse som gick ända tillbaka till 1945, som alldeles klart och enkelt förklarade det som hade inträffat. Men om han greps nu skulle han också anklagas för ett brott han inte hade begått, mordet på mannen som varit Herbert Molins granne.

Han kröp ut ur sovsäcken och rev tältet medan det fortfarande var mörkt. Hunden ryckte i kopplet och viftade på svansen. Med hjälp av ficklampan lyste han sig igenom platsen där tältet stått för att vara säker på att han inte hade lämnat några spår efter sig. Sedan körde han därifrån med hunden i baksätet. När han kommit till en vägkorsning på en plats som hette Sörvattnet stannade han, tände lampan inne i bilen och vecklade ut kartan. Helst av allt ville han köra söderut, lämna allt mörker bakom sig, stanna någonstans och ringa till Maria och säga att han nu var på väg hem. Men han visste att han inte kunde göra det, hans tillvaro skulle bli omöjlig om han inte först tog reda på vad som hade hänt Abraham Andersson. Han vek av österut och fortsatte sedan den väg som ledde mot Rätmyren. Han körde in och parkerade på en av de timmervägar han kände till från tidigare. Han närmade sig försiktigt Herbert Molins hus. Hunden vid hans sida var tyst. När han var säker på att huset var övergivet släppte han den i hundgården, stängde grinden, hängde kopplet på staketet och återvände in i skogen. Nu har polisen fått något att grubbla över, tänkte han, medan han sökte sig tillbaka till den plats där han ställt bilen.

Sedan fortsatte han sin resa. Fortfarande var det mörkt. Marken knastrade under bildäcken när han körde in på en grusväg för att se på kartan igen. Det var inte långt till den norska gränsen. Men det var inte dit han var på väg. Han fortsatte norrut, passerade Funäsdalen och svängde av längs en mindre väg och körde på måfå rakt in i mörkret. Vägen bar kraftigt uppåt, kanske han var inne bland bergen nu, om han tolkat kartan rätt kunde det stämma. Han stannade, slog av motorn och väntade på gryningen.

När ljuset sakta bröt fram genom mörkret fortsatte han. Träden glesnade, hela tiden bar det uppför och han skymtade enstaka stugor som låg inträngda och gömda bakom stenblock och buskar. Han förstod att han befann sig mitt i någon form av fritidsbebyggelse. Han körde så långt han kunde. Ingenstans såg han något ljus. På ett ställe var vägen spärrad av en grind. Han steg ur, öppnade och fortsatte efter att ha stängt grinden bakom sig. Han insåg att han höll på att gå rakt i en fälla. Om de kom där bakom honom skulle han vara infångad. Men det var som om han inte brydde sig om det. Nu ville han bara fortsätta tills vägen tog slut. Där skulle han bli tvungen att fatta ett beslut.

Till sist kom han inte längre. Vägen tog slut. Han steg ur och drog in den kyliga luften i lungorna. Ljuset var grått. Han såg sig omkring: bergstoppar, långt borta en dalgång, där bortom nya berg. Det gick en stig in bland träden. Han följde den. Efter några hundra meter kom han fram till ett gammalt trähus. Han stod orörlig och betraktade huset. Längs stigen hade ingen gått på länge, det kunde han se. Han gick fram och tittade in genom ett fönster. Ytterdörren var låst. Han försökte föreställa sig var han skulle ha lagt en nyckel om huset varit hans eget. Det stod en trasig blomkruka nedanför en av de flata stenar som utgjorde en del av trappan upp till ytterdörren. Han böjde sig ner och lyfte på krukan. Ingen nyckel. Sedan kände han med fingrarna under stenen. Där fanns nyckeln i ett band, fastsatt på en brädbit, och han låste upp.

Huset hade stått ovädrat länge. Där fanns ett stort rum, två mindre sovrum och ett kök. Möblerna var av ljust trä. Han strök med handen över en stolskarm och tänkte att han gärna skulle haft några av dessa ljusa trämöbler i sitt mörka hem i Buenos Aires. På väggarna hängde bonader med broderade texter som han inte kunde tyda. Han gick ut i köket. Huset hade elektricitet och där fanns också en telefon. Han lyfte på luren och lyssnade på signalen. Det stod en stor frysbox i köket som han öppnade. Den var full. Han försökte förstå vad det kunde betyda. Var huset bara tillfälligt tomt? Han visste inte. Han tog upp några paket med djupfrysta hamburgare och la dem på köksbordet. Sedan vred han på en kran ovanför diskbänken och det kom vatten.

Han satte sig vid telefonen och slog det långa numret till Maria i Buenos Aires. Tidsskillnaden hade han aldrig helt lyckats lära sig. Signalerna gick fram. Han undrade frånvarande vem som en gång skulle få telefonräkningen med detta utlandssamtal från sitt hus i bergen.

Maria svarade. Som vanligt lät hon otålig, som om han hade avbrutit henne i något viktigt. Men hennes dagar var inrutade av städning och matlagning. Fick hon tid över blev hon rastlös, och då la hon en komplicerad patiens. Han hade förgäves försökt förstå vad den gick ut på. Han hade också en känsla av att hon fuskade. Inte för att få patiensen att gå ut, men för att den skulle vara så länge som möjligt.

– Det är jag, sa han. Hör du mig?

Hon pratade högt och fort som hon alltid gjorde när hon blev nervös. Jag har varit borta för länge, tänkte han. Hon har börjat tro att jag har lämnat henne, att jag aldrig kommer att återvända.

– Var är du? frågade hon.

– Fortfarande i Europa.

– Var?

Han tänkte på kartan han hade studerat när han suttit i bilen och försökt fatta ett beslut.

– Norge.

– Vad gör du där?

– Jag ser på möbler. Jag kommer snart hem.

– Don Batista har frågat efter dig. Han är upprörd. Han säger att du lovat honom att renovera en antik soffa som han ska ge sin dotter i bröllopspresent i december.

– Säg till honom att den ska bli färdig i tid. Har det hänt nånting annat?

– Vad skulle ha hänt? En revolution?

– Jag vet inte. Jag frågar.

– Juan är död.

– Vem?

– Juan. Gamle portvakten.

Hon talade långsammare nu, men fortfarande alldeles för högt, som om hon trodde att det var nödvändigt eftersom Norge var ett land som låg långt borta. Han anade att hon inte ens skulle kunna peka ut det på en karta. Han tänkte också att hon aldrig var honom så nära som när hon talade om någon som var död. Att Juan, den gamle portvakten, hade dött kom inte som någon överraskning för honom. Efter ett slaganfall några år tidigare hade han bara kunnat hasa runt på gårdsplanen och se på allt det arbete som borde göras men som han nu inte längre orkade med.

– När ska han begravas?

– Han är redan begravd. Jag la blommor från både dig och mig.

– Tack.

Det blev tyst. Det brusade och sprakade i luren.

- Maria, sa han. Jag kommer snart hem. Jag längtar efter dig. Jag har inte varit dig otrogen. Men den här resan har varit mycket viktig. Det är som om jag färdats i en dröm, som om jag egentligen fortfarande är kvar i Buenos Aires. Resan var nödvändig eftersom jag behövde se nåt jag inte sett tidigare. Inte bara dessa främmande möbler i sina ljusa färger utan också mig själv. Jag börjar bli gammal, Maria. En man i min ålder bör göra en resa enbart i sällskap med sig själv. För att upptäcka vem han egentligen är. Jag kommer att vara en annan människa när jag kommer tillbaka.

Hon svarade med oro.

– Hur då en annan människa?

Han visste att Maria alltid oroades för att något skulle förändras. Han ångrade genast det han sagt.

– Till det bättre, sa han. Jag kommer att äta hemma i fortsättningen. Mycket sällan ska jag lämna dig ensam och äta på La Cãbana.

Hon trodde honom inte eftersom hon återigen blev tyst.

– Jag har dödat en man, sa han. En man som för länge sen, när jag fortfarande levde i Tyskland, begick ett fruktansvärt brott.

Varför sa han det? Det visste han inte. En bekännelse via en telefonledning från en stuga i bergen i det svenska landskapet Härjedalen till en trång och fuktig lägenhet i centrala Buenos Aires. En bekännelse till någon som inte förstod vad han menade, som ännu mindre kunde föreställa sig att han skulle begå övervåld mot en annan människa. Han tänkte att det var så enkelt att han inte uthärdade längre om han inte kunde dela hemligheten med någon, även om det bara var med Maria som inte alls skulle förstå vad han sa.

– När kommer du hem? frågade hon på nytt.

– Snart.

– Hyran har blivit höjd igen.

– Tänk på mig när du ber dina böner.

– Därför att hyran har gått upp?

– Bry dig inte om hyran. Tänk bara på mig. Varje morgon och varje kväll.

– Tänker du på mig när du ber dina böner?

– Jag ber inga böner, Maria, det vet du. I vårt hem är det du som har den uppgiften. Jag måste sluta nu. Men jag ringer igen.

– När?

– Det vet jag inte. Adjö, Maria.

Han la på luren och tänkte att han borde ha sagt att han älskade henne, även om han inte gjorde det. Det var ändå hon som alltid fanns i hans närhet, det var hon som skulle hålla hans hand när han en gång skulle dö. Men han undrade om hon förstått vad han sagt. Att han faktiskt hade mördat en människa.

Han reste sig och gick fram till ett av de låga fönstren. Det var ljust ute nu. Han såg på bergen och han kunde också se Maria framför sig, hur hon satt i den röda plyschfåtöljen bredvid det lilla bordet där telefonen stod.

Han längtade hem.

Sedan kokade han kaffe och öppnade ytterdörren för att vädra. Om någon kom längs stigen visste han vad han skulle säga. Herbert Molin hade han dödat. Inte den andre mannen. Men ingen skulle komma längs stigen, det hade han bestämt sig för. Han var ensam här. Han kunde förvandla den här låga timmerstugan till sitt högkvarter medan han försökte reda ut vad som egentligen hade hänt där i skogen när Abraham Andersson blev dödad.

Det stod ett fotografi i en ram på en hylla. Två barn satt på den trappsten utanför huset under vilken han hittat nyckeln. De log rakt in i kameran. Han tog ner fotografiet och vände på det. Svagt kunde han se ett årtal: 1998. Dessutom stod där »Stockholm«. Han letade metodiskt igenom huset efter spår av vem som kunde vara ägaren och hittade till sist en räkning från en elaffär i Sveg som var utställd på en man vid namn Frostengren med adress i Stockholm. Det övertygade honom om att han kunde räkna med att vara ifred här. Huset låg ensligt. Och november var säkert ingen månad för vare sig vandrare eller skidåkare. Det enda han måste tänka på var att se sig för när han svängde ut på huvudvägen. Och han skulle varje gång han for eller kom tillbaka hålla utkik efter om något av de hus han hade passerat visade tecken på att inte längre vara igenbommat.

Resten av dagen stannade han inne i huset. Han sov mycket, drömlöst, och vaknade utan att känna oro. Han drack kaffe, stekte hamburgare och gick då och då ut för att se på bergen. Vid tvåtiden på eftermiddagen började det regna. Han tände lampan över bordet i det stora rummet och satte sig intill fönstret för att tänka efter hur han skulle kunna komma vidare.

Det fanns bara en självklar och alldeles tydlig utgångspunkt: Aron Silberstein eller Fernando Hereira, vilket han nu för tillfället behagade kalla sig, hade begått ett mord. Hade han varit troende, som Maria, hade det dömt honom till ett av helvetets allra värsta straff. Men han var inte troende, för honom fanns inga gudar, annat än dem han ibland, i svaga ögonblick och bara precis när han behövde dem, skapade åt sig själv. Gudar var för de fattiga och de svaga. Själv var han varken fattig eller svag. Han hade redan som barn tvingats klä sig i ett tjockt pansar, som under årens lopp hade blivit en del av hans identitet. Om han framför allt var jude eller en tysk emigrant till Argentina visste han inte. Varken den judiska religionen, traditionerna eller ens den judiska gemenskapen hade hjälpt honom i livet.

I slutet av 1960-talet hade han en gång rest till Jerusalem. Det var ett par år efter det första stora kriget mot Egypten och det hade minst av allt varit någon pilgrimsfärd. Han hade gjort resan av nyfikenhet och kanske också som en botgöring för sin far, för att han fortfarande inte hade hittat den som dödat honom. På samma hotell där han bodde i Jerusalem hade funnits en gammal judisk man från Chicago, rättroende och ortodox, som han några morgnar suttit tillsammans med i frukostmatsalen. Isak Sadler hade varit en vänlig man. Med ett svårmodigt leende som inte dolde att han fortfarande var förvånad hade han berättat att han var en överlevande från ett av koncentrationslägren. När befrielsen kommit i form av de amerikanska soldaterna hade han varit så utmärglad att han fått använda sina sista krafter där han låg inne i en av dödsbarackerna till att förklara att han faktiskt inte skulle begravas, han levde fortfarande och han hade sedan sett det som en självklarhet att han skulle resa till Amerika och leva resten av sitt liv där. En morgon hade de talat om Eichmann när de åt frukost och de talade om hämnd. För Aron hade det varit en tid av nergång. Han hade mot slutet av 1960-talet resignerat och tänkt att han aldrig skulle kunna spåra den man som dödat hans far.

Men samtalen med Isak Sadler hade återgett honom inspirationen – han hade använt just det ordet i sina tankar – till att leta vidare efter sin fars mördare. Isak Sadler hade gett uttryck för sin starka uppfattning att avrättningen av Eichmann hade varit riktig. Jakten på de tyska nazisterna måste fortsätta så länge det fanns hopp om att finna någon av dem som begått de fruktansvärda brotten vid liv.

Sedan han kommit tillbaka från Jerusalem hade han fortfarande varit lika ointresserad av sitt judiska ursprung som tidigare. Men han hade återupptagit sitt sökande och han hade fått hjälp hos Simon Wiesenthal i Wien utan att det gett några resultat. Ännu, fast han då inte visste det, skulle det dröja innan Höllner plötsligt dök upp i hans väg och kunde ge honom den nyckel han saknade.

Han såg ut över dalgången och bergen i den stuga som tillhörde en okänd man vid namn Frostengren. Han hade lyckats leta reda på nålen i höstacken och han hade inte tvekat när ögonblicket till sist varit inne. Herbert Molin var död. Så långt hade allt gått enligt planen. Men sedan hade där alltså också funnits den andre mannen i skogen. Han hade blivit mördad intill sitt eget hus.

Det fanns likheter mellan de två dödsfallen. Som om den som dödat Abraham Andersson hade imiterat det Aron gjort med Herbert Molin. Två ensamma äldre män som bodde för sig själva. Båda hade hundar. Båda hade dödats utomhus. Men det viktigaste var ändå alla skillnader. Vad poliserna såg kunde han inte svara på. Men han upptäckte dessa olikheter eftersom han inte hade haft något med Anderssons död att göra.

Aron såg ut över bergen. Dimbankar gled ner över dalen. I tankarna var han nu nära någon form av avgörande, det visste han. Den som hade dödat Andersson hade velat att det skulle se ut som om samma gärningsman varit framme två gånger, för att lägga skulden på någon annan. Men där fanns också en komplikation: Vem kunde veta så detaljerat hur mordet på Molin hade gått till? Aron visste inte vad som hade stått i tidningarna, han hade ingen aning om vad polisen sagt på de presskonferenser han förmodade att de hade anordnat. Vem var det som visste?

Där fanns också ett annat stort »varför« som han sökte ett svar på. Den som dödade Abraham Andersson måste ha haft ett motiv. En fjäder har spänts, tänkte han. När Herbert Molin dör, blir någon mekanism utlöst som innebär att också Abraham Andersson måste dö.

Varför och av vem? Hela den dagen närmade han sig de här frågorna från olika håll. Han lagade ofta mat, inte för att han var särskilt hungrig, utan för att dämpa sin nervositet. Han kunde inte bli kvitt oron över att på något sätt vara medskyldig till det som hade hänt Abraham Andersson. Hade det funnits en gemensam hemlighet mellan de två männen? Som Andersson riskerade att avslöja när Molin dog? Så måste det ha varit. Någonting han inte hade vetat om. Herbert Molins död innebar en plötslig fara för någon och Abraham Andersson måste också dö, för att hemligheten inte skulle avslöjas.

Han öppnade dörren och gick ut. Det doftade från den våta mossan. Molnen drog fram lågt över hans huvud. Moln lämnar inga ljud, tänkte han. En alldeles ljudlös rörelse. Han gick långsamt runt den timrade stugan, först en gång, sedan ännu en gång.

Det fanns ytterligare en person som hade visat sig i den trakt där Herbert Molin och Abraham Andersson tillbringade sina liv. En kvinna. Tre gånger hade han sett henne komma genom skogen för att besöka Herbert Molin. Han hade följt dem när de gått promenader längs olika skogsstigar. En gång, vid hennes andra besök, hade de gått nära sjön och han hade varit rädd att de skulle hitta hans tältplats. Men just innan den sista kröken hade de vänt och han hade kunnat andas ut. Han hade följt dem genom skogen, som en stigfinnare eller som en av de indianer han läst om som barn i Edward S. Ellis böcker. Då och då hade de talat med varandra, vid sällsynta tillfällen hade de också skrattat.

Efter promenaden hade de gått in i huset och när Aron smugit sig fram på baksidan hade han kunnat höra musik genom väggen. Första gången hade han inte trott sina öron när han uppfattat att någon sjöng på spanska, argentinsk spanska, med det karaktäristiska tonfall som inte fanns i något annat spansktalande land. Efter musiken som oftast varade mellan en halvtimme och en timme hade det varit stilla. Han hade undrat om de hade älskat med varandra, men han hade aldrig vetat säkert. I så fall hade det alltid skett tyst. Inga suckar, inga ljud från en säng hade någonsin trängt ut genom väggarna. Molin hade sedan följt henne längs vägen till den plats där hon hade ställt sin bil. De hade skakat hand, aldrig omfamnat varandra. Och hon hade kört ut på huvudvägen och försvunnit österut.

Han hade undrat över den där kvinnan. Nu gissade han att hon hette Elsa Berggren. Det namnet hade stått tillsammans med Herbert Molins och Abraham Anderssons på baksidan av den räkning polismannen knycklat ihop i askfatet. Vad det betydde förstod han fortfarande inte. Var Elsa Berggren också en gammal nazist som dragit sig tillbaka upp till Härjedalens skogar?

Han såg ut över bergen och försökte formulera en möjlighet. En triangel, där Herbert Molin, Elsa Berggren och Abraham Andersson utgjorde de tre spetsarna. Om Elsa Berggren också kände Abraham Andersson visste han inte. Han hade aldrig sett dem mötas. Andersson och Elsa Berggren hade varit bipersoner i det drama han kommit upp till skogarna för att avsluta. Ingenting annat.

Han gick runt huset ännu en gång. På avstånd tyckte han sig höra ett flygplan. Sedan var det tyst igen, bara vinden som drog fram längs bergssidorna.

Det fanns ingen annan förklaring, tänkte han. Mellan de tre, precis som polismannen skrivit på sitt papper, hade det funnits en gemenskap, en hemlighet. Eftersom Herbert Molin var död måste också Abraham Andersson dö. Och då fanns bara kvinnan där, Elsa Berggren. Det är hon som bär den osynliga nyckeln till det här runt halsen.

Han återvände in i huset igen. Ur frysboxen hade han plockat fram ytterligare ett paket hamburgare som nu höll på att tina på diskbänken. Det var Elsa Berggren han måste komma i kontakt med för att få veta vad som hade hänt.

Under kvällen gjorde han en plan. Han hade dragit för gardinerna och ställt ner bordslampan på golvet för att inget ljus skulle sila ut i mörkret som omgav honom. Han satt kvar vid bordet till midnatt. Då visste han vad han skulle göra. Han insåg att han skulle utsätta sig för en risk. Men han hade inget val.

Innan han gick till sängs ringde han ett telefonnummer i Buenos Aires. Mannen som svarade hade bråttom. I bakgrunden hördes sorl av många människor.

– La Cãbana, ropade mannen. Hallå?

Aron la på luren. Restaurangen fanns kvar. Snart skulle han komma in genom dörren igen och sätta sig vid sitt vanliga bord, till höger, alldeles intill det fönster som vette ut mot tvärgatan till Avenida Corrientes.

Intill telefonen låg en katalog där han hittade Elsa Berggrens nummer och bostadsadress. På kartan i katalogen såg han att det var en väg söder om floden och han drog en suck av lättnad över att inte behöva leta igenom skogarna efter henne. Men risken för att någon skulle se honom blev naturligtvis större. Han skrev upp adressen på ett papper och la sedan undan katalogen.

Han sov oroligt den natten. När han vaknade kände han sig helt kraftlös. Han blev liggande i sängen hela dagen, och gick bara upp några gånger för att äta av det han hittade i frysboxen.

I ytterligare tre dagar blev han kvar i Frostengrens hus, innan han märkte att krafterna började återvända. På den fjärde dagens morgon städade han huset men stannade kvar till sent på eftermiddagen, innan han låste och la tillbaka nyckeln under trappstenen. När han kom till bilen vecklade han upp kartan igen. Även om det knappast var troligt att polisen hade några vägspärrar valde han att inte köra den kortaste vägen till Sveg.

Han for i stället norrut mot Vålådalen. I Mittådalen svängde han mot Hede och kom till Sveg när det redan hade blivit mörkt. Han parkerade vid infarten till samhället där det fanns affärer och bensinstationer och även en skylt med en karta över Sveg. Han letade reda på Elsa Berggrens adress på andra sidan floden. Hon bodde i ett vitt hus som var omgivet av en stor trädgård. Det lyste i ett fönster på nedervåningen. Han såg sig omkring och när han sett tillräckligt återvände han till bilen.

Fortfarande hade han många timmar kvar att vänta. Han gick in i en affär, valde ut en stickad luva och ställde sig sedan i den kö som var längst och där kassörskan verkade stressad. Han betalade med jämna pengar och när han lämnade affären var han säker på att hon aldrig skulle komma ihåg hur han hade sett ut eller varit klädd. I bilen petade han sedan upp maskorna i luvan med hjälp av en kniv som han tagit med från Frostengrens hus.

Klockan åtta började det glesna bland bilarna. Han körde över bron och svängde in på en parkeringsplats där hans bil inte syntes från vägen. Sedan fortsatte han att vänta. För att få tiden att gå klädde han i huvudet om den soffa som Don Batista skulle ge sin dotter i bröllopspresent.

Vid midnatt gav han sig av.

Ur bagageluckan tog han fram en liten yxa som han också plockat med från huset.

Han väntade tills en långtradare passerat.

Sedan skyndade han sig över vägen och försvann längs den stig som följde floden.

22.

Klockan två på natten lämnade Stefan Elenas hem i fullt ursinne. Men vreden hade gått över innan han ens hunnit ut på gatan. Ändå kunde han inte förmå sig att återvända. Trots att det var vad han helst av allt önskade. Han satte sig i bilen och körde in mot stan. Men han undvek Allégatan, han ville inte hem, åtminstone inte riktigt än. Han körde upp till Gustav Adolfskyrkan och stängde av motorn. Runt honom var det folktomt och mörkt.

Vad var det egentligen som hade hänt? Elena hade tagit emot honom med glädje. De hade suttit i köket och delat på en flaska vin. Han hade berättat om sin resa, om de plötsliga smärtor som drabbat honom i Sveg. Om Herbert Molin, Abraham Andersson och Emil Wetterstedt hade han inte talat mer än nödvändigt. Elena ville veta hur *han* hade det. Hon var full av omsorg och hennes ögon berättade att hon var orolig. De hade suttit uppe länge. Men hon skakade på huvudet när han frågade om hon var trött. Nej, hon ville höra honom till punkt. En människa behövde inte alltid sova, sa hon, inte när något annat är viktigt. Efter en stund hade de ändå rest sig för att gå och lägga sig. Då hade hon, i förbifarten, just när hon diskat av glasen, frågat honom om han trots allt inte hade kunnat ringa henne lite oftare. Hade han inte förstått hur orolig hon varit?

– Du vet att jag inte tycker om telefoner. Det där har vi varit igenom många gånger tidigare.

– Ingenting hindrar dig att ringa, bara säga hej, och sen lägga på igen.

– Nu gör du mig förbannad. Nu pressar du mig.

– Jag frågar bara varför du ringde så sällan.

Då hade han ryckt till sig sin jacka och gått och han hade ångrat sig redan i trappan. Han tänkte att han inte borde köra bil, om han fastnade i en trafikkontroll skulle det vara rattfylleri. Jag flyr, tänkte han. Hela tiden är jag på väg bort från den 19 november. Jag irrar omkring i Härjedalens skogar, jag begår inbrott i en lägenhet i Kalmar och nu kör jag bil i berusat tillstånd. Sjukdomen driver mig framför sig, eller rättare sagt rädslan, och den är så stark att jag inte ens förmår vara tillsammans med den människa som står mig närmast i livet, en kvinna som faktiskt är absolut ärlig och visar att hon älskar mig.

Han tog fram telefonen och slog hennes nummer.

– Vad hände? frågade hon.

– Jag vet inte. Men jag ber om ursäkt. Jag menade ingenting illa.

– Det vet jag. Kommer du tillbaka?

– Nej. Jag sover hemma.

Han visste inte varför han svarade som han gjorde. Hon blev tyst, sa ingenting mer.

Jag hör av mig i morgon, fortsatte han och försökte låta uppmuntrande.

– Vi får se, svarade hon trött och la på luren.

Han stängde av sin telefon och blev sittande i mörkret. Sedan lämnade han bilen och gick backen ner till Allégatan. Han föreställde sig att det var så döden såg ut, en ensam nattvandrare, ingenting annat.

Han sov oroligt och steg upp redan vid sextiden. Elena var säkert redan vaken. Han borde ringa till henne, men han orkade inte. Efter att ha tvingat i sig en ordentlig frukost lämnade han lägenheten och hämtade bilen. Det blåste en byig vind och han frös. Han for söderut från Borås. När han kom till Kinna svängde han av från huvudvägen och körde in i samhället.

Utanför det hus där han hade växt upp stannade han. Han visste att det nu beboddes av en keramiker som hade sin ateljé i det som en gång varit faderns garage och verkstad. Huset verkade övergivet i morgonljuset. Grenarna på det träd där Stefan och hans systrar haft en gunga skakade i den hårda vinden.

Plötsligt var det som om han kunde se sin far komma ut genom dörren, på väg rakt emot honom. Men nu bar han inte sin vanliga kostym och grå överrock utan den uniform som hade hängt i Elsa Berggrens garderob.

Han for ut till huvudvägen igen och stannade inte förrän han kommit till Varberg. Han drack kaffe mitt emot järnvägsstationen och letade i en telefonkatalog fram numret till Anna Jacobi. Adressen var en gata i ett villaområde strax söder om staden. Kanske borde han ringa först. Men då kunde Anna Jacobi eller vem det än var som svarade säga att den gamle advokaten inte ville eller orkade ta emot några besök. Han letade sig fram till adressen efter att ha kört fel några gånger.

Huset såg ut att vara byggt någon gång vid sekelskiftet och skilde sig från den omgivande bebyggelsen, som bestod av moderna villor. Han öppnade grinden och gick längs en grusgång fram till ytterdörren som låg under ett brett verandatak. Han tvekade innan han ringde på dörrklockan. Vad gör jag? tänkte han. Vad förväntar jag mig egentligen att Jacobi ska kunna säga mig? Han var min fars vän. Åtminstone på ytan. Vad min far egentligen tyckte om judar kan jag bara ana, eller kanske framför allt frukta. Men de tillhörde båda den lilla grupp av välbeställda människor som den gången bodde i Kinna. För min far måste det ha varit det viktigaste, att hålla fred i den lilla gruppen. Vad han innerst inne tyckte om Jacobi får jag aldrig veta.

Han bestämde sig för att utgå från Stiftelsen Sveriges Väl som hade varit orsaken till att fadern upprättat ett testamente. Det hade han frågat om en gång tidigare. Nu återkom han, och var det nödvändigt skulle han säga att det hade med Herbert Molins död att göra. Jag har redan suttit mitt emot Olausson på hans kontor och ljugit honom rakt upp i ansiktet. Ingenting kan bli värre av att jag ännu en gång far med osanning. Han ringde på dörrklockan.

Vid andra ringningen öppnades dörren av en kvinna i 40-årsåldern. Hon såg på honom bakom starka glasögon som förstorade hennes pupiller. Han presenterade sig och förklarade sitt ärende.

– Min far tar inte emot besök, svarade hon. Han är gammal och sjuk och vill vara ifred.

Stefan kunde höra klassisk musik inifrån huset.

– Min far lyssnar på Bach varje morgon. Om du undrar. I dag bad han mig sätta på den tredje Brandenburgkonserten. Han säger att det är det enda som nu håller liv i honom. Bachs musik.

– Jag har ett ärende som är viktigt.

– Min far har för länge sen lämnat allt som kallas arbete bakom sig.

– Mitt ärende är personligt. En gång upprättade han min fars testamente. Jag talade med honom i samband med bouppteckningen. Nu har frågan om en donation kommit upp igen. I samband med ett besvärligt rättsfall. Men jag ska heller inte dölja att frågan har stor personlig betydelse för mig.

Hon skakade på huvudet.

– Jag tvivlar inte på att ditt ärende är viktigt. Ändå måste svaret bli nej.

– Jag lovar att inte stanna mer än några minuter.

– Svaret är fortfarande nej. Jag beklagar.

Hon tog ett steg bakåt för att stänga dörren.

– Din far är gammal. Han ska snart dö. Jag är fortfarande ung men jag kanske också snart ska dö. Eftersom jag har cancer. Det skulle göra det lättare för mig att gå bort om jag hade fått ställa mina frågor.

Anna Jacobi betraktade honom genom de tjocka glasen. Stefan märkte att hon använde en stark parfym som retade i näsan.

– Jag antar att man inte ljuger om en dödlig sjukdom?

– Om du vill kan jag ge dig telefonnumret till min läkare i Borås.

– Jag ska fråga pappa. Men säger han nej måste jag be dig gå.

Stefan lovade och hon stängde dörren. Musiken trängde igenom väggarna. Han väntade. Han började tro att hon hade stängt dörren för gott när hon återvände.

– Inte mer än en kvart, sa hon. Jag kommer att ta tiden.

Hon förde honom till ena kortsidan av huset.

Musiken fanns där fortfarande men var nerskruvad nu. Hon öppnade dörren till ett stort rum med kala väggar där det stod en ensam sjukhussäng mitt på golvet.

– Tala i hans vänstra öra, sa hon. På det högra hör han ingenting.

Hon stängde dörren bakom honom. Stefan tyckte sig ha anat en viss trötthet eller irritation över den lomhörde fadern. Han gick fram till sängen. Mannen som låg där var mager och insjunken. Stefan tänkte att han påminde om Emil Wetterstedt. Ännu en förtunnad fågel som väntade på döden.

Jacobi vände på huvudet och såg på honom. Med ena handen gjorde han tecken att Stefan skulle sätta sig på en stol som stod intill sängen.

– Musiken är alldeles strax slut, sa han. Om ni ursäktar så hyser jag den bestämda åsikten att det är ett grovt brott att avbryta musik av Johann Sebastian genom att inleda ett samtal.

Stefan satt tyst på sin stol och väntade. Jacobi hade ökat volymen med en fjärrkontroll och tonerna fyllde rummet. Den gamle mannen låg med slutna ögon och lyssnade.

När musiken upphört tryckte han med ett darrande finger på fjärrkontrollen och la den på magen.

– Jag ska snart dö, sa Jacobi. Jag tycker att det har varit en stor nåd att leva i en tid efter Bach. I min personliga tideräkning delar jag in historien i världen före Bach och världen efter. Nån författare som jag glömt namnet på har skrivit dikter om det där. Nu förunnas jag den stora nåden att kunna tillbringa min sista tid i livet i sällskap med hans musik.

Han la sig tillrätta med huvudet mot kuddarna.

– Men nu är musiken slut och vi kan samtala. Vad var det ni ville?

– Jag heter Stefan Lindman.

– Det har min dotter redan berättat, sa Jacobi otåligt. Jag minns er far. Jag upprättade hans testamente. Det var det ni ville tala om. Men hur tror ni att jag ska kunna minnas innehållet i ett enskilt testamente? Jag upprättade säkert tusen under mina 47 år som praktiserande advokat.

– Det var en donation till en stiftelse som hette Sveriges Väl.

– Kanske jag minns, kanske inte.

– Det har visat sig att den stiftelsen är en del av en nazistisk organisation här i Sverige.

Jacobi trummade otåligt med fingrarna mot täcket.

– Nazismen dog med Hitler.

– Ändå tycks det vara så att många i Sverige fortfarande stöder den här organisationen. Och det är också så att yngre människor söker sig till den.

Jacobi betraktade honom med fast blick.

– Folk samlar på frimärken. Eller tändsticksetiketter. Jag håller det heller inte för osannolikt att det finns människor som samlar på gamla förlegade politiska ideal. Människor har alltid spillt bort sina liv på meningslösheter. I vår tid gäller att folk stupar medan dom stirrar på alla dessa intetsägande och människoföraktande teveserier som håller på i oändlighet.

– Min far gjorde en donation till den här organisationen. Ni kände honom. Var han nazist?

– Jag kände er far som nationell och patriotisk. Ingenting annat.

– Och min mor?

– Henne hade jag inte mycket kontakt med. Lever hon?

– Hon är död.

Jacobi harklade sig otåligt.

– Varför har ni egentligen kommit hit?

– För att fråga om min far var nazist.

– Varför skulle jag kunna svara på det?

– Det finns inte många kvar i livet som kan ge ett svar. Jag vet ingen annan.

– Jag har redan svarat. Men jag undrar naturligtvis varför ni kommer och stör mig med er fråga.

– Jag upptäckte hans namn i en medlemsmatrikel. Jag visste inte att han hade varit nazist.

– Vad då för medlemsmatrikel?

– Jag vet inte säkert. Men där fanns över 1.000 namn. Många var redan döda. Men dom fortsatte att betala sina medlemsavgifter genom legat eller donationer eller via sina familjer.

– Men sammanslutningen eller organisationen måste ha ett namn? Vad var det den kallades? Sveriges Väl?

– Det verkar vara nån form av stiftelse som samtidigt tjänar som underorganisation. Men till vad vet jag inte.

– Var har ni fått tag på det här?

– Det får än så länge förbli min hemlighet.

– Men er far fanns med?

– Ja.

Jacobi slickade sig om läpparna. Stefan tolkade det som ett försök till ett leende.

– Under 30- och 40-talen var Sverige ett i högsta grad nazifierat land. Inte minst bland jurister. Det var inte bara den store mästaren Bach som var tysk. I Sverige har idealen, vare sig dom varit litterära, musikaliska eller politiska, alltid kommit från Tyskland. Utom efter andra världskriget. Då vände plötsligt tiden och alla ideal började komma från USA. Men bara för att Hitler drev landet in i den fullständiga katastrofen betyder det inte att idéerna om den vita övermänniskan, hatet mot judarna upphörde att existera. Allt det här levde kvar hos den generation som hade blivit präglade av det redan i sin ungdom. Kanske er far var en av dom, kanske också er mor. Ingen ska heller vara alldeles säker på att dessa ideal inte en gång kommer att få en renässans.

Jacobi tystnade, andfådd av det han sagt. Dörren bakom honom öppnades och Anna Jacobi kom in. Hon gav sin far ett glas vatten.

– Tiden är ute, sa hon.

Stefan reste sig.

– Har ni fått de svar ni ville ha? frågade Jacobi.

– Jag försöker förstå, sa Stefan.

– Min dotter sa att ni var sjuk.

– Jag har cancer.

– Dödlig?

Jacobi hade framställt sin fråga med oväntad munterhet, som om han trots allt kunde glädja sig över att döden inte bara var en sak för gamla män som tillbringade sin sista tid med att lyssna på Bach.

– Jag hoppas inte det.

– Naturligtvis. Men döden är den skugga vi aldrig kommer ifrån. En dag förvandlar sig denna skugga till ett vilddjur som vi inte längre kan hålla ifrån oss.

– Jag hoppas jag kommer att bli botad.

– Om inte föreslår jag Bach. Den enda medicin som egentligen duger nåt till. Man får tröst, en smula smärtlindring, ett visst mått av mod.

– Jag ska komma ihåg det. Tack för att ni tog er tid.

Jacobi svarade inte. Han hade slutit ögonen. Stefan och Anna Jacobi lämnade rummet.

– Jag tror att han har ont, sa dottern när de stod i ytterdörren. Men han vill inte ha nån smärtstillande medicin. Han säger att han inte kan lyssna på musiken om han inte är klar i huvudet.

– Vad lider han av för sjukdom?

– Åldrande och förtvivlan. Ingenting annat.

Stefan sträckte fram handen och sa adjö.

– Jag hoppas det går bra, sa hon. Att du blir botad.

Stefan återvände till bilen. Han hukade i den kraftiga vinden. Vad gör jag nu? tänkte han. Jag besöker gamla döende män och försöker få svar på varför min far var nazist. Jag kan ta kontakt med mina systrar och fråga om vad de visste eller se hur de reagerar när jag berättar. Men förutom det? Vad kan jag göra med de svar jag får? Han satte sig i bilen och såg ut över gatan. En kvinna stretade med en barnvagn i blåsten. Han följde henne med blicken tills hon hade försvunnit ur hans synfält. Det här är vad jag har, tänkte han. Ett ensamt ögonblick i min bil som står på en gata i ett villaområde utanför Varberg. Jag kommer aldrig att återvända hit igen, jag kommer snart att ha glömt vad gatan hette och hur husen såg ut.

Han tog fram telefonen för att ringa till Elena. Det fanns ett meddelande till honom. Han knappade in numret till telefonvakten och lyssnade. Det var Giuseppe som hade ringt. Han slog numret. Giuseppe svarade.

– Var är du? frågade han.

Stefan tänkte att med den nya mobiltelefonin hade det blivit en ny hälsningsfras. Man frågade var någon befann sig i världen. Man visste till vem man ringde men aldrig vart.

– I Varberg.

– Hur mår du?

– Ganska bra.

– Jag ville bara ringa och informera dig om den senaste händelseutvecklingen. Har du tid?

– Jag har all tid i världen.

Giuseppe skrattade.

– Det har man aldrig. Men vi har kommit en bit på väg när det gäller dom vapen som använts. I Herbert Molins fall var ju en hel arsenal i bruk. Hagelgevär, tårgasgranater, möjligen också annat. Nånstans måste dom ha stulits. Vi har alltså undersökt olika registrerade vapenstölder. Fortfarande är det oklart var vapnen kommer ifrån. Det finns ett antal möjligheter. Men nu vet vi att det var ett annat vapen som användes när Abraham Andersson dödades. Det har teknikerna kunnat fastställa. Och då ställs vi plötsligt inför ett alternativ som vi inte varit riktigt beredda på.

– Att det är två olika gärningsmän?

– Precis.

– Det kan ju ändå vara samma.

– Det kan det. Men vi kan inte bortse från möjligheten. Och det finns ytterligare nåt jag kan berätta. Vi fick in en anmälan från Säter i går. Ägaren hade varit borta en vecka och kommit hem. Det hade varit inbrott och ett vapen var borta. Han anmälde det till polisen och vi hittade den här stölden när vi började göra våra slagningar. Det kan ha varit det vapnet som användes mot Abraham Andersson. Kalibern stämmer. Men vi har inga spår efter tjuven.

– Hur gick inbrottet till? Tillvägagångssätt berättar alltid nåt om tjuven.

– En snyggt och prydligt uppbruten ytterdörr. Samma med vapenskåpet. Ingen amatör, alltså.

– Nån skaffar sig ett vapen i ett bestämt syfte?

– Det är ungefär så jag tänker.

Stefan försökte se en karta framför sig.

– Har jag fel om jag säger att Säter ligger i Dalarna?

– Från Avesta och Hedemora går vägen över Säter till Borlänge och sen rakt vidare upp mot Härjedalen.

– Nån kommer söderifrån, skaffar ett vapen på vägen och fortsätter sen till Abraham Anderssons hus.

– Så kan det ha gått till. Men vi saknar motiv. Och mordet på Andersson börjar oroa mig på ett särskilt sätt om det visar sig att det är en annan gärningsman. Då kan man verkligen fråga sig vad det är som pågår. Befinner vi oss i början av nåt som inte alls är slut?

– Du tror att det skulle kunna inträffa ytterligare våldshandlingar?

Giuseppe skrattade till igen.

– »Våldshandlingar.« Poliser pratar ibland ett egendomligt språk. Ibland tror jag det är därför som buset alltid har ett försprång framför oss. Dom talar ett direkt språk, inte som vi, hela tiden med omskrivningar.

– Du menar att det finns en risk för fler mord?

– Problemet är att vi inte kan veta. Och om mordvapnet inte är detsamma så ökar det möjligheterna för att det rör sig om olika gärningsmän. Kör du eller står du stilla förresten?

– Jag står.

– Då fortsätter jag lite till med det vi går och grubblar över. Det första är naturligtvis hunden. Vem var det som tog den och sen placerade den i Molins hundgård? Och varför? Vi vet inte annat än att den transporterats från Anderssons hus med bil. Den viktigaste frågan, varför det skett, har vi inget rimligt svar på.

– Man kan naturligtvis tänka sig att det är ett makabert skämt.

– Det kan man. Men folk här uppe i obygden är inte särskilt mycket för det du kallar makabra skämt. Upprördheten är stor. Det märker vi när vi knackar dörr och talar med folk. Människor vill verkligen hjälpa till.

– Det är konstigt om ingen gjort några iakttagelser.

– Vi har fått in en del vaga uppgifter, om en eller annan bil som nån sett. Men ingenting påtagligt, ingenting som ger oss en riktning.

– Och Elsa Berggren?

– Rundström tog upp henne till Östersund. Han talade med henne en hel dag. Men hon vidhåller det hon har sagt tidigare. Samma avskyvärda åsikter, men samtidigt mycket bestämd. Hon vet inte vem som kan ha dödat Herbert Molin. Abraham Andersson hade hon bara träffat en enda gång som hastigast, när hon gjort ett av sina besök hos Herbert Molin och han råkat komma förbi. Vi har till och med gått igenom hennes hus för att se om hon hade några vapen. Men vi hittade ingenting. Jag tror hon skulle tala om för oss om hon var orolig för att nån skulle vilja komma åt henne också.

Det skrapade till i luren. Stefan ropade »hallå« några gånger innan Giuseppe återkom.

- Jag börjar alltså tro att det här kommer att ta tid. Och jag oroar mig.

– Har ni hittat några samband mellan Andersson och Molin? frågade Stefan.

– Vi letar och gräver. Men enligt Anderssons hustru har han bara omnämnt Herbert Molin som en granne, vilken som helst. Det finns inga större skäl att tro att det inte skulle stämma. Längre än så har vi inte kommit.

– Och dagboken?

– Vad tänker du på?

– Den där resan till Skottland. Personen som kallas »M«?

– Jag har svårt att inse varför det skulle prioriteras.

– Jag bara undrar.

Giuseppe nös plötsligt och kraftigt i luren. Stefan höll telefonen långt från örat, som om bakterier skulle kunna nå honom genom radiovågorna.

– En vanlig höstförkylning. Dom brukar komma vid den här tiden.

Stefan drog ett djupt andetag och berättade om besöket i Kalmar och på Öland. Han sa naturligtvis ingenting om inbrottet men underströk Emil Wetterstedts nazistiska åsikter.

När han slutat var det tyst så länge i luren att han började tro att samtalet brutits.

– Jag ska föreslå Rundström att vi tar kontakt med rikskriminalen, sa Giuseppe. Det finns en rotel där med folk som är specialiserade på terrorister och nazistiska grupperingar. Jag har svårt att tänka mig att några smånassar skulle ha legat bakom det som hänt. Men alldeles säker kan man naturligtvis inte vara.

Stefan svarade att han tyckte det var en klok åtgärd. Sedan avslutade de samtalet. Stefan kände att han var hungrig. Han körde in till Varbergs centrum och gick och åt på en lunchrestaurang. När han kom tillbaka till bilen upptäckte han att någon hade brutit upp framdörren. Instinktivt kände han på jackfickan. Telefonen låg där den skulle. Men bilradion var borta. Dessutom var hela centrallåset förstört. Han svor och satte sig ilsket i bilen. Egentligen borde han nu åka till polishuset och anmäla inbrottet. Att tjuven aldrig skulle gripas och att polisen på sin höjd skulle ägna ärendet ett förstrött byråkratiskt intresse visste han. Polisens högar såg likadana ut vart man än kom. Dessutom erinrade han sig att självrisken var så hög att det skulle löna sig för honom att köpa en ny radio. Återstod reparationen av centrallåset. Men han hade en god vän som brukade hjälpa polisen privat med en del bilreparationer. Han avskrev tanken på att göra en anmälan. Den tid var oåterkalleligen förbi när ett bilinbrott kunde påräkna en utredning.

Han körde ut ur staden och vände tillbaka mot Borås. Den kraftiga vinden grep tag i bilen. Landskapet var ödsligt och grått. Hösten allt djupare, vintern allt närmare, tänkte han. Också den 19 november kom närmare. Han önskade att tiden nu helt kunde huggas av, att det var dagen efter som han skulle påbörja sin behandling.

Han hade just kört in i Borås när telefonen ringde. Han tvekade om han skulle svara. Det var säkert Elena. Samtidigt kunde han inte låta henne vänta längre. En dag skulle hon tröttna på hans sätt att hela tiden dra sig undan, hela tiden sätta sina egna behov i förgrunden. Han körde in till trottoarkanten och svarade.

Det var Veronica Molin.

– Jag hoppas jag inte stör, sa hon. Var är du?

– I Borås. Du stör inte.

– Har du tid?

– Jag har tid. Var är du?

– I Sveg.

– Och väntar på begravningen?

Hennes svar kom tveksamt.

– Inte bara. Jag fick ditt telefonnummer av Giuseppe Larsson. Kriminalpolisen som påstår sig utreda mordet på min far.

Hon hade inte försökt dölja sitt förakt. Det gjorde honom arg.

– Giuseppe är en av dom dugligaste poliser jag har träffat.

– Jag menade inte att såra.

– Vad vill du?

– Att du kommer hit.

Hennes svar hade kommit fort och bestämt.

– Varför det?

– Jag tror jag vet vad som har hänt. Men jag vill inte tala om det i telefon.

– Det är inte mig du ska ringa till. Du ska tala med Giuseppe Larsson. Jag har ingenting med utredningen att göra.

– Just nu vet jag ingen annan än du som kan hjälpa mig. Jag betalar en flygresa hit och alla dina omkostnader. Men jag vill att du kommer. Så fort som möjligt.

Stefan tänkte efter innan han svarade.

– Vet du vem det var som dödade din far?

– Jag tror det.

– Och Abraham Andersson?

– Det måste ha varit nån annan. Men det finns också ett annat skäl till att jag ber dig komma. Jag är rädd.

– Varför det?

– Det vill jag inte heller tala om i telefon. Jag vill att du kommer hit. Om några timmar hör jag av mig igen.

Samtalet bröts. Stefan for hem och gick upp i lägenheten. Fortfarande ringde han inte till Elena. Han grubblade över det som Veronica Molin hade sagt. Men varför ville hon inte tala med Giuseppe? Varför var hon rädd?

Han väntade.

Två timmar senare ringde telefonen igen.

23.

Stefan landade på Östersunds flygplats dagen efter klockan 10.25. När Veronica Molin hade ringt honom för andra gången var han fast besluten att svara nej. Han tänkte inte åka tillbaka till Härjedalen, han kunde inte hjälpa henne. Dessutom skulle han ge henne ett klart och tydligt besked om att det var hennes skyldighet att tala med polisen, om inte med Giuseppe Larsson så med någon annan, kanske Rundström.

Men när hon ringde blev ingenting som han hade tänkt sig. Hon hade gått rakt på sak, frågat om han ville komma eller inte. Och han hade sagt ja. När han sedan skulle börja ställa sina frågor hade hon svarat undvikande och sagt att hon inte ville tala om det i telefon.

Hon hade avslutat samtalet efter det att de bestämt att träffas i Sveg dagen efter. Han hade bett henne ordna ett rum och sagt att han gärna ville ha nummer 3 som förra gången.

Efteråt hade han gått fram till fönstret och sett ut på gatan. Han undrade vad som egentligen drev honom. Rädslan som grävde i honom, sjukdomen som han gjorde allt för att hålla ifrån sig. Eller var det Elena som han inte orkade träffa? Han visste inte. Den dag han hade fått besked om att han led av cancer hade allting rubbats.

Dessutom fanns tankarna på fadern där hela tiden. Det är inte Herbert Molins förflutna jag jagar, sa han till sig själv. Det är mitt eget förflutna jag försöker spåra, en sanning om något jag inte kände till förrän jag bröt mig in i Emil Wetterstedts lägenhet i Kalmar.

Han hade lämnat fönstret och ringt upp Landvetters flygplats, tagit reda på tider och bokat en biljett. Sedan hade han ringt till Elena, som varit tyst och avvaktande. Kvart över sju hade han varit hemma hos henne och den natten stannade han ända tills han var tvungen att åka tillbaka till lägenheten, slänga ner lite kläder i en väska och sedan köra de fyra milen till Landvetter.

De hade älskat under natten, men det var som om han egentligen inte hade varit där. Han var osäker på om hon hade märkt någonting. Men hon hade ingenting sagt. Hon hade heller inte frågat om varför han plötsligt måste återvända till Härjedalen. När de skilts åt i hennes tambur hade han känt hur hon försökt omsluta honom med sin kärlek. Han hade försökt dölja sin oro men när han körde hem till Allégatan genom den folktomma staden var han själv inte övertygad om att han hade lyckats. Det fanns ett stråk i honom, en sorts smygande dimma som närmade sig och hotade att kväva honom. Det var paniken, att han höll på att förlora Elena, att han tvingade henne att för sin egen skull överge honom.

När han gick nerför flygplanstrappan på Frösön kände han kylan. Marken under honom var frostig. Han hyrde en bil, Veronica Molin skulle stå för kostnaden. Han hade bestämt sig för att köra direkt till Sveg men ångrade sig när han svängde in på bron som ledde från Frösön till Östersund. Det var orimligt att inte ge besked till Giuseppe om att han hade kommit tillbaka. Frågan var bara vad han skulle uppge för skäl. Veronica Molin hade hört av sig till honom i hemlighet. Men att dölja det för Giuseppe ville han inte. Han bar redan på tillräckligt många problem för att skaffa sig ytterligare ett.

Han körde av bron, parkerade intill Glesbygdsverket och blev sittande i bilen. Vad skulle han säga till Giuseppe? Det kunde aldrig bli hela sanningen. Men kanske inte heller raka motsatsen, en total lögn, även om han varit framgångsrik i sitt ljugande på sista tiden. Han kunde presentera en halvsanning. Säga att han inte orkade vara i Borås, att han föredrog att vara borta från staden tills han skulle påbörja sin strålbehandling. En människa som hade cancer kunde tillåta sig att vara orolig och ombytlig.

Han gick in i polishusets reception och frågade efter Giuseppe. Flickan som kände igen honom från hans tidigare besök log och sa att Giuseppe var upptagen i ett möte men att det snart skulle vara slut. Stefan satte sig vid ett bord och bläddrade igenom lokaltidningarna. Mordutredningarna fanns på första sidan. Dagen innan hade Rundström hållit en presskonferens. Det handlade mycket om vapen och innehöll också en förnyad vädjan om att människor skulle höra av sig om de gjort några iakttagelser. Men ingenting om vad som redan hade kommit in av upplysningar till polisen. Ingenting om en viss typ av bilar eller människor som rört sig i området. Artiklarna antydde att polisen stod och stampade, att man famlade i ett tomrum.

Halv tolv kom en orakad Giuseppe ut i receptionen. Han såg trött och orolig ut.

– Jag borde naturligtvis säga att jag är förvånad över att se dig. Men ingenting förvånar mig just nu.

Han verkade uppgiven på ett sätt som Stefan inte sett förut. De gick in på hans kontor och stängde dörren. Stefan sa som han hade bestämt, att det var oron som drivit honom tillbaka. Giuseppe betraktade honom uppmärksamt.

– Spelar du bowling? frågade Giuseppe när han tystnat.

Stefan såg undrande på honom.

– Om jag spelar bowling?

– Jag brukar göra det när jag är orolig. Även för mig bryter tillvaron ihop emellanåt. Bowling är inte att förakta. Man utövar sporten med fördel tillsammans med några vänner. Käglorna som man slår ner kan vara ens fiender eller alla olösta problem man går och bär på.

– Jag tror aldrig jag har spelat bowling.

– Ta det som ett välment förslag. Ingenting annat.

– Hur går det?

– Jag såg att du läste lokaltidningarna när jag kom ut. Vi har just haft ett möte i vår lilla utredningsgrupp. Arbetet flyter på, rutinerna följs, alla arbetar mycket hårt och noggrant. Ändå är det som Rundström sagt till tidningarna alldeles riktigt. Vi har kört fast.

– Och det är olika gärningsmän?

– Förmodligen. Det mesta talar för det.

Stefan tänkte efter.

– Det behöver inte betyda att brotten har olika motiv.

Giuseppe nickade.

– Så tänker vi också. Dessutom har vi det här med hunden. Jag tror alltså inte det är ett makabert skämt utan en medveten handling. Av nån som vill berätta nåt för oss.

– Vad skulle det kunna vara?

– Det vet jag inte. Men bara det att vi inser att nån försöker sända ett budskap till oss skapar en sorts konstruktiv oreda. Vi tvingas inse att det inte finns några enkla svar, om vi nu nånsin har trott det.

Giuseppe tystnade. Stefan väntade på en fortsättning. Utanför i korridoren var det någon som skrattade. Sedan blev det stilla igen.

– Det fanns ett ursinne, sa Giuseppe. Vid båda morden. I Herbert Molins fall ett besinningslöst raseri. Nån släpar runt honom i en blodig tango, piskar ihjäl honom och lämnar honom i skogen. I fallet Abraham Andersson finns också en vrede. Men den är mer återhållen, kontrollerad. Inga döda hundar. Ingen blodig dans. Däremot en iskall avrättning. Jag frågar mig om två våldshandlingar med så olika temperament kan rymmas inom samma hjärna, samma människa. Att mordet på Molin var noga planerat kan vi utgå ifrån. Inte minst ditt fynd av tältplatsen talar för det. Med Andersson är det annorlunda. Men jag klarar inte att reda ut vad olikheten består i.

– Vad tyder det på?

Giuseppe ryckte på axlarna.

– Jag vet inte.

Stefan tänkte efter. Det var tydligt att Giuseppe ville att han skulle svara, ville ha hans åsikter.

– Om dom två morden hänger ihop, om det trots allt är samma gärningsman, ska man alltså tänka sig att nåt har hänt som gör det nödvändigt att döda även Abraham Andersson?

– Det är så jag också försöker se det. Dom andra i gruppen håller inte med. Eller så är det jag som inte förmår uttrycka mig tillräckligt klart. Men det troliga är ändå att det är två olika gärningsmän.

– Det är egendomligt att ingen har gjort några iakttagelser.

– Under alla mina år tror jag aldrig jag har varit med om att vi har knackat på så många dörrar, skickat ut så många papper där vi ber om hjälp, utan att få in ett enda uppslag. I vanliga fall är det alltid nån som gluttat fram bakom sin gardin och skådat nåt som avviker från rutinerna i bygden.

– Det tyder naturligtvis också på nånting när man inte får några svar. Att det rör sig om människor som begår ytterst medvetna handlingar. Även när en plan rubbas förmår dom att hitta en utväg, mycket fort och kallblodigt.

– Nu säger du »dom«?

– Jag vacklar mellan den ensamme gärningsmannen och nån form av konspiration där mer än en person är inblandad.

Det knackade. En ung man i skinnjacka och mörka slingor i det ljusa håret öppnade dörren innan Giuseppe hann svara. Han nickade åt Stefan och släppte ner några papper på skrivbordet.

– Senaste nytt från dörrknackningsfronten.

– Jaha?

– En gammal förvirrad gumma som bor i Glöte menade att gärningsmannen bor i Visby.

– Varför det?

– Svenska Spel har sitt huvudkontor där. Hon menade att det är speldjävulen som drabbat svenska folket. Nu åker ena halvan av befolkningen runt och rånmördar den andra halvan för att få råd att lämna in sina spelkuponger. Annars ingenting.

Dörren stängdes.

– Han är ny, sa Giuseppe. Ny och tvärsäker och färgar håret. Han är en polisaspirant av den typen som mycket lustfyllt markerar att han är ung och att vi andra alltså är mycket gamla. Men han blir nog bra med tiden.

Giuseppe reste sig från skrivbordet.

– Jag talar gärna med dig, sa han. Du lyssnar, du ställer dom frågor som jag behöver höra. Jag hade gärna fortsatt det här samtalet. Men jag har en genomgång med våra tekniker som inte kan vänta.

Giuseppe följde honom ut i receptionen.

– Hur länge stannar du?

– Jag vet inte.

– Samma hotell i Sveg?
– Finns det nåt annat?
– Bra fråga. Jag vet inte. Nåt pensionat, kanske. Men jag hör av mig.
Stefan insåg att han hade en fråga till Giuseppe som han hållit på att glömma.
– Har man lämnat ut Molins kropp till begravning?
– Jag kan ta reda på det om du vill.
– Det var bara en undran. Ingenting annat.
På vägen mot Sveg tänkte han på det som Giuseppe hade sagt om bowling. Någonstans på vägen, strax norr om Överberg stannade han och steg ur bilen. Luften var alldeles stilla, kylig, marken under hans fötter hård. Jag ömkar mig, tänkte han. Jag håller på att låsa in mig i en dysterhet som är det jag minst av allt är betjänt av. I vanliga fall är jag en gladlynt person, inte den jag uppträder som just nu. Giuseppe har alldeles rätt när han talar om bowling. Jag behöver aldrig i mitt liv kasta ett enda klot mot ett antal käglor. Men jag måste ta det han försöker säga till mig på allvar. Jag intalar mig att jag kommer att klara av den här sjukdomen. Samtidigt gör jag allt jag kan för att leva upp till rollen som en dödsdömd människa utan hopp.

När han kom fram till Sveg ångrade han hela resan. Han fick en impuls att inte svänga in på hotellets gård utan återvända till Östersund och så skyndsamt som möjligt ta sig tillbaka till Borås och till Elena.
Sedan parkerade han bilen och gick in på hotellet. Flickan i receptionen verkade glad över att se honom.
– Jag tänkte väl att du inte kunde slita dig från oss, sa hon med ett skratt.
Stefan skrattade tillbaka. Alldeles för högt och gällt. Till och med mina skratt ljuger, tänkte han uppgivet.
– Du får samma rum, sa flickan. Nummer 3. Det finns ett meddelande till dig från Veronica Molin.
– Är hon inne?
– Nej. Men hon skulle vara tillbaka vid fyratiden.
Han gick upp till rummet. Det var som om han aldrig hade varit borta. Han gick in i badrummet, spärrade upp munnen

och räckte ut tungan. Ingen människa dör av cancer i tungan, tänkte han. Allt kommer att bli bra. Jag går på min strålbehandling. Sedan blir jag bra. Allt blir bra. En gång kommer hela den här tiden att framstå som ett mellanspel i mitt liv, som en mardröm, knappast någonting mer.

Han tog fram sin telefonbok och letade reda på numret till sin syster som bodde i Helsingfors. Han hörde hennes röst på en telefonsvarare. Han lämnade ett meddelande med sitt mobilnummer. Till sin andra syster, som gift sig och flyttat till Frankrike, hade han inget nummer med sig, och han orkade inte försöka ta reda på det. Han hade aldrig lyckats lära sig hur hon stavade sitt nya efternamn.

Han såg på sängen. Lägger jag mig ner kommer jag att dö, tänkte han. Han tog av sig skjortan, flyttade undan ett bord och började göra armhävningar. När han kom till tjugofem tänkte han att han inte orkade mer. Men han tvingade sig att fortsätta till fyrtio. Han satte sig på golvet och tog pulsen. 170. Alldeles för högt. Han bestämde sig för att börja motionera. Varje dag, oavsett vädret, oavsett hur han mådde. Han letade igenom sin väska. Joggingskorna hade han glömt. Han satte på sig skjortan och jackan och gick ut. Han letade reda på Svegs enda sportaffär som hade ett ytterst begränsat sortiment träningsskor. Men han hittade ett par som passade honom och gick sedan till pizzerian och åt. En radio stod på. Plötsligt hörde han Giuseppes röst. I lokalradion framförde han en förnyad vädjan till allmänheten att höra av sig om de gjort några iakttagelser. De har verkligen kört fast, tänkte Stefan. De trampar runt i gyttja där inte det minsta spår är synligt.

Han undrade plötsligt om det var så att morden på Herbert Molin och Abraham Andersson skulle förbli olösta.

Efter maten tog han en promenad. Norrut den här gången, förbi en hembygdsgård med gamla hus, och sedan sjukhuset. Han gick fort för att anstränga sig. Inom sig hörde han plötsligt musik. Det tog en stund innan han förstod att det var den musik han hört hos Jacobi. Johann Sebastian Bach.

Han fortsatte så långt han orkade och vände först när han lagt Sveg långt bakom sig.

Efter att ha duschat gick han ner i receptionen. Veronica Molin satt och väntade på honom. Han tänkte igen att hon var en märkvärdigt vacker kvinna.

– Tack för att du kom, sa hon.

– Mitt alternativ hade varit att spela bowling.

Hon såg förvånat på honom. Sedan brast hon i skratt.

– Jag är glad att du inte sa golf. Jag har aldrig förstått mig på män som spelar golf.

– Jag har aldrig hållit i en golfklubba.

Hon såg sig runt i receptionen. Några testförare kom in genom dörrarna och hojtade högljutt om att det nu var dags att dricka öl.

– Jag brukar inte inbjuda män att besöka mig på mitt hotellrum, sa hon. Men där får vi vara ifred.

Hon bodde på nedre botten i änden av korridoren. Rummet liknade inte Stefans. Framför allt var det större. Han undrade hastigt hur det kändes för en människa som var van vid att bo i lyxsviter världen över att hålla till godo med enkelheten på ett hotell i Sveg. Han mindes vad hon sagt, att hon tagit emot beskedet om sin fars död när hon stått och sett på den stora katedralen i Köln. Genom fönstret i det här rummet såg hon Ljusnan och skogsåsarna som blånade söder om älven. Kanske det här ändå är lika vackert, tänkte han. På sitt sätt lika mäktigt som katedralen i Köln.

Det fanns två fåtöljer i rummet. Hon hade tänt sänglampan och vridit undan kupan. Rummet låg i halvmörker. Han kände doften av hennes parfym. Han undrade hastigt hur hon skulle reagera om han sa att hans högsta önskan just nu var att ta av henne alla kläderna och älska med henne. Skulle hon bli förvånad? Hon måste vara medveten om sin utstrålning. Förmodligen skulle hon bara be honom dra åt helvete.

– Du bad mig komma, sa han. Nu vill jag lyssna på vad du har att berätta. Men du måste förstå att det här samtalet egentligen inte borde äga rum. Här skulle Giuseppe Larsson sitta, eller nån av hans kollegor. Inte jag. I den här utredningen om vem som dödade din far och Abraham Andersson existerar jag inte.

– Jag vet. Men ändå vill jag tala med dig.

Stefan märkte hennes oro. Han väntade.

– Jag har försökt förstå, började hon. Vem kan ha anledning att döda min far? Först var alltihop bara obegripligt. Det var som om nån utan anledning lyft sin hand och låtit den dråsa ner igen över hans huvud med full kraft. Det fanns helt enkelt inga motiv. Jag var säkert som förlamad. Det brukar jag inte vara. I mitt arbete utsätts jag varje dag för kriser som kan utvecklas till affärsmässiga katastrofer om jag inte håller mig alldeles kall och inte låter nånting annat än fakta och rationella beslut styra mina handlingar. Men det gick över. Jag började kunna tänka igen. Och jag började framför allt att minnas.

Hon såg på honom.

– Jag läste den där dagboken, sa hon. Det som stod där kom som en chock.

– Du visste alltså ingenting om hans förflutna?

– Ingenting. Det har jag redan sagt.

– Har du talat med din bror?

– Han visste heller ingenting.

Hennes röst var egendomligt klanglös. Stefan fick plötsligt en vag känsla av osäkerhet. Han skärpte uppmärksamheten, lutade sig framåt i stolen så att han kunde se hennes ansikte tydligare.

– Det var naturligtvis en chock att upptäcka att min far hade varit nazist. Inte bara i ord utan i allra högsta grad i handling. Frivillig soldat på Hitlers sida. Jag skämdes. Jag hatade honom. Mest för att han ingenting hade sagt.

Stefan undrade om han själv skämdes över sin egen far. Men han hade inte kommit så långt än. Han tänkte att den situation han befann sig i var egendomlig. Kvinnan mitt emot och han själv hade gjort samma upptäckt om sina respektive fäder.

– Men det var ändå i den där dagboken jag insåg att det kunde finnas en förklaring till varför han blev dödad.

Hon tystnade. En lastbil slamrade förbi ute på gatan. Stefan väntade med spänning.

– Vad minns du av det som stod där? frågade hon.

– Ganska mycket. Naturligtvis inga detaljer eller datum.

– Han beskriver en resa till Skottland.

Stefan nickade. Han mindes. De långa promenaderna med »M«.

– Det är länge sen. Jag var inte gammal den gången. Men min

far reste till Skottland för att träffa en kvinna. Jag tror hon hette Monica. Men jag är inte säker. Han hade träffat henne i Borås och hon var också polis, och ganska mycket yngre, tror jag. Det hade varit något utbyte mellan Sverige och Skottland. Dom blev förälskade i varandra. Min mor visste ingenting. I alla fall inte då. Men han reste alltså för att träffa henne. Och han lurade henne.

– Hur då?

Hon skakade otåligt på huvudet.

– Jag berättar i min egen takt. Du måste förstå att det är svårt nog som det är. Han lurade henne på pengar. Vad han sa till henne vet jag naturligtvis inte. Men han lånade pengar av henne, stora summor. Och han betalade aldrig tillbaka dom. Min far hade en svaghet. Han spelade. Framför allt på hästar. Men också kort, tror jag. Han förlorade. Och där försvann hennes pengar. Hon insåg att hon hade blivit lurad. Hon ville ha tillbaka dom. Men det fanns inga papper skrivna. Han vägrade. En gång kom hon till Borås. Det är därför jag vet allt det här. Hon stod i dörren en kväll, det var vinter minns jag, mamma var hemma, jag och min far. Var min bror befann sig vet jag inte. Men hon stod där i dörren och trots att han försökte hindra henne tog hon sig in och hon avslöjade allting för min mor och hon skrek åt min far att hon skulle döda honom om hon inte fick igen pengarna. Jag hade lärt mig tillräckligt mycket engelska för att förstå vad hon sa. Min mor bröt ihop och min far var alldeles vit av raseri, eller kanske det var rädsla. Hon lovade att döda honom och hon skulle vänta hur länge som helst. Jag minns hennes ord alldeles klart.

Veronica Molin tystnade. Stefan tänkte efter.

– Du menar alltså att det är hon som efter alla dessa år kommer tillbaka och hämnas på honom?

– Det måste ha gått till på det sättet.

Stefan skakade på huvudet. Historien var alldeles för osannolik. I dagboken hade Herbert Molin beskrivit resan till Skottland på ett sätt som inte alls stämde med det han nu fick höra.

– Du ska naturligtvis berätta det här för polisen. Dom kommer att undersöka det. Men jag har svårt att tänka mig att det verkligen skulle vara hon som dödat honom.

– Varför skulle det vara omöjligt?

– Det låter helt enkelt inte troligt.

– Är inte dom flesta våldsbrott osannolika?

Någon passerade ute i korridoren. De väntade tills det var tyst igen.

– Jag har en fråga som du måste besvara, sa Stefan. Varför vill du inte berätta det här för Giuseppe?

– Naturligtvis både vill och ska jag berätta det här för poliserna som utreder mordet på min far. Men jag ville be dig om råd.

– Varför mig?

– Därför att jag fick förtroende för dig.

– Vad är det för råd du tror att jag kan ge dig?

– Hur ska man kunna förhindra att sanningen om min far kommer ut? Att han var nazist?

– Om det inte har nånting med mordet att göra finns det ingen anledning för vare sig polis eller åklagare att offentliggöra det.

– Jag är rädd för journalister. Jag har haft dom efter mig. Det vill jag inte vara med om igen. En gång var jag inblandad i en komplicerad sammanslagning mellan två banker i Singapore och England. Nånting gick snett. Journalisterna jagade mig eftersom dom visste att jag var en av dom som var mest insatt i det som hände.

– Jag tror inte du behöver oroa dig. Men samtidigt måste jag säga att jag inte är överens med dig.

– Om vad då?

– Att man inte ska avslöja sanningen om din far. Den gamla nazismen är död. Ändå lever den. Och gror. I nya former. Vänder man på rätt stenar så väller dom fram. Rasisterna, övermänniskorna. Alla dom som letar inspiration på historiens sophögar.

– Kan jag förhindra att dagboken blir offentliggjord?

– Förmodligen. Men det kan finnas andra som bestämmer sig för att gräva i det här.

– Vilka då?

– Kanske jag själv.

Hon lutade sig bakåt i stolen. Hennes ansikte försvann i skuggorna. Stefan ångrade det han sagt.

– Jag kommer inte att gräva i det. Det jag sa var inte sant. Jag är polis, inte journalist. Du behöver inte oroa dig.

Hon reste sig ur stolen.

– Du gjorde en lång resa för min skull, sa hon. Naturligtvis var den onödig. Jag kunde ha frågat dig i telefon. Men jag har för en gångs skull förlorat lite av min vanliga sinnesnärvaro. Mitt arbete är känsligt. Mina uppdragsgivare skulle kunna överge mig om jag började omges av rykten. Trots allt var det min far som låg död där ute i skogen. Jag tror att det är kvinnan som kallas M som ligger bakom det. Vem som dödade den andre mannen vet jag inte.

Stefan nickade mot telefonen.

– Jag föreslår att du ringer till Giuseppe Larsson.

Han reste sig.

– När reser du? frågade hon.

– I morgon.

– Kan vi inte äta middag tillsammans? Det är det minsta jag kan göra för dig.

– Jag hoppas bara dom har bytt matsedel.

– Halv åtta?

– Det passar mig utmärkt.

Hon var stum och frånvarande under middagen. Stefan märkte att han blev irriterad. Dels över att hon lockat honom att göra denna alldeles onödiga resa på grund av en överdriven rädsla, dels för att han inte kunde låta bli att attraheras av henne.

De skildes i receptionen utan många ord. Veronica Molin lovade att sätta in pengar på hans konto för de utlägg han haft och försvann till sitt rum.

Stefan hämtade sin jacka och gick ut. Han hade frågat om hon hade ringt till Giuseppe. Hon sa att hon inte fått tag på honom men att hon skulle försöka igen.

På sin promenad genom det öde samhället tänkte han igenom det hon hade sagt. Historien om kvinnan i Skottland var kanske sann. Men att hon efter så många år skulle ha återvänt för att ta hämnd vägrade han bara att tro. Det stred mot allt förnuft.

Utan att märka det hade han kommit fram till den gamla järnvägsbron. Han tänkte att han skulle vända tillbaka till hotellet. Men någonting drev honom vidare. Han gick över bron och svängde in på vägen som ledde till Elsa Berggrens hus. Det lyste i två fönster på nedervåningen. Han skulle just gå vidare när han tyckte sig skymta en skugga som hastigt försvann vid ena gaveln. Han rynkade pannan. Stod orörlig och försökte se in i mörkret. Sedan öppnade han grinden och närmade sig försiktigt huset. Han stannade och lyssnade. Allt var tyst. Han ställde sig intill husväggen och kikade runt hörnet. Det fanns ingen där. Naturligtvis hade han inbillat sig. Han smög sig i mörkret till baksidan av huset. Inte heller där fanns det någon.

Han hörde aldrig stegen bakom sig. Någonting träffade honom i nacken. Han föll omkull. Sedan märkte han hur ett par händer grep runt hans hals och tryckte till.

Ingenting mer. Bara mörker.

Del III

Gråsuggorna | november 1999

24.

Stefan slog upp ögonen. Genast visste han var han befann sig. Han satte sig försiktigt upp, drog ett djupt andetag och såg sig runt i mörkret. Ingenting, inte heller några ljud. Han strök med handen över nacken. Den blev blodig. Dessutom gjorde det ont när han svalde. Men han levde. Hur länge han varit medvetslös kunde han inte svara på. Han reste sig upp och tog tag i stuprännan vid husgaveln. Nu tänkte han klart igen, trots smärtorna i bakhuvudet och strupen. Han hade alltså inte sett fel. Det hade varit någon som rört sig i skuggorna på baksidan av huset, någon som upptäckt honom och försökt döda honom.

Någonting måste ha hänt. Varför levde han fortfarande? Den som klämt åt runt hans hals hade blivit störd och avbrutit sitt strupgrepp. Men det fanns också en annan möjlighet. Angriparen hade inte varit ute för att döda, bara stoppa honom. Han släppte greppet runt stuprännan, lyssnade ut i mörkret. Fortfarande ingenting.

Ett svagt ljus silade ut genom ett fönster intill honom. Någonting har hänt inne i det här huset, tänkte han. På samma sätt som något hände i Herbert Molins hus, och senare i Abraham Anderssons. Nu står jag vid mitt tredje hus. Han övervägde vad han skulle göra. Beslutet var lätt att fatta. Han tog fram mobiltelefonen och slog Giuseppe Larssons nummer. Handen skakade, två gånger slog han fel. Det var en flicka som svarade.

– Pappas telefon?

– Jag söker Giuseppe.

– Men herregud, han sover för länge sen. Vet du vad klockan är?

– Jag måste tala med honom.
– Vad heter du?
– Stefan.
– Är det du som är från Borås?
– Ja. Du måste väcka honom. Det är viktigt.
– Jag ska ge honom telefonen.
Medan han väntade tog Stefan några steg bort från huset och stannade i skuggan av ett träd. Sedan hördes Giuseppes röst och Stefan förklarade kortfattat vad som hänt.
– Är du skadad? frågade Giuseppe.
– Det blöder i nacken och gör ont när jag sväljer. Men annars är det ingenting.
– Jag ska försöka få tag på Erik Johansson. Var befinner du dig exakt?
– Bakom huset. Vid ena gaveln. I skuggan av ett träd. Nånting kan ha hänt med Elsa Berggren.
– Du har alltså överraskat nån som varit på väg att ge sig av? Har jag förstått rätt?
– Jag tror det.
Giuseppe tänkte, Stefan väntade.
– Vi håller ledningen öppen, sa Giuseppe. Ring på, vänta tills hon öppnar. Om hon inte syns till håller du dig undan tills Erik kommer.
Stefan gick till framsidan av huset och tryckte på dörrklockan. Ytterbelysningen var tänd. Hela tiden höll han telefonen vid örat.
– Vad händer? frågade Giuseppe.
– Jag har ringt på, två signaler. Ingen reaktion.
– Ring igen. Bulta.
Stefan kände på handtaget. Det var låst. Han bultade. Varje gång han slog näven i dörren högg det till i nacken. Sedan hörde han hennes steg.
– Hon kommer nu.
– Du kan inte veta att det är hon. Var försiktig.
Stefan tog några steg bort från dörren. Elsa Berggren låste upp. Hon var fortfarande påklädd. Men Stefan såg på hennes ansikte att hon var rädd.
– Det är hon som öppnar, sa Stefan i telefonen.

– *Fråga henne om nånting har hänt.*

Stefan frågade.

– Ja, sa hon. Jag har blivit överfallen. Jag har just ringt till Erik Johansson. Han sa att han skulle komma.

Stefan refererade för Giuseppe.

– *Men hon är inte skadad?*

– Åtminstone inte vad jag kan se.

– *Vem var det som överföll henne?*

– Vem var det som överföll dig?

– Han bar en huva. När jag slet av den skymtade jag hans ansikte. Jag har aldrig sett honom tidigare.

Stefan skickade meddelandet vidare.

– *Det låter mycket märkligt. En maskerad man? Vad får du ut av det?*

Stefan såg henne rakt i ögonen när han svarade.

– Jag tror hon talar sanning. Även om sanningen verkar egendomlig.

– *Då väntar du där med henne tills Erik kommer. Jag klär på mig och kör ner. Be Erik ringa mig när han kommit. Klart, slut.*

Stefan tog ett snedsteg när han gick in genom dörren. Yrseln tvingade honom att sätta sig ner. Då upptäckte hon att han var blodig på ena handen. Han berättade vad som hänt.

Hon försvann ut i köket och kom tillbaka med en fuktig handduk.

– Vänd på dig, sa hon. Blod tål jag.

Hon tryckte försiktigt handduken mot hans nacke.

– Det räcker nu, sa han och reste sig försiktigt.

Någonstans slog en klocka ett kvartsslag. De gick in i vardagsrummet. En stol låg omkullvält, en glasskål var krossad. Hon ville börja berätta vad som hänt. Men han sa åt henne att vänta.

– Det är Erik Johansson som ska lyssna på vad du har att säga. Inte jag.

Erik Johansson kom just när den osynliga klockan slog nästa kvartsslag.

– Vad har hänt? frågade han.

Sedan vände han sig till Stefan.

– Jag visste inte ens att du var kvar här?

– Jag kom tillbaka. Men det hör inte hit. Den här historien börjar inte med mig, den börjar här inne.

– Kanske, svarade Erik Johansson. Men för enkelhetens skull kan du väl förklara hur du har blivit inblandad.

– Jag tog en kvällspromenad och tyckte jag såg nån som rörde sig på tomten. Jag gick för att se efter och blev nerslagen. Dessutom nästan strypt.

Erik Johansson lutade sig över honom.

– Du har blåmärken på halsen. Är det säkert att du inte behöver en läkare?

– Det är säkert.

Erik Johansson satte sig försiktigt på en stol, som om han var rädd att den skulle gå sönder.

– Vilken gång i ordningen är det? fortsatte han. Jag menar, som du kvällsvandrar här utanför Elsas hus. Andra gången? Tredje?

– Är det viktigt?

Stefan märkte att Erik Johanssons sävlighet irriterade honom.

– Vad vet jag vad som är viktigt? Men nu ska jag lyssna på Elsa.

Elsa Berggren hade satt sig ytterst på soffkanten. Hennes röst var annorlunda, rädslan gick inte att dölja nu. Men Stefan märkte att hon försökte.

– Jag var på väg från köket för att gå upp och lägga mig när det knackade. Jag tänkte att det var konstigt eftersom jag sällan eller aldrig tar emot besök. När jag öppnade dörren hade jag säkerhetskedjan på. Men han kastade sig mot dörren så att den slets av. Han sa åt mig att vara tyst. Jag kunde inte se hans ansikte eftersom han var maskerad. En luva med urklippta hål. Han drog med mig hit in i vardagsrummet och hotade mig med en yxa och började fråga vem som dödat Abraham Andersson. Jag försökte svara lugnt. Jag satt här i soffan. Sen märkte jag att han blev nervös. Plötsligt lyfte han yxan. Då rusade jag på honom. Det var då stolen välte. Jag slet av honom luvan och då sprang han ut härifrån. Jag hade just ringt till dig när det bultade på dörren. Jag tittade ut genom fönstret och såg att det var du, avslutade hon, vänd mot Stefan.

– Talade han svenska? frågade Stefan.
Erik Johansson morrade till.
– Här ställer jag frågorna. Det trodde jag Rundström hade förklarat för dig. Men svara ändå. Talade han svenska?
– Bruten engelska.
– Var det en svensk som låtsades vara utlänning?
Hon tänkte efter innan hon svarade.
– Nej, sa hon. Inte svensk. Jag tror han kan ha varit italienare. Eller i alla fall sydeuropé.
– Kan du beskriva hans utseende? Hur gammal var han?
– Det gick så fort. Men det var en äldre man. Gråsprängt, lite glest hår och bruna ögon.
– Och du har aldrig sett honom tidigare?
Hennes rädsla hade nu börjat förvandlas till ilska.
– Jag umgås inte med den sortens människor. Det borde du veta.
– Det gör jag också, Elsa. Men jag måste fråga. Hur lång var han? Var han mager eller tjock, hur var han klädd, hur såg hans händer ut?
– Mörk jacka, mörka byxor, skorna tänkte jag inte på. Inga ringar på fingrarna.
Hon reste sig och gick fram till dörren.
– Ungefär så här lång tror jag att han var, varken tjock eller mager.
Hon markerade med handen på väggen.
– En och åttio, sa Erik Johansson och vände sig till Stefan. Vad tror du?
– Jag såg bara en skugga som rörde sig.
Elsa Berggren satte sig igen.
– Han hotade dig, sa Erik Johansson. På vilket sätt?
– Han ställde frågor om Abraham Andersson.
– Vad för sorts frågor?
– Egentligen bara en enda. Vem som hade dödat Abraham Andersson.
– Frågade han inte om nånting annat? Inget om Herbert Molin?
– Nej.
– Vad sa han?

– »Who killed Mr Abraham?« Eller »Who killed Mr Andersson?«

– Du sa att han hotade dig?

– Han ville veta sanningen, sa han. Annars skulle det gå illa för mig. Vem dödade Abraham? Ingenting annat. Jag svarade att jag inte visste.

Erik Johansson skakade på huvudet och såg på Stefan.

– Vad säger du om det här?

– Man kan naturligtvis undra varför han inte frågade om motivet? *Varför* Abraham Andersson blev dödad?

– Det är som jag säger. Han frågade bara vem som hade gjort det. Jag hade en bestämd känsla redan från början att han trodde att jag visste. Sen förstod jag att han egentligen menade nånting annat. Och det var då jag blev rädd. Han trodde att det var jag som dödat honom.

Stefan kände hur yrseln kom och gick i vågor. Men han försökte koncentrera sig. Han insåg att det Elsa Berggren berättade om överfallet var helt avgörande. Det viktiga var inte vad mannen hade frågat henne om, det viktiga var vad han *inte* hade frågat om. Det fanns bara en förklaring: att han redan visste svaret. Stefan märkte att han hade börjat svettas. Mannen i skuggorna som hade försökt strypa honom, till döds eller till medvetslöshet, kunde vara huvudpersonen i det drama som hade börjat med att Herbert Molin hade blivit dödad.

Det ringde i Erik Johanssons telefon. Det var Giuseppe. Stefan hörde att han var orolig för att Giuseppe skulle köra för fort.

– Han har redan passerat Brunflo, sa Erik Johansson när han avslutat samtalet. Han ville att vi skulle vänta här. Under tiden ska jag skriva upp det du sagt. Vi måste börja leta efter den där mannen.

Stefan reste sig.

– Jag går ut. Jag måste ha luft.

När han kommit ut på gården märkte han att han hade börjat leta efter någonting i sitt minne. Som hade att göra med det Elsa Berggren berättat. Han gick tillbaka till baksidan av huset men undvek att gå så nära att han förstörde eventuella fotspår. Han försökte se det ansikte framför sig som hon beskrivit. Han visste att han aldrig hade sett mannen. Ändå var det som om han kände igen honom. Han knackade sig i pannan för att hitta minnesbilden. Det hade med Giuseppe att göra.

Middagen på hotellet. De hade suttit och ätit. Servitrisen hade kommit och gått från köket och ut i matsalen. Det hade funnits en annan gäst i matsalen den kvällen. En äldre man som suttit ensam vid ett bord. Stefan hade inte lagt hans ansikte på minnet. Men det var någonting annat med honom. Efter en stund kom han på vad det var. Mannen hade inte sagt ett enda ord trots att han vid flera tillfällen vinkat till sig servitrisen. Mannen hade funnits i matsalen när först han själv och sedan Giuseppe kommit in och satt sig. Han hade också varit kvar när de hade gått.

Han letade i huvudet. Giuseppe hade suttit och kladdat på baksidan av notan som han sedan knycklat ihop i askfatet när de lämnade matsalen.

Det var någonting med det där papperet. Vad kunde han inte påminna sig. Men mannen som suttit där den kvällen hade varit alldeles tyst. Och han påminde på något obestämbart sätt om det otydliga signalement som Elsa Berggren hade gett.

Han gick tillbaka in i huset. Klockan var tjugo minuter över ett. Elsa Berggren satt kvar i soffan, mycket blek.

– Han kokar kaffe, sa hon.

Stefan gick ut i köket.

– Jag kan inte tänka klart utan kaffe, sa Erik Johansson. Vill du ha? Ärligt talat ser du hemsk ut. Jag undrar om du inte borde till en doktor i alla fall.

– Först vill jag tala med Giuseppe.

Erik Johansson gjorde kokkaffe. Han räknade långsamt till femton.

– Jag beklagar att jag blev lite brysk förut. Men vi som är poliser här i Härjedalen känner oss undanknuffade ibland. Det gäller Giuseppe också. Bara så du vet.

– Jag förstår.

– Nej, det gör du nog inte. Men i alla fall.

Han gav Stefan en kopp kaffe. Stefan fortsatte att leta i minnet efter det som hade med Giuseppes papper att göra.

Men det var först vid femtiden på morgonen som han hade en möjlighet att fråga Giuseppe om det som hade hänt den där kvällen i matsalen. Giuseppe hade kommit till Elsa Berggrens hus klockan tio minuter i två. När han väl fått situationen klar för sig hade han tagit med sig Erik Johansson och Stefan till polisstationen. En tillkallad polisman skulle hålla hennes hus under uppsikt. Signalementet var för otydligt för att kunna skickas ut som larm. Däremot skulle det komma förstärkningar från Östersund på förmiddagen. Ännu en gång skulle de börja knacka dörr. Någon måste ha sett något, resonerade Giuseppe. Mannen kan knappast ha varit utan bil. Så många engelsktalande sydeuropéer kan det inte finnas i Sveg vid den här tiden på året. Det händer att det kommer folk från Madrid eller Milano för att jaga älg. Italienare är dessutom ivriga svampplockare. Men just nu är det inte säsong för vare sig älg eller svamp. Någon måste ha sett honom. Eller en bil. Eller någonting annat.

Halv sex for Erik Johansson iväg för att spärra av Elsa Berggrens trädgård. Giuseppe var trött och irriterad.

– Det skulle han ha gjort på en gång. Hur ska det gå att bedriva polisarbete om man inte följer rutinerna?

Giuseppe satte sig i en stol och la upp fötterna på skrivbordet.

– Kommer du ihåg vår middag på hotellet? frågade Stefan.

– Mycket väl.

– Det satt en äldre man i matsalen. Minns du?

– Vagt. Satt han inte vid dörren till köket?

– Till vänster.

Giuseppe betraktade honom med trötta ögon.

– Varför tänker du på honom?

– Han sa ingenting. Det kan tyda på att han inte ville avslöja att han var utlänning.

– Varför i helvete skulle han inte vilja göra det?

– Därför att vi var poliser. Vi upprepade det ordet många gånger under middagen. »Polis« är polis på många språk. Dessutom tror jag han påminde om det signalement Elsa Berggren försökte ge oss.

Giuseppe skakade på huvudet.

– Det är för vagt. För tillfälligt och för långsökt.

– Förmodligen. Men ändå. Du satt och ritade på ett papper när vi hade ätit.

– Det var notan. Jag frågade efter den dagen efter, men då var den borta. Servitrisen sa att hon inte hade sett den.

– Det är just det som är frågan. Vart hade den tagit vägen?

Giuseppe slutade vagga på stolen.

– Menar du att den där mannen skulle ha tagit notan efter det att vi hade gått?

– Jag menar ingenting. Jag tänker högt. Frågan är vad du skrev?

Giuseppe tänkte medan han talade.

– Namn, tror jag. Jo, det är jag säker på. Vi satt ju och pratade om dom där tre, Herbert Molin, Abraham Andersson och Elsa Berggren. Vi försökte hitta ett samband mellan dom.

Giuseppe satte sig upp med ett ryck.

– Jag skrev alla namnen och jag ritade pilar mellan dom. Det blev en triangel. Jag tror dessutom jag kladdade ett hakkors vid sidan av Abraham Andersson.

– Ingenting annat?

– Inte vad jag minns.

– Jag kan naturligtvis ta fel, sa Stefan. Men när du knycklade ihop notan tyckte jag att jag såg ett stort frågetecken efter hakkorset.

– Det kan stämma.

Giuseppe reste sig ur stolen och lutade sig mot väggen.

– Jag lyssnar, sa han. Jag börjar förstå din tankegång.

– Mannen sitter i matsalen på hotellet. Han uppfattar att vi kan vara poliser. När vi reser oss och går plockar han till sig notan som du knycklat ihop och lagt i askkoppen. Nu inträder ett antal olika förutsättningar. Om han tar notan gör han det eftersom han är intresserad. Och intresserad är han bara om han på nåt sätt är inblandad.

Giuseppe höjde handen.

– Inblandad på vilket sätt?

– Det leder oss till den andra förutsättningen. Om nu detta är samma man som besökte Elsa Berggren i natt och försökte ta livet av mig, så bör vi ställa åtminstone en viktig fråga.

– Vilken?

– En fråga om hans fråga. »Vem dödade Abraham Andersson?«

Giuseppe skakade irriterat på huvudet.

– Nu kan jag inte följa dig.

– Jag menar att den frågan leder oss till en ny fråga. Den viktigaste, den han inte ställde.

Giuseppe förstod. Det var som om han andades ut.

– Vem som mördade Herbert Molin?

– Just det. Ska jag fortsätta?

Giuseppe nickade.

– Man kan dra olika slutsatser. Men den troligaste är att han aldrig ställde några frågor om Herbert Molin eftersom han redan visste svaren. Då betyder det med stor sannolikhet att det var han som dödade Herbert Molin.

Giuseppe höjde båda händerna.

– Nu går du för fort fram. Vi jämtlänningar behöver lite tid på oss. Vi ska alltså leta efter två gärningsmän. Det har vi redan kommit fram till. Frågan är om vi också ska söka efter två olika motiv.

– Det är inte uteslutet.

– Jag har bara så svårt att tro att det är riktigt. Eftersom vi just nu befinner oss på en plats där våldsbrott av den här arten är sällsynta. Nu inträffar det vid två tillfällen. Utan att det är samma man som varit framme. Du måste förstå att all min erfarenhet protesterar.

– Nån gång ska vara den första. Jag tror det är dags att börja formulera nya tankar.

– Tänk dom högt!

– Nån dyker upp här i skogarna och slår ihjäl Herbert Molin. Det hela är välplanerat. Några dagar senare dör Abraham Andersson. Han dödas av en helt annan person. Av nån anledning som vi inte känner till vill den som dödade Molin veta vad som har hänt. Han har tältat vid sjön, han har gett sig av när han har släpat ut Molins döda kropp i skogsbrynet. Men han kommer tillbaka. Han måste få veta vad som har hänt Abraham Andersson. Vad som är motivet till att han mördats. I ett askfat hittar han en lapp som en polis har slängt. Vad finner han på den? Inte två namn, utan tre.

– Elsa Berggren?

Stefan nickade.

– Han tänker sig att hon sitter inne med svaret och han pressar henne. Hon kastar sig över honom när han blir hotfull. Under flykten råkar jag komma i hans väg. Resten vet du.

Giuseppe öppnade ett fönster och ställde det på glänt.

– Vem är den här mannen?

– Jag vet inte. Men man kan göra ytterligare ett antagande. Som möjligen direkt kan ge oss svaret på om jag har rätt.

Giuseppe väntade tyst på att han skulle fortsätta.

– Vi tror oss veta att mördaren tältade vid sjön. Efter det att han dödat Herbert Molin ger han sig av. Men han kommer tillbaka. Han slår knappast upp sitt tält på samma ställe igen. Frågan är då var han bor?

Giuseppe såg vantroget på honom.

– Skulle han ha bott på hotellet?

– Det kan i alla fall vara värt att undersöka.

Giuseppe såg på klockan.

– När börjar frukosten serveras?

– Mellan sex och halv sju.

– Då är dom redan igång. Vi åker dit.

Några minuter senare steg de in i receptionen. Flickan som satt bakom disken såg förvånat på dem.

– Två morgontidiga herrar som vill ha frukost?

– Den får vänta, sa Giuseppe. Förra veckan, boende på hotellet? Har du dina gäster på lösa lappar eller i en liggare?

Flickan blev orolig.

– Har det hänt nåt?

– Vi gör bara en rutinundersökning, sa Stefan. Ingenting farligt. Har du haft några utländska medborgare här dom senaste veckorna?

Hon tänkte efter.

– Det var fyra finländare här två nätter förra veckan. Onsdag och torsdag.

– Ingen mer?

– Nej.

Giuseppe tänkte efter.

– Han kan naturligtvis ha bott nån annanstans, sa han. Det finns flera övernattningsmöjligheter.

Han vände sig till flickan.

– När vi åt middag här fanns en annan gäst i matsalen. Vad talade han för språk?

– Engelska. Men han var argentinare.

– Hur vet du det?

– Han betalade med kreditkort. Han visade sitt pass.

Hon reste sig och försvann in i ett rum bakom receptionen. Sedan återvände hon med en Visa-slip i handen. De läste namnet. Fernando Hereira.

Giuseppe grymtade belåtet.

– Då har vi honom, sa han. Om det nu är han.

– Har han varit här flera gånger? frågade Stefan.

– Nej.

– Såg du vad han hade för sorts bil?

– Nej.

– Sa han varifrån han kom? Eller vart han var på väg?

– Nej. Han var fåordig. Men vänlig.

– Kan du beskriva hans utseende?

Flickan tänkte efter. Stefan såg att hon ansträngde sig.

– Jag har så dåligt minne för ansikten.

– Nånting måste du ha sett? Liknade han en av oss?

– Nej.

– Hur gammal var han?

– Sextio, kanske.

– Håret?

– Grått.

– Ögonen?

– Det vet jag inte.

– Var han tjock eller mager?

– Jag minns inte. Men jag tror inte han var tjock.

– Vad hade han för kläder?

– En blå skjorta, tror jag. Sportjacka, kanske.

– Minns du nånting mer?

– Nej.

Giuseppe skakade på huvudet och satte sig i en av de bruna sofforna i receptionen med Visa-slipen i handen. Stefan följde efter. Klockan hade blivit fem i halv sju på morgonen den 12 november. Om sju dagar skulle Stefan infinna sig på sjukhuset i Borås. Giuseppe gäspade och gnuggade sig i ögonen. Ingen av dem sa någonting.

Då öppnades dörren till korridoren med hotellrummen. Stefan tittade upp och mötte Veronica Molins blick.

25.

Aron Silberstein såg gryningen komma. Ett kort ögonblick var det som om han var tillbaka i Argentina igen. Ljuset var detsamma som det han ofta hade upplevt när solen höjde sig över horisonten och bredde ut sina strålar över slätterna väster om Buenos Aires. Men efter några minuter var känslan försvunnen.

Nu befann han sig i de svenska bergstrakterna, nära gränsen mot Norge. Han hade återvänt till Frostengrens hus direkt efter det misslyckade besöket hos Elsa Berggren. Mannen som han hade upptäckt bakom huset och som han känt sig tvingad att slå ner och skrämma med ett strupgrepp var en av de poliser han sett i matsalen på hotellet där han en kväll ätit middag. Han kunde inte förstå vad mannen hade gjort där under natten. Hade Elsa Berggrens hus trots allt varit bevakat? Han hade hållit det under noggrann uppsikt innan han knackat på dörren och trängt sig in.

Han tvingade sig att överväga den möjlighet han egentligen inte uthärdade. Att han tryckt för hårt runt polismannens hals, att mannen var död.

Han hade kört fort genom natten, inte för att han var rädd för att någon skulle följa efter honom, utan för att han inte längre kunde hålla begäret efter alkohol ifrån sig. Han hade köpt både vin och sprit i Sveg, som om han anat att ett sammanbrott var nära. Nu insåg han att han inte längre kunde vara utan alkoholen. Den enda restriktion han orkade ålägga sig var att inte öppna någon av flaskorna förrän han hade kommit fram.

Klockan hade blivit tre när han körde den sista besvärliga delen av vägen upp till Frostengrens hus. Han var omgiven av ett kompakt mörker när han letade sig fram till dörren. När han kom in hade han genast öppnat en av vinflaskorna och i två klunkar tömt halva flaskan.

Långsamt återvände lugnet. Han satte sig vid bordet intill fönstret, alldeles orörlig, utan en tanke i huvudet, och fortsatte dricka. Sedan drog han till sig telefonen och slog numret till Maria. Linjen brusade och skrapade, men hennes röst var ändå mycket nära. Det var som om han kunde känna hennes andedräkt genom luren.

– Var är du? frågade hon.

– Jag är fortfarande kvar.

– Vad ser du genom fönstret?

– Mörker.

– Är det som jag tror?

– Vad är det du tror?

– Att du aldrig kommer tillbaka?

Frågan gjorde honom orolig. Han drack mera vin innan han svarade.

– Varför skulle jag inte komma tillbaka?

– Jag vet inte. Det är bara du som vet vad du gör och varför du inte är här. Men du ljuger för mig, Aron. Du talar inte sanning.

– Varför skulle jag ljuga?

– Du har inte gjort den här resan för att se på möbler. Det är nånting annat. Vad vet jag inte. Kanske du har träffat en kvinna. Jag vet inte. Det är bara du som vet. Och Gud.

Han förstod att hon inte begripit det han sagt vid sitt förra samtal, att han hade dödat en människa.

– Jag har inte träffat nån annan. Jag kommer snart hem igen.

– När?

– Snart.

– Jag vet fortfarande inte var du är?

– Högt uppe bland bergen. Det är kallt.

– Har du börjat dricka igen?

– Inte så mycket. Bara för att få sova.

Samtalet klipptes av. När Aron slog numret igen kom han inte fram. Han försökte ytterligare några gånger utan att lyckas.

Sedan satt han och väntade på gryningen. Avgörandet var inne nu, det hade han förstått. Elsa Berggren hade sett hans ansikte när hon slet av honom huvan. Han hade varit alldeles oförberedd och gett sig av i panik. Han borde ha stannat kvar, satt på sig huvan igen, tvingat henne att ge honom det svar han visste att hon satt inne med. Men han hade rusat därifrån och snubblat över polismannen.

Trots att han fyllde kroppen med alkohol förmådde han under den långa väntan på gryningen ändå att tänka. Han upplevde alltid ett ögonblick av stor klarhet innan ruset tog överhanden. Han hade lärt sig hur mycket han kunde dricka, och hur fort, för att in i det längsta behålla kontrollen över sina tankar. Och han behövde tänka klart nu. Avgörandet var inne.

Han tänkte att ingenting hade blivit som han föreställt sig. Trots alla planer, trots hans noggrannhet. Och allt var Abraham Anderssons fel. Rättare sagt, felet var att någon dödat honom. Det kunde inte ha varit någon annan än Elsa Berggren. Frågan var bara varför. Vad var det för krafter han hade frigjort när han dödade Herbert Molin?

Han fortsatte att dricka och bevaka sin berusning. Det han hade svårast att förlika sig med var att en kvinna i sjuttioårsåldern kunde ha begått mordet på Abraham Andersson. Hade hon inte åtminstone haft en medbrottsling? Vem var i så fall det? Och om poliserna trodde att det var hon som begått mordet, varför blev hon då inte gripen? Han hittade inga svar och han började om från början igen. Elsa Berggren hade sagt att hon inte visste vem som hade dödat Abraham Andersson. Men han hade hela tiden tänkt att hon inte talade sanning. När hon hade fått veta att Herbert Molin var död hade hon gått ut i natten, satt sig i sin bil och kört till Abraham Anderssons hus och dödat honom. Var det en hämnd? Trodde hon att Andersson dödat Molin? Vad var det för samband mellan de här människorna han inte kunde tyda? Samband som också måste existera för poliserna. Han hade fortfarande den hopknycklade räkningen kvar, där de tre namnen stod nerskrivna.

Han tänkte att hämnden var som en bumerang som nu var på väg tillbaka och snart skulle träffa hans eget huvud. Det handlade om skulden. För Herbert Molin kände han ingenting. Det hade varit nödvändigt, något han varit skyldig sin far. Men Abraham Andersson skulle inte ha dött om han själv inte hade piskat ihjäl Molin. Frågan var om han nu också skulle behöva se det som sin uppgift att hämnas även Abraham Anderssons död.

Tankarna vandrade fram och tillbaka genom hans huvud den här natten. Då och då gick han ut och såg mot den stjärnklara himlen. Det var kallt, han frös. Han virade in sig i en filt medan han väntade. Väntade på vad? Det visste han inte. Att någonting skulle gå över. Hans ansikte var känt nu. Elsa Berggren hade sett det. Polisen skulle börja lägga ihop olika detaljer och de skulle fråga sig var han fanns. De skulle också hitta hans namn på kvittot från kreditkortet. Det var det enda som hade brustit i hans planering, att han plötsligt stod utan kontanter. Poliserna skulle börja söka efter honom. De skulle utgå ifrån att det var han som också dödat Abraham Andersson och nu när han kanske av misstag hade dödat en polis skulle de sätta in alla sina resurser för att gripa honom.

Gång på gång återkom han till det som hade hänt. Hade han klämt för hårt om polismannens hals? När han släppt greppet och gett sig av därifrån var han säker på att han inte tagit i för mycket. Men nu var han inte säker längre. Han borde ge sig iväg så fort han kunde, så långt bort som möjligt. Men han visste att han inte skulle göra det, inte innan han nått klarhet om vad som hade hänt med Abraham Andersson. Han kunde inte återvända till Buenos Aires innan han fått svar på sina frågor.

Gryningen kom. Han var trött, nickade till då och då där han satt och såg ut över bergen. Men han kunde inte stanna kvar, han måste ge sig av, annars skulle de snart hitta honom. Han reste sig från stolen och började gå runt i huset. Vart skulle han ta vägen? Han gick ut på gårdsplanen och pissade. Det ljusnade långsamt, det där svaga grå diset som han kände igen från Argentina. Bara det inte hade varit så kallt. Han återvände in i huset igen.

Till sist hade han fattat ett avgörande beslut. Han plockade ihop sina tillhörigheter, vinflaskorna, konservburkarna, det torra brödet. Bilen brydde han sig inte om, den fick stå kvar. Kanske skulle någon hitta den samma dag, kanske skulle han få ett försprång. Strax efter nio lämnade han huset och gick rakt upp mot berget. Redan efter några hundra meter stannade han och kastade en del av packningen. Sedan fortsatte han, hela tiden uppåt. Han var berusad, han snubblade ofta och föll och rispade ansiktet mot den steniga marken. Men han fortsatte ända tills han inte längre kunde se det hus han hade lämnat.

Vid tolvtiden orkade han inte längre.

I skydd av ett stort klippblock hackade han ner tältpinnarna, tog av sig skorna, bredde ut sovsäcken och la sig ner med en vinflaska i handen.

Ljuset som silade in genom tältduken förvandlade rummet till någonting som kunde vara en solnedgång.

Han tänkte på Maria medan han långsamt tömde flaskan. Tänkte att han först nu börjat inse hur mycket hon verkligen betydde för honom.

Sedan kröp han ner i sovsäcken och somnade.

När han vaknade visste han att han måste fatta ännu ett beslut.

*

Klockan tio skulle poliserna samlas till möte på Erik Johanssons kontor. Innan dess var tekniker redan på plats i Elsa Berggrens hus och en hundpatrull hade letat efter spår efter den man som överfallit både henne och Stefan. Stefan hade sovit några timmar på hotellet. Men Giuseppe ringde och väckte honom strax efter nio och sa att han borde vara med på mötet.

– Du är inblandad i dom här mordutredningarna, vare sig du eller jag vill det eller inte. Jag har pratat med Rundström. Han tycker också att du ska vara med. Inte formellt, naturligtvis. Men vi kan inte följa alla regler i det läge som råder.

– Några spår?

– Hunden ledde rakt bort mot bron. Där måste mannen ha haft sin bil. Teknikerna tror att dom kan få fram ett bra däckavtryck. Sen får vi se om det överensstämmer med några av dom andra vi har. Vi säkrade avtryck både hos Molin och Andersson.

– Har du sovit nånting?

– Det är för mycket som ska ordnas. Jag har fått hit fyra man från Östersund, plus ett par av Eriks karlar som var tjänstlediga. Vi har många dörrar det ska knackas på. Nån måste helt enkelt ha sett nånting. En man med mörka ansiktsdrag som talar bruten engelska. Man kan inte leva utan att tala med folk. Man fyller bensin, man äter, man handlar. *Nån* måste ha sett honom. Nån gång måste han ha sagt nånting.

Stefan lovade att komma. Han steg upp och kände på nacken som ömmade. Innan han lagt sig hade han duschat. Under det att han klädde sig tänkte han på mötet med Veronica Molin några timmar tidigare.

De hade ätit frukost tillsammans. Stefan hade berättat vad som hänt under natten. Hon hade lyssnat uppmärksamt utan att ställa några frågor. Sedan hade han plötsligt börjat må illa och ursäktat sig. Men de hade avtalat att träffas senare under dagen om han kände sig bättre. Han hade somnat genast han lagt sig.

När han väcktes av Giuseppes telefonsamtal var illamåendet borta. Han ställde sig framför spegeln i badrummet och betraktade sitt ansikte. En känsla av overklighet drabbade honom med våldsam kraft. Han lyckades inte stå emot. Han började gråta, slängde en handduk mot spegeln och lämnade badrummet. Jag dör, tänkte han desperat. Jag har cancer, den går inte att bota, jag dör innan jag ens fyllt fyrtio år.

Telefonen ringde från jackan som han slängt på golvet. Det var Elena. Han hörde hur det brusade av röster bakom henne.

– Var är du? frågade hon.

– På mitt rum. Och du?

– I skolan. Jag fick en känsla av att jag borde ringa.

– Här är allt bra. Jag saknar dig.

– Du vet var jag finns. När kommer du hem?

– Den nittonde ska jag vara på sjukhuset. Nån gång innan dess.

– Jag drömde i natt att vi for till England. Kan vi inte göra det? Jag har alltid längtat efter att besöka London.

– Måste vi bestämma det nu?

– Jag berättar om en dröm jag hade. Jag tänkte vi skulle ha nånting att se fram emot.

– Naturligtvis kan vi åka till London. Om jag lever så länge.

– Vad menar du med det?

– Ingenting. Jag är bara trött. Jag ska gå på ett sammanträde nu.

– Jag trodde du var sjukskriven?
– Dom bad mig vara med.
– Det stod om dom där morden i Borås Tidning i går. Det var en bild på Herbert Melin.
– Molin. Herbert Molin.
– Jag måste sluta nu. Ring mig i kväll.
Stefan lovade att höra av sig. Han la ifrån sig telefonen på bordet. Vad skulle jag vara utan Elena? tänkte han. Ingenting.

När de samlades överraskade Rundström Stefan genom att vänligt ta honom i hand. Erik Johansson drog av sig ett par smutsiga gummistövlar, en hundförare från Östersund frågade irriterat om någon som hette Anders hade hört av sig. Giuseppe knackade med en penna i bordet och började mötet. Han gjorde en kort men klar sammanfattning av nattens händelser.
– Elsa Berggren har bett att vi ska vänta med att tala med henne mer ingående till i kväll, slutade han. Det kan väl anses vara en rimlig begäran. Dessutom har vi mycket annat som är lika brådskande.
– Vi har fotspår, sa Erik Johansson. Både inifrån Elsas hus och från trädgården. Vem det än var som besökte henne och som sen slog Lindman i huvudet så var han oförsiktig. Vi har fotspår hos Herbert Molin och hos Abraham Andersson. Det blir det första teknikerna försöker få klarhet i nu, om det finns överensstämmelser. Det och däckavtrycken.
Giuseppe nickade.
– Hunden fick upp spår, sa han. Som ledde till brofästet. Vad hände sen?
Hundföraren svarade. Han var i medelåldern och hade ett ärr som löpte längs vänster kind.
– Det kallnade direkt.
– Några fynd?
– Nej.
– Det finns en parkeringsplats där, insköt Erik Johansson. Egentligen är det bara en utfyllnad av vägkanten. Men spåren tog slut. Vi kan alltså utgå ifrån att han hade sin bil där. Särskilt om man betänker att den är svår att upptäcka när det är mörkt. Gatlyktorna står lite illa till just på den platsen. Det händer

ganska ofta, särskilt om somrarna, att folk parkerar där för att pussas i baksätet.

Männen som satt samlade runt bordet brast i skratt.

– Emellanåt förekommer där betydligt mer intrikata situationer, tillade han. Det som förr skedde på avsides belägna timmervägar och fyllde domsagan här med faderskapsmål.

– Nån måste hur som helst ha sett den här mannen, sa Giuseppe. På kreditkortskvittot stod det Fernando Hereira.

– Jag har just talat med Östersund, sa Rundström som hittills suttit tyst och låtit Giuseppe sköta mötet. Dom har gjort en generalslagning på namnet och hittat en Fernando Hereira i Västerås. Han åtalades för momsfiffel för en del år sen. Men han är över sjuttio år gammal nu, så vi kan utgå från att det inte är honom vi söker.

– Jag kan ingen spanska, sa Giuseppe. Men Fernando Hereira låter som ett vanligt namn.

– Som mitt, sa Erik Johansson. Erik heter var och varannan jävel, åtminstone i min generation och här uppåt Norrland.

– Vi vet inte om det är hans riktiga namn, fortsatte Giuseppe.

– Han blir lyst via Interpol, sa Rundström. Bara vi har klart med fingeravtrycken.

Plötsligt började flera telefoner ringa samtidigt. Giuseppe reste sig och föreslog ett avbrott på tio minuter. Samtidigt gav han tecken åt Stefan att följa med ut i korridoren. De satte sig i medborgarhusets reception. Giuseppe betraktade den uppstoppade björnen.

– Jag såg en björn en gång, sa han tankfullt. Nånstans vid Krokom. Jag hade hållit på med några hembrännare och var på väg tillbaka till Östersund. Jag minns att jag satt och tänkte på min farsa medan jag körde. Länge hade jag ju trott att det var den där italienaren. Men när jag var tolv år berättade morsan att det var en slarver från Ånge som bara försvann när hon blev med barn. Och plötsligt stod björnen där vid vägkanten. Jag tvärbromsade och tänkte: »Inte fan står där nån björn. Det är bara en skugga eller en sten.« Men visst var det en björn. En hona. Pälsen var alldeles blank. Jag såg henne en minut eller så, inte längre. Sen försvann hon. Jag minns att jag tänkte: »Sånt händer inte. Och händer det så händer det en gång i livet.« Som att få fyrtal i poker. Erik lär visst ha fått det en gång för tjugofem år sen. I en skitgiv där det låg en femma i potten och ingen hade nånting och alla slängde sig.

Giuseppe sträckte på sig och gäspade. Sedan blev han allvarlig igen.

– Jag har funderat på vårt samtal, sa han. Det där om att vi kanske bör tänka på ett annat sätt. Att vi har två olika gärningsmän att leta efter. Jag erkänner gärna att jag har svårt att förlika mig med tanken. Den är för osannolik, för storstadsaktig, om du förstår vad jag menar. Här ute i obygderna händer saker vanligtvis på ett annat sätt, lite enklare. Men samtidigt inser jag att mycket talar för att du har rätt. Jag tog upp det med Rundström innan mötet.

– Vad sa han?

– Han är en praktisk jävel som aldrig tror nånting, aldrig gissar, aldrig bryr sig om annat än fakta. Och man ska inte underskatta honom. Han ser fort, både fallgroparna och möjligheterna.

Han tystnade medan några barn passerade på väg till biblioteket.

– Jag har försökt rita en karta i huvudet, sa Giuseppe när barnen var borta. En man som talar bruten engelska dyker upp här och dödar Herbert Molin. Det där som dottern talar om, att han skulle haft skulder till nån kvinna i England, tror jag inte ett ögonblick på. Det kan däremot mycket väl vara som du menar, särskilt om man läser den där förfärliga dagboken, att det ligger ett motiv gömt nånstans långt bak i tiden, under kriget. Brutaliteten och raseriet tyder på hämnd. Så långt kan det stämma. Då jagar vi en gärningsman som rimligen borde ha blivit klar med det han föresatt sig. Men han stannar alltså kvar. Det är där jag inte får ihop det. Han borde ju springa fort som fan för att komma undan.

– Har ni hittat några som helst samband med Abraham Andersson?

– Ingenting. Kollegorna i Helsingborg har talat med frun. Abraham berättade allt för henne, påstår hon. Och han hade vid nåt tillfälle nämnt Herbert Molins namn. Det var en avgrund mellan dom där gubbarna. En spelade klassisk musik och skrev dessutom schlager som avkoppling. Den andre var en pensionerad polis. Jag tror inte vi kommer att begripa hur det här hänger ihop förrän vi har lyckats få tag på den där jäveln som slog ner dig. Hur är det med halsen, förresten?

– Bra, tack.

Giuseppe reste sig.

– Abraham Andersson skrev en låt en gång som hette: »Tro mej, jag är tjej.« Det var Erik som kom på det. Den där pseudonymen »Siv Nilsson«. Han hade en skiva hemma med nåt dansband, »Fabians«, tror jag. Väldigt märkligt, alltihop. Han spelade Mozart ena dagen och skrev schlager den andra. Fast Erik sa att låten var rätt skral. Och det kanske är så livet är. Mozart ena dagen och dålig schlager den andra.

De återvände till rummet där de andra väntade. Men de hann aldrig fortsätta mötet. Rundströms telefon ringde. Han lyssnade och lyfte handen.

– Dom har hittat en hyrbil uppåt Funäsdalen, sa han när samtalet var över.

De samlades kring kartan som satt på väggen. Rundström pekade.

– Här. Det är ett stugområde. Bilen var övergiven.

– Vem var det som hittade den? frågade Giuseppe.

– Han heter Bertil Elmberg och har en stuga i området. Han skulle bara titta till kåken. Han såg att nån hade kört där och tyckte det var konstigt så här års. Sen hittade han bilen. Och han tror det kan ha varit inbrott i den stuga som ligger närmast platsen där bilen står.

– Såg han nån?

– Nej. Han vågade inte vara kvar. Han tänkte väl på Molin och Abrahamsson. Men han la märke till nåt annat. Bilen var hyrd i Östersund. Det satt ett märke på bakrutan. Han sa dessutom att det låg en tidning i baksätet. En utländsk tidning.

– Då far vi, sa Giuseppe och började sätta på sig jackan.

Rundström nickade åt Stefan.

– Bäst att du åker med. Du har trots allt nästan sett honom. Om det nu är han.

Giuseppe bad Stefan köra eftersom han hade många telefonsamtal att ringa.

– Strunta i hastigheten, sa Giuseppe. Så länge du håller oss kvar på vägen.

Stefan lyssnade på Giuseppes röst. En helikopter var på väg. Och hundar. Strax innan de kom fram till Linsell ringde Rundström. En expedit i en affär i Sveg hade berättat för en polisman att hon hade sålt en stickad luva dagen innan.

– Men flickan minns inte hur han som köpte den såg ut, eller om han sa nåt, suckade Giuseppe. Hon minns förresten inte ens om det var en man eller en kvinna. Bara att hon sålde en jävla mössa. Folk har ögon i aschlet ibland.

Norr om Funäsdalen stod en man och väntade. Han presenterade sig som Elmberg. De inväntade Rundström och ytterligare en bil. Sedan fortsatte de och vek efter ett kort stycke av från huvudvägen.

Bilen var en röd Toyota. Ingen av poliserna kunde skilja på spanska, portugisiska eller italienska. Stefan trodde tidningen som hette El País var från Italien. Men sedan tittade han på priset och förstod att Ptas tydde på pesetas och därmed Spanien. De fortsatte längs vägen till fots. Fjället tornade upp sig framför dem. Det fanns ett ensamt hus precis intill fjällbranten, ett timmerhus, kanske en gammal fäbod som blivit moderniserad. Rundström och Giuseppe gjorde en bedömning och enades om att ingen var där. Båda var dock beväpnade och närmade sig försiktigt ytterdörren. Rundström ropade en varning. Ingen svarade. Han ropade igen. Orden dog bort med ett ödsligt eko. Giuseppe ryckte upp dörren. Sedan gick de in. Efter en dryg minut kom Giuseppe ut igen och sa att huset var tomt men att någon hade varit där. Nu skulle de vänta på helikoptern med hundpatrullen. Teknikerna som hållit på med Elsa Berggrens hus hade avbrutit arbetet och var på väg.

Helikoptern kom från nordost. Den landade på en platå norr om timmerhuset. Hundförare och hundar släpptes av. Sedan lyfte helikoptern igen.

Förarna lät hundarna nosa några ögonblick på ett odiskat glas som Giuseppe hämtat från huset.

Sedan gav de sig av rakt norrut.

Upp mot fjället.

26.

Strax innan klockan blivit fem avbröt Giuseppe sökandet. Först hade dimman kommit rullande in från väster, sedan gjorde det annalkande mörkret resten.

De hade börjat gå upp mot fjället klockan ett. Samtidigt hade alla tillfartsvägar satts under bevakning. Hundarna hade i olika omgångar tappat spåret men hittat det igen. Till en början drog hundarna rakt norrut för att sedan vika av längs en fjällkam i västlig riktning och sedan återigen mot norr. De befann sig på en fjällplatå när Giuseppe i samråd med Rundström avbröt det hela. De hade först gått i en kedja och därefter spritt ut sig längs fjällkammen. Terrängen hade till en början varit lätt att ta sig fram genom, stigningen inte alltför brant. Stefan hade märkt att han var otränad. Men han ville inte ge upp, i alla fall inte som den förste.

Men det var också något annat med vandringen upp mot fjället. Först en vag, nästan ogripbar aning, sedan en minnesbild som långsamt lösgjorde sig och blev allt tydligare.

Han hade varit på fjället tidigare. Minnet var något han hade förträngt, något som hänt när han var sju eller åtta år gammal.

Det hade varit i slutet av sommaren, några veckor innan skolan började. Hans mamma hade varit bortrest, hennes syster som bodde i Kristianstad hade plötsligt blivit änka och modern hade rest dit för att hjälpa henne. En dag hade hans far sagt att de skulle packa bilen och göra en improviserad semesterresa. De skulle resa norrut, tälta och leva billigt. Av själva bilresan kunde Stefan bara återkalla vaga minnen. Han hade trängts i baksätet med en av systrarna och all den packning som fadern av något skäl inte hade velat surra fast på taket. Dessutom hade han hela tiden kämpat mot åksjukan. Hans far tyckte inte om att behöva stanna därför att något av barnen skulle kräkas. Om han och systrarna hade klarat sig eller inte kom han inte ihåg, den delen av minnesbilden var för alltid försvunnen.

Han gick längst ut i kedjan. Trettio meter innanför sig hade han Erik Johansson som då och då besvarade anrop i en radio. För varje steg var det som om minnet blev tydligare.

Om han var åtta år den gången hade det gått 29 år. 1970, augusti 1970. På vägen mot fjällen hade de övernattat, hopklämda i tältet, och Stefan hade varit tvungen att klättra över de andra för att krypa ut och kissa. Dagen efter hade de kommit fram till en plats som Stefan nu påminde sig hette Vemdalsskalet. De hade slagit upp tältet på baksidan av en gammal timmerstuga som låg en bit bortom fjällhotellet.

Han var förvånad över att han hade kunnat förtränga det här resan. Han hade alltså en gång tidigare i sitt liv varit i just de här trakterna. Varför hade han inte velat komma ihåg? Vad var det som hade hänt?

Det fanns en kvinna med i minnesbilden. Hon hade kommit just när de hade rest tältet. Fadern hade upptäckt henne på andra sidan vägen och gått för att möta henne. Stefan och hans systrar hade stått tysta och sett hur de tog i hand och pratade med varandra, utom hörhåll. Stefan mindes att han frågat om någon av systrarna visste vem hon var, men de hade bara fräst åt honom att vara tyst. Det var en del av minnet han kunde le åt. Hans tidiga uppväxt präglades av att hans två systrar ständigt fräste åt honom, sa åt honom att vara tyst, aldrig lyssnade, såg på honom med ett förakt som han hade tolkat som att han aldrig någonsin skulle kunna inneslutas i deras lekar eller gemenskap, att han alltid var för liten, på efterkälken.

Vad hade hänt efteråt? Fadern hade kommit tillbaka i sällskap med kvinnan. Hon var äldre än han, hade grått stripigt hår, och var klädd i svartvita serveringskläder. Hon liknade någon, tänkte han nu. Och insåg i samma ögonblick att det var Elsa Berggren. Även om det inte varit hon. Han kunde minnas ett leende, men också något hårt, avvisande. De hade stått framför tältet, hon hade inte varit överraskad av deras ankomst. Alltså hade hon vetat om att de skulle komma. Stefan mindes en vag oro, att fadern inte skulle återvända till Kinna, att hans mor inte skulle komma tillbaka från Kristianstad. Men resten av mötet med den okända kvinnan var plötsligt alldeles tydligt. Fadern hade sagt att hon hette Vera, att hon var från Tyskland och sedan hade de tagit i hand, först systrarna och sedan han själv.

Stefan stannade. Erik Johansson som fanns på hans vänstra sida svor till när han snubblade över en sten. Helikoptern kom dånande på låg höjd och gjorde en vid sväng över dalen som låg nedanför.

De hade gått i fjället den gången också. Inga långa promenader, aldrig utan att ha fjällhotellet i närheten.

Han började gå igen. Det fanns en dörr till att öppna, tänkte han. Någonting hade hänt. En ovanligt varm augustikväll uppe i fjällen. Var systrarna befann sig kom han inte ihåg. Men kvinnan som hette Vera och hans far satt på gården utanför timmerstugan på ett par tältstolar. De skrattade. Stefan tyckte inte om det och gick därifrån, till baksidan av huset. Där fanns en dörr som han öppnade. Om det var förbjudet visste han inte. Men han gick in i Veras hus, två trånga rum med lågt i tak. På en byrå stod det några fotografier. Han ansträngde sig för att se bilderna tydligt. Ett bröllopsfotografi. Vera med sin man som var klädd i uniform.

Han mindes nu, alldeles klart och tydligt. Mannen i tysk uniform, Vera i vit klänning, leende med blomsterkrans i håret, eller kanske en brudkrona. Och bredvid bröllopsbilden hade det funnits ett annat fotografi inom glas och ram. Det var en bild av Hitler. I samma ögonblick hade dörren på framsidan av huset öppnats. Vera hade stått där tillsammans med hans far. Hon hade sagt något upprört på tyska, på bruten tysksvenska kanske, han mindes inte. Men hans far hade slitit undan honom från byrån där bilderna stod och gett honom en örfil.

Där tog det slut. Minnet slocknade samtidigt som örfilen träffade honom. Av resan tillbaka till Kinna fanns ingenting kvar. Inte ens trängseln i bilen eller rädslan för åksjukan. Ingenting. Ett fotografi av Hitler, en örfil och sedan var det inte mer.

Stefan skakade långsamt på huvudet. För trettio år sedan hade hans far tagit med sig sina barn för att besöka en tysk kvinna som arbetade på ett fjällhotell. Alldeles under ytan, som på ett fotografi bakom ett annat fotografi, fanns hela Hitlertiden närvarande. Precis som Wetterstedt hade sagt: ingenting var alldeles borta, det hade bara tagit sig nya former, nya uttryck, men drömmen om den vita rasens överlägsenhet var fortfarande levande. Hans far åkte och hälsade på en kvinna som hette Vera. Och gav sin son en örfil när han såg något han inte borde ha sett.

Fanns det någonting mer? Han letade i minnet. Men hans far hade aldrig kommenterat händelsen. Det fanns bara ett mörker efter örfilen, ingenting annat.

Han började gå igen. Helikoptern gjorde ett nytt varv och försvann söderut. Stefan lät blicken vandra över fjället. Men det enda han såg var två fotografier på en byrå i ett rum med lågt i tak.

Strax efteråt kom dimman och de började sitt återtåg. Vid sextiden var de nere vid stugan igen. Helikoptern gjorde ett sista varv sedan den hämtat upp två av hundförarna och försvann sedan åt nordost mot Östersund. Föraren hade haft med sig korgar med smörgåsar och kaffe. Rundström tycktes oavbrutet prata i sin radio när han inte talade i telefon. Stefan höll sig vid sidan av. Giuseppe lyssnade på en av de tekniker som undersökt huset samtidigt som han gjorde anteckningar. Sedan hällde han upp en kopp kaffe och kom bort till Stefan.

– Vi har åtminstone fått reda på några saker, sa han.

Han ställde försiktigt ifrån sig kaffekoppen på en sten och bläddrade i sitt block.

– Ägaren heter Knut Frostengren och bor i Stockholm. Han brukar vara här på sommaren, kring jul och nyår och nån skidvecka i mars. Annars står huset tomt. Han har tydligen ärvt det av en släkting. Nån har alltså brutit sig in och upprättat sitt högkvarter här. Sen ger han sig iväg. Han vet att Elsa Berggren har sett hans ansikte. Han kan heller inte bortse från risken att vi kan ha lagt ihop ett och annat och insett att det var han som knyckte min nota. Det finns en kallblodighet hos honom som vi inte får underskatta. Han vet att vi kommer att söka efter honom. Särskilt efter det att han attackerat både dig och Elsa Berggren.

– Vart är han på väg?

Giuseppe tänkte efter innan han svarade.

– Jag skulle formulera frågan på ett annat sätt. Varför är han kvar?

– Nånting återstår.

– Frågan är bara: vad?

– Han vill veta vem som mördade Abraham Andersson. Det har vi redan talat om.

Giuseppe skakade på huvudet.

– Inte bara. Han vill nånting mer. Han är ute efter att döda den som mördade Abraham Andersson.

Giuseppe hade rätt. Det fanns ingen annan förklaring. Ändå återstod en fråga för Stefan.

– Varför är det så viktigt för honom?

– Vet vi det så vet vi vad allt det här egentligen handlar om.

De stod tysta och såg rakt in i dimman.

– Han gömmer sig, sa Giuseppe. Han är skicklig, vår man från Buenos Aires.

Stefan såg förvånat på Giuseppe.

– Hur vet du att han är från Buenos Aires?

Giuseppe tog fram ett papper ur fickan. En sönderriven tidningssida, korsordsbilagan ur Aftonbladet. Någonting var skrivet i marginalen, som kladd. siffror som var överstrukna men först hårt ifyllda.

– 5411, sa Giuseppe. 54 är Argentina. Och 11 är Buenos Aires. Tidningen är från den 12 juni när Frostengren var här. Han brukade lägga undan tidningar för framtida brasor. Siffrorna har nån annan skrivit. Det måste vara Fernando Hereira. Tidningen i bilen är spansk. Inte från Argentina. Men språket är detsamma. Jag tror det kan vara svårt att hitta argentinska dagstidningar i Sverige. Men inte lika besvärligt att få tag på spanska.

– Finns det inget telefonnummer i Buenos Aires?

– Nej.

Stefan tänkte efter.

– Han har alltså suttit här uppe på fjället och ringt till Argentina. Kan man inte spåra samtalet?

– Vi håller på att undersöka det. Men Frostengren har en helt öppen telefon. Man slår direkt, beställer ingenting. Hade Fernando Hereira använt en mobiltelefon kunde vi ha gjort en masslagning på mobilnäten.

Giuseppe böjde sig ner efter sin kaffekopp.

– Jag glömmer ibland att vi jagar inte en utan kanske två kallblodiga mördare, fortsatte han. Två män som visat stor brutalitet. Fernando Hereira börjar vi få en viss aning om vem det kan vara och hur han beter sig. Men den andre? Den som dödade Abraham Andersson, vem är det?

Frågan förblev obesvarad i dimman. Giuseppe lämnade Stefan för att tala med Rundström och den kvarvarande hundföraren. Stefan tittade på schäfern. Den var utmattad. Den låg och tryckte halsen mot den fuktiga marken. Stefan undrade om en polishund kunde misströsta över att den inte lyckats utföra sitt uppdrag.

En halvtimme senare återvände Giuseppe och Stefan till Sveg. Rundström skulle stanna kvar i Funäsdalen med hundföraren och tre andra poliser. De for under tystnad genom skogarna. Den här gången var det Giuseppe som körde. Stefan kunde se att han var mycket trött.

Några mil före Sveg bromsade han in vid vägrenen.

– Jag kommer inte åt det, sa Giuseppe. Vem dödade Abraham Andersson? Det är som om vi fortfarande bara snuddar vid en yta. Vi anar fortfarande inte vad det här egentligen handlar om. En argentinare som försvinner upp på fjället när han egentligen borde ta sig härifrån så fort som möjligt. Han *flyr* inte upp på fjället, han håller sig undan, för att komma tillbaka.

– Det finns en möjlighet som vi inte har berört, sa Stefan. Det är att den man vi kallar Fernando Hereira vet nåt som vi inte vet.

Giuseppe skakade tveksamt på huvudet.

– Då skulle han inte ha satt på sig en huva och utsatt Elsa Berggren för sina frågor.

Sedan såg de på varandra.

– Tänker vi samma sak? sa Giuseppe.

– Kanske, svarade Stefan. Att Fernando Hereira vet, eller tror sig veta, att det var Elsa Berggren som dödade Abraham Andersson. Och att han ville få henne att bekänna.

Giuseppe trummade med fingrarna mot ratten.

– Det kan vara så att Elsa Berggren inte talar sanning. Hon säger att mannen som trängde sig in i hennes hus frågade vem som dödat Abraham Andersson. Hur vet vi att hon inte ljuger? Han kan mycket väl ha sagt nånting helt annat.

– Till exempel att »jag vet att det var du som dödade Abraham Andersson«?

Giuseppe startade motorn igen.
– Vi fortsätter att bevaka fjället, sa han. Och vi ska sätta hårt mot hårt när det gäller Elsa Berggren.
De fortsatte mot Sveg. Landskapet försvann utanför strålkastarljuset. Just när de körde in på hotellets gård ringde det i Giuseppes telefon.
– Det var Rundström, sa han när samtalet var över. Bilen är mycket riktigt hyrd i Östersund den 5 november. Av Fernando Hereira, argentinsk medborgare.
De steg ur bilen.
– Nu går drevet, sa Giuseppe. Fernando Hereira legitimerade sig med sitt körkort. Det kan förstås vara falskt. Men vi kan ju för enkelhetens skull anta att det faktiskt är äkta. Frågan är om vi inte är närmare honom nu än när vi letade efter honom på fjället.
Stefan kände sig trött. Giuseppe ställde in sin väska i receptionen och lämnade sedan hotellet.
– Jag hör av mig, sa han innan han skyndade iväg. Stannar du?
– Nån dag till.
Giuseppe la handen på Stefans axel.
– Jag måste erkänna att det är länge sen jag haft nån att prata med som du. Men säg mig nu ärligt. Om du hade varit i mitt ställe, vad hade du gjort annorlunda?
– Ingenting.
Giuseppe brast i skratt.
– Du är för snäll, sa han. Jag tål mothugg. Gör du?
Han väntade inte på svar utan återvände till bilen. Stefan undrade över Giuseppes fråga när han hämtade nyckeln. Det var en ny flicka som satt i receptionen. Stefan hade inte sett henne tidigare. Han gick upp till rummet och la sig på sängen. Han tänkte att han skulle ringa till Elena. Men först behövde han vila en stund.

När han vaknade visste han att han hade drömt. En kaotisk dröm där rädslan var det enda han hade med sig när han vaknade. Han såg på klockan. Kvart över nio. Skulle han få någon middag måste han skynda sig. Dessutom hade han en överenskommelse med Veronica Molin.
Hon väntade på honom i matsalen.

– Jag knackade försiktigt på din dörr, sa hon. Du svarade inte. Jag antog att du sov.

– Det var en ansträngande natt och en lång dag. Har du ätit?

– Jag måste få mat på bestämda tider. Särskilt när maten är som den är.

Servitrisen som kom fram till bordet var också ny. Hon verkade osäker. Stefan fick plötsligt en känsla av att Veronica Molin hade klagat på någonting.

Han beställde biffstek som så många gånger tidigare. Veronica Molin drack vatten. Själv ville han ha vin.

Hon betraktade honom med ett leende.

– Jag har aldrig träffat en polis tidigare. Åtminstone inte på så nära håll.

– Hur upplever du det?

– Jag tror alla nånstans innerst inne är rädda för poliser.

Hon avbröt sig och tände en cigarett.

– Min bror är på väg från Karibien, fortsatte hon. Han arbetar på ett kryssningsfartyg. Men det kanske jag berättade? Han är steward. När han inte är på kryssning bor han i Florida. Jag har besökt honom en enda gång när jag var i Miami för att slutföra en förhandling. Det tog mindre än en timme för oss att börja gräla. Om vad minns jag inte.

– När blir begravningen?

– På tisdag klockan elva. Tänker du komma?

– Jag vet inte.

Stefan fick in sin mat.

– Hur kan du vara här så länge? frågade han. Jag fick en bestämd känsla av att det var svårt för dig att komma hit överhuvudtaget. Nu stannar du hur länge som helst.

– Till onsdag. Inte längre. Sen reser jag.

– Vart då?

– Först till London, sen Madrid.

– Jag är bara en enkel polisman. Men jag måste erkänna att jag är nyfiken på vad du egentligen håller på med.

– På engelska brukar man tala om en »deal-maker«. Eller »broker«. På svenska blir det mäklare eller nån som knyter samman olika intressenter och ser till att det upprättas ett kontrakt. Att en affär blir av.

– Törs man fråga vad man tjänar på ett sånt arbete?
– Förmodligen mycket mer än du.
– Det gör alla.
Hon vände på ett vinglas och sköt fram det över duken.
– Jag ändrar mig.
Stefan hällde upp i hennes glas. De skålade. Han tyckte att hon såg på honom på ett annat sätt nu, inte så avvaktande som tidigare.
– Jag besökte Elsa Berggren i dag, sa hon. Jag inser nu att jag kom olämpligt. Hon berättade vad som hade hänt i natt. Och hon berättade om dig. Har ni gripit honom?
– Inte än. Dessutom är det inte jag som griper nån. Jag ingår inte i utredningen.
– Men polisen tror alltså att det är samme man som överföll dig som dödade min far?
– Ja.
– Jag försökte ringa Giuseppe Larsson i dag. Trots allt har jag rätt att få veta vad som pågår. Vem är den här mannen?
– Vi tror att han heter Fernando Hereira. Och att han är argentinare.
– Jag tror knappast min far kände nån som kom från Argentina. Vad skulle motivet vara?
– Nånting som hände under kriget.
Hon tände en ny cigarett. Stefan såg på hennes händer och önskade att han kunde gripa tag i dem.
– Polisen tror alltså inte på min teori. Om kvinnan i England?
– Det ena utesluter inte det andra. Vi måste söka brett och förutsättningslöst. Det är en av våra grundregler.
– Jag borde naturligtvis inte röka när du äter.
– Det gör ingenting. Jag har redan cancer.
Hon såg undrande på honom.
– Hörde jag rätt?
– Det var ett skämt. Jag är fullt frisk.
Helst av allt hade han velat lämna bordet. Gå upp till sitt rum och ringa till Elena. Men det var någonting annat som drog i honom nu.
– Det var ett märkligt skämt.

– Jag ville kanske bara se hur du reagerade.

Hon la huvudet på sned och kisade.

– Sitter du och försöker lägga an på mig?

Han tömde vinglaset i botten.

– Gör inte alla män det? Du måste vara medveten om att du är mycket vacker.

Hon skakade på huvudet utan att säga någonting. Drog undan glaset när Stefan ville ge henne mer vin. Han fyllde sitt eget glas till brädden.

– Vad pratade du och Elsa Berggren om?

– Hon var trött. Jag ville väl först och främst möta den kvinna som kände min far och som hade skaffat honom huset där han dog. Vi sa inte så mycket.

– Jag har undrat en del om deras förhållande. Frånsett att det fanns en nazistisk anknytning mellan dom.

– Hon beklagade att min far var död. Jag satt där bara en kort stund. Jag tyckte inte om henne.

Stefan beställde kaffe och en konjak och bad om notan.

– Var tror ni att Fernando Hereira befinner sig nu?

– Kanske uppe på fjället. Men han är kvar i trakten.

– Varför?

– Jag tror han vill veta vem som dödade Abraham Andersson.

– Jag har fortfarande inte förstått vad den mannen hade gemensamt med min far.

– Det vet inte vi heller. Men förr eller senare kommer det att klarna. Vi kommer att gripa båda gärningsmännen och vi kommer att finna motivet.

– Det hoppas jag.

Stefan svepte konjaken och drack en klunk av kaffet. När han skrivit på notan reste de sig och gick ut i receptionen.

– Jag kanske kan bjuda på ett glas konjak till, sa hon. På mitt rum. Men förvänta dig ingenting mer.

– Jag har för länge sen slutat förvänta mig nånting.

– Det där lät inte riktigt sant.

De gick genom korridoren. Hon låste upp dörren. Stefan ställde sig så tätt intill henne han kunde utan att röra vid henne.

Det stod en liten dator med glimmande skärm på hennes skrivbord.

– I den har jag hela mitt liv, sa hon. Jag kopplar in den på telefonlinjen och når hela världen. Medan jag väntar på begravningen kan jag ändå fortsätta att arbeta.

Hon hällde upp åt honom ur en konjaksflaska som stod på bordet. Men hon tog inget själv utan sparkade av sig skorna och satte sig på sängen. Stefan märkte att han var berusad. Han ville röra vid henne nu, ta av henne kläderna.

Han avbröts i sina tankar av att telefonen i fickan ringde. Det var säkert Elena. Han svarade inte.

– Bara en kompis, sa han. Ingenting som inte kan vänta.

– Har du ingen familj?

Han skakade på huvudet.

– Inte ens en flickvän?

– Det tog slut.

Han ställde ifrån sig glaset och sträckte ut sin ena hand.

Hon såg länge på den innan hon tog emot den.

– Du kan få sova här, sa hon. Men vänta dig ingenting annat än att jag ligger bredvid dig.

– Jag har redan sagt att jag inte förväntar mig nånting.

Hon hasade fram på sängkanten så att hon kom att sitta nära honom.

– Det var länge sen jag mötte en människa som förväntar sig så mycket som du.

Hon reste sig upp.

– Underskatta inte min förmåga att se igenom människor. Du gör som du vill, sa hon. Gå upp på ditt rum och kom tillbaka sen. För att sova, ingenting annat.

När Stefan hade duschat och lindat det största badlakanet om kroppen ringde telefonen igen. Det var Elena.

– Varför ringer du inte?

– Jag hade somnat. Jag mår inte bra.

– Kom hem. Jag väntar på dig.

– Om några dagar. Nu måste jag sova. Pratar vi mer så vaknar jag.

– Jag saknar dig.

– Jag saknar dig också.

Samtalet var över.

Jag ljög, tänkte han. Och för en stund sedan förnekade jag Elenas existens.

Men det värsta är att jag just nu inte bryr mig om det.

27.

När Stefan vaknade på morgonen var Veronica Molin borta. Men dataskärmen glimmade och där fanns ett meddelande till honom: »Jag har gått ut. Var borta när jag kommer tillbaka. Jag tycker om män som inte snarkar. Du är en av dom.«

Stefan lämnade rummet invirad i badlakanet. I trappan upp till övervåningen mötte han hotellstäderskan. Hon log och sa god morgon. När han kommit in på sitt rum kröp han ner i sängen. Jag blev berusad, tänkte han. Jag talade med Elena men jag minns inte vad jag sa, bara att det inte var sant. Han satte sig upp i sängen och sträckte sig efter telefonen. Det fanns ett meddelande där. Elena hade ringt. Det högg till i magen. Han la sig ner och drog täcket över huvudet. Som när han var barn, för att göra sig osynlig. Han undrade hastigt om Giuseppe gjorde likadant? Och Veronica Molin? Som hade legat i sängen när han kommit tillbaka kvällen innan men bestämt avvisat alla hans närmanden, bara klappat honom på armen och sagt att de skulle sova. Han hade varit våldsamt upphetsad men han hade haft vett nog att lämna henne ifred.

Det hade aldrig hänt tidigare att han ljugit för Elena. Nu hade han gjort det och fortfarande var han osäker på om han egentligen brydde sig om det.

Han bestämde sig för att stanna i sängen till klockan nio. Då skulle han ringa henne. Till dess skulle han ligga med täcket över huvudet och låtsas att han inte fanns.

Klockan blev nio. Hon svarade genast.

– Jag sov, sa han. Jag hörde inte att telefonen ringde. Jag sov djupt i natt. För första gången på mycket länge.

– Nånting gjorde mig rädd. Det var nåt jag drömde. Jag vet inte vad det var.

– Allt är som det ska. Men jag är orolig. Dagarna går fort. Snart är det den nittonde.

– Det kommer att gå bra.

– Jag har cancer, Elena. Har man cancer måste man alltid räkna med att man kan dö.

– Så sa inte läkaren.

– Hon kan inte veta. Ingen kan veta.

– När kommer du hem?

– Snart. Jag ska gå på Molins begravning nu på tisdag. Jag antar att jag reser hem på onsdag. Du ska få besked när jag kommer.

– Ringer du mig i kväll?

– Jag hör av mig.

Samtalet hade gjort honom svettig. Han tyckte inte om att det gick så lätt att ljuga. Han steg upp ur sängen. Ruelsen kunde han inte bli av med om han låg kvar mellan lakanen. Han klädde sig och gick ner i frukostmatsalen. Nu var det den vanliga flickan som satt i receptionen. Han kände sig genast lugnare.

– Vi ska byta teven på ditt rum i dag, sa hon. När passar det?

– När som helst. Giuseppe Larsson? Är han här?

– Jag tror inte han har varit på sitt rum i natt. Nyckeln är kvar här. Har ni gripit nån än?

– Nej.

Han började gå mot matsalen men vände.

– Veronica Molin? Är hon inne?

– Jag kom klockan sex. Då var hon på väg ut.

Stefan tänkte att det var något mer han skulle fråga om. Men han kom inte på vad det var.

Bakruset gjorde honom illamående. Han drack ett glas mjölk och satte sig ner med en kopp kaffe. Telefonen ringde. Det var Giuseppe.

– Vaken?

– Måttligt. Jag dricker kaffe. Och du?

– Jag sov några timmar på Eriks kontor.

– Har det hänt nåt?

– Det händer alltid nånting. Men uppe i Funäsdalen är det

dimma. Där står allting stilla, enligt Rundström. Så fort dimman lättar ska dom börja sökandet igen med hunden. Vad gör du just nu? Frånsett att du dricker kaffe?

– Ingenting.

– Då kommer jag förbi. Jag tänkte du skulle följa med på ett hembesök.

Tio minuter senare kom Giuseppe instormande i matsalen, orakad och hålögd men full av energi. Han tog en kopp kaffe och satte sig mitt emot Stefan. I handen hade han en plastkasse som han la ifrån sig på bordet.

– Minns du namnet Hanna Tunberg? frågade han.

Stefan tänkte efter och skakade sedan på huvudet.

– Det var hon som hittade Herbert Molin. Hans städerska som kom var fjortonde dag.

– Jag minns henne nu. Från pappren jag läste på ditt kontor.

Giuseppe rynkade pannan.

– Det känns länge sen du var på mitt kontor, sa han. Och ändå är det bara två veckor.

Han skakade på huvudet som om han just gjort en stor upptäckt om tidens och livets gång.

– Jag minns att det var nånting med hennes man, sa Stefan.

– Han fick en chock när han upptäckte Molins kropp i skogsbrynet. Men vi hade ett par grundliga samtal med henne. Det visade sig att hon egentligen inte alls kände Molin trots att hon städade där. Han lämnade henne aldrig ensam, påstod hon. Han vakade över henne. Dessutom lät han henne inte städa gästrummet. Det var där dockan fanns. Hon tyckte han var dryg och otrevlig. Men han betalade bra.

Giuseppe ställde ifrån sig koppen.

– Hon ringde nu på morgonen och sa att hon lugnat ner sig och funderat. Hon trodde att hon hade nånting mer att berätta. Jag ska åka dit nu. Jag tänkte att du kanske ville följa med.

– Gärna.

Giuseppe öppnade plastpåsen och tog fram ett fotografi som satt inom glas och ram. Det föreställde en kvinna i 60-årsåldern.

– Vet du vem det här är?

– Nej?

– Katrin Andersson. Abraham Anderssons hustru.
– Varför har du det med dig?
– Därför att Hanna Tunberg bad mig. Hon ville se hur Abrahams hustru såg ut. Varför vet jag inte. Men jag skickade ut en kille till Dunkärret nu på morgonen för att hämta bilden.
Giuseppe drack ur kaffet och reste sig.
– Hanna bor i Ytterberg, sa Giuseppe. Det är inte långt.

Huset var gammalt och välskött. Det låg vackert med utsikt över skogsåsarna. En hund skällde när de parkerade. På gårdsplanen framför huset stod en kvinna bredvid en rostig traktor och väntade på dem.
– Hanna Tunberg, sa Giuseppe. Hon hade samma kläder på sig när jag träffade henne senast. Hon tillhör den där gamla typen av människor som inte finns längre.
– Vilka är det?
– Dom som klär sig fint när dom ska träffa polisen. Ska vi slå vad om att hon har bakat bullar?
Han log och steg ur bilen.
Giuseppe presenterade Stefan för Hanna Tunberg. Han hade svårt att bestämma hennes ålder, kanske var hon sextio, kanske bara drygt femtio.
– Jag har ställt fram kaffe, sa hon. Min man gick ut.
– Inte för att vi skulle komma, hoppas jag? sa Giuseppe.
– Han är lite egen. Det där med poliser är han inte så förtjust i. Trots att han är en hederlig karl.
– Säkert, svarade Giuseppe. Ska vi gå in?
Det luktade tobaksrök, hund och lingon inne i huset. I vardagsrummet satt älghorn, bonader och några tavlor med skogsmotiv på väggarna. Hanna Tunberg flyttade på en stickning, tände en cigarett, drog ett halsbloss och hostade. Det skrällde i hennes lungor. Stefan såg att hennes fingertoppar var gula. Hon hade hämtat kaffe och fyllt kopparna. Mitt på bordet stod ett bullfat.
– Nu ska vi pratas vid i lugn och ro, sa Giuseppe. Du sa att du hade funderat. Och att du hade nånting du ville berätta?
– Jag vet naturligtvis inte om det är viktigt eller inte.
– Det vet man aldrig på förhand. Men vi lyssnar.

– Det gäller den där kvinnan som brukade besöka Herbert Molin.

– Du menar alltså Elsa Berggren?

– Det hände nån gång att hon var där när jag kom för att städa. Då gav hon sig alltid av. Jag tyckte hon var konstig.

– På vilket sätt?

– Ohövlig. Jag har svårt med folk som vill göra sig märkvärdiga. Herbert Molin var likadan.

– Var det nånting hon sa som gjorde att du tyckte hon betedde sig ohövligt?

– Det var bara en känsla jag fick. Att hon såg ner på mig.

– För att du städade?

– Ja.

Giuseppe nickade.

– Bullarna är goda, sa han. Vi lyssnar.

Hanna Tunberg fortsatte att röka och märkte inte att hon sölade aska på kjolen.

– Det var i våras, fortsatte hon. Nån gång i slutet av april. Jag kom till Herberts hus för att städa. Men han var inte där. Jag tyckte det var konstigt eftersom vi hade avtalat tid.

Giuseppe höjde handen och avbröt henne.

– Var det alltid så? Att ni avtalade på förhand varje gång du skulle komma?

– Alltid. Han ville veta.

Giuseppe nickade åt henne att fortsätta.

– Han var inte där. Jag visste inte vad jag skulle göra. Men jag var säker på att jag inte hade tagit fel på dag eller tid. Jag skrev alltid upp det vi hade bestämt.

– Vad hände då?

– Jag väntade. Men han kom inte. Jag ställde mig på en sparkstötting så att jag kunde se in genom ett fönster. Jag tänkte att han kanske var sjuk. Men huset var tomt. Då kom jag att tänka på Abraham Andersson. Jag visste att dom hade kontakt med varandra.

Giuseppes hand åkte upp igen.

– Hur visste du det?

– Herbert hade sagt det nån gång. »Jag känner ingen annan än Elsa här«, sa han. »Och Abraham.«

– Vad hände?

– Jag tänkte att jag kunde fara dit. Jag visste var han bodde. Min man lagade en stråke åt honom en gång. Han är mångsysslare, min man. Så jag åkte dit och knackade på. Det dröjde rätt länge innan Abraham öppnade.

Hon hade fimpat cigaretten och genast tänt en ny. Stefan började må illa av all rök.

– Det var på eftermiddagen, fortsatte hon. Klockan var nog tre. Och han var inte klädd än.

– Var han naken? undrade Giuseppe förvånat.

– Jag sa att han inte var klädd. Inte att han var naken. Hade han varit det hade jag sagt det. Ska jag berätta eller ska du avbryta mig hela tiden?

– Jag tar en bulle till och håller tyst, sa Giuseppe. Fortsätt du.

– Han hade byxor på sig. Men ingen skjorta. Och barfota. Jag frågade om han visste var Herbert var. Det visste han inte. Sen stängde han dörren. Han ville inte släppa in mig. Och jag begrep förstås varför.

– Han var inte ensam?

– Just det.

– Hur kunde du veta det? Såg du nån?

– Inte då. Men jag förstod ändå. Jag gick tillbaka till bilen. Jag hade parkerat en bit från uppfarten. Just när jag skulle köra därifrån märkte jag att det stod en bil bakom garaget. Jag fick genast en känsla av att det inte var Abrahams bil.

– Varför det?

– Jag vet inte. Man får för sig saker ibland, händer inte det dig också?

– Vad gjorde du sen?

– Jag skulle just starta motorn och köra därifrån när jag såg i backspegeln att nån kom ut ur huset. Det var en kvinna. Men när hon upptäckte att jag var kvar gick hon in igen.

Giuseppe tog fram plastpåsen med fotografiet av Katrin Andersson. Han gav henne det. Genast spillde hon aska på bilden.

– Nej, sa hon. Det var inte hon. Avståndet var långt. Att minnas nån man ser i en backspegel är heller inte lätt. Men det var inte hon.

– Vem tror du det var?

Hon dröjde med svaret. Giuseppe upprepade sin fråga.
– Vem tror du att det var?
– Elsa Berggren. Men jag kan inte säga det säkert.
– Varför inte?
– Det gick så fort.
– Men henne hade du alltså sett tidigare? Och ändå kände du inte igen henne med bestämdhet?
– Jag säger som det var. Det gick så fort. Kanske såg jag henne bara några sekunder. Hon kom ut, upptäckte bilen, ryckte till och flydde in i huset igen.
– Hon ville alltså inte att nån skulle se henne?
Hanna Tunberg såg förvånat på honom.
– Är det så konstigt? Om hon kom ut från ett hus där det fanns en halvnaken karl som inte var hennes man?
– Minnet fungerar som en kamera, sa Giuseppe. Man ser nånting och bilden finns lagrad inne i huvudet. För att man ska komma ihåg nånting tydligt behöver man inte se det länge.
– Vissa fotografier är oskarpa, inte sant?
– Varför berättar du det här först nu?
– Jag kom inte på det förrän i dag. Mitt minne är inte så bra. Men jag tänkte att det kanske kunde vara viktigt. Om det var Elsa Berggren. Då hade hon nånting med både Herbert och Abraham att göra. Och om det inte var hon så var det i alla fall inte hans hustru.
– Du är inte säker på att det var Elsa Berggren? Men du är alltså säker på att det inte var Katrin Andersson?
– Ja.
Hanna Tunberg drabbades av ett nytt rosslande hostanfall. Hon släckte cigaretten i askfatet med en irriterad rörelse.
Sedan drog hon tungt efter andan, reste sig halvvägs ur stolen och ramlade framstupa över bordet. Kaffekannan välte. Giuseppe reste sig samtidigt som hon föll till golvet. Han vände henne över på rygg.
– Hon andas inte, sa Giuseppe. Ring efter ambulans.
Giuseppe började ge henne konstgjord andning medan Stefan tog fram sin telefon.

Efteråt skulle han minnas händelsen som i en långsam rörelse. Giuseppe som försökte blåsa liv i kvinnan som låg på golvet och den tunna rökstrimman som steg mot taket från askfatet.

Det tog en halvtimme innan ambulansen kom. Då hade Giuseppe redan gett upp. Hanna Tunberg var död. Han gick ut i köket och sköljde munnen. Stefan tänkte att han många gånger tidigare hade sett döda människor. Efter trafikolyckor, människor som tagit livet av sig, eller blivit ihjälslagna. Men det var som om han först nu insåg hur nära döden egentligen fanns. I ena ögonblicket hade hon haft en cigarett i handen och svarat »ja« på en fråga, i nästa var hon död.

Giuseppe gick ut på gårdsplanen och tog emot ambulansen.

– Det gick på en sekund, sa han till männen som undersökte att Hanna Tunberg verkligen var död.

– Vi ska egentligen inte ta avlidna personer i ambulansen. Men vi kan väl inte låta henne ligga kvar här.

– Två poliser är vittnen till att hon dog en naturlig död. Jag ska se till att det blir rapporterat.

Ambulansen försvann. Giuseppe såg på Stefan och skakade på huvudet.

– Man tror inte att det är sant. Att det kan gå så fort. Fast å andra sidan är det väl den bästa död man kan önska sig.

– Bara den inte kommer för tidigt.

De gick ut på gården. Hunden skällde. Det hade börjat regna.

– Vad var det hon sa? Att hennes karl hade gått ut?

Stefan såg sig omkring. Det fanns ingen bil på gården. Garagedörrarna stod öppna. Där var tomt.

– Han har nog snarast kört en tur.

– Bäst vi väntar. Men vi kan ju gå in så länge.

De satt tysta. Hunden skällde. Sedan tystnade också den.

– Hur gör du när du måste ut med ett dödsbud? frågade Giuseppe.

– Jag har aldrig behövt lämna nåt. Jag har varit med, men det har alltid varit andra som haft själva uppdraget.

– En enda gång har jag allvarligt övervägt att sluta som polis, sa Giuseppe. För sju år sen. Två systrar, fyra och fem år gamla, hade lekt vid en damm. Pappan hade lämnat dom ensamma i några minuter. Hur det egentligen gick till lyckades vi aldrig reda ut, men båda drunknade. Och det var jag som fick åka hem till mamman tillsammans med en präst och tala om vad som hänt. Pappan hade brutit ihop. Han hade gått ut med barnen för att mamman i lugn och ro skulle förbereda ett födelsedagskalas för femåringen. Då var det nära att jag gav upp. Det har aldrig hänt vare sig förr eller senare.

Tystnaden vandrade fram och tillbaka mellan dem. Stefan såg på mattan där Hanna Tunberg hade dött. Stickningen låg på ett bord intill stolen med stickorna spretande. Giuseppes telefon ringde. Båda ryckte till. Giuseppe svarade. Regnet började plötsligt smattra mot rutorna. Han avslutade samtalet utan att ha sagt många ord.

– Det var ambulansen. Dom hade mött Hannas man. Han följde med dom. Vi behöver inte vänta här längre.

Ingen av dem rörde sig.

– Vi får aldrig veta, sa Giuseppe. Ett vittne kliver fram och träder över den gräns som innebär att man är beredd att säga nånting. Nu är bara frågan: Talade hon sanning?

– Varför skulle hon inte ha gjort det?

Giuseppe hade ställt sig vid fönstret och såg ut i regnet.

– Jag vet ingenting om Borås, sa han. Annat än att det är en stad. Medan Sveg är ett mycket litet samhälle med ett par tusen invånare. I hela Härjedalen bor mindre folk än i en förort till Stockholm. Det innebär att det är svårare att ha några hemligheter.

Giuseppe lämnade fönstret och satte sig i den stol där Hanna hade dött. Han reste sig hastigt och blev stående.

– Jag borde ha sagt det innan vi kom hit, sa han. Jag tror det var så enkelt att jag glömde bort att du inte är härifrån. Men det är som med änglarna med sina glorior. Alla har små ringar av rykten runt sig. Hanna Tunberg var inget undantag.

– Jag förstår nog inte riktigt vad du menar?

Giuseppe stirrade dystert på mattan där Hanna hade legat.

– Man ska inte tala illa om dom döda. Men vad är det för fel med att vara nyfiken? Det är dom flesta. Polisarbete bygger på fakta och nyfikenhet.

– Hon var alltså en skvallertant?

– Det har Erik berättat för mig. Och han vet alltid vad han

talar om. Det hade jag i huvudet hela tiden när hon berättade. Hade hon levt fem minuter till hade jag hunnit fråga henne. Nu går det inte.

Giuseppe återvände till fönstret.

– Vi skulle kunna göra ett experiment, fortsatte han. Vi ställer en bil där hon påstod att hon hade parkerat. Och sen ber vi nån titta i backspegeln och nån annan att gå ut från Abraham Anderssons hus, räkna till tre, och gå in igen. Och jag kan redan nu lova dig att antingen ser man helt tydligt vem som står där utanför dörren eller också ser man ingenting.

– Hon ljög alltså?

– Både ja och nej. Hon ljög inte direkt. Men jag misstänker att hon antingen skymtade nån bakom ryggen på Abraham Andersson när han öppnade, eller när hon tjuvtittade genom nåt fönster. Vilket får vi aldrig veta.

– Men innehållet var alltså riktigt?

– Jag tror det. Hon ville säga nåt som hon tänkte kunde vara viktigt. Fast hon ville inte tala om hur hon hade fått reda på det.

Giuseppe suckade.

– Jag håller på att bli förkyld, sa han. Halsen värker. Nej, den värker inte. Men den kommer att värka. Och om ett par timmar har jag ont i huvudet. Ska vi åka?

– Bara en fråga, sa Stefan. Rättare sagt, två. Vad innebär det om det var Elsa Berggren som Hanna såg? Och om det inte var hon, vem var det då? Och vad betyder det?

– Jag får det till tre frågor, sa Giuseppe. Och alla är viktiga. Men vi kan inte svara på nån av dom. I alla fall inte än.

De skyndade till bilen genom regnet. Hunden hade krupit in i sin koja och följde stumt deras avfärd. Det var den andra dystra hunden Stefan sett på kort tid. Han undrade vad den hade begripit av det som hänt.

Strax innan de kom ut på huvudvägen bromsade Giuseppe in och stannade.

– Jag måste ringa till Rundström. Men jag misstänker att dimman inte har gett med sig. Dessutom skulle det blåsa upp till storm, hörde jag i morse på radion.

Han slog numret. Stefan försökte tänka på Elena. Men det

var Hanna Tunberg han såg framför sig. Hur hon kippade efter luft och dog med ett väsande.

Rundström hade svarat. Giuseppe berättade om Hanna Tunbergs död. Sedan ställde han frågor. Om dimman, hunden, mannen på fjället.

Samtalet var kort. Giuseppe la ifrån sig telefonen och klämde på halsen.

– Varje förkylning känns som om den vore dödlig. Det har inte ens gått en timme sen Hanna Tunberg dog mitt framför ögonen på oss. Ändå bekymrar jag mig mer för den förkylning jag bär på.

– Varför ska man oroa sig för nån som är död?

Giuseppe såg på honom.

– Inte tänker jag på henne, sa han. Jag tänker på min egen död. Den enda som verkligen är av intresse för mig.

Stefan slog näven hårt i biltaket. Varifrån utbrottet kom visste han inte.

– Du sitter och klagar över din förkylning. Medan jag kanske håller på att dö.

Han slet upp bildörren och gick ut i regnet.

Giuseppe öppnade bildörren.

– Det var tanklöst.

Stefan grimaserade.

– Vad spelar det för roll? Cancer eller halsont?

Han satte sig i bilen igen. Giuseppe blev stående ute i regnet.

Stefan såg genom vindrutan, förbi regndropparna. Träden rörde sig sakta. Han hade tårar i ögonen. Diset fanns i hans ögon, inte på vindrutan.

De for tillbaka till Sveg. Stefan lutade huvudet mot sidorutan, försökte räkna träden, gav upp och började om igen. Elena fanns där. Och Veronica. Var han själv befann sig visste han inte.

Klockan var halv ett när de stannade utanför hotellet. Giuseppe sa att han var hungrig. Regnet fortsatte att trumma mot biltaket. De skyndade sig in i receptionen med jackorna uppdragna över huvudet.

Flickan i receptionen reste sig upp.

– Du ska ringa Erik Johansson, sa hon. Han har försökt få tag på dig. Det är bråttom.

Giuseppe tog upp sin mobil ur fickan och svor till. Den var avslagen. Han slog på den och satte sig i soffan. Stefan bläddrade igenom en broschyr som låg på disken. »Gamla fäbodvallar i Härjedalen.« Hanna Tunberg fortsatte att dö framför hans ögon. Flickan i receptionen letade efter något papper i en pärm. Giuseppe pratade med Erik Johansson.

Stefan tänkte att det han mest av allt hade lust att göra var att onanera. Som det enda sätt på vilket han kunde fullborda den natt som varit. Och sveket mot Elena.

Giuseppe reste sig ur soffan. Stefan märkte genast att telefonsamtalet hade gjort honom orolig.

– Har det hänt nåt?

Flickan i receptionen såg nyfiket på dem. Stefan upptäckte plötsligt att hon satt och arbetade vid en dator som var en kopia av den som Veronica Molin hade i sitt rum.

Giuseppe drog med sig Stefan ner i den tomma matsalen.

– Kanske mannen på fjället hittade en väg genom dimman som inte var bevakad. Sen måste han ha stulit nån annan bil längs vägen.

Stefan var oförstående.

– Erik hade just varit hemma för att äta, fortsatte Giuseppe. Och upptäckt att han haft inbrott. En pistol och ett gevär har blivit stulet. Plus ammunition och ett löst kikarsikte. Det måste ha skett i dag, tidigt på morgonen.

Giuseppe klämde med fingrarna på halsen.

– Det kan naturligtvis vara nån annan. Men han håller sig kvar här i trakten, han hotar Elsa Berggren, han *vill* nånting utan att vi förstår vad. En sån man kanske plötsligt inser att han behöver ett vapen igen, dom andra har han väl gjort sig av med om han är klok. Vem har vapen? En polisman, tänker han då.

– Då måste han ha vetat att Erik Johansson heter Erik Johansson och är polis. Och var han bor. Hur har han kunnat ta reda på det? Och när?

– Jag vet inte. Men jag tror det är dags att gå bakåt. Nånstans har vi sett nånting vi inte begripit.

Giuseppe bet sig i läppen.

– Vi började med att leta efter en gärningsman, som försökte få oss att tro att det egentligen rörde sig om två. Nu undrar jag om det trots allt inte är så att det rör sig om en enda person, men som släppt lös sin skugga för att lura oss åt fel håll.

28.

Klockan kvart över två hade de samlats på Erik Johanssons kontor. Stefan hade tvekat om han skulle följa med men Giuseppe hade insisterat. Erik Johansson var trött och arg när han dunsade ner i sin stol. Men framför allt var han orolig. Stefan hade satt sig vid väggen, bakom de andra. Regnvädret hade dragit förbi. Solen som redan stod lågt lyste in genom det öppna fönstret. Erik Johansson hade slagit på en högtalartelefon där Rundströms röst kunde höras trots att förbindelsen var dålig. Dimman över fjällen i nordvästra Härjedalen fanns kvar.

– Vi står stilla här, ropade han i högtalaren.

– Vägspärrarna? frågade Erik Johansson.

– Vi har dom kvar. Ett norskt rattfyllo körde i diket av förskräckelse när han såg att det stod poliser på vägen. Han hade för övrigt ett zebraskinn i bilen.

– Varför det?

– Hur ska jag veta det? Hade det varit ett björnskinn kunde man ha förstått. Men inte visste jag att det fanns zebror i Härjedalen.

Förbindelsen bröts och återkom.

– Jag har en fråga om vapenstölden, ropade Rundström. Jag vet vilken typ av vapen och hur många. Men ammunitionen?

– Två magasin till pistolen och tolv skott till mausern.

– Jag tycker inte om det här, sa Rundström. Finns det inga spår?

Hans röst kom och gick i vågor.

– Huset stod tomt, sa Erik Johansson. Frun är i Järvsö och

hälsar på dottern. Jag har inga grannar. Vapenskåpet var uppbrutet.

– Inga fotavtryck? Ingen som har sett nån bil?

– Nej.

– Dimman ska lätta, påstår SMHI. Men solen går ju ner snart. Vi håller på att överlägga om vad vi ska göra. Om det är han som har stulit vapnen är det knappast nån mening med att vi är kvar här. Då har han ju tagit sig ut.

Giuseppe lutade sig fram mot telefonen.

– Giuseppe här. Jag tycker det är för tidigt att dra tillbaka bevakningen. Det behöver inte vara han som begått inbrottet hos Erik. Men jag har en fråga. Vet vi nånting om vad den där Hereira kan ha med sig av mat?

– Frostman påstod att han inte hade haft just nånting i skafferiet. Konserver eller så. Men han var inte alldeles säker. Däremot skulle frysen vara full. Det lönade sig att låta den stå på med alla bär och allt älgkött han fick av goda vänner. Om det inte är han som brutit sig in hos Erik.

– En älgstek gör sig knappast på ett Trangiakök. Förr eller senare måste han leta sig ner till bebyggelse och skaffa mat. Om det inte är han som brutit sig in hos Erik.

– Vi har prickat av fjällkåkarna som finns här. Det bor en ensam gubbe, Hudin heter han, i nånting som heter Högvreten. Vi har bevakning där. Enligt vad dom säger är gubben 95 år gammal och inte särskilt rädd av sig. Annars är det bara sportstugor. Man kan inte säga att det är överbefolkat här.

– Nånting mer?

– Inte just nu.

– Då säger vi tack så länge.

Rundströms röst försvann i ett brus. Erik Johansson slog av telefonen.

– Frostengren? sa en av poliserna. Hette han inte det? Inte Frostman?

– Rundström är inte så bra på namn, svarade Giuseppe irriterat. Låt oss ha en genomgång nu. Nån här som inte har träffat Stefan Lindman? En kollega från Borås som arbetade tillsammans med Herbert Molin.

Stefan kände igen alla ansikten. Han undrade plötsligt vad de skulle säga om han reste sig upp och berättade att han om några få dagar skulle påbörja en strålbehandling eftersom han hade cancer. Men naturligtvis sa han ingenting.

Det var ett myller av detaljer och rapporter som skulle sorteras. Giuseppe drev på. De kunde inte dröja vid småsaker i onödan. Samtidigt måste han bestämma vad som var viktigt och vad som kunde vänta. Stefan försökte lyssna men märkte att hans huvud fylldes av kvinnobilder. Hanna Tunberg som reste sig upp ur stolen och sedan föll död ner på golvet. Veronica Molin, hennes hand och hennes sovande rygg. Och sedan fanns Elena där. Framför allt Elena. Han skämdes över att han inför Veronica Molin hade förnekat hennes existens.

Han tvingade undan tankarna och försökte koncentrera sig på vad som blev sagt runt bordet.

De talade om de vapen som använts när Herbert Molin blev dödad. Någonstans hade de kommit ifrån. Eftersom man kunde anta att Hereira hade rest in i Sverige från utlandet, måste man också utgå ifrån att han skaffat vapnen i Sverige. Giuseppe hade en lista med de senaste månadernas vapenstölder. Han ögnade igenom den och la den åt sidan. Ingen svensk gränskontroll hade någon uppgift om att en man vid namn Fernando Hereira från Argentina hade passerat.

– Det ligger hos Interpol nu, sa Giuseppe. Av vad jag vet från tidigare kan sydamerikanska länder vara besvärliga att ha att göra med. Det var en flicka från Järpen som försvann i Rio de Janeiro för några år sen. Det var ett helvete att få några besked från polisen i Brasilien. Gudskelov kom hon tillbaka av sig själv. Hon hade förälskat sig i en indian och bott en tid inne i Amazonas. Men förälskelsen gick över. Numer är hon lågstadielärare och gift med en man som arbetar på en resebyrå i Östersund. Ryktet säger att hon har huset fullt med papegojor.

En viss munterhet utbröt i rummet. Giuseppe lyfte handen.

– Vi kan bara hoppas att en lämplig Fernando Hereira dyker upp, sa han.

Nya papper lades åt sidan. Det fanns en preliminär kartläggning av Abraham Anderssons liv som inte på långt när var avslutad. Hittills hade de inte hittat någonting som kunde länka ihop honom med Herbert Molin. Efter Hanna Tunbergs uppgifter borde de snarast sätta in mer resurser på att gräva i Anderssons förflutna. det var alla ense om.

Stefan såg hur Giuseppe kämpade med sin otålighet. Han vet att han blir en dålig polis i det ögonblick han tappar sitt lugn, tänkte Stefan.

De dröjde en stund vid Hanna Tunberg. Erik Johansson berättade att hon en gång varit en av initiativtagarna till Svegs Curlingklubb som numer nådde framgångar även på internationell nivå.

– Dom höll till uppe i parken vid järnvägsstationen, sa han. Jag minns fortfarande hur hon gick där och spolade is när det blivit tillräckligt kallt på hösten.

– Nu är hon död, sa Giuseppe. Det var en otäck upplevelse, det kan jag försäkra.

– Vad var det? frågade en av de poliser som hittills inte hade sagt någonting. Stefan påminde sig att han var från Hede.

Giuseppe ryckte på axlarna.

– Slaganfall, kanske ett blodkärl i huvudet. Eller hjärtat. Hon kedjerökte. Men det sista hon gjorde innan hon avled var alltså att berätta för oss om Elsa Berggren. Som hon en gång i våras tyckte sig ha sett i Abraham Anderssons hus. Hanna Tunberg var ärlig nog att påpeka att hon inte var säker. Men om hon har rätt betyder det åtminstone två saker. För det första att vi har etablerat en förbindelse mellan Andersson och Molin. Den länken är alltså en kvinna. Dessutom bör vi betänka att Elsa Berggren hittills har förnekat att hon känt Abraham Andersson annat än flyktigt.

Giuseppe sträckte sig efter en pärm och letade reda på ett papper.

– Katrin Andersson, Abrahams änka, har vid samtal med polisen i Helsingborg sagt att hon aldrig hört namnet Elsa Berggren. Hon påstår sig ha gott minne för namn och att hennes man aldrig – jag citerar – »hade några hemligheter för mig«.

Giuseppe slog igen pärmen med en smäll.

– Men det kanske visar sig vara en sanning som inte riktigt håller. Den frasen har man hört förr.

– Jag tycker nog ändå vi ska gå försiktigt fram, sa Erik Johansson. Hanna var nog bra på många sätt. Men hon hade rykte om sig att vara nyfiken. Såna människor vet ibland inte riktigt hur dom ska skilja på vad som är sant och vad som är påhittat.

– Vad menar du? avbröt Giuseppe irriterat. Ska vi ta hennes uppgifter på allvar eller inte?

– Vi kanske inte ska vara helt säkra på att det var Elsa Berggren hon såg där utanför dörren till Abraham Anderssons hus.

– Om det var så det gick till, ja, sa Giuseppe. Jag tror närmast hon kikade in genom ett fönster.

– Då borde hunden ha skällt.

Giuseppe drog otåligt till sig en annan pärm. Han letade utan att hitta det han sökte.

– Nånstans vet jag att jag läst att Abraham Andersson efter mordet på Molin sa att han ibland hade hunden inomhus. Det kan ha varit ett sånt tillfälle. Fast en del vakthundar skäller ju när dom är inomhus och hör nåt ute på gården, det medger jag.

– Som vakthund verkade den inte särskilt pigg, när jag var där, sa Stefan. Det var nog snarare en jakthund.

Erik Johansson var fortfarande tveksam.

– Finns det nåt annat som binder ihop dom? Att Elsa och Molin var nazister har vi förstått. Om man ska tro det som kommit fram hittills så var det det dom hade gemensamt. Två dårar, alltså. Men ofarliga. Var Andersson också nazist?

– Han var organiserad centerpartist, sa Giuseppe bistert. I en period satt han till och med i Helsingborgs kommunfullmäktige. Fast han lämnade sitt kommunala uppdrag efter en schism om dom ekonomiska bidragen till symfoniorkestern. Men han övergav inte centerpartiet. Vi kan vara säkra på att Abraham Andersson inte bara var en man som saknade förbindelser med den obehgliga politiska rörelse som kallas nynazism. Vi kan utgå från att han dessutom tog kraftigt avstånd från den. Man kan undra vad han hade tänkt om han insett att han hade en före detta soldat i Waffen-SS som granne.

– Det var kanske det han visste, hörde Stefan sig själv säga.

Giuseppe såg på honom. Det var tyst i rummet.

– En gång till.

– Jag bara menar att man kan vända på det här resonemanget. Om Abraham Andersson hade upptäckt att hans granne Herbert Molin var nazist, och kanske också Elsa Berggren, så öppnar det möjligheten för att det faktiskt existerade en förbindelselänk.

– Vilken skulle den ha varit?

– Jag vet inte. Men Molin hade gömt sig i skogen. Han ville till varje pris att hans förflutna fortsatte att vara en välbevarad hemlighet.

– Du menar att Andersson skulle ha hotat att avslöja honom?

– Man kan till och med tänka sig utpressning. Herbert Molin hade gjort allt för att gömma sig, dölja sitt förflutna. Han var rädd för nånting. Förmodligen för en person, men kanske för flera. Om nu Abraham Andersson kände till hans hemlighet hotade hela hans tillvaro att störta samman. Elsa Berggren hade skaffat huset åt Molin. Nu uppstår plötsligt en situation där han kan behöva hennes hjälp igen.

Giuseppe skakade tveksamt på huvudet.

– Men går det ihop? Hade Abraham Andersson blivit dödad innan Herbert Molin kunde jag ha förstått. Men inte efteråt. När Molin redan är död?

– Kanske Andersson var den person som hjälpte mördaren att hitta Molin? Men att nånting sen gick fel. Det finns naturligtvis också en annan möjlighet. Att Elsa Berggren insåg, eller ansåg, att Abraham på något sätt var ansvarig för det som hände Herbert Molin. Och att hon hämnades.

Erik Johansson protesterade.

– Det kan inte vara riktigt. Skulle Elsa, en kvinna som är över sjuttio, ha dragit ut Abraham Andersson i skogen, bundit honom vid ett träd och skjutit honom? Det kan inte stämma. Vapen hade hon inga heller.

– Såna kan som bekant stjälas, sa Giuseppe kallt.

– Jag kan inte föreställa mig Elsa som en mördare.

– Det kan ingen av oss. Men både du och jag vet att dom på ytan mest fridsamma människor kan begå grova våldsbrott.

Erik Johansson satt tyst.

– Det Stefan säger är naturligtvis värt att hålla i minnet, fortsatte Giuseppe. Men vi ska inte sitta här och spekulera. Vad vi ska göra är att samla mera fakta. Till exempel ska vi ta reda på vad man ser i en backspegel på en bil som står parkerad på den plats Hanna Tunberg angav. Att vi sen koncentrerar oss på Elsa

Berggren är självklart. Utan att vi tappar bort nåt annat. Alla i det här rummet inser att det kan ta lång tid att klara ut det som hänt här i skogarna. Men det innebär inte att det ska behöva dröja längre än nödvändigt. Om vi inte har tur och lyckas gripa den där mannen som var uppe på fjället och får veta att han inte bara dödade Molin utan också Andersson.

Innan mötet var över ringde de till Rundström igen.

Dimman var fortfarande lika tät.

Klockan blev fyra. Polismännen försvann åt olika håll. Bara Giuseppe och Stefan stannade kvar på kontoret. Solen hade försvunnit. Giuseppe gäspade. Sedan brast han plötsligt ut i skratt.

– Du har händelsevis inte upptäckt nån bowlinghall på dina strövtåg här i Sveg? Det är precis vad du och jag skulle behöva just nu.

– Jag har inte ens hittat nån biograf.

Giuseppe pekade mot fönstret.

– Dom visar film på Folkets Hus. Just nu går »Fucking Åmål«. Den är bra. Min dotter tvingade med mig på den.

Giuseppe satte sig bakom skrivbordet.

– Erik är upprörd, sa han. Det kan jag förstå. Det är inte bra att en polisman får sina vapen stulna. Jag misstänker dessutom att Erik kan ha glömt att låsa ytterdörren. Det är lätt gjort här på landet. Eller kanske han har lämnat nåt fönster öppet. Han är mycket förtegen om hur tjuven tog sig in.

– Han sa nånting om ett sönderslaget fönster?

– I värsta fall kan han ha krossat det själv. Det är inte heller säkert att vapenköpet var ordentligt skött. Det finns många vapen i det här landet som inte förvaras som lagen kräver, jaktvapen inte minst.

Stefan öppnade en Ramlösa som stod på ett bord. Han märkte att Giuseppe följde honom med blicken.

– Hur har du det?

– Jag vet inte. Jag antar att jag är betydligt mer rädd än jag vill erkänna.

Han ställde ner flaskan på bordet.

– Jag föredrar att inte tala om det, fortsatte han. Jag är mer intresserad av vad som händer nu.

– Jag tänker tillbringa kvällen på det här kontoret. Gå igenom en del papper på nytt. Jag tycker nog att vår diskussion här i dag har gett en del nya ingångar. Elsa Berggren bekymrar mig. Jag får ingen ordning på henne. Om Hanna Tunberg såg det hon påstod, vad innebär det? Och Erik har naturligtvis rätt när han slår bakut. Man föreställer sig inte att en kvinna i sjuttioårsåldern drar ut en karl i skogen, surrar fast honom vid ett träd och avrättar honom.

– Det fanns en gång en gammal kriminalpolis i Borås som hette Fredlund, sa Stefan. Han var kantig, vresig och långsam, men en lysande utredare. En gång när han var på ovanligt gott humör gjorde han ett uttalande som jag inte har glömt. »Man går med en lampa i handen. Den ska man rikta rakt framför sig för att se var man sätter fötterna. Men då och då ska man också lysa ut mot sidorna. Så att man vet var man *inte* sätter ner sina fötter.« Jag är visserligen inte alldeles säker på vad han menade. Men jag tolkade det så att han ansåg att man alltid måste ompröva var centrum finns. Vilken person är viktigast?

– Vad händer om du använder den tolkningen på vår situation? Jag har pratat alldeles för mycket i dag. Jag behöver lyssna.

– Kan det finnas ett bindeled mellan mannen på fället och Elsa Berggren? Det behöver inte vara sant, det hon säger, att hon blev överfallen. Det slår mig nu att det kanske var min närvaro som utlöste historien. Det är den första frågan: Existerar det ett samband mellan henne och Hereira? Den andra frågan leder åt ett annat håll: Finns det ytterligare nån person i det här sammanhanget, nån där inne i skuggorna, som vi inte lyckats identifiera?

– Nån som delar Elsa Berggrens och Herbert Molins åsikter? Du tänker dig nån sorts nynazistiskt nätverk?

– Vi vet att dom existerar.

– Hereira kommer alltså resande och dansar tango med Herbert Molin. Det utlöser ett antal händelser. Framför allt att Elsa Berggren gör bedömningen att Abraham Andersson måste dödas. Och då halar hon fram en lämplig person ur sitt bruna nätverk som ombesörjer det hela. Är det så du menar?

– Jag hör själv hur konstigt det låter.

– Inte *så* konstigt, sa Giuseppe. Jag ska ha det i huvudet när jag tuggar mig igenom pärmarna i kväll.

Stefan gick tillbaka till hotellet. Det var mörkt i Veronica Molins rum. Flickan i receptionen satt lutad över sin nya dator.

– Hur länge stannar du? frågade hon.

– Till på onsdag. Om det går bra?

– Det blir fullt först i slutet av veckan.

– Testförare?

– En grupp orienterare från Lettland är på väg hit för att ha ett träningsläger.

Stefan tog nyckeln.

– Finns det nån bowlinghall i Sveg?

– Nej, sa hon förvånat.

– Jag bara undrade.

När han kom in på sitt rum la han sig på sängen. Det var något med Hanna Tunberg, tänkte han. Något med hennes död.

Han började minnas. Bilderna i huvudet var oskarpa och undanglidande. Det tog tid för honom att tyda dem, få dem att hänga samman.

Han var fem eller sex år gammal. Var systrarna eller modern befann sig visste han inte. Men han var ensam hemma med sin far. I minnet var det kväll. Han lekte med en bil på golvet, bakom den röda soffan i vardagsrummet. Bilen var av trä, gul och blå med en röd fartrand. Hans ögon var koncentrerade på den osynliga väg han ritade upp åt bilen på mattan. Med hörseln registrerade han prasslandet från tidningspapper. Ett vänligt ljud. Men inte alldeles ofarligt. Hans far kunde ibland läsa något som gjorde honom upprörd. Då kunde tidningen rivas sönder. »Dessa satans socialister«, sa hans far. Och så gick tidningen sönder. Det var som löv på ett träd. Dom kunde prassla som tidningspapper. Sedan kom en stormvind. Då gick trädet sönder. Eller tidningen. Han körde med bilen längs en väg som slingrade längs en brant bergvägg. Det kunde gå illa. Han visste att hans far satt i den mörkgröna fåtöljen intill den öppna spisen. Om en stund skulle han sänka tidningen och fråga vad Stefan höll på med. Inte vänligt, inte ens intresserat. Bara en fråga för att kontrollera att allt var som det skulle.

Men plötsligt upphörde prasslandet, det hördes ett stönande och en duns. Bilen stannade. Det var ett bakdäck som gått sönder. Han var tvungen att försiktigt hasa bort från förarsätet för att bilen inte skulle störta ner i ravinen.

Försiktigt reste Stefan sig och såg upp över soffan. Hans far hade ramlat omkull på golvet. Tidningen höll han fortfarande i handen. Och han stönade. Försiktigt gick Stefan fram till honom. För att inte vara alldeles värnlös tog han med sig bilen, den släppte han inte ifrån sig. Med den skulle han kunna fly om det blev nödvändigt. Hans far såg på honom med rädda ögon. Läpparna var blå. De rörde sig, formade ord. Jag vill inte dö så här. Jag vill dö upprätt som en man.

Minnesbilden dog bort. Han var inte inne i bilden längre, han stod utanför. Vad hade hänt efteråt? Han kom ihåg sin rädsla, bilen i handen, faderns blå läppar. Sedan hade hans mor kommit in genom dörren. Systrarna hade säkert också varit med. Men dem kom han inte ihåg. Det hade bara varit han själv, hans far och hans mor. Och en bil med röd fartrand. Nu kunde han minnas märket. Brio. En leksaksbil från Brio. De gjorde bättre leksakståg än bilar. Men eftersom han fått bilen av sin far tyckte han om den. Det var viktigt vad han fick av sin far. Helst hade han velat ha ett tåg. Men bilen hade röd fartrand. Och nu hängde den på kanten av en ravin.

Hans mor hade ryckt undan honom, skrikit till och sedan fanns bara ett otydligt efteråt. En ambulans, fadern i en sjuksäng, läpparna mindre blå. Några ord som någon måste ha sagt upprepade gånger. Annars skulle han inte ha kommit ihåg dem. Ett lindrigt slaganfall, mycket lindrigt.

Det han nu mindes alldeles tydligt var orden hans far hade sagt till honom. Jag vill inte dö så här. Jag vill dö upprätt, som en man.

Som en soldat i Hitlers arméer, tänkte Stefan. Marscherande för ett Fjärde rike som inte skulle kunna krossas på samma sätt som det Tredje.

Han tog jackan och lämnade rummet. Någonstans bland alla minnesbilder hade han sovit en stund. Klockan var redan nio. Han gick ut, ville plötsligt inte äta på hotellet. Det fanns en korvkiosk nere vid bron, en tvåluckors, intill en av bensinstationerna. Han åt potatismos, två halvstekta korvar och lyssnade på några tonårspojkars kommentarer om en bil som stod parkerad utanför. Sedan fortsatte han att gå, medan han undrade vad Giuseppe gjorde. Om han fortfarande satt lutad över sina pärmar. Och Elena? Telefonen hade han lämnat kvar på hotellrummet.

Han gick genom det mörka samhället. Kyrkan, de utspridda

affärerna, tomma lokaler som väntade på att någon skulle behöva dem.

När han kom tillbaka till hotellet stannade han utanför ingången. Han kunde se att flickan i receptionen höll på att göra sig i ordning för att gå hem. Han återvände ut på gatan, till hotellets framsida. Det lyste i Veronica Molins rum. Gardinerna var fördragna. Men det fanns en glipa i mitten. Han gled in i skuggorna. Flickan från receptionen försvann längs gatan. Han undrade igen varför hon gråtit den där gången. En bil passerade. Sedan hävde han sig försiktigt upp på tå för att kunna se in genom glipan.

Hon var klädd i mörkblått. Kanske en sidenpyjamas. Hon satt med ryggen emot honom framför sin dator. Han kunde inte se vad hon gjorde. Han skulle just gå därifrån när hon plötsligt reste sig upp och försvann ur blickfånget. Han hukade. Sedan kikade han försiktigt upp över fönsterblecket igen. Dataskärmen glimmade. Det fanns ett märke där, kanske ett mönster. Först kunde han inte se vad det var.

Sedan kände han igen det.

På dataskärmen lyste ett hakkors.

29.

Det var som om han hade fått en kraftig stöt från en strömförande ledning. Han höll på att ramla omkull. Samtidigt svängde en bil runt hörnet på hotellet. Stefan gick därifrån, in på gården till huset intill, där lokaltidningen hade sitt kontor. Bara någon vecka tidigare hade han öppnat en garderobsdörr och stirrat på en SS-uniform. Sedan hade han upptäckt att hans egen far under sin anständiga yta varit nazist och ännu efter sin död betalade blodspengar för att hålla en kanske ofarlig, men ändå i sitt uppsåt mordisk organisation vid liv. Och nu Veronica Molins dataskärm med ett glimmande hakkors. Hans första tanke var att gå till hennes hotellrum och ställa henne till svars. Till svars för vad? Framför allt för att hon ljugit. Hon hade inte bara varit medveten om att hennes far var en övertygad nazist, hon var likadan själv.

Han tvingade sig att bli lugn, bli polis igen, se klart, analytiskt, vad som var fakta och vad som inte var det. Och där i mörkret, bakom tidningen *Härjedalens* nersläckta redaktionslokaler, var det som om alla händelseförlopp, allt det som tagit sin början med att han suttit på sjukhuscafeterian i Borås och råkat se i en tidning att Herbert Molin blivit mördad, nu äntligen formade sig till en logisk helhet. Herbert Molin hade ägnat sin ålderdom åt att lägga pussel, förutom att dansa med en docka och drömma om ett vanvettigt Fjärde rike. Nu var det som om pusslet där Herbert Molin varit en avgörande bit äntligen blivit fullbordat. Den sista biten på plats, motivet synligt. Tankarna rusade genom hans huvud. Det var som om ett antal dammluckor plötsligt hade öppnats och han nu mycket hastigt skulle dirigera allt detta vatten till olika fåror. Han var tvungen att hålla emot för att inte tappa fotfästet och spolas med.

Han stod orörlig. Någonting skymtade till framför hans fötter. Han ryckte till. En katt. Den försvann hastigt genom ljuskäglan från gatlampan.

Vad är det jag ser? tänkte han. Ett mönster, alldeles klart. Möjligen något mer än ett mönster, kanske någon form av konspiration.

Han började gå eftersom han tänkte bättre när han var i rörelse. Han styrde stegen mot järnvägsbron. Tingshuset till vänster, alla fönster mörka. På vägen mötte han tre gnolande damer. De skrattade, sa »hej« när han passerade och det var någonting av ABBA de gnolade på, »Some of us are crying«, han kände igen melodin. Sedan var de borta och han vek av längs järnvägsspåren ner mot bron. Rälsen, den som nu bara användes av torvtågen och av Inlandsbanan på sommaren, låg som övergivna sprickor i brons trägolv. På andra sidan älven, Elsa Berggrens sida, hördes en hund skälla.

Han stannade mitt ute på bron. Det var stjärnklart nu, kallare. Han tog upp en sten och släppte ner den i vattnet.

Det han nu borde göra var att omedelbart tala med Giuseppe. Men kanske ändå inte riktigt än. Han behövde tänka. Han hade ett försprång. Det ville han utnyttja. Veronica Molin visste inte att hon hade blivit iakttagen genom glipan i gardinen. Frågan var om han kunde utnyttja det försprånget.

Han hade svårt att värja sig mot sin vrede. Hon hade lurat honom, ljugit honom rakt upp i ansiktet. Hon hade till och med låtit honom dela hennes säng, om än bara för att sova. Och kanske det varit meningen, att förödmjuka honom.

Han lämnade bron och gick tillbaka mot hotellet. Det fanns bara en sak att göra. Tala med henne. I receptionen satt två män och spelade kort. De nickade åt honom och fortsatte sedan att koncentrera sig på spelet. Stefan stannade utanför hennes dörr och knackade. Impulsen kom tillbaka, att sparka in hennes dörr. Men han knackade. Hon öppnade genast. Över hennes axel kunde han se att skärmen på datorn var mörk.

– Jag skulle just gå och lägga mig, sa hon.

– Inte riktigt än. Vi måste prata.

Hon släppte in honom.
– I kväll vill jag sova ensam. Bara så du vet.
– Det var inte därför jag kom. Men jag undrar naturligtvis. Varför du ville att jag skulle sova här. Utan att jag fick röra dig.
– Det var du som ville. Men jag erkänner att även jag ibland kan känna ensamhet.
Hon hade sjunkit ner på sängkanten och precis som kvällen innan dragit upp benen under sig. Han var attraherad av henne, den sårade vreden förstärkte känslan.
Han satte sig i den knakande stolen.
– Vad var det du ville? Har det hänt nåt? Mannen på fjället? Har ni fått tag på honom?
– Jag vet inte. Men det var inte därför jag kom. Det handlar om en lögn.
– Vems?
– Din.
Hon drog ihop ögonen.
– Jag förstår inte vad du menar. Och jag blir lätt otålig när människor inte går rakt på sak.
– Då går jag rakt på sak. För en stund sen satt du och arbetade vid din dator. Ett hakkors fyllde skärmen.
Det tog ett ögonblick innan hon förstod. Sedan kastade hon en blick mot fönstret och gardinen.
– Rätt, sa han. Jag tittade in. Det kan man anklaga mig för. Att ha tjuvtittat. Men jag hade ingen föreställning om att jag skulle se dig naken. Det var bara en impuls. Då upptäckte jag hakkorset.
Han kunde se att hon fortfarande var alldeles lugn.
– Det är naturligtvis alldeles riktigt. För en stund sen framträdde ett hakkors på skärmen. Det var svart mot röd botten. Men lögnen?
– Du är som din far. Du påstod motsatsen. När du ville dölja hans förflutna så var det egentligen dig själv du ville skydda.
– På vilket sätt?
– Att du också är nazist.
– Det är vad du tror?
Hon reste sig från sängen, tände en cigarett och blev stående.
– Du är inte bara dum, sa hon. Du är inbilsk också. Jag trodde

du kanske var en polisman utöver det vanliga. Men det var du inte. Bara en liten obetydlig skit.

– Du kommer ingenstans genom att förolämpa mig. Du skulle till och med kunna spotta mig i ansiktet utan att jag förlorade kontrollen.

Hon satte sig på sängen igen.

– Egentligen kanske det var lika bra att du snokade, sa hon. Så att det här kan redas ut genast.

– Jag lyssnar.

Hon släckte den halvrökta cigaretten.

– Vad vet du om datorer? Om Internet?

– Inte särskilt mycket. Jag vet naturligtvis att det pågår mycket som borde stoppas. Inte minst all barnpornografi. Du berättade att du kunde ha kontakt med hela världen var du än befann dig. »I datorn har jag hela mitt liv.« Så sa du.

Hon satte sig vid datorn och pekade åt honom att dra stolen närmare.

– Jag ska ta med dig på en resa, sa hon. I cyberrymden. Det uttrycket måste du väl ändå ha hört?

Hon tryckte på en tangent. Det började vina svagt i datorn. Skärmen lystes upp. Hon knappade vidare på tangenterna, olika bild- och testfält flimrade förbi tills skärmen färgades röd. Det svarta hakkorset framträdde långsamt.

– På samma sätt som i verkligheten har det här världsomspännande nätet en underjord. Där kan du hitta vad som helst.

Hon knappade på tangenterna. Hakkorset försvann. I stället stirrade Stefan på några halvnakna asiatiska småflickor. Hon knappade bort bilden, och den ersattes av bilder från Sankt Peterskyrkan i Rom.

– Här finns allt, sa hon. Ett underbart verktyg. Man kan söka information var man än är. Just nu, i det här ögonblicket, befinner sig Sveg mitt i världen. Men där finns alltså en underjord. Oändliga mängder information om var man kan köpa vapen, narkotika, pornografiska bilder av småbarn. Här finns allt.

Hon knappade igen. Hakkorset återkom.

– Även detta. Många nazistiska organisationer, bland dom flera svenska, offentliggör sina åsikter på min dataskärm. Jag satt här och försökte förstå nånting. Jag höll på att leta efter dom människor som organiserar sig som nazister i dag. Hur många är dom, vad heter deras organisationer, hur tänker dom?

Hon knappade vidare. En bild av Hitler. Hennes fingrar klickade mot tangenterna. Nu var hon själv plötsligt i bild. »Veronica Molin. Broker.«

Hon slog av datorn. Skärmen slocknade.

– Nu vill jag att du går, sa hon. Du valde att dra en slutsats av en bild du upptäckte när du tjuvtittade genom mitt fönster. Du kanske fortfarande är dum nog att tro att jag satt här och dyrkade hakkorset. Om du är en idiot bestämmer du själv. Nu vill jag att du går. Vi har ingenting mer att säga varandra.

Stefan visste inte vad han skulle svara. Hon var upprörd, övertygande.

– Om situationen varit omvänd, sa han. Hur hade du reagerat då?

– Jag hade frågat. Inte genast påstått att du ljög.

Hon reste sig häftigt och öppnade dörren.

– Jag kan inte hindra dig från att gå på min fars begravning, sa hon. Men jag behöver inte tala med dig där, inte ta dig i hand.

Hon föste ut Stefan i korridoren och slog igen dörren. Han återvände till receptionen. Männen som spelat kort var borta. Han satte sig i en av sofforna utan att begripa hur han kunnat reagera som han gjort.

Räddningen kom i form av en telefonsignal i hans jackficka. Det var Giuseppe.

– Jag hoppas du inte sov?

– Snarare motsatsen.

– Klarvaken?

– I högsta grad.

Sedan tänkte han att han lika gärna kunde berätta vad som hänt. Giuseppe skrattade när han slutat.

– Det är farligt att titta in i flickors sovrum, sa han. Man vet aldrig vad man får se.

– Jag betedde mig som en idiot.

– Det gör vi alla ibland. Inte samtidigt, men alla bär sig dumt åt nån gång.

– Visste du att man kan leta reda på världens alla nazistiska organisationer via Internet?

– Sannolikt inte alla. Vad var det för ord hon använde? »Underjorden?« Det finns nog olika rum också där nere. Och jag misstänker att dom riktigt farliga organisationerna inte skyltar med namn och adress på Internet.

– Du menar alltså att det bara är ytan man kan skrapa fram?

– Ungefär.

Stefan drabbades plötsligt av en nysattack. En gång, två gånger.

– Jag hoppas det inte är jag som har smittat dig.

– Hur är det med halsen?

– Lätt feber, svullen på vänster sida. Människor som får se så mycket elände som vi drabbas ofta av hypokondri.

– Jag har nog med verkligheten.

– Jag vet. Nu var det jag som betedde mig klumpigt.

– Vad var det du ville?

– Egentligen bara ha nån att prata med.

– Är du kvar på Eriks kontor?

– Det finns kaffe.

– Jag kommer.

När han passerade framsidan av hotellet kastade han en blick mot Veronica Molins fönster. Det lyste fortfarande. Men glipan i gardinen var borta.

Giuseppe stod och väntade på honom utanför medborgarhuset. Han hade en cigarrcigarett i handen.

– Röker du?

– Bara när jag är mycket trött och måste hålla mig vaken.

Han bröt av cigarrcigaretten och trampade på glöden. De gick in. Den uppstoppade björnen vakade över dem. Huset var övergivet.

– Erik Johansson ringde, sa Giuseppe. Han är en mycket ärlig man. Han sa att han var så nerslagen över vapenstölden att han inte orkade arbeta i kväll. Han skulle ta ett par supar och en sömntablett för att sova. Kanske ingen bra kombination, men jag tycker han gör rätt.

– Några nyheter från fjället?

De hade kommit in på kontoret. Det stod två termosar där,

märkta med »Härjedalens Kommun«. Stefan skakade på huvudet när Giuseppe sträckte fram en kopp. Det låg några trasiga wienerbröd på en sönderriven papperspåse.

– Rundström har ringt då och då. Dessutom har dom hört av sig från ledningscentralen i Östersund. En av dom helikoptrar vi brukar hyra in har gått sönder. Det kommer en från Sundsvall i morgon.

– Vädret?

– Just nu är det ingen dimma på fjället. Dom har flyttat ner högkvarteret till Funäsdalen. Vägspärrarna har inte gett nånting annat än det där norska rattfyllot. Tydligen hade hans mormor varit missionär i Afrika och tagit med zebraskinnet hem. Det går att förklara nästan allting. Men Rundström är orolig. Om det visar sig att dom kan söka på fjället i morgon och inte hittar honom kan det bara betyda att han redan har tagit sig igenom inringningen. Och kanske gjort inbrott hos Erik Johansson.

– Han kanske aldrig gick upp på fjället?

– Du glömmer att hunden fick upp ett spår.

– Han kan ha vänt. Dessutom tänker jag på att den här mannen troligen är från Sydamerika. Det är för kallt för honom på ett svenskt höstfjäll.

Giuseppe hade ställt sig vid kartan som satt uppnålad på väggen. Med fingret ritade han långsamt en cirkel kring Funäsdalen.

– Frågan är varför han inte redan har gett sig av från trakten, sa han. Jag återkommer till det hela tiden. Bland alla frågor som snurrar runt i den här utredningen är den en av dom viktigaste. Det är jag övertygad om. Den enda förklaring jag kan ge är att han inte är färdig. Det är nåt som återstår. Och den tanken fyller mig med mer och mer obehag. Han riskerar att gripas. Men han stannar. Kanske har han alltså också utrustat sig med en ny omgång vapen. Vilket tidigare i kväll ledde mig till en fråga som vi faktiskt inte har ställt oss.

– Vart dom vapen har tagit vägen som han använde mot Herbert Molin?

Giuseppe lämnade kartan.

– Vi frågade oss var han hade fått tag på dom. Men inte vart dom tagit vägen. Och det faktum att han troligen gjort sig av med dom ställer till oreda i mitt huvud. Hur är det med ditt?

Stefan tänkte efter innan han svarade.

– Han ger sig av. Nånting är avslutat. Vapnen kastar han eller gräver ner. Men sen händer nånting. Han återvänder. Och behöver nya vapen?

– Så tänker jag också. Men jag får ingen ordning på det heller. Vi undrar om han kommit tillbaka för att göra sig av med Abraham Andersson. Då har han bevisligen tillgång till ett vapen. Det verkar ytterst märkligt att han ska ha gett sig av två gånger. Om det är han som varit inne hos Erik Johansson ska han alltså dessutom ha gjort sig av med vapnen två gånger? Det stämmer inte. Vi vet att den här mannen har planerat grundligt. Alla dom här kastade vapnen tyder på nåt annat. Är det Elsa Berggren han är ute efter? Han frågar henne vem som dödat Abraham Andersson. Han får inget svar, såvitt vi vet. Han insisterar. Sen slår han ner dig och försvinner.

– Vad händer om vi ställer samma fråga som han?

– Det är precis vad jag har hållit på med i kväll.

Giuseppe slog ut med armen mot alla pärmar som fyllde rummet.

– Jag har haft den där frågan som följeslagare medan jag har gått igenom dom viktigaste delarna av materialet. Jag har till och med frågat mig om han besökte Elsa Berggren för att lägga ut ett sidospår eftersom det var han själv som dödade Abraham Andersson. Men varför är han då kvar? Vad är det han väntar på? Att nåt ska hända? Eller är det nån annan han är ute efter? Vem är det i så fall?

– En länk saknas, sa Stefan sakta. En människa. Frågan är bara om det är en gärningsman eller ett nytt offer?

De satt tysta. Stefan hade svårt att koncentrera sig. Han ville hjälpa Giuseppe. Men han tänkte hela tiden på Veronica Molin. Dessutom borde han ha ringt till Elena. Han såg på klockan. Redan elva. Då sov hon. Men det kunde inte hjälpas. Han tog upp telefonen ur fickan.

– Jag måste ringa hem, sa han och lämnade rummet.

Han ställde sig intill den uppstoppade björnen och tänkte att den kanske kunde beskydda honom.

Hon hade inte somnat.

– Jag vet att du är sjuk. Men jag undrar om du verkligen har lov att behandla mig så här.

– Jag har arbetat.

– Du arbetar inte. Du är sjuk.

– Jag sitter och pratar med Giuseppe.

– Och då har du inte tid att ringa mig?

– Jag märkte inte att klockan var så mycket.

Det blev tyst i luren.

– Vi måste prata med varandra, sa hon. Men inte nu. Sen.

– Jag saknar dig. Jag vet egentligen inte varför jag är här. Kanske jag är så rädd för den dag när jag ska gå upp till sjukhuset att jag inte ens vågar vara hemma. Jag vet ingenting just nu. Men jag saknar dig.

– Det är inte så att du har hittat en annan kvinna där uppe?

Han blev rädd. Hårt, ögonblickligt.

– Vem skulle det vara?

– Inte vet jag. Nån yngre.

– Naturligtvis har jag inte det.

Han hörde att hon var nerstämd. Det ökade hans skuldbörda.

– Jag står här bredvid en uppstoppad björn, sa han. Den hälsar.

Hon svarade inte.

– Är du kvar?

– Jag är kvar. Men jag ska sova nu. Ring mig i morgon. Hoppas du själv kan sova.

Stefan gick tillbaka in på kontoret. Giuseppe satt lutad över en uppslagen pärm. Stefan hällde upp en kopp halvljummet kaffe. Giuseppe sköt undan pärmen. Håret stod på ända, ögonen var blodsprängda.

– Elsa Berggren, sa han. I morgon ska jag ha ett nytt samtal med henne. Jag tänker ta med Erik som bisittare. Men jag tänker ställa frågorna själv. Erik är för snäll. Jag tror till och med han är lite rädd för henne.

– Vad hoppas du kunna uppnå?

– Klarhet. Det är nånting hon inte berättar.

Giuseppe reste sig upp och sträckte på kroppen.

– Bowling, sa han. Jag ska be Erik tala med kommunalrådet

här om det inte går att anlägga en liten bowlingbana. Bara för tillresta poliser.

Sedan blev han allvarlig igen.

– Vad skulle du fråga Elsa Berggren om? Du kan snart den här utredningen lika bra som jag.

Stefan satt tyst nästan en minut innan han svarade.

– Jag skulle försöka ta reda på om hon visste att Erik hade vapen hemma.

– Det är naturligtvis en tanke, svarade Giuseppe. Vi försöker sätta in kärringen på olika ställen i bilden. Nånstans kanske hon till sist passar in.

Telefonen på bordet ringde. Giuseppe lyfte luren. Han lyssnade, satte sig och drog till sig ett anteckningsblock. Stefan gav honom en penna som ramlat ner på golvet. Giuseppe nickade i luren, såg på klockan.

– Vi är på väg, sa han och la på luren.

Stefan kunde se på hans ansikte att någonting allvarligt hade hänt.

– Det var Rundström. För tjugo minuter sen körde en bil i hög fart genom en vägspärr. Det var med knapp nöd poliserna undgick att bli skadade.

Han gick fram till kartan och markerade platsen med fingret. Det var en vägkorsning sydost om Funäsdalen. Stefan bedömde avståndet mellan Frostengrens hus och vägkorsningen till två mil.

– En mörkblå personbil, möjligen en Golf, fortsatte Giuseppe. Det var en man som körde. Hans utseende kan stämma överens med den beskrivning vi har från tidigare. Poliserna hann inte uppfatta särskilt mycket. Men det kan betyda att mannen brutit sig igenom avspärrningarna. Och då är han på väg hit.

Giuseppe såg på klockan igen.

– Kör han riktigt fort är han här inom två timmar.

Stefan såg på kartan och pekade på en avtagsväg.

– Han kan svänga in här.

– Alla spärrar uppe vid Funäsdalen flyttas just nu. Dom kommer att bygga upp en mur bakom honom. Det är bara här det inte finns nån bevakning.

Han grep telefonluren.

– Hoppas inte Erik somnat än.

Stefan väntade medan Giuseppe talade med Erik Johansson om den vägspärr som måste upprättas.

Giuseppe la på luren och skakade på huvudet.

– Erik är bra, sa han. Han hade just tagit sin sömntablett. Men han skulle stoppa fingrarna i halsen och spy upp den. Jag tror han verkligen vill ta den jäveln. Inte bara därför att det kanske är Hereira som stulit hans vapen.

– Det går inte ihop, invände Stefan. Ju mer jag tänker på det desto omöjligare blir det. Skulle han först ha gjort inbrott hos Erik Johansson och sen återvänt till fjället?

– Ingenting går ihop. Men vi kan knappast börja föreställa oss att det skulle finnas en tredje person inblandad i det här.

Giuseppe avbröt sig själv.

– Det kanske är så det har gått till, fortsatte han. Men vad betyder det?

– Jag vet inte.

– Vem det än är som befinner sig i den där bilen kan det vara han som har vapnen. Och plötsligt börjar använda dom. Vi lägger ut en matta. Börjar han skjuta ska vi hålla oss på ordentligt avstånd.

Sedan blev han allvarlig.

– Du är polis, sa han. Just nu har vi en stor brist på kollegor. Kommer du med?

– Ja.

– Erik tar med ett vapen till dig.

– Jag trodde dom hade försvunnit vid inbrottet?

Giuseppe grimaserade.

– Han hade nån extra pistol som han nog inte riktigt har anmält. Undanlagd i källaren. Plus sitt tjänstevapen.

Telefonen ringde på nytt. Det var Rundström igen. Giuseppe lyssnade utan att säga något.

– Bilen är stulen, sa han när samtalet var över. Det var mycket riktigt en Golf. Stulen vid en bensinmack mitt i Funäsdalen. Det var en lastbilschaufför som såg stölden. Enligt Rundström är det en av dom som Erik brukar spela kort med.

Han hade bråttom nu. Han slängde undan några pärmar som låg på hans jacka.

– Erik mobiliserar dom två poliser som finns i Sveg. Man kan inte precis säga att vi utgör nån imponerande styrka. Men nog ska vi väl klara att stoppa en Golf.

Tre kvart senare hade de upprättat spärren tre kilometer nordväst om Sveg. De väntade under tystnad. Skogen brusade. Giuseppe talade lågmält med Erik Johansson. De andra poliserna skymtade som skuggor vid sidan av vägen.

Polisbilarnas strålkastare skar genom mörkret.

30.

Den bil de väntade på kom aldrig.

Däremot passerade fem andra fordon vägspärren. Erik Johansson kände två av förarna. De tre andra var främmande, två kvinnor som bodde väster om Sveg och arbetade inom hemtjänsten, samt en ung man i skinnmössa som besökt släktingar i Hede och nu var på väg söderut. Alla fick öppna bagageluckorna innan de släpptes vidare.

Temperaturen hade åter stigit och det hade börjat falla blötsnö, som genast smälte bort. Eftersom det var vindstilla hördes alla ljud mycket tydligt. Någon som släppte sig, en hand som stötte till en bildörr.

På en av polisbilarnas motorhuvar vecklade de upp en karta, som genast blev blöt, och lyste på den med ficklampor. Hade de begått något misstag? Fanns det trots allt någon annan flyktväg? Men de upptäckte inga luckor. Spärrarna var uppsatta där de skulle. Giuseppe fungerade som en sorts enmans telefoncentral som hela tiden höll kontakt med de olika polisgrupperna som befann sig ute i skogarna denna natt.

Stefan stod hela tiden vid sidan om. Han hade fått en pistol av Erik Johansson, ett märke han kände till från tidigare. Snön föll på hans huvud. Han tänkte på Veronica Molin, på Elena och framför allt på den 19 november. Han kunde inte bestämma sig den där natten, om mörkret och skogen ökade eller minskade hans oro.

Det fanns också ett kort ögonblick när han tänkte att allt skulle kunna vara över på några sekunder. Han hade ett laddat vapen i fickan, han kunde trycka av mot tinningen och det blev aldrig någon strålbehandling för hans del.

Ingen begrep vart Golfen hade tagit vägen. Stefan kunde höra att Giuseppe blev alltmer irriterad varje gång han talade med någon.

Då ringde det plötsligt i Erik Johanssons telefon.

– Vad säger du? ropade han.

Han gav tecken att den blöta kartan skulle vecklas upp igen, samtidigt som han fortsatte att lyssna i telefonen. Han satte ett finger så hårt på kartan att det gick hål, upprepade ett namn, Löten, och avslutade sedan samtalet.

– Skottlossning, sa han. För en stund sen, här, vid sjön Löten, tre kilometer från avfarten till vägen mot Hårdabyn. Den jag talade med heter Rune Wallén. Han bor där i närheten. Han har en lastbil och en schaktmaskin. Han sa att han vaknade av nåt som small. Hustrun hörde det också. Då gick han ut. Sen small det igen, han räknade till tio skott. Han är jägare så han vet hur det låter när vapen avlossas.

Erik Johansson såg på klockan och räknade efter.

– Han sa att det tog honom en kvart att leta reda på mitt mobilnummer. Vi ingår i samma jaktlag, så han visste att han hade numret nånstans. Sen påstod han att han hade diskuterat kanske fem minuter med sin hustru om vad dom skulle göra. Han trodde förstås att han väckte mig nu när han ringde. Det innebär att det är högst tjugofem minuter sen skottlossningen inträffade.

– Då får vi gruppera om oss, sa Giuseppe. Spärren här ska vara kvar. Men några av oss och ett par av dom längre norrut får närma sig den där platsen. Nu vet vi att det är vapen i omlopp. Stor försiktighet, inga ingripanden.

– Ska vi inte ha ut ett rikslarm på det här? undrade Erik Johansson.

– Det kan du ge dig fan på att vi ska, sa Giuseppe. Det får du ordna. Ring Östersund. Och ta hand om spärren här.

Giuseppe såg på Stefan som nickade.

– Vi två åker upp mot Löten. Jag ringer Rundström från bilen.

– Ta det varligt, sa Erik Johansson.

Giuseppe tycktes inte höra. Han stod orörlig. En ficklampa spelade över hans ansikte.

– Vad är det som händer? sa han. Vad är det egentligen som pågår?

Stefan körde. Giuseppe talade med Rundström. Beskrev vad som hänt, vilka beslut han fattat. Sedan la han ifrån sig telefonen.

– Vi kan möta en bil, sa han. Vi stannar inte, vi försöker bara se vad det är för märke och registreringsnummer.

Det tog dem 35 minuter att komma fram till den plats som Rune Wallén hade uppgivit. De mötte inga bilar. Stefan körde sakta och bromsade in när Giuseppe ropade till. Han höjde handen och pekade. Det stod en mörkblå Golf halvvägs nerkörd i ett dike.

– Vi backar lite, sa Giuseppe. Släck ljuset.

Det hade slutat snöa nu. Allt var tyst. Giuseppe och Stefan hade nerhukade sprungit undan från bilen. De befann sig på varsin sida av vägen. Båda hade tagit fram sina vapen. De fortsatte att lyssna och försökte se in i mörkret. Hur länge de väntade kunde Stefan efteråt inte avgöra. Men till sist hörde de ändå det avlägsna ljudet från en bil som närmade sig. Strålkastarna skar genom mörkret och polisbilen stannade. Giuseppe hade tänt sin ficklampa. Det var Rundström som fanns där bakom den blå Golfen tillsammans med en annan polisman som Stefan mindes hette Lennart Backman. Han påminde sig plötsligt att det en gång hade funnits en fotbollsspelare som han beundrat, som just hetat Lennart Backman. Men i vilket lag hade han spelat? Hammarby eller AIK?

– Har ni sett nånting? ropade Rundström.

Hans röst ekade genom skogen.

– Bilen verkar tom, svarade Giuseppe. Men vi har väntat med att gå fram.

– Vem har du med dig?

– Lindman.

– Du och jag går fram, ropade Rundström. Dom andra stannar.

Stefan höll sig beredd med sitt vapen. Samtidigt lyste han åt Giuseppe. Han och Rundström närmade sig Golfen från var sitt håll.

– Ingenting här, ropade Giuseppe. Flytta bilarna så vi får bättre ljus.

Stefan körde fram bilen och riktade strålkastarna mot Golfen.

Rune Wallén hade inte tagit fel. Den mörkblå bilen bar spår av skottväxling. I vindrutan fanns tre hål, vänster framdäck var sönderskjutet. Även motorhuven var perforerad.

– Skotten har kommit rakt framifrån, sa Rundström. Möjligen lite från sidan.

De lyste in i bilen. Giuseppe pekade.

– Kan vara blod.

Dörren vid förarsätet stod öppen. De lyste på marken. Men där kunde de inte upptäcka några blodspår. Giuseppe riktade sin ficklampa in mot skogen.

– Jag förstår inte vad som händer, sa han. Ingenting alls.

De bildade en kedja. Ljuset från ficklamporna spelade över träd och buskar. Men det fanns ingen där. De fortsatte ungefär hundra meter in i skogen innan Giuseppe sa att de skulle återvända. Sirener närmade sig på avstånd, österifrån.

– Hunden är på väg, sa Rundström när de stod på asfalten igen.

Nycklarna satt kvar i bilens tändningslås. Giuseppe öppnade bagageluckan. Där låg några konservburkar och en sovsäck. De såg på varandra.

– Mörkblå sovsäck, sa Rundström. Av märket »Alpin«.

Han letade i minnet på sin mobiltelefon och slog ett nummer.

– Kriminalinspektör Rundström, sa han. Jag beklagar att jag väcker er. Var det inte så att det fanns en sovsäck i er stuga? Vilken färg har den?

Han nickade. Mörkblå, färgen stämde.

– Vad var det för märke?

Han lyssnade.

– Kan du minnas om du hade några burkar av av »Bullens pilsnerkorv« i skafferiet?

Frostengren tycktes ge ett omfattande svar.

– Det var allt jag ville veta, avslutade Rundström samtalet. Tack för hjälpen.

– Då vet vi det, sa han. Trots att han var yrvaken mindes

Frostengren att hans sovsäck inte hette »Alpin«. Men det behövde inte betyda nånting. Hereira har förmodligen haft sina egna prylar. Däremot stämmer konserverna.

Alla insåg vad det betydde. Fernando Hereira hade tagit sig ur inringningen på fjället.

Polisbilen dök upp i hög hastighet, slog av sirenerna och bromsade in. En av de tekniker Stefan träffat tidigare steg ur. Rundström förklarade hastigt vad som hänt.

– Om några timmar är det ljust, sa Giuseppe. Vi måste ha hit ordningspoliser. Även om det är glesbygd förekommer det en del trafik på den här vägen.

Stefan hjälpte till att sätta upp avspärrningsbanden som teknikern hade med sig. De flyttade om bilarna så att strålkastarna inte bara lyste upp Golfen i diket utan också vägen och skogsbrynet. Giuseppe och Rundström gick åt sidan för att låta teknikern börja sitt arbete. De vinkade till sig Stefan.

– Vad gör vi nu? sa Giuseppe. Ingen av oss begriper vad som har hänt. Om vi ska vara helt ärliga.

– Fakta är fakta, sa Rundström otåligt. Mannen vi har jagat på fjället har tagit sig igenom. Han stjäl en bil. Sen ställer nån till en överraskning för honom. Nån som stiger rakt ut på vägen och avlossar ett antal skott. Och som skjuter för att döda eftersom han siktar rakt mot vindrutan. Jag antar att vi kan utgå ifrån att det inte är han själv som gått ur bilen och skjutit mot den. Hereira måste haft en nästan obegriplig tur. Om han nu inte ligger där inne i skogen förstås. Det kan ha funnits blod utan att vi såg det. Har det snöat här, förresten? Vi fick några millimeter uppe i Funäsdalen.

– Blötsnö ungefär en timme. Inte mer.

– Hundföraren är snart här, sa Rundström. Han for i egen bil och fick naturligtvis punktering. Men jag tror Hereira har klarat sig. Fläcken på sätet tyder inte på nån ordentlig skottskada. Om det nu är blod.

Han gick bort till teknikern och frågade.

– Kan vara blod, sa han när han kom tillbaka. Men lika gärna choklad.

– Har vi nåt tidsschema? undrade Giuseppe. En fråga som han mest verkade rikta till sig själv.

– Du ringde mig 4.03, sa Rundström.

– Alltså utspelas det här dramat mellan 3.30 och 3.45.

Sedan var det som om alla slogs av samma tanke.

– Bilarna, sa Giuseppe sakta. Vid vår spärr passerade två styck-en strax innan Rune Wallén ringde och berättade om skottlossningen.

Alla tre förstod vad det betydde. Den man som skjutit kunde ha passerat vägspärren. Giuseppe såg på Stefan.

– Hur var det? Dom två sista bilarna som for förbi?

– Först en kvinna i en grön Saab. Erik kände henne.

Giuseppe nickade.

– Efter den där kvinnan kom det ytterligare en bil. Som körde fort. Vad var det? En Ford?

– En röd Ford Escort, sa Stefan.

– En ung man i skinnmössa. På väg söderut efter att ha besökt släktingar i Hede. Tiden kan stämma. Först skjuter han hål i den här bilen, sen tar han sig igenom vår spärr.

– Tittade ni inte på körkortet?

Giuseppe skakade uppgivet på huvudet.

– Registreringsnumret då?

Giuseppe ringde till Erik Johansson och förklarade situationen. Han väntade, lyssnade och stoppade tillbaka telefonen i fickan.

– ABB 303, sa han. Men Erik är inte säker på siffrorna. Hans anteckningsbok hade blivit blöt. Sidorna hade kladdat ihop sig. Det här är väldigt illa skött.

– Vi lyser den där bilen direkt, sa Rundström. Röd Ford Escort. ABB 303, eller liknande. Ägaren ska vi ha fram nu på momangen. Erik får vi bråka med senare.

– Låt oss försöka förstå vad som har hänt, sa Giuseppe. Det vimlar av frågor här. Bara så vi inte missar nånting avgörande. Hur kunde nån veta att Fernando Hereira skulle passera i en mörkblå Golf just här och just i natt? Vem är det som ställer sig mitt i vägen och försöker döda honom?

Rundström och Giuseppe återvände till sina telefoner. Stefan tog sin egen i handen men visste inte vem han skulle ringa till. Bilen med hundföraren, ytterligare två poliser och schäfern Dolly anlände. Hunden fick genast upp ett spår. Poliserna försvann i skogen. Rundström fick plötsligt ett raseriutbrott när han ringde ett av sina samtal.

– Bilregistret har datastopp, sa han. Varför ska det alltid jävlas?

– Haveri eller störning?

Giuseppe pratade samtidigt med Rundström och någon på larmcentralen i Östersund.

– Dom lägger in nya uppgifter på natten. Dom trodde dom skulle vara igång igen inom en timme.

Teknikern gick förbi efter att ha varit i sin bil och bytt ut sina skor mot gummistövlar.

– Har du hittat nånting? frågade Giuseppe

– Allt möjligt. Jag ropar om jag tror det är viktigt.

Klockan blev sex. Fortfarande mörkt. Poliserna och hunden kom tillbaka från skogen.

– Hon tappade spåret, sa hundföraren. Dessutom är hon trött. Man kan inte driva henne hur mycket som helst. Vi får ta hit fler hundar.

Rundström talade oavbrutet i telefon. Giuseppe hade vecklat ut kartan igen.

– Han har inte mycket att välja på. Han stöter på två grusvägar. Resten är ödemark. Han måste välja en av dom här två vägarna.

Giuseppe knycklade slarvigt ihop kartan och slängde in den i bilen. Rundström var upprörd i telefonen över någon som »inte förstod allvaret«. Giuseppe drog med sig Stefan till andra sidan vägen.

– Du tänker bra, sa Giuseppe. Du slipper dessutom ta ansvar för det här. Men du kan hjälpa oss genom att tala om vilka slutsatser du anser att vi borde dra.

– Den viktigaste frågan har du själv redan formulerat, sa Stefan. »Hur kunde nån veta att Hereira skulle passera just här i natt?«

Giuseppe såg länge på honom innan han sa någonting. De stod i ljuset från en av polisbilarnas strålkastare.

– Finns det mer än ett svar? frågade Giuseppe.

– Knappast.

– Han som sköt hade alltså haft kontakt med Hereira?

– Det är den enda möjligheten jag kan se. Antingen direkt med Hereira, eller med en tredje person som var en länk mellan dom.

– Och sen ställer han sig på vägen med den bestämda avsikten att döda honom?

– Jag har ingen annan förklaring. Såvida det inte finns en läcka inom polisen. Nån som gav besked om var vi upprättat spärrar och varför?

– Det låter inte rimligt.

Stefan kom plötsligt att tänka på den känsla han haft kvällen innan. Att någon följde efter honom, bevakade honom. Men han sa ingenting.

– En sak är i alla fall säker, fortsatte Giuseppe. Vi måste hitta Hereira. Och vi måste identifiera mannen som körde den röda Forden. Såg du hans ansikte?

– Skinnmössan skymde.

– Erik minns inte heller hur han såg ut. Inte heller hur han pratade. Om det var dialekt. Men det är inte säkert att Erik skulle ha märkt det. Han har visserligen spytt upp sin sömntablett. Men jag tror inte han är riktigt klar i huvudet i natt.

Stefan drabbades plötsligt av ett yrselanfall. Det kom från ingenstans. Han var tvungen att gripa tag i Giuseppe för att inte falla omkull.

– Är du sjuk?

– Jag vet inte. Det bara snurrade till.

– Du ska tillbaka till Sveg. Jag ska se till att nån kör dig. Det är tydligen fler än Erik som inte är i form i natt.

Stefan märkte att Giuseppe var uppriktigt oroad.

– Håller du på att svimma?

Stefan skakade på huvudet. Han ville inte säga som det var, att han kunde falla omkull vilket ögonblick som helst.

Giuseppe körde honom själv tillbaka till Sveg. De satt tysta under resan. Det hade blivit gryning nu. Snövädret hade upphört men molntäcket låg kvar över deras huvuden. Stefan hade frånvarande noterat att soluppgången skedde ungefär kvart i åtta. Giuseppe svängde in vid hotellet.

– Hur känner du dig?

– Som du. En sömnlös natt. Bara jag får vila en stund mår jag bättre.

– Du tror inte det bästa vore om du reste tillbaka till Borås?

– Inte än. Jag stannar som jag bestämt. Till onsdag. Dessutom är jag nyfiken på om registreringsnumret har kunnat pusslas ihop med en ägare.

Giuseppe ringde till Rundström.

– Datorerna fungerar fortfarande inte. Har dom inga pappersutskrifter? Gör dom ingen back-up?

Stefan öppnade bildörren och reste sig försiktigt. Rädslan malde inom honom. Varför säger jag det inte? tänkte han. Varför säger jag inte till Giuseppe att jag är så rädd att jag skakar?

– Vila nu. Jag hör av mig.

Giuseppe försvann i sin bil. Flickan i receptionen satt vid sin dator.

– Du är morgontidig, sa hon glatt.

– Eller tvärtom, svarade han avvisande, tog sin nyckel och gick upp till sitt rum.

Han satte sig på sängkanten och ringde till Elena. Hon var redan i skolan. Han berättade vad som hänt, att han varit uppe hela natten, och att han hade yrsel. Hon frågade när han skulle komma tillbaka. Men han höjde rösten, kunde inte hålla irritationen tillbaka, och sa bara att han måste sova. Sedan skulle han bestämma sig.

När han vaknade hade klockan blivit halv två. Han låg kvar i sängen och såg upp i taket.

Han hade drömt om sin far igen. De hade paddlat i en tvåmanskanot. Någonstans framför dem fanns ett vattenfall. Han hade försökt säga till sin far att de måste vända innan strömmen blev så stark att de skulle dras ut i forsen. Men fadern hade inte svarat. När Stefan vände sig om var det inte fadern som satt där, utan advokat Jacobi. Han var alldeles naken, hans bröstkorg var täckt av sjögräs. Sedan hade drömmen upplösts i ett ingenting.

Han reste sig upp ur sängen. Yrseln var över. Han märkte att han var hungrig. Ändå var nyfikenheten starkast. Han slog Giuseppes nummer. Upptaget. Han tog en dusch och försökte igen. Fortfarande upptaget. Han klädde sig och insåg att han nu inte hade några rena underkläder kvar. Ringde igen. Nu svarade Giuseppe med ett rytande.

– Det är Stefan.

– Jag trodde det var en journalist från Östersund. Han har jagat mig hela morgonen. Erik tror att det är Rune Wallén som tipsat om skottlossningen. I så fall ska han ska få fan för det. Polismästaren väsnas också. Han undrar vad som pågår. Vem gör inte det?

– Hur går det?

– Vi har träff på registreringsnumret. ABB 003. Erik hade fel på en siffra.

– Vem är ägare?

– En man vid namn Anders Harner. Hans adress är en postbox i Albufeira i södra Portugal. En av poliserna från Hede visste precis var det låg. Han har tydligen varit där på semester. Men problemet är ett helt annat. Anders Harner är 77 år. Och det var ingen gammal man som satt i den där bilen. Så dåligt såg ingen av oss.

– Kanske det var hans son? Eller en släkting?

– Eller en bilstöld. Vi håller på med det. Men alldeles uppenbart är ingenting enkelt i den här utredningen.

– Varför inte hellre säga att det är välplanerat? Har ni några spår efter Fernando Hereira?

– Vi har haft tre hundar ute. Till slut kom också den där helikoptern från Sundsvall. Resultatet så här långt är lika med noll. Inte ett spår. Vilket är mycket märkligt. Hur mår du, förresten? Har du sovit?

– Yrseln är borta.

– Jag fick dåligt samvete. Jag vet inte hur många formella regler jag bryter genom att ha dig med i det här. Men framför allt borde jag inte ha glömt att du är sjuk.

– Jag ville själv.

– Teknikerna tror förresten att det kan ha varit Eriks vapen som användes i natt. Åtminstone är det en möjlighet.

Stefan gick ner i matsalen och åt. Efteråt kände han sig bättre. Men han var fortfarande trött. Han återvände till sitt rum. I taket fanns en fläck som liknade ett ansikte. Advokat Jacobis ansikte, tänkte han. Undrar om han fortfarande lever.

Det knackade på dörren. Han öppnade. Veronica Molin stod ute i korridoren.

– Stör jag?

– Inte alls.

– Jag kom för att be om ursäkt. Jag reagerade för starkt i går kväll.

– Det var mitt fel. Jag betedde mig dumt.

Han ville släppa in henne. Men smutskläderna var i vägen. Dessutom luktade det instängt.

– Här är ostädat, sa han.

Hon log.

– Det är det inte hos mig.

Hon såg på klockan.

– Jag ska möta min bror i Östersund på flygplatsen om precis fyra timmar. En stund kan vi prata.

Han tog med sig jackan och följde henne nerför trappan. Han gick bakom henne och var tvungen att behärska sig för att inte sträcka ut handen och röra vid hennes kropp.

Datorn var avstängd i hennes rum.

– Jag talade med Giuseppe Larsson, sa hon. Jag fick dra ur honom vad som hade hänt i natt. Det var genom honom jag förstod att du kanske var på hotellet.

– Vad berättade han?

– Om skottlossning. Och att den man ni jagar inte är gripen.

– Frågan är hur många polisen egentligen letar efter. En eller två personer? Kanske till och med tre.

– Varför blir jag inte informerad om det som händer?

– Poliser vill helst arbeta ifred. För journalister. Och för anhöriga. Särskilt när man inte riktigt vet vad som har hänt. Framför allt inte *varför* nånting har hänt.

– Jag är fortfarande ovillig att acceptera att min far dog för att han en gång varit nazist. På grund av nånting han kanske gjorde under sin tid som tysk soldat. Kriget tog slut för över femtio år sen. Jag tror att hans död ändå har med den där kvinnan i Skottland att göra. Hon som kanske hette Monica.

Stefan bestämde sig plötsligt för att berätta för henne om den upptäckt han gjort i Wetterstedts lägenhet i Kalmar. Varför visste han inte. Kanske för att de hade denna hemlighet gemensam, att deras fäder bägge varit nazister. Han berättade om det utan att avslöja hur han fått reda på det, att han begått ett inbrott och kommit över uppgifterna av en tillfällighet. Han berättade om nätverket, och om stiftelsen som kallade sig Sveriges Väl. Om alla de döda och levande som bidrog till organisationen.

– Jag vet fortfarande för lite, slutade han. Kanske den där organisationen bara är en liten del av nåt mycket stort? Jag är inte så naiv att jag tror att det existerar en världsomspännande nynazistisk sammansvärjning. Men att dom nazistiska idéerna är levande, det har jag förstått. När väl det här är över ska jag tala med min chef i Borås. Det måste vara en uppgift för säkerhetspolisen att undersöka det där på allvar.

Hon lyssnade uppmärksamt på det han sa. Satt tyst innan hon svarade.

– Du gör rätt, sa hon till sist. Jag hade gjort samma sak.

– Det handlar om att bekämpa vanvettet, sa han. Även om dessa människor bara går och bär på en hopplös dröm, driver dom galenskapen vidare i världen.

Hon såg på klockan.

– Jag vet att du ska hämta din bror, sa Stefan. Svara mig bara på en fråga. Varför lät du mig sova här?

Hon la handen på sin dator.

– Jag sa att den innehåller hela mitt liv. Men riktigt sant är det naturligtvis inte.

Stefan stirrade på hennes hand och på datorn. Han hörde vad hon sa. Det var som en bild som fastnade i hjärnan.

Hon tog bort handen och bilden försvann.

– Jag går nu. När är begravningen i morgon?

– Klockan elva.

Han vände och gick mot dörren. Men just när han skulle öppna kände han hennes hand mot sin arm.

– Du ska hämta din bror, sa han.

Telefonen i hans jackficka ringde.

– Ska du inte svara?

Han tog fram telefonen. Det var Giuseppe.

– Var är du?

– På hotellet.

– Det har hänt nåt mycket egendomligt.

– Vad?

– Elsa Berggren har ringt till Erik. Hon vill att vi hämtar henne.

– Varför?

– Hon tänker erkänna att det var hon som dödade Abraham Andersson.

Klockan var fem minuter i halv tre.

Måndagen den 15 november.

31.

Klockan sex ringde Giuseppe och bad Stefan komma till Erik Johanssons kontor. Det blåste och var kallt när han lämnade hotellet. Vid kyrkan stannade han plötsligt och vände sig om. En bil försvann längs Fjällvägen, strax därpå ännu en. Han tyckte att han skymtade en skugga intill huset som låg mitt emot skolan. Men han var inte säker. Han fortsatte till medborgarhuset. Giuseppe stod och väntade på honom utanför porten. De gick in på kontoret. Stefan märkte att där stod två extra stolar. En för Elsa Berggren, tänkte han, den andra för hennes advokat.

– Dom är på väg till Östersund nu, sa Giuseppe. Hon är anhållen och blir häktad i morgon. Erik åkte med.

– Vad sa hon?

Giuseppe pekade på en bandspelare som stod på bordet.

– Ett förhörsband är på väg till Östersund, sa han. Men jag hade två bandspelare. Jag tänkte du skulle lyssna på kopian. Du blir ensam här. Ingen kommer att störa dig. Själv måste jag äta nånting och vila en stund.

– Du kan låna mitt hotellrum om du vill.

– Det finns en soffa här ute. Det räcker.

– Jag behöver inte höra bandet. Du kan berätta.

Giuseppe hade satt sig i Erik Johanssons stol. Han rev sig i pannan som om han drabbats av en plötslig klåda.

– Jag vill hellre att du lyssnar.

– Erkände hon?

– Ja.

– Motivet?

– Jag vill att du ska lyssna. Och sen berätta för mig vad du tror.

– Är du tveksam?

– Jag vet inte vad jag är. Det är därför jag vill höra din reaktion.

Giuseppe reste sig tungt ur stolen.

– Fortfarande inga spår efter Hereira, sa han. Den röda Forden har vi heller inte hittat. Eller mannen som sköt. Men vi tar det sen. Jag är tillbaka här inom två timmar.

Giuseppe drog på sig jackan.

– Hon satt i den stolen, sa han och pekade. Advokat Hermansson i den. Hon hade ringt honom i dag på morgonen. När vi hämtade henne hade han redan kommit hit.

Giuseppe gick och stängde dörren bakom sig. Stefan slog på bandspelaren. Det skrapade till av en mikrofon som flyttades. Sedan hörde han Giuseppes röst.

GL: Ja, då börjar vi det här förhöret och noterar att det är den 15 november 1999. Klockan är 15.07. Förhöret hålls på polisstationen i Sveg av kriminalinspektör Giuseppe Larsson. Förhörsvittne är kommissarie Erik Johansson. Förhöret hålls med Elsa Berggren på hennes egen begäran. Advokat Sven Hermansson företräder Elsa Berggren. Det skulle väl vara allt. Då börjar vi förhöret. Kan du uppge ditt namn och dina personuppgifter?

EB: Jag heter Elsa Maria Berggren och är född den 10 maj 1925 i Tranås.

GL: Kan du tala lite högre?

EB: Jag heter Elsa Maria Berggren och är född den 10 maj 1925 i Tranås.

GL: Tack. Kan vi ta hela personnumret?

EB: 250510-0221.

GL: Tack. *(Det skrapade i mikrofonen igen, någon hostade, en dörr stängdes.)* Då så, om du talar lite närmare mikrofonen ... Kan du berätta vad det är som har hänt?

EB: Jag vill erkänna att det var jag som dödade Abraham Andersson.

GL: Du erkänner alltså att du dödade honom med uppsåt?

EB: Ja.

GL: Det betyder alltså att det är mord.

EB: Ja.

GL: Har du konfererat med din advokat innan du säger det här?

EB: Det är ingenting att konferera om. Jag erkänner att jag dödat honom med berått mod. Heter det så?

GL: Man brukar säga så, ja.

EB. Då erkänner jag att jag med berått mod mördade Abraham Andersson.

GL: Du erkänner alltså att du begått mord?

EB: Hur många gånger ska jag behöva upprepa det?

GL: Varför dödade du honom?

EB: Han hotade att avslöja att den man som strax innan blivit dödad i grannskapet, Herbert Molin, hade varit nationalsocialist. Det ville jag inte. Han hotade också att avslöja att jag är övertygad nationalsocialist. Dessutom bedrev han utpressning.

GL: Mot dig, alltså?

EB: Mot Herbert Molin. Han krävde honom på pengar varje månad.

GL: Hur länge hade det pågått?

EB: Sen nåt år efter det att Herbert flyttat hit. 8–9 år, kanske.

GL: Rörde det sig om mycket pengar?

EB: Det vet jag inte. För Herbert var det nog mycket pengar.

GL: När bestämde du dig för att döda Andersson?

EB: Jag vet inte exakt vilket datum. Men när Herbert var död tog han kontakt med mig och krävde att jag skulle fortsätta att betala till honom. Annars skulle han avslöja mig också.

GL: Vad hände då?

EB: Han kom hem till mig utan att ringa först och var mycket oförskämd. Han ville ha pengar. Det var nog då jag bestämde mig.

GL: Bestämde dig för vad då?

EB: Varför måste jag upprepa allting?

GL: Du bestämde dig alltså för att döda honom?

EB: Ja.

GL: Vad hände sen?

EB: Jag dödade honom några dagar senare. Kan jag få ett glas vatten?

GL: Naturligtvis ... *(Mikrofonen skrapade, någon reste sig, sedan återkom rösten. Stefan kunde se allting framför sig. Erik som säkert satt närmast bordet där det stod några glas och en öppnad Ramlösa gav henne att dricka.)* Du dödade honom alltså?

EB: Det är det jag sitter och erkänner nu.

GL: Kan du berätta hur det gick till?

EB: Jag åkte hem till honom på kvällen. Jag hade tagit mitt hagelgevär med mig. Jag hotade att döda honom om han inte slutade försöka pressa pengar av mig. Men han trodde inte jag menade allvar. Då tvingade jag ut honom i skogen strax intill huset och sköt honom.

GL: Du sköt honom?

EB: Jag sköt honom mitt i hjärtat.

GL: Du har alltså ett hagelgevär?

EB: Men herregud ... Vad skulle jag annars ha haft? Ett maskingevär? Jag har redan sagt att jag hade ett gevär med mig.

GL: Det är ett vapen du förvarar hemma? Som du har licens för?

EB: Jag har ingen licens. Jag köpte det i Norge för några år sen och tog in det illegalt i Sverige.

GL: Var finns vapnet nu?

EB: På botten av Ljusnan

GL: Du kastade alltså i vapnet direkt efter det att du skjutit Abraham Andersson?

EB: Jag gjorde det väl knappast innan?

GL: Nej, du gjorde väl inte det. Men jag måste be att du svarar klart och tydligt på frågorna och inte gör några onödiga kommentarer.

(Här bröt en mansröst in. Stefan förstod att det var Sven Hermansson. Till hans förvåning talade advokaten en bred, mycket svårbegriplig småländska. Så mycket förstod Stefan dock att advokat Hermansson inte ansåg att hans klient hade besvarat frågorna på något olämpligt sätt. Vad Giuseppe svarade kunde han inte uppfatta eftersom mikrofonen på nytt flyttades.)

GL: Kan du nu säga var du kastade i vapnet?

EB: Från bron här i Sveg.

GL: Vilken av dom?

EB: Den gamla.

GL: På vilken sida?

EB: Den sida som vetter in mot samhället. Jag stod mitt på bron.

GL: Kastade du i vapnet eller slängde du ner det i vattnet?

EB: Jag vet inte var skillnaden går mellan det ena och det andra. Jag antar att det riktigaste är att säga att jag *släppte* vapnet i älven.

GL: Låt mig vända mig åt ett annat håll ett tag. För några dagar sen blev du angripen i ditt hem av en maskerad man som ville veta vem som hade dödat Abraham Andersson. Finns det nåt i det du sa den gången som du vill ändra på?

EB: Nej.

GL: Det är inte så att du hittade på det där för att lura oss åt ett annat håll?

EB: Det hände exakt som jag beskrev det. Dessutom blev ju den där bleka polismannen från Borås ... vad han nu heter, Lindgren ... attackerad utanför mitt hus.

GL: Lindman. Har du nån rimlig förklaring till det som hände? Varför han som angrep dig ville veta vem som dödat Abraham Andersson?

EB: Kanske han kände nån sorts skuld?

GL: För vad då?

EB: Att mordet på Herbert hade med mordet på Abraham Andersson att göra.

GL: Han hade alltså rätt?

EB: Ja. Men vad visste han? Vem är han?

GL: Var det kanske så att det var då du bestämde dig för att erkänna?

EB: Det är klart att det spelade in.

GL: Då lämnar vi det så länge. Låt oss återvända ett ögonblick till det som hände på Abraham Anderssons gård. Du sa att du – jag citerar dig här, jag skrev ner vad du sa – »tvingade ut honom i skogen strax intill huset och sköt honom«. Stämmer det?

EB: Ja.

GL: Kan du beskriva mer i detalj vad som hände?

EB: Jag satte geväret i ryggen på honom och sa åt honom att gå. Inne i skogen stannade vi. Jag ställde mig framför honom och frågade en sista gång om han förstod att jag menade allvar.

Han bara skrattade. Då sköt jag.

(Det blev tyst. Bandet rullade. Någon, kanske advokaten, hostade. Stefan förstod. Någonting var fel här. Det var mörkt i skogen. Hur hade hon kunnat se någonting? Dessutom var Abraham Andersson bunden vid ett träd när han dog. Polisen hade i alla fall utgått ifrån att han ännu levde när han blev fastsurrad. Stefan anade att Giuseppe börjat undra över Elsa Berggrens bekännelse och hur han skulle gå vidare. Han sökte antagligen i minnet efter vad som publicerats i tidningar och vad som bara var känt av polisen.)

GL: Du sköt honom alltså rakt framifrån?

EB: Ja.

GL: Kan du säga ungefär på vilket avstånd?

EB: Kanske tre meter.

GL: Han rörde sig inte? Försökte inte fly?

EB: Han trodde väl inte att jag skulle skjuta.

GL: Kan du minnas vad klockan var när det här hände?

EB: Nån gång vid midnatt.

GL: Det betyder att det var mörkt.

EB: Jag hade med mig en stark ficklampa som han fick bära när vi gick ut i skogen.

(Återigen en kort paus. Elsa Berggren hade besvarat den första frågan som oroat Giuseppe.)

GL: Vad hände när du hade skjutit honom?

EB: Jag såg efter om han var död. Det var han.

GL: Vad gjorde du sen?

EB: Jag band fast honom vid ett träd som stod intill. Jag hade med mig en tvättlina.

GL: Du band alltså fast honom vid ett träd efter det att du skjutit honom?

EB: Ja.

GL: Varför gjorde du det?

EB: Då hade jag ingen tanke på att erkänna det jag gjort. Jag ville försöka få det att se ut som nånting annat.

GL: Nånting annat än vad?

EB: Ett mord som en kvinna begått. Kanske mer som om nån blivit avrättad.

(Den andra frågan besvarad, tänkte Stefan. Men Giuseppe tror henne inte helt.)

EB: Jag behöver gå på toaletten.

GL: Då gör vi ett avbrott här, klockan 15.32. Erik kan visa dig var det är.

Bandet slog på igen. Förhöret fortsatte. Giuseppe återvände till utgångspunkten, upprepade alla frågor, men stannade vid fler och fler detaljer. Ett klassiskt förhör, tänkte Stefan. Giuseppe är trött, han har arbetat flera dygn i sträck, men han kontrollerar det hon säger, steg för steg.

Bandet stannade. Giuseppe hade satt punkt, 17.02. Det sista han sa på bandet var den enda slutsats han kunde dra.

GL: Då så, då tror jag vi kan stanna här. Då är det alltså så, Elsa Berggren, att du här har erkänt att du den 3 november, strax efter midnatt, sköt ihjäl Abraham Andersson på ett medvetet och planerat sätt utanför hans hus i Dunkärret. Du har förklarat hur det gick till, och att motivet var att du och Herbert Molin varit utsatta för utpressning. Du säger också att du kastat vapnet du använt i Ljusnan från gamla järnvägsbron? Stämmer det?

EB: Ja.

GL: Är det nånting du vill ändra i det du sagt?

EB: Nej.

GL: Vill advokat Hermansson yttra sig?

SH: Nej.

GL: Då blir det så nu att du är anhållen och du kommer att föras till polishuset i Östersund. Sen kommer åklagare att besluta om häktning. Allt det här kan advokat Hermansson förklara för dig. Är det nåt du vill tillägga?

EB: Nej.

GL: Du har berättat som det var?

EB: Ja.

GL: Då avslutar vi förhöret.

Stefan reste sig och sträckte på ryggen. Det var kvavt i rummet. Han öppnade fönstret på glänt och drack upp den halvtömda Ramlösaflaska som stod på bordet. Tänkte på det han hade hört. Han kände behov att röra på sig. Giuseppe låg och sov någonstans. Han skrev en lapp och la på bordet. *Kort promenad, fram och tillbaka mellan broarna. Stefan.*

Han gick fort eftersom han frös. Promenadstigen som följde älven var upplyst. Återigen fick han en känsla av att någon följde efter honom. Han stannade och vände sig om. Ingen var där. Men kanske hade han ändå anat en skugga som dragit sig undan från stigen. Jag inbillar mig, tänkte han. Det är ingen där. Han fortsatte mot den bro från vilken Elsa Berggren påstod att hon hade släppt vapnet i vattnet. Inte kastat, utan släppt. Talade hon sanning? Han måste utgå från det. Ingen bekände ett mord man inte begått, om det inte fanns mycket speciella skäl att skydda den skyldige. Och då var det oftast en minderårig, tänkte han. Det händer att föräldrar tar på sig sina barns skuld. Men annars? Han kom fram till bron, försökte föreställa sig geväret där nere i vattnet och gick tillbaka. En fråga hade Giuseppe glömt, tänkte han. Varför hade hon valt just denna dag att bekänna? Varför inte i går, varför inte i morgon? Var det bara så att beslutet hade mognat just denna dag? Eller fanns det något annat skäl?

Han kom tillbaka till medborgarhuset och passerade på baksidan. Fönstret stod fortfarande på glänt. Giuseppe hade kommit tillbaka nu. Han talade i telefon. Med Rundström, kunde Stefan höra. Biblioteket var fortfarande öppet. Han gick in i läsesalen och såg om Borås Tidning fanns där. Det gjorde den inte. Han återvände till poliskontoret. Giuseppe pratade fortfarande med Rundström. Stefan blev stående i dörren. Betraktade fönstret. Höll andan. Han hade stått där ute i mörkret och kunnat höra allt som Giuseppe sa i telefon. Han gick fram till fönstret, stängde det och lämnade rummet. När han nu stod på baksidan av huset kunde han inte uppfatta någonting av det som sades bakom fönstret. Han gick tillbaka in igen. Giuseppe höll på att avsluta samtalet med Rundström. Stefan öppnade fönstret. Giuseppe såg undrande på honom.

– Vad är det du sysslar med?

– Jag upptäckte att man kan höra allt vad som sägs här inne, mycket klart och tydligt, när fönstret står på glänt och man själv befinner sig utanför. Är det mörkt kan man stå precis intill utan att synas.

– Ja?
– En känsla bara. Av en möjlighet.
– Att nån skulle tjuvlyssna på våra samtal?
– Det är säkert bara inbillning.
Giuseppe stängde fönstret.
– För säkerhets skull, sa han och log. Vad anser du om hennes bekännelse?
– Har det stått i tidningarna att han var fastsurrad vid ett träd?
– Ja. Men inte att han var bunden med en tvättlina. Dessutom talade jag med en av teknikerna som undersökte platsen. Han bekräftade att det mycket väl kan ha gått till som hon påstår.
– Då är det alltså hon?
– Fakta är fakta. Men du märkte säkert att jag var tveksam.
– Om det inte var hon, om hon skyddar gärningsmannen, varför gör hon det?
Giuseppe skakade på huvudet.
– Vi måste utgå från att vi fått en lösning på det här mordet. En kvinna som erkänt gärningen. Hittar vi bara geväret i älven i morgon så kan vi snart klargöra om skotten som dödade honom kom från just det vapnet.
Giuseppe satt och rullade en av sina avbrutna cigarrcigaretter mellan fingrarna.
– Det har varit ett krig på många fronter dom senaste dagarna. Jag hoppas nu att ett av frontavsnitten kan anses vara stängt.
– Varför tror du hon valde att berätta just i dag?
– Jag vet inte. Kanske borde jag ha ställt den frågan. Jag antar att hon helt enkelt fattat ett beslut. Hon kanske till och med hade så mycket respekt för oss att hon insåg att vi förr eller senare skulle ta henne.
– Hade vi gjort det?
Giuseppe gjorde en grimas.
– Man vet aldrig. Ibland händer det ju att även svenska poliser griper en brottsling.
Det knackade på den halvöppna dörren. In i rummet kom en ung pojke med en pizzakartong. Giuseppe betalade notan och stoppade den i fickan. Pojken försvann.

– Den här gången knycklar jag inte ihop den och lägger den i ett askfat. Tror du fortfarande att det var Hereira som satt där i matsalen? Och plockade åt sig notan?
– Kanske.
Giuseppe öppnade kartongen.
– Det är det mest kontinentala med Sveg, sa han. Här finns en pizzeria. Inte för att dom normalt levererar vid dörren. Men om man har kontakter går det bra. Vill du ha? Jag hann aldrig äta förut. Jag somnade.
Giuseppe skar upp pizzan med en linjal.
– Poliser blir lätt överviktiga, sa Giuseppe. Stress och slarv med mat. Däremot begår vi inte självmord särskilt ofta. Läkare är värre på den punkten. Vi lider däremot av en betydande överdödlighet i hjärtsjukdomar. Vilket kanske inte är så konstigt.
– Jag har cancer, sa Stefan. Jag kanske kan bli ett undantag.
Giuseppe satt med en pizzabit i handen.
– Bowling, sa han. Du ska se på fan, det kan göra dig frisk.
Stefan kunde inte låta bli att skratta.
– Bara jag nämner ordet bowling börjar du skratta. Jag tror inte det passar ditt ansikte att vara allvarlig.
– Vad var det hon kallade mig? »Den där bleka polismannen från Borås«?
– Det var det enda roliga hon sa. Om jag ska vara helt ärlig är Elsa Berggren en förfärlig människa. Jag är glad att hon inte är min mor.
De åt under tystnad. Giuseppe ställde pizzakartongen med resterna ovanpå papperskorgen.
– Ett och annat flyter in, sa han medan han torkade sig om munnen. Problemet är bara att det är fel saker. Interpol i Buenos Aires har till exempel skickat ett egendomligt besked som säger att det finns en Fernando Hereira som sitter i fängelse på livstid för ett så gammalt anrikt brott som falskmynteri. Dom frågar om det är han. Vad svarar man på sånt? Att om mannen bevisligen har klonat sig så ska vi ta deras besked på allvar?
– Är det här sant?
– Tyvärr. Men har vi tålamod kanske vi får nåt bättre från dom. Man vet aldrig.
– Den röda Forden?

– Borta. Liksom han som körde den. Vi har fortfarande inte lyckats spåra ägaren, Harner. Han tycks vara utflyttad från Sverige till Portugal. Vilket man kan betrakta med viss skepsis eftersom han står som ägare till en bil i Sverige. Nu håller rikskriminalen på med det där. Det har gått ut rikslarm. Förr eller senare händer det nåt. Rundström är envis.

Stefan försökte göra en sammanfattning i huvudet. Hans roll i den här utredningen, om han nu hade någon, hade blivit att ställa frågor som kunde vara till nytta för Giuseppe.

– Jag antar att du så fort som möjligt vill att massmedierna går ut med nyheten att det finns en gärningsman till mordet på Abraham Andersson?

Giuseppe såg förvånat på honom.

– Varför skulle jag vilja det? Om det vi tänkt stämmer, kan det innebära att Hereira försvinner. Att hans återkomst hit upp till skogarna hade med mordet på Andersson att göra. Glöm inte att han pressade Elsa Berggren. Jag tror nog hon sa sanningen åtminstone om det. Vi måste naturligtvis gräva oss igenom allt det här. Men det första som händer i morgon när det blir ljust är att vi försöker hitta vapnet.

– Nån annan kan ha dödat Abraham Andersson. Med ett vapen som antingen mördaren eller Elsa Berggren kastat i älven. Eller släppt, som hon sa.

– Du menar att hon gjorde sitt erkännande för att få vårt skydd?

– Jag vet inte vad jag menar. Jag fortsätter bara att ställa frågor.

Sedan kom han på något annat som han då och då hade undrat över.

– Varför finns det ingen åklagare? undrade han. Jag har i alla fall inte hört nåt namn.

– Lövander, sa Giuseppe. Albert Lövander. I sin ungdom var han enligt ryktet en skicklig höjdhoppare, alldeles under elitnivån. Nu ägnar han sig mest åt sina barnbarn. Visst finns det en åklagare. Vi bedriver inte vårt arbete utanför det juridiska regelverket. Men Lövander och Rundström är som två gamla invanda arbetshästar. Dom pratar med varandra varje morgon och varje kväll. Sen lägger Lövander sig inte i vårt arbete.

– Han måste ha gett er direktiv?

– Bara att fortsätta som vi gör.

Klockan hade blivit kvart över nio. Giuseppe ringde hem. Stefan gick ut och ställde sig att se på den uppstoppade björnen. Sedan ringde han till Elena.

– Var är du?

– Vid björnen.

– Jag såg på en stor Sverigekarta i skolan i dag. Jag försöker förstå var du är.

– Vi har fått ett erkännande. Ett av morden kan nog betraktas som uppklarat. Det var en kvinna.

– Som hade gjort vad då?

– Dödat en man som bedrivit utpressning. Hon sköt honom.

– Var det han som blivit bunden vid ett träd?

– Ja.

– Ingen kvinna skulle göra nåt sånt.

– Varför inte?

– Kvinnor försvarar sig. Dom angriper inte.

– Riktigt så enkelt är det nog inte.

– Hur är det då?

Han orkade inte försöka förklara.

– När kommer du?

– Det har jag redan sagt.

– Har du tänkt nåt mer på vår resa till London?

Stefan hade alldeles glömt det.

– Nej, sa han. Men jag ska göra det. Och jag tycker det låter som en bra idé.

– Vad håller du på med nu?

– Pratar med Giuseppe.

– Har han ingen familj?

– Varför undrar du det? Han talar just med sin fru i telefon.

– Kan du svara ärligt på en fråga?

– Varför skulle jag inte kunna det?

– Vet han överhuvudtaget om att jag existerar?

– Det tror jag.

– Tror?

– Jag har förmodligen nämnt ditt namn. Eller så har han hört när jag har pratat med dig.

– Jag är i alla fall tacksam för att du ringer. Men vänta tills i morgon innan du hör av dig igen. Jag måste lägga mig tidigt i kväll.

Stefan gick tillbaka till kontoret. Giuseppe hade avslutat samtalet och satt med ett uträtat gem i handen och petade naglarna.

– Fönstret som stod på glänt, sa Giuseppe. Jag började tänka på det du sa. Det är naturligtvis en bestickande tanke att nån skulle ha funnits där ute i mörkret och lyssnat. Jag försöker minnas när det varit öppet och när det varit stängt. Men det är omöjligt.

– Kanske man hellre borde fråga sig vilken information som bara meddelats i det här rummet och ingen annanstans?

Giuseppe betraktade sina händer.

– Beslutet om vägspärrarna fattades här, sa han efter en stund. Vi talade om en man som var på väg från Funäsdalen mot sydost.

– Du tänker på den röda Forden? Han som sköt?

– Jag tänker snarare på att vi faktiskt diskuterat möjligheten av en läcka bland oss. Den läckan skulle alltså snarare bestå av ett gläntande fönster.

Stefan tvekade.

– Jag har det senaste dygnet haft en känsla av att nån följt efter mig, sa han. Vid flera tillfällen. Känslan av en skugga bakom mig. Ljud mot trottoaren. Men jag är inte säker.

Giuseppe sa ingenting. I stället reste han sig och gick bort till dörren.

– Gå till väggen, sa han. Fortsätt att prata med mig. När jag släcker ljuset ser du ut genom fönstret.

Stefan gjorde som han sagt. Giuseppe började prata på måfå om vinbär. Varför svarta var så mycket godare än röda. Stefan hade kommit fram till fönstret. Giuseppe släckte ljuset i rummet. Stefan försökte tränga igenom mörkret med blicken. Men allt var svart. Giuseppe tände lamporna igen och återvände till skrivbordet.

– Såg du nånting?

– Nej.

– Det betyder inte att det inte kan ha varit nån där. Eller att där inte har stått nån tidigare. Men det är väldigt lite vi kan göra åt det.

Han sköt undan två små plastpåsar som låg ovanpå en pärm. En av dem föll i golvet.

– Teknikern glömde påsarna, sa Giuseppe. Det var papper och skräp han hittade på vägen en bit ifrån den blå Golfen.

Stefan böjde sig efter påsen på golvet. Det fanns ett bensinkvitto där, kunde han se. Shell. Det var smutsigt, knappt läsligt. Giuseppe följde honom med blicken. Stefan höll påsen närmare ögonen. Det gick att tyda texten nu. Bensinkvittot var från en Shellstation i Söderköping. Han la långsamt tillbaka påsen på bordet och såg på Giuseppe. Tankarna snurrade i hans huvud.

– Elsa Berggren dödade inte Abraham Andersson, sa han långsamt. Det här är större, Giuseppe. Elsa Berggren dödade honom inte. Och det kan mycket väl ha funnits nån ute i mörkret som hört vad vi talat om i det här rummet.

32.

Snön började återigen att falla. Giuseppe gick fram till fönstret och såg på termometern. Minus en grad. Han satte sig ner och såg på Stefan. Efteråt skulle Stefan minnas det där ögonblicket, en klar och tydlig bild av hur någonting plötsligt vände. Beståndsdelarna var snön som börjat falla, Giuseppe med sina blodsprängda ögon och själva historien, det som hade hänt i Kalmar, upptäckten han gjorde när han brutit sig in i Wetterstedts lägenhet. Han påminde sig att han bara några timmar tidigare hade berättat denna historia för Veronica Molin. Nu var det Giuseppe som lyssnade med stor uppmärksamhet. Blev han överraskad? Stefan kunde inte utläsa det av hans ansiktsuttryck.

Det var en helhet han ville komma åt. Det smutsiga bensinkvittot från en Shellstation i Söderköping framstod som en nyckel som äntligen passade till alla låsen. Men för att kunna dra några slutsatser måste han berätta hela historien, inte bara delar av den.

Vad var det han hade förstått när han plockade upp plastpåsen som ramlat ner på golvet från det överfyllda skrivbordet? Framför allt att någonting detonerade, ljudlöst, en mur som bröts igenom, och hur något som hittills varit begränsat blev något mycket stort. Även om de famlade i mörkret efter en gärningsman som kanske hette Fernando Hereira och kanske härstammade från Argentina, hade hela utredningen ändå varit lokal. Det var i Härjedalen de sökte lösningen. Nu rasade de konstgjorda väggarna ihop, bensinkvittot for som en projektil rakt igenom det de byggt upp, och det var äntligen möjligt att se klart.

Någon hade fyllt på bensin i Söderköping, i en röd Ford Escort som tillhörde en man som hette Harner och hade en boxadress i Portugal. Sedan hade någon kört bilen rakt igenom Sverige och stannat på en landsväg väster om Sveg och börjat skjuta mot en bil som kom uppifrån fjället. Trots att de skrapade på det smutsiga kvittots yta kunde de inte utläsa datum. Däremot klockslaget, 20.12. Giuseppe menade att teknikerna skulle kunna lösa problemet med datum, och detta måste de ta reda på genast.

Någon ger sig av från Kalmar mot Härjedalen. På vägen, i Söderköping, fyller han på bensin. Sedan fortsätter resan. Han försöker döda den man som med stor sannolikhet ligger bakom mordet på Herbert Molin. Varken Stefan eller Giuseppe var poliser som trodde på tillfälligheter. Någonstans i det nazistiska gyttret, i den underjord där Wetterstedt fanns, och den hemliga stiftelse som kallade sig Sveriges Väl, hade Stefans besök skapat oro. De kunde inte veta med bestämdhet att det var han som brutit sig in i Wetterstedts lägenhet. Eller kunde de det? Stefan påminde sig åter porten som slagit igen när han lämnat lägenheten, känslan av att någon bevakade honom, samma som han hade haft de senaste dagarna. »Två osynliga skuggor kanske gör en synlig skugga«, sa han till Giuseppe. Det kan vara så enkelt att den skugga som bevakade mig där är samma som jag har efter mig här. Slutsatsen Stefan ville komma åt var att de hade tänkt mer rätt än de egentligen vågat tro. Allt handlade om den underjord där gamla nazister mötte något nytt, som förenade det gamla vansinnet med det nya. Någon hade brutit sig in i denna skuggvärld och dödat Herbert Molin. Det hade gått en skälvning genom de gamla nazisterna, »gråsuggorna började krypa fram«, som Giuseppe sa efteråt. Vem var egentligen dessa nazisters fiende? Var det den man som dödat Herbert Molin? Kunde det innebära att Abraham Andersson hade känt till mer än Herbert Molins och Elsa Berggrens förflutna och åsikter, att han känt till organisationen, hotat att avslöja den och kanske något som var ändå större? Det kunde de inte veta. Men en Ford Escort hade tankats full i Söderköping och körts till Härjedalen av en man som var ute efter att döda någon. Och Elsa Berggren hade plötsligt bestämt sig för att ta på sig skulden för ett mord hon sannolikt inte hade begått. Då började mönstret långsamt bli tydligt, slutsatserna möjliga att dra. Det fanns en organisation, dit också Stefans egen far även långt efter sin död, fortsatte att ge sitt bidrag. Herbert Molin hade funnits med i den, liksom Elsa Berggren. Dock inte Abraham Andersson. Men på något sätt hade han luktat sig till dess existens. På ytan en vänlig man som spelat fiol i Helsingborgs symfoniorkester, var organiserad centerpartist och dessutom skrev menlösa schlager under pseudonymen Siv Nilsson. Men under ytan en man som hade mer än en utgång ur sitt gryt. Som bedrev utpressning, hotade, ställde krav. Och kanske till och med, innerst inne, upprördes över att bo granne med en gammal oförbätterlig nazist.

Efter en halvtimme hade Stefan nått slutet på sina funderingar.

– Grytet, sa han. Abraham Anderssons gryt. Vad dolde sig där inne? Hur mycket visste han? Det vet vi inte. Men vad det än var så var det för mycket.

Snöfallet tätnade utanför fönstret. Giuseppe hade riktat skrivbordslampan så att den lyste ut i mörkret.

– Det har legat som en väntan sista veckan, sa han. Snön. Och nu kom den ordentligt. Kanske smälter den bort. Men den kan också bli liggande. Vintrarna här uppe är svårberäkneliga. Men alltid långa.

De drack kaffe. Medborgarhuset var tomt, biblioteket hade stängt.

– Jag tror det är dags för mig att återvända till Östersund, sa Giuseppe. Allt det här du berättar övertygar mig ännu mer om att Säpo måste kopplas in.

– Och uppgifterna som du fått av mig? frågade Stefan försiktigt.

– Det finns alltid möjligheten att man fått dom anonymt, svarade Giuseppe. Inte tänker jag sätta dit dig för att du bröt upp dörren till den där nazistens lägenhet.

Klockan blev kvart över tio. De betraktade den situation de befann sig i från olika håll. Flyttade brickorna fram och tillbaka. För bara några timmar sedan hade Elsa Berggren spelat en huvudroll. Nu hade hon åtminstone tillfälligt förpassats ut i kulisserna. Kvar längst framme vid rampen fanns Fernando Hereira och den man som tankat en Ford Escort i Söderköping och sedan rest norrut.

Det smällde i porten till medborgarhuset. Erik Johansson kom trampande med snö i det glesa håret.

– Jag höll på att köra av vägen, sa han och borstade av sin jacka. Jag fick sladd. Det var nära att det hade gått åt helvete.

– Du kör för fort.

– Förmodligen.

– Vad hände i Östersund?

– Lövander gör häktningsframställan i morgon. Han kom ner till polishuset och lyssnade på bandet. Han ringde mig i bilen.

– Sa hon nånting mer?

– Hon var tyst hela vägen till Östersund.

Giuseppe hade lämnat stolen vid skrivbordet. Erik Johansson satte sig ner och gäspade. Giuseppe berättade om bensinkvittot och det resonemang de hade fört. Han skarvade mödosamt ihop en historia om hur Stefan anonymt fått kännedom om Stiftelsen Sveriges Väl. Erik Johansson lyssnade till en början förstrött, sedan alltmer koncentrerat.

– Jag håller med, sa han när Giuseppe tystnat. Det hela är anmärkningsvärt. Jag håller också med om att Säpo måste informeras. Om vi har en organisation som kallar sig nazistisk och dödar folk måste Stockholm naturligtvis genast ta sig an saken. Det har ju förekommit en hel del i den här vägen i Sverige på sistone. Under tiden ska vi fortsätta att jaga den röda Escorten.

– Håller inte Stockholm på med det?

Erik hade öppnat sin portfölj och tog upp några faxpapper.

– Dom har spårat Anders Harner. Han säger att Escorten är hans men att den står i ett garage i Stockholm. Hos någon som heter Mattias Sundelin. Jag har ett telefonnummer här.

Erik Johansson slog numret och kopplade in högtalaren. Signalerna ekade. En kvinnoröst svarade.

– Jag söker Mattias Sundelin.

– Vem är det som frågar?

– Jag heter Erik Johansson och är polis i Sveg.
– Var ligger det?
– I Härjedalen. Men det hör inte hit. Finns Mattias Sundelin där?
– Ett ögonblick.
De väntade.
– Mattias? hördes en grötig mansröst.
– Jag heter Erik Johansson och ringer från polisen i Sveg. Det gäller en röd Ford Escort med registreringsnumret ABB 003. Ägare är nån som heter Anders Harner. Han påstår att den står i ditt garage. Stämmer det?
– Det är klart att det stämmer.
– Du har alltså bilen hos dig?
– Inte här hemma. I garaget i stan. Jag hyr ut garageplatser.
– Men du vet alltså att bilen befinner sig där just nu?
– Jag kan inte hålla reda på varenda bil jag har inne. Det är nittio platser. Vad gäller saken?
– Vi behöver spåra bilen. Var har du garaget?
– På Kungsholmen. Jag kan se efter i morgon.
– Nej, sa Erik Johansson. Vi behöver veta det här nu.
– Vad är det som är så bråttom?
– Det tänker jag inte beröra. Du ska åka dit och undersöka om bilen finns kvar.
– Nu?
– Ja. Nu.
– Jag har druckit vin. Det skulle bli rattfylla om jag åkte dit.
– Finns det nån annan som kan undersöka saken? Annars får du ta en taxi.
– Du kan ringa och prata med en kille som heter Pelle Niklasson. Jag har hans nummer här.
Erik Johansson skrev, tackade och la på. Sedan ringde han det nya numret. Mannen som svarade presenterade sig som Pelle Niklasson. Erik upprepade frågorna om den röda Escorten.
– Jag minns inte om jag såg den i dag. Vi har nittio bilar där på långtidsparkering.
– Vi behöver få bekräftat nu att den finns där.
– Du ringer faktiskt till Vällingby. Du menar inte att jag ska åka in till garaget vid den här tiden?

– Om inte så kommer det en polisbil och hämtar dig.
– Vad är det som har hänt?
Erik Johansson suckade.
– Frågorna ställer jag. Hur lång tid tar det för dig att åka in och undersöka att bilen verkligen finns där?
– 40 minuter. Kan det inte vänta till i morgon?
– Nej. Skriv upp telefonnumret hit. Ring så fort du vet.
Snön fortsatte att falla utanför fönstret. De väntade. Efter 37 minuter ringde Pelle Niklasson.
– Erik Johansson här.
– Hur visste du?
– Vad visste jag?
– Att bilen var borta?
Giuseppe och Stefan spratt till i stolarna och lutade sig närmare högtalaren.
– Den är alltså stulen?
– Jag vet inte. Det ska inte vara möjligt att stjäla bilar här.
– Kan du förklara det tydligare?
– Det här är ett garage som tar bra betalt för att erbjuda säkerhet. Det betyder att ingen bil ska kunna köras härifrån utan att vi kontrollerar vem som hämtar den.
– Det finns alltså registrerat nånstans?
– I datorn. Men den klarar inte jag. Jag håller mest på med underhåll. Det är dom andra killarna som sköter det där.
– Mattias Sundelin?
– Han är chef. Han gör ingenting.
Pelle Niklassons missnöje var illa dolt.
– Vilka talar du då om?
– Dom andra killarna. Vi är fem anställda här förutom städerskan. Och chefen då. Nån av dom måste veta när bilen försvann. Men inte får jag tag på dom nu.
Stefan lyfte handen.
– Be honom faxa deras personuppgifter.
– Har du deras personuppgifter?
– Dom ligger här nånstans.
Han letade och återkom till telefonen.
– Jag hittade kopior på deras körkort.
– Har du en fax där?

– Den ska jag väl klara. Men jag kan inte skicka nånting förrän jag har fått klartecken från Sundelin.

– Han vet vad det handlar om. Vi har inte tid att vänta, sa Erik Johansson med myndig röst och gav honom faxnumret.

Den svarta faxapparaten stod utanför kontoret i korridoren. Erik Johansson kontrollerade att linjen fungerade. Sedan väntade de.

Det började ticka i faxen. Pappren kom ut. Fyra fotostatkopior av körkort. Texten var knappt läslig, ansiktena som svarta skuggor. Apparaten slog av. De återvände till kontoret. Det hade börjat samlas snö på fönsterblecket. Fotostatkopiorna vandrade mellan dem, Erik Johansson noterade de fyra namnen. *Klas Herrström, Simon Lukac, Magnus Holmström, Werner Mäkinen.* Han uttalade namnen högt, ett efter ett.

Stefan uppfattade inte det fjärde namnet. Han hade fastnat vid det tredje. Han fick fotostatkopian i sin hand, höll andan. Ansiktet var mest som en kontur, utan ansiktsdrag. Ändå var han genast säker.

– Jag tror vi har honom, sa han sakta.

– Vem?

– Magnus Holmström. Jag träffade honom på Öland när jag besökte Emil Wetterstedt.

Giuseppe hade bara snuddat vid besöket hos Wetterstedt när han refererade för Erik Johansson vad Stefan berättat. Men han kom ändå ihåg.

– Är du säker?

Stefan reste sig och höll fotostatkopian tätt under lampan.

– Det är han. Jag är säker.

– Du menar att det var han som försökte skjuta ihjäl den person som körde den blå Golfen?

– Jag säger bara att jag träffade Magnus Holmström på Öland. Och att han var en övertygad nazist.

Det blev tyst i rummet.

– Vi kopplar in Stockholm nu, sa Giuseppe. Dom får åka till garaget och plocka ut en ordentlig bild på den här killen. Men var finns han nu?

Telefonen ringde. Det var Pelle Niklasson som ville veta att faxen gått igenom.

– Ja tack, dom har kommit, svarade Erik Johansson. En av dom anställda heter alltså Magnus Holmström.

– Maggan.

– »Maggan«?

– Han kallas det.

– Har du hans bostadsadress?

– Det tror jag inte. Han är rätt ny här.

– Ni måste väl veta var era anställda bor?

– Jag kan se efter. Det är inte jag som håller i det här.

Det tog nästan fem minuter innan han kom tillbaka till telefonen.

– Han har uppgett en adress till sin mamma i Bandhagen. Skeppstavägen 7A, c/o Holmström. Men här står inget telefonnummer.

– Vad heter mamman i förnamn?

– Det vet jag inte. Kan jag åka hem nu? Min fru blev rätt sur när jag for.

– Ring henne och säg att det dröjer. Det som sker nu är att nån polis i Stockholm kommer att ringa dig.

– Vad är det som pågår egentligen?

– Du sa att Magnus Holmström är ny?

– Han har jobbat här några månader. Har han gjort nånting?

– Vad har du för intryck av honom?

– Vad menar du med det? Intryck?

– Sköter han sitt arbete? Har han några särskilda vanor? Är han extrem på nåt sätt? När var han på jobbet senast?

– Han är ganska försynt. Pratar inte så mycket. Jag får inget riktigt grepp om honom. Och han har haft tjänstledigt sen förra måndagen.

– Då så. Då väntar du där tills det ringer nån från polisen i Stockholm.

När Erik Johansson la på luren hade Giuseppe redan ringt till polishuset i Stockholm. Stefan var samtidigt sysselsatt med att försöka spåra telefonnumret, men någon Holmström fanns inte på den uppgivna adressen enligt nummerbyrån. Han fortsatte med att söka en mobiltelefon i Magnus Holmströms namn och med hans personnummer. Inte heller det gav något resultat.

Efter tjugo minuter tystnade telefonerna samtidigt. Erik Johansson satte på kaffe. Det fortsatte att snöa, men flingorna föll glesare nu. Stefan såg ut genom fönstret. Marken var vit. Giuseppe hade gått på toaletten. Det dröjde femton minuter innan han kom tillbaka.

– Min mage tål inte det här, sa han dystert. Det stoppar upp alldeles. Jag har inte varit på toaletten ordentligt sen i förrgår.

De drack kaffe och väntade. Strax efter ett hörde ett vakthavande polisbefäl i Stockholm av sig och sa att någon Magnus Holmström hade de inte fått tag på, när de kört ut till hans mors bostad i Bandhagen och ringt på. Mamman som hette Margot i förnamn hade berättat att hon inte hade sett sin son på flera månader. Han brukade komma dit då och då när hon var på arbetet och hämta post. Men var han bodde visste hon inte. Sökandet skulle fortsätta vidare under natten.

Giuseppe ringde åklagare Lövander i Östersund. Erik Johansson satte sig vid sin dator och började skriva. Stefan tänkte plötsligt på Veronica Molin och hennes dator där hon hade hela sitt liv. Han undrade om hon och hennes bror gett sig av mot Sveg i snöovädret eller om de stannade över natten i Östersund. Giuseppe avslutade samtalet med åklagaren.

– Nu rullar det på, sa han. Lövander förstod vad som håller på att hända. Nu går det ut ytterligare ett rikslarm. Inte bara efter en röd Ford Escort utan också efter en person som heter Magnus Holmström och som förmodligen är beväpnad och kan anses vara farlig.

– Man borde fråga hans mamma om hon känner till hans politiska åsikter, sa Stefan. Vilken typ av post brukade han få? Kanske har han en dator där i hennes lägenhet med e-post?

– Han bor nånstans, sa Giuseppe. Det är naturligtvis märkligt att han har sin post ställd till mammans adress men bor nån annanstans. Eller också är det så ungdomarna gör som flyttar runt mellan kompisar och olika andrahandslägenheter. Och då har han nog en hotmailadress.

– Det tyder på att han håller sig undan, insköt Erik Johansson. Är det nån som vet hur man gör för att få större bokstäver här på skärmen?

Giuseppe visade honom.

– Man kanske borde söka honom på Öland, sa Stefan. Trots

allt var det där jag mötte honom. Och bilen var tankad i Söderköping.

Giuseppe slog handflatan mot pannan av irritation.

– Jag är för trött, röt han. Det borde vi naturligtvis ha tänkt på redan från början.

Han slet till sig en telefon och började ringa igen. Det tog en oändlig tid innan han lyckades få tag på det befäl i Stockholm han talat med en stund tidigare. Medan han väntade fick han av Stefan vägbeskrivningen till Wetterstedts hus på Öland.

Klockan hade blivit halv två när Giuseppe la på luren. Erik Johansson fortsatte att skriva. Snön hade nästan slutat falla. Giuseppe såg på termometern.

– Minus 3 grader. Då blir den liggande. Åtminstone till i morgon.

Han såg på Stefan.

– Jag har en känsla av att det inte händer så mycket mer i natt. Nu får drevet gå. En dykare börjar leta efter vapnet vid bron i morgon bitti. Innan dess tror jag det bästa vi kan göra är att sova. Jag bor hemma hos Erik. Jag orkar inte en hotellnatt till just nu.

Erik Johansson stängde av datorn.

– Vi har i alla fall tagit ett stort steg framåt, sa han. Nu letar vi efter två personer. En av dom har vi till och med namnet på. Det måste nog ändå betraktas som en framgång.

– Tre, sa Giuseppe. Egentligen letar vi nog efter tre personer.

Ingen sa emot honom.

Stefan satte på sig jackan och lämnade medborgarhuset. Snön var mjuk under fötterna. Den dämpade alla ljud. Fortfarande föll enstaka snöflingor mot marken. Han stannade några gånger på vägen och vände sig om. Men det fanns ingen skugga där. Samhället sov. Veronica Molins fönster var mörkt. Han undrade igen om hon och hennes bror sovit över i Östersund. Begravningen skulle vara klockan elva nästa dag. De hade god tid på sig att återvända till Sveg om de valt att stanna i Östersund. Han låste upp ytterdörren till hotellet. De två männen från kvällen innan satt återigen och spelade kort trots att det var så sent. De nickade när han gick förbi. Det var för sent att ringa till Elena nu. Hon sov. Han klädde av sig, duschade och gick till sängs, medan han tänkte på Magnus Holmström. »Försynt«, hade Pelle Niklasson sagt. Och det intrycket kunde han säkert göra om han gick in för det. Men Stefan hade också sett någonting annat. En ung man, alldeles iskall, farlig. Han hyste inga tvivel om att det mycket väl kunde vara Magnus Holmström som försökt döda Fernando Hereira. Frågan var nu om det var han som också dödat Abraham Andersson. Vad som fortfarande var oklart var varför Elsa Berggren hade tagit på sig skulden. Det kunde naturligtvis vara hon som var skyldig. Men Stefan vägrade tro att det var så det hade gått till. Däremot kunde man mycket väl utgå ifrån att det var Magnus Holmström som berättat för henne vad som inte stått i tidningarna, bland annat om tvättlinan.

Mönstret, tänkte han. Det är tydligare nu. Inte fullständigt, många delar saknas. Men ändå har det uppstått en sorts siktdjup.

Han släckte ljuset. Tänkte på den förestående begravningen. Sedan skulle Veronica Molin återvända till en värld han inte visste någonting om.

En telefonsignal drog honom upp till ytan. Yrvaket famlade han efter telefonen som låg i jackfickan. Det var Giuseppe.

– Väckte jag dig?

– Ja.

– Jag tvekade om jag skulle ringa. Men jag trodde du ville veta.

– Vad är det som har hänt?

– Herbert Molins hus brinner. Erik och jag är på väg dit. Larmet kom för en kvart sen. En snöplog hade passerat och han som körde såg eldskenet inne i skogen.

Stefan gnuggade sig i ögonen.

– Är du kvar? frågade Giuseppe.

– Ja.

– Vi behöver i alla fall inte oroa oss för att nån ska komma till skada. Det är ett sönderskjutet och obebott hus som brinner.

Mottagningen blev dålig. Giuseppes röst försvann. Samtalet bröts. Sedan ringde han igen.

– Jag ville bara att du skulle veta.

– Tror du branden betyder nånting?

– Det enda jag kan tänka mig är att nån kände till Herbert Molins dagbok och inte visste att du redan hittat den. Jag ringer dig igen om det är nåt.

– Du tror alltså att det är mordbrand?

– Jag tror ingenting. Huset var redan till stora delar förstört. Det kan förstås finnas naturliga orsaker. Dom har en bra brandförman här i Sveg, säger Erik. Olof Lundin. Det lär aldrig ha hänt att han inte kunnat fastställa en brandorsak. Vi hörs sen.

Stefan la telefonen på bordet. Ljuset som slog in genom fönstret reflekterades mot snön. Han tänkte på det Giuseppe hade sagt. Tankarna vandrade. Han la sig till rätta för att försöka somna om.

Redan var det som om han befann sig i backen upp mot sjukhuset. Han passerade Bäckängsskolan nu. Det regnade. Eller kanske det var blötsnö. Han hade satt på sig fel skor, klätt upp sig för det som väntade. De svarta skorna som han köpt året innan och nästan aldrig använt. Han borde haft stövlar, eller åtminstone de bruna skorna med tjocka gummisulor. Vätan trängde redan in.

Han somnade inte. Det var för ljust i rummet. Han steg upp för att dra ner rullgardinen och stänga ute belysningen vid hotellets entré. Då såg han något som gjorde att han ryckte till.

Det stod en man nere på gården. En skugga, svagt upplyst. Någon som såg upp mot hans fönster. Stefan hade en vit undertröja på sig. Kanske den syntes trots att det var mörkt i rummet? Skuggan rörde sig inte. Stefan höll andan. Plötsligt lyfte mannen långsamt sina armar, som om någon hade riktat ett vapen mot honom. Det såg ut som ett tecken på underkastelse.

Sedan vände han tvärt och försvann därifrån.

Stefan undrade om det hade varit inbillning. Men spåren efter honom fanns kvar i snön.

Stefan kastade på sig kläderna, slet åt sig nycklarna och störtade ut ur rummet. Receptionen var övergiven. De kortspelande männen hade försvunnit. Kvar fanns bara kortleken som låg strödd över bordet. Stefan sprang ut i mörkret. Någonstans på avstånd hörde han ljudet från en bilmotor som sakta dog bort. Han stod alldeles stilla och såg sig omkring. Sedan gick han fram till den plats där mannen hade stått. Fotspåren var mycket tydliga i snön. Han hade försvunnit samma väg han kommit, upp mot den del av hotellgården som vette mot gatan där möbelaffären låg.

Stefan betraktade fotspåren. Det var ett mönster, kunde han se. Sedan insåg han att han hade sett samma fotspår tidigare.

Mannen som hade stått där och sett upp mot hans fönster hade markerat grundstegen i tango i den gnistrande nysnön.

Förra gången Stefan såg samma spår hade de varit tecknade i blod.

33.

Han tänkte att han borde ringa till Giuseppe.

Det var det enda förnuftiga.

Men någonting tog emot. Det var fortfarande alldeles för overkligt, spåren i snön, mannen som stått nedanför hans fönster och långsamt lyft sina armar som tecken på underkastelse.

Han kände efter att han hade telefonen i fickan. Sedan började han följa spåren. Strax utanför hotellets gård korsades de av märken av hundtassar i snön. Hunden hade vikit av över gatan efter att ha lämnat en gul fläck. Nattvandrarna i Sveg var få. Stefan hade bara ett spår från människor att följa. Bestämda, raka steg. Som fortsatte norrut, förbi möbelaffären, upp mot järnvägsstationen. Han såg sig runt. Ingen människa, ingen skugga som rörde sig, bara spåren i snön. Vid Nya konditoriet hade mannen stannat och vänt sig om. Sedan hade han gått över gatan, fortsatt norrut och svängt av mot vänster, mot det nersläckta och tomma stationshuset. Stefan lät en bil passera. Sedan fortsatte han.

Vid stationshuset stannade han och tvekade. Spåren fortsatte förbi gaveln, ut mot järnvägsspåren och perrongen. Om det var som han trodde följde han nu efter den man som hade dödat Herbert Molin. Inte bara dödat, utan torterat honom, piskat honom till döds, och sedan släpat runt honom i en blodig tango. För första gången slog det honom på allvar att mannen kanske var galen. Det som de hela tiden hade försökt tolka som något rationellt, kallblodigt och välplanerat, kunde trots allt vara motsatsen, den rena galenskapen. Han vände, gick tillbaka tills han befann sig under en gatlykta och slog numret till Giuseppe.

Det var upptaget. De har kommit fram till brandplatsen nu, tänkte han. Giuseppe ringer och berättar för någon om branden, kanske Rundström. Han väntade medan han hela tiden höll uppsikt mot järnvägsstationen. Sedan slog han numret igen. Fortfarande upptaget. Efter några minuter försökte han för tredje gången. En kvinnoröst upplyste honom om att det för tillfället var omöjligt att nå det begärda numret och han ombads försöka senare. Han stoppade tillbaka telefonen i fickan och försökte fatta ett beslut. Sedan började han gå längs vägen som ledde söderut, ner mot Fjällvägen. När han passerat en lång magasinsbyggnad vek han av och befann sig bland järnvägsspåren. På avstånd kunde han se stationshuset. Han fortsatte in i skuggorna på andra sidan järnvägsområdet. Sedan närmade han sig försiktigt stationsbyggnaden från motsatt sida. Det stod en gammal godsfinka på ett stickspår. Stefan tog sig runt på baksidan. Fortfarande hade han inte kommit så nära att han kunde se vart fotspåren i snön hade tagit vägen. Han ställde sig vid änden av godsvagnen och tittade försiktigt fram.

Snön dämpade alla ljud. Därför hörde han inte mannen som kom bakifrån och riktade ett kraftigt slag mot hans nacke.

Stefan var medvetslös när han föll omkull i snön.

Han slog upp ögonen i ett kompakt mörker. Det dunkade i nacken. Han mindes genast vad som hänt. Godsvagnen, hur han tittat fram för att kunna se stationsljuset. Sedan en blixt. Vad som hade skett efteråt visste han inte. Men han befann sig inte utomhus längre. Han satt i en stol. När han försökte röra armarna kunde han inte. Inte heller benen. Han var fastbunden vid en stol och dessutom hade han någon form av bindel för ögonen.

Rädslan var våldsam.

Han hade blivit infångad och bortförd av den man vars spår han hade följt i snön. Han hade gjort det han inte borde, gett sig ut ensam, utan kollegor, utan stöd. Han märkte att hjärtat slog fort. När han vred på huvudet högg smärtan till i nacken. Han lyssnade ut i mörkret och undrade hur länge han varit medvetslös.

Han ryckte till. Det var någon som andades alldeles intill honom.

Men var befann han sig? Inomhus, men var? Det fanns en lukt i rummet som han kände igen utan att kunna identifiera.
Han hade varit i det här rummet tidigare.
Men var låg det?
Det skimrade till utanför ögonbindeln. Fortfarande kunde han inte se. Men ljuset i rummet hade tänts. Han höll andan och hörde några dämpade fotsteg. En matta, tänkte han. Dessutom vibrerar golvet. Ett gammalt hus med trägolv. Jag har varit här tidigare, det vet jag bestämt.
Sedan började en man tala till honom på bruten engelska. Rösten befann sig på hans vänstra sida. Den var sträv, orden kom långsamt, och brytningen var mycket tydlig.
– Jag beklagar att jag var tvungen att slå ner dig. Men det här mötet är nödvändigt.
Stefan svarade inte. Varje ord han sa kunde vara farligt, om mannen som talade till honom var galen. Fortfarande var tystnaden det enda skydd han hade.
– Jag vet att du är polis, fortsatte rösten. Hur jag vet det har ingen betydelse.
Mannen tystnade, som för att ge Stefan en möjlighet att säga någonting. Han väntade.
– Jag är trött, sa rösten. Resan har varit alldeles för lång. Jag vill återvända hem. Men jag behöver få svar på några frågor. Det finns dessutom en människa jag vill tala med. Svara nu bara på frågan: Vem är jag?
Stefan försökte tyda det han hörde. Inte orden, men det som låg bakom. Mannen som talade till honom gav intryck av att vara alldeles lugn, inte orolig, inte upprörd.
– Jag vill gärna ha ett svar, upprepade rösten. Ingenting kommer att hända dig. Men jag kan inte låta dig se mitt ansikte. Vem är jag?
Stefan insåg att han måste svara. Frågan som kom var bestämd.
– Jag såg dig i snön nedanför mitt fönster på hotellet. Du lyfte armarna och du hade lämnat samma spår i snön som inne i Herbert Molins hus.
– Jag dödade honom. Det var nödvändigt. Jag hade i alla år föreställt mig att jag skulle tveka. Men det gjorde jag inte. Kan-

ske kommer jag att ångra mig på min dödsbädd. Det vet jag inte.

Stefan märkte att han var genomblöt av svett. Han vill tala, tänkte han. Det jag behöver är tid, för att förstå var jag är, vad jag kan göra. Han tänkte också på det rösten sagt, *i alla år*. Det var där han kunde ta tag, ställa enkla frågor tillbaka.

– Jag förstår att det måste ha nånting med kriget att göra, sa han. Händelser som ligger långt tillbaka i tiden.

– Herbert Molin dödade min far.

Orden kom alldeles lugnt, långsamt, ett efter ett. *Herbert Molin dödade min far*. Stefan tvekade inte om att Fernando Hereira, eller vad som nu var hans egentliga namn, talade sanning.

– Vad var det som hände?

– I Hitlers ohyggliga krig dog miljoner människor. Men varje död är enskild, varje fasa har ett eget ansikte.

Rösten tystnade. Stefan väntade. Han försökte plocka ut det viktigaste av det mannen hittills hade sagt. *I alla år*, det var kriget, och nu visste han att Fernando Hereira hade hämnats sin far. Han hade dessutom talat om en resa som *varit alldeles för lång*. Och kanske viktigast av allt, *det finns dessutom en människa jag vill tala med*. Någon förutom mig, tänkte Stefan. Vem?

– Dom hängde Josef Lehmann, sa rösten plötsligt. Nån gång på hösten 1945. Det var rätt. Han hade dödat många människor under den ohyggliga terror han utövade i olika koncentrationsläger. Men dom skulle också ha hängt hans bror, Waldemar Lehmann. Han var ännu värre. Två bröder, två monster, som tjänade sin herre genom att få människor att skrika. En av dom blev bestraffad med ett rep runt halsen, den andre försvann och kan, om gudarna har varit obegripligt släpphänta, fortfarande vara vid liv. Jag har ibland trott mig se honom på gatan. Men jag vet inte hur han ser ut. Det fanns inga fotografier av honom. Han hade varit försiktigare än sin bror Josef. Det räddade honom. Dessutom njöt han mest av att låta andra utföra vidrigheterna. Han lärde upp människor till monster. Han utbildade dödens hantlangare.

Det kom som en snyftning, eller en suck. Mannen som talade till honom rörde sig igen. Det knarrade till. Stefan hade hört ljudet förut. En stol eller kanske en soffa som knarrade på just det sättet. Men han hade aldrig suttit i den själv.

Han ryckte till. Nu visste han.

Någon gång tidigare hade han suttit just i den stol där han nu befann sig, bunden.

– Jag vill resa hem, sa rösten. Till det som återstår av mitt liv. Men först vill jag veta vem som dödade Abraham Andersson. Om jag har nån skuld till att det hände. Jag kan inte göra det ogjort. Men jag kan under resten av mitt liv tända ljus inför den Heliga Jungfrun och be om förlåtelse.

– Du kom åkande i en blå Golf, sa Stefan. Plötsligt steg nån ut på vägen och sköt. Du kom undan. Om du är oskadd vet jag inte. Men den som sköt mot dig kan också ha varit den som dödade Abraham Andersson.

– Du vet mycket, sa rösten. Men du är polis, du ska veta, du ska göra allt för att gripa mig, även om det nu blev tvärtom, att det var jag som fångade dig. Jag är oskadd. Du har rätt, jag hade tur. Jag kom ur bilen utan att bli träffad, jag gömde mig i skogen resten av natten, innan jag vågade fortsätta.

– Du måste ha haft en bil?

– Jag ska betala för den bil som blev sönderskjuten. När jag väl kommit hem ska jag skicka pengar.

– Jag menar efteråt. Då måste du haft en bil till?

– Jag hittade den i ett garage till ett hus som låg i utkanten av skogen. Om nån har saknat den vet jag inte. Huset verkade övergivet.

Stefan kunde märka en svag antydan till otålighet i mannens röst. Han insåg att han måste vara ännu mer försiktig med vad han sa. Det klirrade av en flaska. En kapsyl som skruvades av. Några klunkar. Men inget glas, tänkte Stefan. Han dricker direkt ur en flaska. En svag doft av alkohol spred sig i rummet.

Därefter berättade mannen vad som hade hänt den gången för 54 år sedan. En kort historia, klar, tydlig, och alldeles förfärande.

– Waldemar Lehmann var en mästare. En mästare i att plåga människor. En dag kom Herbert Molin in i hans liv. Jag har inte alla detaljer klara för mig. Det dröjde också ända tills jag träffade Höllner innan jag insåg vem som hade dödat min far. Men det jag därefter kunde ta reda på var tillräckligt för att det skulle vara nödvändigt och rättfärdigt att döda Herbert Molin.

Flaskan klirrade igen, doften av sprit, nya klunkar. Mannen som sitter här håller på att dricka sig berusad, tänkte Stefan. Kommer det att betyda att han mister kontrollen över vad han gör?

Rädslan ökade. Det var som om han långsamt höll på att få feber.

– Min far var danslärare. En fredlig man som älskade att lära människor dansa. Särskilt dom unga och dom blyga. En dag kom Herbert Molin till honom som elev. Tydligen hade han haft en veckas permission som han tillbringat i Berlin. Vem som förde honom till min far får vi aldrig veta. Men han blev min fars elev och det var särskilt tango han ville lära sig. Varje gång han hade permission återvände han till Berlin. Hur många gånger det skedde vet jag inte. Men jag minns den där unge soldaten, som jag såg flera gånger. Jag kan se hans ansikte framför mig och jag kände igen honom i Herbert Molin när jag äntligen hittade honom.

Mannen reste sig. Knarrandet kom tillbaka. Plötsligt kände Stefan igen ljudet. Men det var från huset på Öland, där Emil Wetterstedt hade funnits. Jag håller på att bli galen, tänkte Stefan desperat. Jag känner igen ett ljud från Öland. Men jag befinner mig i Härjedalen.

Rösten återkom. Men det var från höger sida nu. Mannen hade satt sig i en annan stol. Som inte knarrade. Någonstans vaknade ytterligare ett minne till liv i Stefans huvud. Han kände också igen stolen som inte knarrade. I vilket rum var det han befann sig? Han måste komma på det.

– Jag var tolv år. Min far höll sina danslektioner hemma. När kriget började 1939 hade han blivit av med sin dansstudio. En dag hade det plötsligt suttit en judestjärna på dörren. Han talade aldrig om det. Ingen talade om det. Vi såg våra vänner försvinna. Men far stannade. Nånstans i bakgrunden fanns min farbror som gav Hermann Göring massage. Det gav ett osynligt beskydd till vår familj. Ingen fick röra oss. Ända tills Herbert Molin kom och blev hans elev.

Rösten stockade sig. Stefan sökte febrilt efter ett svar på var han befann sig. Det var det första han måste veta innan han skulle kunna hitta ett sätt att bli fri. Mannen som fanns där i rummet kunde vara oberäknelig, han hade dödat Herbert Molin, plågat honom, han hade handlat precis som de människor han talade om.

Mannen fortsatte igen.

– Jag brukade titta in i det rum där min far hade sin undervisning. En gång möttes våra blickar. Och den där unge soldaten log. Jag minns det fortfarande. Jag tyckte om honom. En ung man i uniform som log. Eftersom han aldrig sa nånting trodde jag naturligtvis att han var tysk. Inte kunde jag ana att han kom från Sverige. Vad som hände efteråt vet jag inte. Men han blev en av Waldemar Lehmanns hejdukar. På nåt sätt måste Lehmann ha fått veta att Herbert Molin tog danslektioner av en av dessa förhatliga judar som fortfarande fanns kvar i Berlin och var fräck nog att bete sig som en vanlig, fri, likvärdig människa. Hur han bar sig åt för att omvända Herbert Molin vet jag inte heller. Men Waldemar Lehmann var en av djävulens mest begåvade hantlangare. Han lyckades förvandla Herbert Molin till ett monster. En eftermiddag kom han till sin danslektion. Jag brukade sitta i tamburen och lyssna på det som hände där inne där min far hade ställt möblerna längs väggarna för att kunna ge sina lektioner. Det var röda draperier i rummet och ett blankslitet parkettgolv. Jag hörde min fars vänliga röst, hur han räknade takter och talade om »vänster fot« och »höger fot« och ryggen som alltid skulle vara rak. Plötsligt tystnade grammofonen. Det blev alldeles stilla. Jag trodde först att dom hade tagit en paus. Sen öppnades dörren, Herbert Molin lämnade hastigt lägenheten. Jag såg hans fötter, hans dansskor, när han försvann. I vanliga fall brukade min far komma ut och torka svetten ur ansiktet och le mot mig. Men den här gången var det alldeles tyst. Jag tittade in i rummet. Min far var död. Herbert Molin hade strypt honom med hans egen livrem.

Och sedan fortsättningen, som Stefan uppfattade som ett utdraget skrik.

– Han hade strypt honom med hans egen livrem! Och kört in en krossad grammofonskiva i hans mun. Etiketten var blodig. Men det var en tango, det kunde jag se. Och jag har letat hela mitt liv efter den man som gjorde detta mot min far. Först när jag av denna märkliga tillfällighet träffade Höllner så förstod jag, fick jag veta vem mördaren var. Att det var en svensk som hade dödat min far, en människa som inte ens var tvingad att tjäna Hitler, än mindre att låta ett alldeles meningslöst och obegripligt hat gå ut över judarna. Över den man som försökt hjälpa honom att överkomma sin blygsel och lära honom att dansa. Jag vet inte vad Lehmann gjorde med Herbert Molin, vad han piskade in i honom, vad han hotade med. Hur han drabbades av det slutgiltiga nazistiska vansinnet. Men det betyder inte så mycket. Han hade kommit till vårt hem den där dagen, inte för att dansa, utan för att döda min far. Det var ett mord, så brutalt, så förfärande att det egentligen inte går att beskriva. Där låg min far död med sin egen livrem runt halsen. Och det var inte bara han som var död, det var också hans hustru, min mor och jag och mina syskon. Alla dog vi där med den där livremmen runt halsen. Vi levde vidare, min mor bara några månader tills hon hade ordnat för mig och mina syskon att lämna landet. Det var den sista tjänst min farbror lyckades pressa ut ur Göring. När vi väl hade kommit till Schweiz tog hon livet av sig, och i dag är det bara jag som finns kvar. Inget av mina syskon levde längre än till trettio, en bror drack ihjäl sig, en syster tog livet av sig, och jag hamnade i Sydamerika. Jag letade efter den där mannen, den unge soldaten som dödat min far. Egentligen var det därför jag for till Sydamerika, dit så många nazister hade flytt. Jag kunde inte föreställa mig att han hade rätt att leva när min far var död. Till slut hittade jag honom, en gammal man som gömt sig här i skogen. Jag dödade honom, jag gav honom hans sista danslektion och jag var på väg att resa hem när nån dödade hans granne. Och jag undrar om jag bär skulden också för det.

Det blev tyst. Stefan väntade på en fortsättning. Han tänkte på det namn Fernando Hereira hade nämnt, Höllner. Någonting avgörande måste ha hänt när de träffats.

– Vem var Höllner?

– Den budbärare jag väntat på i hela mitt liv. En man som en kväll råkade befinna sig på samma restaurang som jag i Buenos Aires. Till en början, när jag upptäckte att han var en tysk emigrant, fruktade jag att han var en av alla dom nazister som gömde sig i Argentina. Sen insåg jag att han var som jag. En man som alltid tagit avstånd från Hitler.

Fernando Hereira tystnade igen. Stefan väntade.

– När jag tänker tillbaka är det som om allt är så enkelt, fortsatte han. Höllner kom från Berlin, precis som jag. Och Höllners far hade fått massage av min farbror från mitten av 1930-talet. Han var en man som hade gjort sig oumbärlig för Herman Göring som ständigt led av smärtor på grund av sitt morfinmissbruk och inte tålde någon annan massör än min farbror. Det var den ena utgångspunkten. Den andra var den man som hette Waldemar Lehmann. En man som plågat och mördat människor i olika koncentrationsläger. Hans bror hade varit likadan. Han hängdes på hösten 1945. Men brodern Waldemar kom man aldrig åt. Han gjorde sig osynlig i kaoset efter kriget och kunde aldrig gripas. Trots att många försökte. Han stod högt på de listor över krigsförbrytare som toppades av Bormann. Eichmann kunde man gripa. Men aldrig Waldemar Lehmann. En av dom som letade var en engelsk major som hette Stuckford. Varför han gjorde det vet jag inte. Men han befann sig i Tyskland 1945 och måste ha sett ohyggligheterna när koncentrationslägren öppnades. Han hade också varit närvarande när Josef Lehmann blev hängd. Under sina efterforskningar hade denne major Stuckford fått fram uppgifter som tydde på att en svensk soldat blivit en av Waldemar Lehmanns underhuggare i slutet av kriget. Och att han hade begått ett brutalt mord på sin danslärare, ett mord han pressades till av Waldemar Lehmann.

Fernando Hereira tystnade. Det var som han måste samla kraft för att kunna föra sin berättelse fram till slutet.

– Nån gång långt efter kriget möttes Höllner och Stuckford på en konferens om jakten på krigsförbrytare. Dom var båda förbittrade antinazister och kom att tala om den försvunne Waldemar Lehmann. Nånstans under samtalets gång fick Höllner höra om det brutala mordet på en danslärare i Berlin och han fick också veta namnet på den som begått mordet, en svensk som hette Mattson-Herzén. Det hade en annan nazist avslöjat i ett försök att köpa sig fri under nåt av alla dom förhör Stuckford hållit efter kriget. Allt detta berättade Höllner för mig. Och han kunde också berätta att Stuckford då och då besökte Buenos Aires.

Stefan hörde hur Fernando Hereira grep flaskan. Men han ställde den ifrån sig igen utan att ha tagit någon ny klunk.

– Nästa gång Stuckford kom till Buenos Aires träffade jag honom på hans hotell. Jag sa som det var, att jag var den mördade danslärarens son. Ungefär ett år efter vårt sammanträffande fick jag ett brev från England. Där berättade Stuckford att den soldat som en gång hetat Mattson-Herzén och var den som dödade min far efter kriget hade bytt namn till Molin och fortfarande levde. Jag kommer aldrig att glömma det där brevet. Nu visste jag vem som hade dödat min far. En man som brukade le vänligt när han kom för att få sina lektioner. Stuckford kunde sen med sina kontakter hjälpa mig att spåra honom hit till skogarna.

Han tystnade. Det finns ingen fortsättning, tänkte Stefan. Den behövs inte heller. Nu har jag hört historien. Framför mig sitter en man jag inte kan se som har hämnats sin far. Vi hade rätt när vi trodde att det här mordet hade sin bakgrund i ett krig som slutade för så många år sedan.

Stefan tänkte också att Fernando Hereira hade fullbordat ett pussel åt honom. Det fanns en ironi i detta, att Herbert Molin tillbringade sin ålderdom med att även han lägga pussel, alltid i sällskap av sin rädsla.

– Har du förstått vad jag har berättat?

– Ja.

– Har du några frågor?

– Inte om det. Men jag vill gärna veta varför du flyttade hunden.

Mannen förstod inte frågan. Stefan formulerade den ytterligare en gång.

– Du dödade Molins hund. När Abraham Andersson var död tog du hans hund.

– Jag ville visa att nånting inte var som ni trodde. Att det inte var jag som hade dödat den andre mannen också.

– Varför skulle vi tro det på grund av hunden?

Svaret kom, enkelt och övertygande.

– Jag var berusad när jag bestämde mig. Egentligen förstår

jag fortfarande inte hur det kunde komma sig att ingen upptäckte mig. Men jag flyttade på hunden för att skapa oreda. Oreda i era tankar. Jag vet fortfarande inte om jag lyckades.

– Vi började ställa nya frågor.

– Då uppnådde jag det jag ville.

– När du kom bodde du i ett tält nere vid sjön?

– Ja.

Stefan märkte att otåligheten hade försvunnit. Hereira var alldeles lugn nu. Det hördes heller inga fler klirranden från flaskan. Hereira reste sig, golvet vibrerade. Han befann sig bakom stolen där Stefan satt. Rädslan som för ett ögonblick blivit svagare växte igen. Stefan mindes fingrarna runt sin hals. Nu var han bunden. Om mannen ville strypa honom skulle han inte kunna göra motstånd.

Rösten återkom från vänster. Stolen knarrade. Stefan fortsatte att leta efter rummet i sitt minne.

– Jag trodde det skulle dö, sa rösten. Allt det där förfärliga som hände den gången. Men tankarna som föddes i Hitlers förvridna hjärna lever fortfarande. De har andra namn, men det är samma tankar, samma ohyggliga syn på att hela folk kan mördas om det anses nödvändigt. Med all den här nya tekniken, datorerna, de internationella nätverken, knyts alla dessa grupper samman. Allt finns i datorerna nu.

Stefan lyssnade. Han tänkte att han tidigare hade hört nästan samma fras ur Veronica Molins mun, *allt finns i datorerna.*

– Dom fortsätter att förstöra liv, sa rösten. Dom kommer att fortsätta att odla sitt hat. Mot människor som har annan hudfärg, andra vanor, andra gudar.

Stefan förstod plötsligt att Hereiras lugn var bedrägligt. Han var mycket nära bristningsgränsen, ett sammanbrott som kunde innebära att han återigen tog till våld. Han dödade Herbert Molin, tänkte Stefan igen. Han försökte strypa mig, han slog ner mig och nu sitter jag bunden i en stol. Om jag inte blir överfallen bakifrån är jag starkare än vad han är. Jag är 37 år och han är nästan 70. Han kan inte släppa mig, eftersom jag då kommer att gripa honom. Han vet att han har angripit en polisman. Det är det värsta man kan göra, vare sig man befinner sig i Sverige eller Argentina.

Stefan insåg alldeles klart nu att mannen som fanns där i rummet skulle kunna döda honom. Han hade just berättat vad som hänt, han hade avlagt en bekännelse och vad återstod efter det? Flykt, ingenting annat. Och frågan vad han skulle göra med en polisman som han överfallit.

Jag har inte sett hans ansikte, tänkte Stefan. Så länge jag inte har det kan han lämna mig här och försvinna. Jag måste se till att han inte tar av mig bindeln.

– Vem var det som stod på vägen och försökte döda mig?

Mannen verkade plötsligt otålig igen.

– En ung nazist. Han heter Magnus Holmström.

– Var han svensk?

– Ja.

– Jag trodde det här landet var ett anständigt land. Utan nazister. Förutom dom gamla, dom som tillhörde Hitlers generation och ännu inte är döda. Som fortfarande gömmer sig i sina hålor.

– Det finns en ny generation. Dom är inte många. Men dom finns.

– Jag talar inte om dom unga männen med rakade skallar. Jag talar om dom som drömmer i blod, planerar för folkmord, ser en värld framför sig med vit herremakt.

– Magnus Holmström är en sån.

– Har han blivit gripen?

– Inte än.

Tystnad. Flaskan klirrade igen.

– Var det hon som bett honom komma?

Vilken hon? tänkte Stefan. Sedan insåg han att det bara kunde finnas en möjlighet. Elsa Berggren.

– Det vet vi inte.

– Vem skulle det annars ha varit?

– Det vet vi inte.

– Men det måste ha funnits ett motiv?

Försiktigt nu, tänkte Stefan. Inte säga för mycket, inte för lite, framför allt det rätta. Men vad är det? Han vill veta om han bär någon skuld. Vilket han naturligtvis gör. När han dödade Herbert Molin var det som om han välte en sten över ända. Gråsuggorna försvann åt olika håll. Nu vill de in under stenen igen, de vill att någon ska lägga tillbaka stenen som den låg innan den stora oron bröt ut här i skogarna.

Det fanns fortfarande många saker han inte förstod. Det var som om det fortfarande saknades en länk, som om allt hölls ihop av ett osynligt moment som han inte lyckats avtäcka. Inte han, inte Giuseppe, ingen.

Han tänkte på Herbert Molins hus som brann ute i skogen. Den frågan föreföll honom ofarlig att ställa.

– Du satte eld på Herbert Molins hus?

– Jag förstod att polisen skulle åka dit. Men kanske inte du. Jag visste inte. Det var en möjlighet. Jag hade rätt. Du stannade på hotellet.

– Varför jag? Varför inte nån av dom andra poliserna?

Mannen svarade inte. Stefan tänkte att han tagit miste, att han trots allt passerat en farlig gräns. Han väntade. Hela tiden sökte han febrilt i sitt huvud efter en möjlighet att komma bort, lösa situationen, lämna det rum där han nu satt fastbunden. För att klara det måste han först av allt förstå var han befann sig.

Det klirrade i flaskan igen. Sedan reste mannen sig upp. Stefan lyssnade. Plötsligt kunde han inte känna vibrationerna av fotstegen i golvet längre. Det var stilla. Hade mannen lämnat rummet? Stefan ansträngde alla sina sinnen. Men mannen tycktes ha försvunnit.

En klocka började slå. I samma ögonblick visste Stefan var han befann sig. Det var i Elsa Berggrens hus, det var hennes klocka. Han hade hört den första gången när han besökte henne. Han hade också lyssnat på den speciella klangen när han var där tillsammans med Giuseppe.

I samma ögonblick rycktes bindeln av Stefans ansikte. Det gick så fort att han inte alls hann reagera. Det var verkligen i Elsa Berggrens vardagsrum han befann sig, i just den stol där han suttit första gången han besökte henne. Mannen stod bakom honom. Stefan vred försiktigt på huvudet.

Fernando Hereira var mycket blek. Han var orakad och hade mörka skuggor under ögonen. Håret var grått och okammat. Han var mager. Kläderna, mörka byxor och en blå jacka, var smutsiga. Jackan hade en reva vid kragen. På fötterna bar han joggingskor. Det var alltså den man som bott i ett tält nere vid sjön, dödat Herbert Molin med stor brutalitet, och sedan släpat runt honom i en blodig tango. Det var dessutom den man som två gånger hade attackerat Stefan, ena gången genom att nästan strypa honom, den andra bara för någon timme sedan, genom att slå honom hårt i nacken.

Klockan hade slagit ett halvtimmesslag. Halv sex på morgonen. Stefan hade varit avsvimmad längre tid än han trott. På bordet framför mannen stod en konjaksflaska. Inget glas. Mannen tog en klunk. Sedan såg han på Stefan.

– Vad kommer jag att få för straff?

– Det kan inte jag svara på. Det avgör en domstol.

Fernando Hereira skakade uppgivet på huvudet.

– Ingen kommer att förstå. Dömer man människor till döden i ert land?

– Nej.

Fernando Hereira tog en ny klunk ur flaskan. Han fumlade när han ställde tillbaka den på bordet. Han är berusad, tänkte Stefan. Hans rörelser börjar bli okontrollerade.

– Det är en människa jag vill tala med, fortsatte Fernando Hereira. Jag vill förklara för Herbert Molins dotter som heter Veronica varför jag dödade hennes far. Det var Stuckford som skrev i sitt brev att Molin hade en dotter. Kanske det finns flera barn? Men jag vill tala med dottern. Hon måste vara här nu när hennes far blivit dödad.

– Herbert Molin ska begravas i dag.

Fernando Hereira ryckte till.

– I dag?

– Hans son har kommit. Begravningen sker i dag klockan elva.

Det blev tyst. Fernando Hereira stirrade på sina händer.

– Jag orkar bara tala med henne, sa Hereira till sist. Hon kan sen förklara för den hon vill. Jag vill berätta varför jag gjorde det.

Stefan insåg att han nu kanske hade hittat den möjlighet han sökt efter.

– Veronica Molin kände inte till att hennes far varit nazist. Hon är mycket upprörd nu när hon vet om det. Jag tror hon kommer att förstå, om du berättar samma sak för henne som du berättade för mig.

– Allt jag säger är sant.

Han tog ytterligare en klunk ur flaskan.

– Frågan är om du låter mig få den tid jag behöver. Om jag låter dig gå och ber dig kontakta Veronica Molin? Får jag den tid jag behöver innan du griper mig?

– Hur ska jag veta att du inte kommer att behandla Veronica Molin på samma sätt som hennes far?

– Det kan du inte veta. Men varför skulle jag angripa henne? Hon dödade ju inte min far.

– Du angrep mig?

– Det var nödvändigt. Men jag beklagar det naturligtvis.

– Hur har du tänkt dig att det ska gå till?

– Jag låter dig gå. Jag stannar här. Klockan är snart sex. Du talar med Veronica Molin, berättar var jag finns. Efter det att hon lämnat mig kan du och dom andra poliserna hämta mig. Jag inser att jag aldrig kommer att återvända hem. Jag stannar här och dör i ett fängelse.

Fernando Hereira försvann bland sina tankar. Talade han sanning eller inte? Stefan visste att det var något han inte kunde ta för givet.

– Jag kommer naturligtvis inte att låta Veronica Molin besöka dig ensam, sa Stefan.

– Varför inte?

– Du har redan visat att du inte tvekar att använda våld. Din begäran är orimlig.

– Jag vill träffa henne ensam. Jag kommer inte att röra henne.

Fernando Hereira slog plötsligt näven i bordet. Stefan kände hur rädslan växte.

– Vad händer om jag inte går med på det du begär?

Hereira såg länge på honom innan han svarade.

– Jag är en fredlig människa. Ändå har jag utövat våld mot medmänniskor. Jag vet inte vad som händer. Kanske jag dödar dig, kanske inte.

Stefan visste att han inte kunde gå med på Hereiras begäran. Samtidigt insåg han att om han inte presenterade ett alternativ som var acceptabelt för Hereira kunde vad som helst hända.

– Jag kan ge dig den tid du begär, sa han. Och du kan tala med henne i telefon.

Stefan såg hur det blänkte till i Hereiras ögon. Han var trött men långt ifrån uppgiven.

– Jag gör redan för mycket, fortsatte Stefan. Jag ger dig tid och du kan tala med henne i telefon. Du inser säkert att jag som polis inte har lov till det här.

– Kan jag lita på dig?

– Du har knappast nåt val.

Hereira tvekade. Sedan reste han sig upp och rev loss tejpen som höll Stefan bunden vid stolen.

– Vi får lita på varandra, sa han. Nån annan möjlighet finns inte.

Stefan kände sig yr när han gick till dörren. Han var stel i benen och nacken värkte.

– Jag väntar på att hon ringer, sa Hereira. Kanske pratar vi med varandra en timme. Sen kan du berätta för dina kollegor var jag finns.

Stefan gick över bron. Innan han lämnade huset hade han skrivit upp Elsa Berggrens telefonnummer på en lapp. Han stannade på den plats där en dykare om några timmar skulle börja leta efter det gevär som kanske låg på älvens botten. Trots att han var trött försökte han tänka klart. Fernando Hereira hade begått mord. Men det hade funnits något vädjande hos honom, något alldeles äkta, när han försäkrat Stefan om att han bara ville tala med Herbert Molins dotter, försöka få henne att förstå, söka hennes förlåtelse. Han undrade återigen om Veronica Molin och hennes bror hade stannat över natten i Östersund. Då skulle han bli tvungen att ringa runt till hotellen för att leta reda på henne.

Klockan var halv sju när han kom till hotellet. Han knackade på Veronica Molins dörr. Hon öppnade så hastigt att han nästan ryggade. Hon var redan klädd. I bakgrunden skymtade han den upplysta skärmen på hennes dator.

– Jag måste få tala med dig. Trots att det är så tidigt. Jag trodde att du och din bror stannat i Östersund eftersom det snöade.

– Min bror kom aldrig.

– Varför inte?

– Han hade ändrat sig. Han ringde. Han ville inte gå på begrävningen. Jag kom tillbaka hit sent i natt. Vad är det som är så bråttom?

Stefan började gå tillbaka mot receptionen. Hon följde efter. När de satt sig började han utan omsvep berätta vad som hade hänt under natten och om hennes fars mördare, Fernando Hereira som satt och väntade på hennes telefonsamtal och kanske hennes förlåtelse i Elsa Berggrens hus.

– Han ville träffa dig, slutade Stefan. Men det kunde jag naturligtvis inte gå med på.

– Jag är inte rädd, sa hon efter en stund. Men jag hade förstås aldrig gått dit. Är det nån annan än du som vet om det här?

– Ingen.

– Inte ens dina kollegor?

– Ingen.

Hon satt tyst och såg på honom.

– Jag ska tala med honom. Men jag vill vara ensam när jag ringer honom. När samtalet är slut knackar jag på din dörr.

Stefan gav henne lappen med telefonnumret. Sedan lämnade han henne och gick upp till sitt rum. När han öppnade dörren tänkte han att hon kanske redan hade ringt till Hereira. Stefan såg på sin klocka. Om tjugo minuter skulle han kontakta Giuseppe och ge besked om var Hereira befann sig.

På toaletten upptäckte han att pappret hade tagit slut. Han gick ner till receptionen igen.

Då såg han henne genom fönstret. Veronica Molin ute på gatan. Hon hade bråttom.

Han tvärstannade. Försökte förstå. Tankarna rusade runt i hans huvud. Han behövde inte tveka om att Veronica Molin var på väg att möta Fernando Hereira. Det var något han borde ha begripit. Ett sammanhang som egentligen var tvärtom mot vad han tidigare hade trott.

Det var något med hennes dator, tänkte han. Något hon sagt, kanske något jag tänkt utan att riktigt ha haft klart för mig vad tanken inneburit. Oron växte till en våg som plötsligt tornade upp sig framför honom. Han vände sig till flickan som var på väg nerför trappan till matsalen.

– Veronica Molins nyckel, sa han. Ge mig den.

Hon såg oförstående på honom.

– Hon gick just ut.

– Det är därför jag behöver nyckeln.

– Den kan jag inte ge dig.

Stefan slog näven hårt i receptionens disk.

– Jag är polis, röt han. Ge mig nyckeln.

Hon tog ner nyckeln från väggtavlan. Han slet till sig den och sprang genom korridoren till hennes rum och låste upp.

Hon hade inte stängt av datorn. Skärmen glimmade. Han stirrade på den med förfäran.

Plötsligt såg han allt helt klart.

Hur allting hängde ihop.

Men framför allt insåg han hur katastrofalt fel han hade haft.

34.

Klockan var några minuter över sju. Det var fortfarande mörkt. Stefan sprang. Flera gånger var han på väg att halka i snön och falla omkull. Det som nu var alldeles uppenbart, alldeles enkelt och tydligt, borde han ha insett långt tidigare. Men han hade varit för lat. Eller så hade oron inför det som väntade honom på sjukhuset om några dagar varit för stor. Jag borde ha förstått när Veronica Molin ringde och bad mig komma tillbaka, tänkte han. Varför blev jag inte misstänksam? Alla de frågor som var självklara redan då ställer jag först nu.

Han kom fram till bron. Fortfarande mörkt, ingen Giuseppe, ingen dykare. Hur lång tid tog det för Herbert Molins hus att brinna ner? Han tog fram telefonen och slog numret till Giuseppe. Fortfarande samma kvinnoröst som bad honom försöka senare. Det var nära att han kastat telefonen samma väg som geväret några dagar tidigare, mot älvens botten.

Sedan upptäckte han att det kom en man gående över bron. I ljuset från en av de lyktor som lyste upp bron såg han vem det var. En gång, en av de första dagarna i Sveg, hade han druckit kaffe i mannens kök. Han letade i minnet efter hans namn. Han som aldrig i sitt liv hade gjort en längre resa än till Hede. Sedan kom han på det, Björn Wigren. Mannen hade också känt igen Stefan.

– Är du kvar? frågade han förvånat. Jag trodde du hade rest. Men inte har Elsa begått nåt mord, det kan jag aldrig tänka mig.

Stefan undrade hur Björn Wigren kunde veta att hon hade blivit anhållen och förd till Östersund. Men samtidigt saknade den frågan just nu betydelse. Däremot kunde Björn Wigren kanske hjälpa honom.

– Låt oss tala om Elsa Berggren senare, sa han. Nu behöver jag din hjälp.

Stefan letade i sina fickor efter papper och penna utan att hitta någonting.

– Har du nånting att skriva med?

– Nej. Men jag kan naturligtvis gå hem och hämta om det är viktigt. Vad rör det sig om?

Hans nyfikenhet är fruktansvärd, tänkte Stefan och såg sig omkring. De stod just intill brofästet.

– Kom med här, sa han.

De gick till den plats där vägbanan och bron möttes. Det fanns en snödriva där snön var helt orörd. Stefan satte sig på huk och ristade med fingret i snön.

Elsas hus. Veronica. Farlig. Stefan.

Sedan reste han sig upp igen.

– Kan du se vad som står där?

Björn Wigren läste högt.

– Vad betyder det? frågade han.

– Det betyder att du ska stanna här och vänta tills det kommer några poliser och en dykare. Polismannen heter antagligen Giuseppe Larsson. Men han kan också heta nånting annat. Rundström. Eller så är det Erik Johansson som du redan känner. Du ska visa dom det här. Har du förstått?

– Vad betyder det?

– Ingenting som du just nu har med att göra. Men för poliserna är det viktigt. Du stannar här tills dom kommer.

Stefan ansträngde sig att låta bestämd på rösten.

– Du stannar här, upprepade han. Har du förstått?

– Ja. Men jag blir förstås nyfiken. Har det med Elsa att göra?

– Du får svar tids nog. Det viktigaste just nu är att du förstår att det här är viktigt. Du gör polisen en stor tjänst.

– Jag stannar här. Jag var bara ute på en morgonpromenad.

Stefan lämnade Björn Wigren och fortsatte över bron samtidigt som han försökte slå larmnumret till polisen. Fortfarande samma kvinnoröst som bad honom försöka senare. Han svor och stoppade tillbaka telefonen i fickan. Nu kunde han inte vänta längre. Han vek av till vänster och stannade utanför Elsa Berggrens hus. Försökte vara alldeles lugn. Det finns bara ett sätt, sa han till sig själv. Det är att jag klarar att uppträda så övertygande som möjligt. Att jag ger intryck av att ingenting veta. Veronica Molin måste få fortsätta att föreställa sig att jag är den idiot hon hittills haft all anledning att uppfatta mig som.

Han tänkte på den natt han hade sovit bredvid henne. Antagligen hade hon stigit upp när han somnat och sökt igenom hans rum på övervåningen. Det var skälet till att hon låtit honom sova i hennes säng. Inte ens det hade han lyckats genomskåda. Han hade varit fåfäng och inbilsk, dessutom falsk mot Elena. Och hon hade använt sig av hans svaghet.

Just det tyckte han inte han kunde klandra henne för.

Han gick in genom grinden. Allt var mycket stilla. En svag ljusstrimma hade blivit synlig på den mörka himlen över skogsåsarna i öster. Sedan ringde han på. Fernando Hereira kikade försiktigt fram bakom gardinen som täckte glasrutan i ytterdörren. Stefan kände en omedelbar lättnad över att ingenting hade hänt honom. När han gått in i Veronica Molins rum var han fortfarande orolig för att någonting skulle hända *henne*. Men när han sett vad som stod på hennes dataskärm hade allting förändrats och blivit sin egen motsats. Från och med det ögonblicket var det Fernando Hereira han hade känt oro för. Det gjorde ingen skillnad att det som nu skedde var ett möte mellan en kvinna och den man som dödat hennes far. Fernando Hereira hade samma rätt som andra att få sina gärningar prövade inför en domstol.

Fernando Hereira öppnade dörren. Hans ögon var glansiga.

– Du kommer för tidigt, sa han otåligt.

– Jag kan vänta.

Dörren in till vardagsrummet stod på glänt. Stefan kunde inte se henne där inne. Ett kort ögonblick övervägde han om han skulle säga sanningen till Fernando Hereira redan nu. Men han bestämde sig för att vänta. Hon kunde stå bakom dörren och lyssna. Han hade insett att Veronica Molin var kapabel till vad som helst. Han måste dra ut på deras möte så länge som möjligt för att Giuseppe och de andra poliserna skulle hinna fram.

Han nickade mot toaletten

– Jag kommer strax, sa han. Hur går det?

– Det är som jag hoppades, sa Hereira med trött stämma. Hon lyssnar. Och det verkar som om hon förstår. Men om hon förlåter mig vet jag inte.

Han återvände in i vardagsrummet på ben som inte var helt stadiga. Stefan stängde in sig på toaletten. Ännu återstod det värsta, att möta Veronica Molins blick och övertyga henne om att han inte visste mer nu än för en dryg halvtimme sedan. Samtidigt tänkte han att hon knappast skulle misstänka honom för att plötsligt börja begripa det som han tidigare inte förstått.

Han slog numret till Giuseppe. När han hörde kvinnorösten som bad honom försöka igen senare drabbades han nästan av panik. Han spolade och lämnade toaletten. Gick fram till ytterdörren och hostade till medan han satte upp låset. Sedan vände han om mot vardagsrummet.

Veronica Molin satt i den stol där han själv varit bunden. Hon såg på honom. Han nickade uppmuntrande.

– Jag kan vänta där ute, sa han på engelska. Om ni inte är färdiga.

– Jag vill att du stannar, svarade hon.

Fernando Hereira nickade. Inte heller honom gjorde det något att Stefan fanns i rummet.

Han valde som av en tillfällighet den stol som stod närmast ytterdörren. Från sin plats hade han också uppsikt mot fönstren bakom de två andras ryggar.

Veronica Molin fortsatte att betrakta honom med forskande ögon. Han såg det nu, hur hon hela tiden försökte se rakt igenom honom.

Han valde att möta hennes blick och upprepade sitt stumma mantra: *jag vet inget, jag vet inget.*

Flaskan stod fortfarande kvar på bordet. Stefan såg att Hereira hade tömt den till hälften. Men han hade skjutit den åt sidan nu och skruvat på kapsylen. Han började tala. Om den man som hette Höllner, som han mött på en restaurang i Buenos Aires, och som av en tillfällighet kunnat ge honom förklaringen till vem som hade dödat hans far. Fernando Hereira var mycket omständlig när han berättade, han utelämnade inga detaljer om när och var han hade mött Höllner och hur de till sist hade insett att Höllner, nästan som utsänd av någon högre makt, hade kunnat ge honom de informationer som han saknat. Stefan tänkte att det var det bästa som kunde hända, att han drog ut på sin historia. Han behövde ha Giuseppe här, han kunde inte hantera situationen ensam.

Sedan hajade han till.

Varken Fernando Hereira eller Veronica Molin tycktes ha sett någonting. Utanför det fönster som fanns bakom Veronica Molin hade ett ansikte skymtat. Björn Wigrens ansikte. Nu kom det tillbaka. Stefan såg honom ur ögonvrån. Den mannens nyfikenhet hade inga gränser. Han hade alltså lämnat bron, inte kunnat hindra nyfikenheten att ta överhanden.

Ansiktet kom tillbaka. Stefan förstod att Björn Wigren inte hade märkt att Stefan upptäckt honom. Vad är det han ser? tänkte han. Tre människor i ett rum, inbegripna i ett koncentrerat men inte särskilt upphetsande samtal. Det står en flaska konjak på bordet som han kanske kan upptäcka från fönstret. Men vad skulle kunna vara »farligt« i den här situationen? Ingenting. Han undrar naturligtvis över vem mannen är, och kanske han inte såg Veronica Molin den gång hon gjorde sitt besök hos Elsa Berggren. Han måste tro att den där polismannen söderifrån som han stötte på under sin morgonpromenad är galen. Han måste också undra varför de befinner sig i Elsa Berggrens hus, när hon själv är borta. Och hur de kommit in.

Stefan hade stora svårigheter att kontrollera sitt ursinne. Han tvivlade på att Giuseppe eller någon annan skulle lägga märke till texten i snön vid brofästet. Och nu fanns ingen Björn Wigren som väntade på dem. Det fanns ingenting.

Ansiktet försvann. Stefan bad en tyst bön att Björn Wigren trots allt skulle återvända till snödrivan. Då skulle ingenting behöva vara för sent. Men ansiktet dök upp igen. Nu hade han bytt fönster, befann sig bakom Fernando Hereira. Stefan insåg att det var risk att Veronica Molin skulle upptäcka honom om hon vred på huvudet.

En mobiltelefon ringde. Stefan trodde det var hans. Men signalen var annorlunda. Veronica Molin lyfte upp handväskan som hon ställt bredvid sin stol, tog fram en telefon och svarade. Vem som än ringer ger mig utökad tid, tänkte Stefan. Och tid är det jag behöver mest av allt. Björn Wigrens ansikte hade försvunnit och kom inte tillbaka.

Stefan började återigen hoppas att han trots allt gått tillbaka till bron.

Veronica Molin lyssnade i telefonen utan att säga någonting. Sedan stängde hon av den och la tillbaka den i väskan igen.

När hon tog upp handen igen höll hon i en pistol.

Hon reste sig långsamt och tog några steg åt sidan. Där hade hon både Stefan och Fernando Hereira i skottfältet. Stefan höll andan, Hereira tycktes först inte förstå vad det var hon hade i handen. När han insåg att det var ett vapen började han också resa sig men satte sig igen när hon höjde pistolen. Sedan såg hon på Stefan.

– Det var dumt, sa hon. Av både dig och mig.

Hon höll vapnet riktat mot Stefan nu. Hon höll det med båda händerna och de var stadiga.

– Det var flickan i receptionen på hotellet. Hon ringde för att säga att du hade tagit nyckeln och gått in i mitt rum. Och jag vet naturligtvis att jag aldrig stängde av min dator.

– Jag förstår inte vad du talar om.

Stefan insåg det lönlösa i att försöka prata sig ur situationen. Men han måste ha tid. I ögonvrån såg han mot fönstren igen. Björn Wigren var borta. Han kunde bara hoppas. Den här gången upptäckte hon hans blick. Utan att sänka vapnet gick hon fram till det närmaste fönstret. Men ingen tycktes finnas där utanför.

– Var det så att du inte kom ensam? frågade hon.

– Vem skulle jag haft med mig?

Hon stod kvar vid fönstret. Stefan tänkte att det ansikte han tidigare tyckt vara så vackert nu verkade insjunket och fult.

– Det är meningslöst att ljuga, fortsatte hon och lämnade fönstret. Särskilt när man inte behärskar konsten.

Fernando Hereira stirrade på vapnet i hennes hand.

– Jag förstår inte, sa han. Vad är det som händer?

– Ingenting annat än att Veronica Molin inte är den hon utger sig för. Kanske ägnar hon en del av sitt liv åt att vara förhandlare. Men hon ägnar också tid åt att främja nazismens idéer i världen.

Fernando Hereira såg undrande på honom.

– Nazismen? sa han frågande. Är hon nazist?

– Hon är sin fars dotter.

– Det är kanske bäst att jag själv förklarar för den här mannen som dödade min far, avbröt Veronica Molin.

Hon talade långsamt och tydligt på felfri engelska, en människa som inte tvekade om att hon hade rätt. Och det hon sa var för Stefan lika skrämmande som det nu också var tydligt. Herbert Molin hade varit sin dotters hjälte, en människa hon alltid sett upp till och i vars fotspår hon aldrig tvekat att gå. Men hon var inte okritisk mot sin far, han hade stått för politiska ideal vars former var förlegade. Hon tillhörde en ny tid som anpassade idealen om den starkares absoluta rätt, synen på över- och undermänniskor, till den verklighet hon befann sig i. Hon beskrev den nakna och oinskränkta makten, det starka fåtalets rätt att härska över de svaga och fattiga. Hon använde ord som odugliga, undermänniskor, de fattiga hoparna, dräggen, slöddret, hon beskrev en värld där undergången var given för människor i de fattiga länderna. Hon dömde ut hela den afrikanska kontinenten, med några få undantag, där starka diktatorer fortfarande härskade. Afrika var en kontinent som skulle lämnas att förblöda, som inte skulle få något stöd utan tvärtom isoleras och självdö. I hennes världsbild härskade övertygelsen att den nya tiden med de elektroniska nätverken gav människor som henne just det övertag och de instrument de behövde för att konsolidera sin suveränitet över världen.

Stefan lyssnade och tänkte att hon var galen. Hon trodde verkligen på det hon sa, övertygelsen kom djupt inifrån, och hon förstod inte att det hon sa var vanvett, orimligt, en dröm som aldrig skulle kunna uppfyllas.

– Du dödade min far, slutade hon. Du dödade honom och därför kommer jag också att döda dig. Jag förstår att du inte gav dig av härifrån eftersom du ville veta vad som hade hänt Abraham Andersson. Han var en obetydlig människa som på något sätt lyckats ta reda på min fars förflutna. Därför måste han dö.

– Var det du som dödade honom?

Fernando Hereira hade förstått nu. Stefan såg framför sig en man som just tagit sig ur en livslång mardröm för att genast slungas in i en ny.

– Det finns ett internationellt nätverk, sa Veronica Molin, där den svenska stiftelsen Sveriges Väl ingår. Jag är en av ledarna, en osynlig person i bakgrunden, men jag är också medlem i den lilla grupp människor som styr det nationalsocialistiska nätverket på global nivå. Att avrätta Abraham Andersson för att försäkra oss om att han aldrig skulle kunna avslöja det han visste, innebar inga svårigheter. Det finns många som är beredda att genast lyda en utfärdad order, utan frågor, utan tvekan.

– Hur lyckades han komma på att din far var nazist?

– Egentligen började det med Elsa. En olycklig tillfällighet. Elsa har en syster som i många år spelade i symfoniorkestern i Helsingborg. Hon nämnde för Abraham, när han bestämt sig för att flytta hit, att Elsa bodde i Sveg och att hon var nationalsocialist. Han började spionera på henne och sen på min far. När han började pressa pengar av min far skrev han under sin egen dödsdom.

– Magnus Holmström, sa Stefan. Hette han så, den man du gav order att döda Abraham Andersson? Var det du eller han som slängde hagelgeväret i älven när Abraham Andersson var död? Och ni tvingade Elsa Berggren att ta på sig skulden? Hotade ni henne till livet också?

– Du vet en del, sa hon. Men det hjälper dig inte.

– Vad tänker du egentligen göra?

– Döda dig, sa hon lugnt. Men först ska jag avliva den man som dödade min far.

»Avliva.« Hon är galen, tänkte Stefan. Fullständigt galen. Om inte Giuseppe kom skulle han bli tvungen att försöka komma åt hennes vapen. Från Fernando Hereira skulle han inte kunna räkna med någon hjälp, han hade druckit för mycket vid det här laget. Att tro att han skulle kunna övertyga henne om att hon skulle avstå var också meningslöst. Han insåg alldeles klart nu att han hade en galen människa framför sig. Hon skulle inte tveka att skjuta om han attackerade henne.

Tid, tänkte han. Det är det jag behöver. Tid.

– Du kommer aldrig undan, sa han.

– Naturligtvis gör jag det, svarade hon. Ingen vet att vi är här.

Jag kan skjuta den här mannen som dödade min far och sen dig. Efteråt arrangerar jag bara det hela så att det verkar som om det är du som skjutit honom och sen begått självmord. Ingen kommer att anse det särskilt underligt om en polisman med cancer begår självmord, särskilt inte efter att ha råkat skjuta ihjäl en annan människa. Vapnet kan inte spåras till mig. Jag går härifrån till kyrkan där min far ska begravas om några timmar. Ingen lär ens komma på tanken att en dotter som ska begrava sin far använder en stund på morgonen till att skjuta ihjäl två personer. Jag kommer att stå där vid kistan. Den sörjande dottern. Och jag kommer att känna glädje över att min far blev hämnad innan han jordfästes.

Stefan hörde plötsligt ett svagt ljud bakom sig. Han visste genast vad det var. Ytterdörren öppnades. Han vred försiktigt på huvudet och såg hur Giuseppe kom in i tamburen. Deras blickar möttes. Giuseppe rörde sig ljudlöst. Han hade ett vapen i händerna. På några sekunder hade situationen förändrats. Jag måste berätta för honom vad som händer, tänkte han.

– Du menar alltså att du ska skjuta oss en efter en, sa han. Med den pistol du håller i handen. Och du tror att du ska komma undan?

Hon stelnade till. Hennes vaksamhet ökade.

– Varför talar du så högt?

– Jag pratar precis som förut.

Hon skakade på huvudet och flyttade sig så att hon kunde se ut i tamburen. Giuseppe var inte där. Han måste befinna sig bakom dörren, tänkte Stefan. Och han kan inte ha undgått att höra vad jag sa.

Veronica Molin stod orörlig och lyssnade.

Stefan tänkte att hon var som ett djur om natten, med hörseln skärpt till det yttersta.

Sedan gick allting mycket fort. Hon började röra sig igen, den här gången mot dörröppningen. Stefan visste att hon inte skulle tveka att skjuta. Hon var för långt ifrån honom för att han skulle hinna kasta sig emot henne innan hon vänt sig och avlossat ett skott mot honom. På så nära håll skulle hon inte missa. Just när hon var framme vid dörröppningen grep han tag i lampan som stod på bordet bredvid stolen och kastade den med full kraft mot ett av fönstren. Rutan krossades. Samtidigt vräkte han sig framåt mot Fernando Hereira så att både han och soffan välte. Han uppfattade, där han ramlat vid sidan av Hereira, att hon vände sig om. Vapnet höll hon fortfarande lyft. Hon sköt. Stefan blundade och hann tänka att han skulle dö innan skottet kom som ett våldsamt brak emot honom. Fernando Hereira ryckte till. Hans panna var blodig. Sedan small det igen. När Stefan förstått att han inte blivit träffad den här gången heller tittade han upp och såg att Giuseppe hade fallit omkull på golvet. Veronica Molin var försvunnen. Ytterdörren stod på vid gavel. Fernando Hereira jämrade sig. Men skottet som träffat honom hade bara rispat upp hans ena tinning. Stefan sprang upp, snubblade över den omkullvälta soffan fram till Giuseppe, som låg raklång på rygg och tryckte händerna mot en punkt mellan halsen och högra axeln. Stefan ställde sig på knä.

– Jag tror inte det tog så farligt, sa Giuseppe.

Han var vit i ansiktet av smärtan och chocken.

Stefan reste sig och hämtade en handduk från toaletten som han tryckte mot den blodiga axeln.

– Ring efter assistans, sa Giuseppe. Och leta reda på henne.

Stefan slog larmnumret på Elsa Berggrens telefon. Han hörde att han skrek i telefonen. Medan han talade kunde han se hur Fernando Hereira reste sig upp från golvet och sedan sjönk ner i en stol. Telefonisten hos polisen i Östersund lovade ögonblickliga insatser.

– Jag klarar mig, sa Giuseppe igen. Men vänta inte. Ge dig av, leta reda på henne. Är hon galen?

– Helt galen. Hon är nazist, lika mycket som sin far, kanske ännu mer fanatisk.

– Det förklarar säkert allting, sa Giuseppe. Fast just nu vet jag inte riktigt vad.

– Prata inte. Rör dig inte.

– Bäst du stannar tills du får förstärkning, sa Giuseppe. Jag tänkte fel. Stanna här. Hon är för farlig. Du kan inte gå ut efter henne ensam.

Men Stefan hade redan gripit Giuseppes vapen. Han tänkte inte vänta. Hon hade skjutit mot honom, försökt döda honom. Det gjorde honom ursinnig. Hon hade inte bara lurat honom, inte bara försökt döda honom, Fernando Hereira och Giuseppe. Om allting hade varit lite annorlunda kunde det ha legat tre döda människor på golvet i Elsa Berggrens hus i stället för två som var lindrigt skadade och en som inte alls blivit träffad. Just i det ögonblick Stefan grep Giuseppes vapen var han framför allt en människa som hade cancer och som inte tänkte låta sig berövas möjligheten att genomgå en behandling och bli frisk igen.

Stefan kom ut ur huset. Björn Wigren stod vid grinden. När han såg Stefan började han springa därifrån. Men Stefan röt åt honom att stanna.

Björn Wigrens käkar rörde sig oroligt, ögonen stirrade. Jag borde slå till honom, tänkte Stefan. Hans nyfikenhet höll på att ta livet av oss allihop.

– Vart tog hon vägen? röt han. Åt vilket håll?

Björn Wigren pekade mot vägen som ledde längs älven till den nya bron.

– Stanna här, sa Stefan. Rör dig inte. Det är poliser och ambulanser på väg. Du ska tala om att det är här det har hänt.

Björn Wigren nickade. Han ställde inga frågor.

Stefan började springa. Vägen var tom. I ett fönster i ett av husen som låg intill vägen såg han ett ansikte som stirrade. Han försökte upptäcka Veronica Molins fotspår i snön. Men det var för upptrampat och uppkört. Han stannade och osäkrade vapnet. Sedan fortsatte han. Gryningsljuset var fortfarande svagt. Tunga moln hängde orörliga över himlen. När han kom fram till bron stannade han. Ingenstans kunde han se Veronica Molin. Han försökte tänka. Hon hade ingen bil. Någonting skedde som hon inte hade planerat. Hon var på flykt och tvingades söka efter tillfälliga lösningar. Vart kan hon alltså ta vägen? En bil, bestämde han sig för. Det hon gör nu är att skaffa en bil. Hon vågar knappast återvända till hotellet. Hon inser att jag har sett vad som finns i hennes dator, även om det bara var det som just då fanns på skärmen, hakkorset, och där under ett brev där Veronica Molin talar om de gamla nazistiska idealens odödlighet. Hon inser att det inte spelar någon roll längre vad som döljer sig i datorn. Hon har försökt skjuta ihjäl tre människor. Hon har bara ett val, att försöka fly eller att ge upp. Och hon har inte gett upp.

Han fortsatte över bron. På andra sidan brofästet låg två bensinstationer. Allt verkade lugnt. Några bilister höll på att tanka. Stefan stannade och såg sig om. Hade någon försökt stjäla en bil där under vapenhot hade allt varit annorlunda, inte detta lugn. Han försökte föreställa sig vad hon tänkte. Fortfarande var han säker på att det var en bil hon behövde.

Men plötsligt började en varningsklocka ringa inom honom. Tänkte han fel? Bakom den lugna och svala ytan hade han sett in i en förvirrad, fanatisk människa. Kanske hon trots allt inte reagerade som han tänkte? Hans blick föll på kyrkan som låg till vänster om honom. Vad var det hon hade sagt? *Min far blev hämnad innan han jordfästes.* Han fortsatte att stirra på kyrkan.

Kunde det vara möjligt? Han visste inte. Men han hade inget att förlora. På avstånd hördes sirener. Stefan sprang upp till kyrkan. När han märkte att huvudporten stod på glänt blev han genast vaksam. Försiktigt sköt han upp den. Det gnisslade svagt. Han öppnade bara så mycket att han kunde tränga sig in och hastigt ställa sig vid ena väggen i vapenhuset. Sirenerna hade försvunnit. Kyrkväggarna var tjocka. Försiktigt öppnade han en av dörrarna till kyrkorummet. Längst upp i mittgången, framför altaret, stod en kista. Herbert Molins kista. Han gick ner på huk och höll Giuseppes vapen med dubbelfattning. Ingen var där. Han smög in och tog skydd bakom den bakersta bänkraden. Allt var tyst. Han såg försiktigt upp över ryggstödet på bänken. Ingenstans kunde han se henne. Han tänkte att han hade tagit fel, att han lika gärna kunde lämna kyrkan, när han uppfattade ett svagt ljud från kyrkans kor. Vad det var kunde han inte avgöra. Men det fanns någon i sakristian bakom altartavlan. Han lyssnade. Ljudet återkom inte. Han insåg att han förmodligen hade tagit miste. Ändå ville han inte lämna kyrkan förrän han hade försäkrat sig om att den var tom. Han gick försiktigt längs mittgången, fortfarande hukande med vapnet i beredskap. När han befann sig alldeles intill kistan stannade han igen och lyssnade. Han såg upp mot altartavlan. Jesusgestalten svävade, en romersk soldat knäböjde i förgrunden. Det var tyst inne i sakristian. Han fortsatte längs altarringen och lyssnade igen. Fortfarande inga ljud.

Sedan höjde han vapnet och gick in. För sent upptäckte han

henne. Hon stod vid sidan av ett högt skåp intill väggen vid sidan av dörren. Orörlig och med vapnet riktat mot honom.

– Släpp pistolen, sa hon.

Hennes röst var låg, nästan väsande. Han böjde sig långsamt och la Giuseppes pistol på stengolvet.

– Du låter mig inte ens vara ifred i kyrkan, sa hon. Inte ens den dag min far ska begravas. Du borde tänka på din egen far. Jag träffade honom aldrig. Men enligt vad jag hört berättas var det en bra man. Trogen sina ideal. Synd bara att han inte lyckades föra dom vidare till dig.

– Var det Emil Wetterstedt som berättade för dig?

– Kanske. Men det spelar knappast nån roll längre.

– Vad tänker du göra?

– Döda dig.

För andra gången denna morgon hörde han henne uttala samma ord, att hon skulle döda honom. Men nu var det som om han inte orkade vara rädd längre. Det enda han kunde hoppas på var att han antingen lyckades övertyga henne om att hon skulle ge upp eller att det uppstod en situation där han kunde avväpna henne.

Sedan insåg han att det också fanns en tredje möjlighet. Han stod fortfarande alldeles intill dörröppningen. Om hon släppte av på vaksamheten skulle han hinna kasta sig bakåt och försvinna ut i kyrkorummet igen. Där skulle han kunna gömma sig bland bänkarna, kanske ta sig ut.

– Hur visste du att jag var här?

Hon talade fortfarande med samma låga röst. Stefan såg också att hon inte höll pistolen lika stadigt. Vapnet pekade snett neråt mot hans ben, inte mot bröstkorgen. Hon är på väg att gå sönder, tänkte han. Han flyttade försiktigt tyngdpunkten i kroppen till högra benet.

– Varför ger du inte upp? frågade han.

Hon svarade inte, skakade bara på huvudet.

Sedan kom det ögonblick han väntat på. Handen med vapnet sjönk och hon vred på huvudet för att se ut genom ett av fönstren. Han kastade sig bakåt så fort han kunde och började sedan springa längs mittgången. Hela tiden väntade han på skottet som skulle komma bakifrån och döda honom.

Plötsligt snubblade han och ramlade framstupa. Han hade inte sett en kant av mattan som stack upp. När han föll slog han axeln i en av bänkarna.

Då kom skottet. Det slog in i bänken bredvid honom. Sedan kom ytterligare ett skott. Ekot var som ett åskdån. Och sedan tystnad. Han hörde en duns bakom sig. När han såg sig om upptäckte han henne. Hon låg snett framför sin fars kista. Hjärtat slog våldsamt i bröstet på honom. Vad var det som hade hänt? Hade hon skjutit sig? Sedan hörde han Erik Johanssons upprörda och gälla röst från orgelläktaren.

– Ligg still. Rör dig inte. Veronica Molin, hör du mig? Ligg still.

– Hon rör sig inte, ropade Stefan.

– Är du träffad?

– Nej.

Erik Johansson ropade igen. Hans röst ekade i kyrkan.

– Veronica Molin. Ligg still. Håll armarna utsträckta.

Hon rörde sig fortfarande inte. Det brakade till i trappan som ledde till orgelläktaren. Erik Johansson kom in i mittgången. Stefan reste sig sakta upp. De närmade sig försiktigt den orörliga kroppen. Stefan lyfte handen.

– Hon är död.

Han pekade.

– Du träffade henne i ögat.

Erik Johansson svalde och skakade på huvudet.

– Jag sköt mot benen. Så dåligt siktar jag inte.

De fortsatte fram till kroppen. Stefan hade rätt. Skottet hade träffat henne i vänster öga. Alldeles intill henne, i underkanten på den murade stenpelare som höll upp dopfunten, fanns ett tydligt märke av ett skott.

– En rikoschett, sa han. Du sköt vid sidan av henne. Men kulan studsade och dödade henne.

Erik Johansson skakade oförstående på huvudet. Stefan visste. Erik Johansson hade nog aldrig tidigare i sitt liv avlossat ett skott mot en människa. Nu hade han gjort det och den han försökt träffa i ett ben var död.

– Det kunde inte hjälpas, sa Stefan. Det är bara så. Men det är över nu. Allting är över.

Dörrarna till kyrkan öppnades. En förskrämd kyrkvaktmästare stirrade på dem. Stefan klappade Erik Johansson på axeln och gick sedan bort mot mannen som kommit in i kyrkan för att förklara vad som hänt.

När Stefan en halvtimme senare kom till Elsa Berggrens hus mötte han Rundström. Giuseppe var på väg till sjukhuset i Östersund. Men Fernando Hereira hade försvunnit. När ambulansmännen bar bort Giuseppe hade han sagt att mannen som funnits där hade gett sig av utan att han märkt det.

– Vi tar honom, sa Rundström.

– Jag är inte så säker, svarade Stefan tveksamt. Vi vet inte vad han heter, han kan ha flera pass. Han har varit mycket skicklig på att gömma sig hittills.

– Var han inte skadad?

– Bara en skråma i pannan.

En man i overall kom samtidigt in i huset. I handen hade han ett dyigt gevär som han la på bordet.

– Jag hittade det direkt när jag gick ner. Har det varit skottväxling i kyrkan?

Rundström viftade avvärjande.

– Jag förklarar sen, sa han.

Rundström betraktade geväret.

– Jag undrar om åklagaren kan stämma Elsa Berggren för alla hennes lögner, sa han tankfullt. Även om det nu var den där Magnus Holmström som dödade Abraham Andersson och slängde geväret i älven. Mordbrännare är han tydligen också. Molins hus hade tänts på från flera håll samtidigt.

– Fernando Hereira sa att det var han som anlagt branden. För att avleda polisen.

– Det är mycket som hänt som jag inte begriper, sa Rundström. Giuseppe är på sjukhus och Erik befinner sig i kyrkan efter att ha skjutit ihjäl Veronica Molin. Alltså är det bara du, Stefan Lindman, polis från Borås, som kan förklara för mig vad som har hänt i mitt polisdistrikt denna morgon.

Resten av dagen tillbringade Stefan på Erik Johanssons kontor. Det samtal han hade med Rundström drog ut i många timmar eftersom de hela tiden tvingades till olika avbrott. Men klockan kvart i två på eftermiddagen tog Rundström emot ett telefonsamtal som meddelade att Magnus Holmström hade blivit gripen i Arboga samma morgon i den efterlysta Escorten. Strax efter fem sa Rundström att han fått veta vad han behövde. Han följde Stefan tillbaka till hotellet. De skildes i receptionen.

– När reser du?

– I morgon. Med flyg.

– Jag ska se till att nån kör dig till flygplatsen.

Stefan sträckte fram handen.

– Allt har varit mycket egendomligt, sa Rundström. Men nånstans anar jag att vi faktiskt kommer att förstå det mesta av det som hänt. Inte allt. Det gör man aldrig. Det finns alltid luckor. Men det mesta. Tillräckligt för att kunna få olika gärningsmän fällda.

– Nånting säger mig att Fernando Hereira inte blir lätt att få tag på, sa Stefan.

– Han rökte förresten franska cigaretter, sa Rundström. Om du minns dom där tobaksresterna du hittade vid sjön och gav till Giuseppe.

Stefan nickade. Han kom ihåg.

– Jag håller med, sa han sedan. Det finns alltid luckor. Till exempel en person vid namn »M« i Skottland.

Rundström försvann. Stefan tänkte att han nog inte hade läst Herbert Molins dagbok. Flickan i receptionen var blek.

– Gjorde jag fel? sa hon.

– Ja. Men det är över nu. I morgon reser jag. Nu lämnar jag dig ensam här med testförare och baltiska orienterare.

På kvällen åt han middag på hotellet och ringde sedan till Elena och sa när han skulle komma hem. Just när han var på väg att gå till sängs ringde Rundström och sa att Giuseppe mådde förhållandevis bra. Skadan var allvarlig men inte livshotande. Däremot mådde Erik Johansson betydligt sämre. Han hade fått ett sammanbrott. Rundström avslutade samtalet med att säga att säkerhetspolisen nu var inkopplad.

– Det kommer att explodera i massmedia, sa han. Vi har vält en mycket stor sten. Gråsuggorna rusar åt alla håll. Det finns redan nu indikationer på att det här nazistiska nätverket har en omfattning ingen kunnat drömma om. Var tacksam för att du inte kommer att få journalisterna efter dig.

Efteråt blev Stefan länge liggande vaken. Han undrade hur det hade gått med begravningen. Men mest av allt strömmade minnesbilder som handlade om hans far genom huvudet.

Jag kommer aldrig att förstå honom, tänkte han. Jag kommer heller aldrig att kunna förlåta honom, även om han är död och borta. Han visade aldrig sitt ansikte för mig eller mina systrar. Jag hade en far som hyllade ondskan.

På morgonen dagen efter blev Stefan körd till flygplatsen på Frösön. Strax före elva dunsade hans plan ner på Landvetter. Elena mötte honom och han kände stor glädje när han såg henne.

Två dagar senare, den 19 november, föll ett snöblandat regn över Borås när Stefan gick backen upp till sjukhuset. Han var alldeles lugn och kände att han skulle klara det som väntade honom.

Först drack han en kopp kaffe i cafeterian. Det låg några trasiga kvällstidningar från dagen innan på en stol. Förstasidorna fylldes av nyheterna om det som hänt i Härjedalen och att det fanns en svensk sektion av ett världsomspännande nät av nazistiska organisationer. Chefen för Säpo hade uttalat sig. »En chockerande upptäckt av något som går mycket djupare och är mycket farligare än de nynazistiska, skinheaddominerade smågrupper som hittills förknippats med den fascistoida ondskan.«

Stefan la undan tidningarna. Klockan var tio minuter över åtta.

Han reste sig och gick till den avdelning där han var väntad.

Han undrade vart Fernando Hereira hade tagit vägen. Fortfarande hade han inte blivit gripen.

Stefan önskade helst av allt att han skulle lyckas ta sig tillbaka till Buenos Aires. För att kunna röka sina franska cigaretter i lugn och ro.

Det brott han begått hade han redan för länge sedan sonat.

Epilog

Inverness | april 2000

Söndagen den 9 april hämtade Stefan Elena tidigt på morgonen. På vägen från Allégatan till Norrby märkte han plötsligt att han börjat gnola för sig själv. När det senast hade hänt kunde han inte påminna sig. Inte heller visste han till en början vad det var han nynnade på. En melodislinga som kom långt bortifrån, tänkte han medan han körde genom den tomma staden. Sedan mindes han att det var någonting som hans far hade brukat spela på sin banjo. »Beale Street Blues«. Stefan påminde sig också att hans far hade sagt att det var en gata som existerade i verkligheten, kanske i flera nordamerikanska städer, men absolut bestämt i Memphis.

Jag minns hans musik, tänkte Stefan. Men min far, hans ansikte, hans vanvettiga åsikter, har redan börjat glida tillbaka in i mörkret. Han återvände från skuggorna för att berätta vem han egentligen var. Nu har jag knuffat bort honom igen. Det enda sätt på vilket jag tänker minnas honom nu och i framtiden är genom de musikslingor som fastnat i mitt huvud. Och där kanske jag också kan finna ett försonande drag hos honom. För nazisterna var afrikanerna, deras musik, traditioner, sätt att leva, något barbariskt. Afrikanerna var ingenting annat än lägre stående människor. Även om den svarte amerikanske friidrottaren Jesse Owens var den störste under olympiaden i Berlin 1936 vägrade Hitler att ta honom i hand. Men min far älskade den svarta musiken, bluesen. Han dolde det inte heller. Kanske är det där jag kan hitta sprickan i hans mur, att han inte enbart hade försvurit sig åt ondska och människoförakt. Jag kommer aldrig att få veta om jag har rätt. Men jag kan ändå välja vad jag vill tro.

Elena stod utanför porten och väntade på honom. På vägen

till Landvetter pratade de om vem av dem som gladde sig mest åt resan. Elena som nästan aldrig kom bort från Borås eller Stefan som nu efter sitt senaste samtal med läkaren på allvar hade börjat hoppas att han besegrat sin cancer redan genom den första strålbehandlingen och den efterföljande operationen. Frågan om resglädjen hade inget svar eftersom det bara var en lek.

De for till London Gatwick med British Airways klockan 7.35. Elena som var flygrädd kramade hans hand hårt när planet bände sig upp från landningsbanan och försvann ut över havet i luftleden norr om Kungsbacka. När de skar igenom molntäcket fick Stefan en känsla av plötslig frihet. Under sex månader hade han levt med en gnagande fruktan som sällan eller aldrig hade lämnat honom. Nu var den borta. Han visste att det inte var alldeles säkert att han var eller skulle förbli frisk, hans läkare hade sagt att han måste gå på kontroller i fem år. Men hon hade sagt åt honom att börja leva som vanligt igen, inte gå och leta efter symptom, inte odla den fruktan han burit på så länge. Nu när han satt i flygplanet var det som om han verkligen vågade språnget, bort från denna fruktan, tillbaka till någonting han så länge hade väntat på.

Elena såg på honom.

– Vad tänker du på?

– Det jag inte vågat tro under ett halvt år.

Hon grep hans hand utan att säga någonting. Under ett kort ögonblick trodde han att han skulle brista i gråt. Men han lyckades behärska sig.

De landade på Gatwick och skildes som uppgjort när de gått igenom passkontrollen. Elena skulle vara två dagar i London och hälsa på en avlägsen släkting från Krakow som drev en speceriaffär i en av Londons många förorter. Själv skulle Stefan gå till inrikeshallen och fortsätta färden.

– Jag förstår fortfarande inte varför du måste resa, sa Elena.

– Trots allt är jag polis. Jag vill följa ett händelseförlopp till slutet.

– Men gärningsmannen är ju gripen? Åtminstone den ene av dom? Och kvinnan är död? Ni vet varför allting hände. Vad finns det mer att reda ut?

– Det finns alltid luckor. Kanske är det ren nyfikenhet? Nånting som bara indirekt har med mitt arbete som polis att göra.

Hon såg på honom med forskande blick.

– Det stod i tidningarna att en polisman blivit skottskadad och att en annan utsatts för dödligt hot. Jag undrar när du ska berätta för mig att det var du som var den hotade polismannen? Hur länge ska jag behöva vänta?

Stefan svarade inte, slog bara ut med armarna.

– Du vet inte varför du måste göra den här resan? fortsatte Elena. Är det så? Eller är det nåt som du inte vill berätta för mig? Varför kan du inte säga precis som det är?

– Jag håller på att försöka lära mig. Men det är som jag säger. En sista dörr jag vill öppna för att se vad som döljer sig där bakom.

Han såg efter henne tills hon hade försvunnit bland människorna som var på väg mot utgången. Sedan började han gå mot inrikeshallen. Melodin från morgonen återkom i hans huvud. Planet lyfte på utsatt tid, klockan 10.25, och i den raspande högtalaren kunde Stefan höra att flygtiden var beräknad till knappt två timmar. Han slöt ögonen och vaknade först när hjulen dunsade mot landningsbanan på Inverness flygplats i Skottland. När han gick mot den ålderdomliga flygplatsbyggnaden kände han att luften var hög och klar, som han mindes den från Härjedalen. Runt Sveg hade skogsåsarna legat som en böljande, mörknande ring. Här var landskapet annorlunda. Höga, skarpskurna berg på avstånd i norr, annars hedar och åkrar, och himlen tycktes låg och nära. Han hämtade nyckeln till sin hyrbil, kände en vag nervositet inför det faktum att han skulle köra på vänster sida och for sedan mot Inverness. Vägen var smal. Han irriterades av att växelspaken kändes sladdrig. Övervägde om han skulle vända och begära en bättre bil. Men han övergav tanken. Han skulle inte köra långt, fram och tillbaka till Inverness, och kanske dessutom någon utflykt.

Hotellet där resebyrån hade bokat in honom för två nätter hette »Old Blend« och låg mitt inne i staden. Det tog honom lång tid att hitta rätt. Då hade han vid två tillfällen ställt till oreda i olika rondeller och tvingat medtrafikanter till häftiga inbromsningar. Han andades ut när han äntligen hittat rätt och parkerat bilen utanför hotellet som var inrymt i ett trevåningshus av mörkrött tegel. Han tänkte att han nu återigen skulle bo på hotell, det sista i ordningen i sitt sökande efter alla omständigheter till varför Herbert Molin hade blivit mördad. Nu visste han vad som hade hänt, och han hade också träffat den man som dödat Molin. Var den man som kanske hette Fernando Hereira befann sig visste han inte. Några dagar tidigare hade Giuseppe ringt från Östersund och sagt att varken den svenska polisens eller Interpols sökande efter honom hade gett något resultat. Han befann sig nog redan någonstans i Sydamerika, under ett annat namn, sitt verkliga, och Giuseppe tvivlade på att de någonsin skulle hitta honom. Om de lyckades spåra honom skulle svenska myndigheter dessutom knappast lyckas få honom utlämnad. Giuseppe lovade att hålla Stefan informerad om något hände. Sedan hade han frågat hur Stefan mådde och glatt sig över de senaste provresultaten.

– Vad var det jag sa? skrattade Giuseppe. Du höll på att omkomma av dysterhet. Jag har aldrig i mitt liv sett en så nedstämd person som du.

– Du kanske inte heller har träffat så många som upplevt att dom haft en dödsdom hängande runt halsen. *Inne* i halsen, för att säga precis som det är. Fast å andra sidan träffades du av ett skott i axeln.

Giuseppe blev allvarlig.

– Jag undrar ofta om hon sköt för att döda mig. Jag minns hennes blick. Jag vill helst tro att hon bara ville skada mig. Men jag inser att det nog inte var så.

– Hur känns det nu?

– Jag är fortfarande stel i axeln. Men det blir bättre.

– Och Erik Johansson?

– Jag har hört att han tänker begära förtidspension. Den här historien tog honom hårt. Jag träffade honom för några dagar sen. Han hade blivit mager.

Giuseppe suckade i telefonen.

– Det kunde trots allt ha gått mycket värre.

– Jag ska ta med mig Elena till en bowlinghall nån gång. Och jag ska slå ner käglor och tänka på dig.

– När Herbert Molin dog visste vi inte vad som väntade oss,

sa Giuseppe. Nu vet vi att vi har avtäckt nånting mycket stort. Inte bara ett nätverk av nazistiska organisationer. Utan ännu mer det faktum att fascismen lever, om än i nya former.

De avslutade samtalet med att växla några ord om Magnus Holmström. Rättegången skulle börja veckan efter. Holmström hade valt att tiga. Men bevisen mot honom var mer än tillräckliga för att få honom fälld och dömd till ett långt straff.

Det var över. Men det fanns alltså fortfarande en länk som Stefan ville undersöka. Om det hade han inte sagt något till Giuseppe. Den länken fanns här i Inverness. Även om Veronica Molins försök att ljuga ihop en förklaring till varför hennes far hade blivit dödad hade varit misslyckat, hennes enda egentligen svaga utspel under de dramatiska höstveckorna, hade det funnits en människa som dolde sig bakom bokstaven »M« i Herbert Molins dagbok. Stefan hade fått hjälp av en kriminalassistent som hette Evelyn och som varit länge vid polisen i Borås. De hade tillsammans lyckats leta reda på protokoll och namnlistor från det besök av engelska poliser som ägt rum i Borås i november 1971. De hade till och med hittat ett fotografi som hängde på väggen i ett arkivrum. Bilden var tagen utanför polishuset. Olausson fanns med på bilden och där stod fyra poliser från England, varav två var kvinnor, och den ena av dem, den äldsta, hette Margaret Simmons. Stefan undrade ibland hur mycket Veronica Molin egentligen hade vetat om sin fars besök i Skottland. Hon hade använt ett annat namn än Margaret när hon försökt leda dem på villospår. Hon hade sagt att kvinnan hette Monica.

Herbert Molin var inte med på bilden. Men någonstans i bakgrunden hade han funnits. Det var då, i november 1971, som han hade träffat den kvinna som hette Margaret och året efter hade han besökt henne i Skottland och skrivit om henne i dagboken. De hade tagit långa promenader i Dornoch som låg vid kusten norr om Inverness. Kanske skulle Stefan åka dit för att se hur det såg ut. Men Margaret Simmons hade flyttat därifrån när hon gick i pension 1980. Evelyn hade utan att fråga om varför hjälpt honom att spåra henne. Till sist hade hon en dag i början av februari, ungefär samtidigt som han började tro att han skulle överleva sjukdomen och kunna återvända till sitt arbete, ringt honom och triumferande gett honom både en adress och ett telefonnummer i Inverness.

Nu var han här. Längre än hit hade han heller inte tänkt, inte gjort upp några planer. Skulle han ringa henne eller leta reda på adressen och knacka på dörren? Margaret Simmons var 80 år gammal. Hon kunde vara sjuk eller trött och inte alls villig att ta emot honom.

Han steg in i receptionen och togs vänligt emot av en man som med kraftfull stämma önskade honom välkommen. Rummet han fick hade nummer 12 och låg högst upp, ingen hiss, bara knakande trappor. Han tassade fram på mjuka mattor, någonstans hördes en teve. Han satte ner väskan och gick fram till fönstret. Nedanför brusade trafiken, lyfte han blicken såg han havet, bergen och himlen. Ur minibaren plockade han fram två whiskyflaskor som han tömde stående vid fönstret. Känslan av frihet var ännu starkare än tidigare. Jag är på väg tillbaka, tänkte han. Jag överlever det här. När jag blir gammal ska jag tänka tillbaka på den här tiden som något som förändrade mitt liv, inte gjorde slut på det.

Det blev kväll. Han hade bestämt sig för att vänta till dagen efter innan han kontaktade Margaret Simmons. Det föll ett svagt duggregn över staden. Han gick ut, ner till hamnen, följde kajerna på måfå. Plötsligt märkte han att han var otålig. Han ville börja arbeta igen. Ingenting annat än tid hade gått förlorat. Men vad var egentligen tid? Oroliga andetag, morgnar som blev till kvällar och nya dagar? Han visste inte. De kaotiska veckorna i Härjedalen när de först letade efter en mördare, och sedan två, tänkte han tillbaka på som något nästan overkligt. Och sedan tiden efter den 19 november, när han på klockslaget 8.15 stigit in hos sin läkare och några dagar senare påbörjat strålbehandlingen. Hur såg han på det nu? Hur skulle han beskriva det om han skrev ett brev till sig själv? Då hade tiden stått stilla. Han hade levt som om hans kropp varit ett fängelse. Inte förrän han i mitten av januari stigit ut ur det hela, strålbehandlingen och operationen, hade han återfått känslan för tid igen, som något som rörde sig, passerade förbi, utan att återvända.

Han stannade och åt på en restaurang i närheten av hotellet. Just när han hade fått matsedeln i sin hand ringde Elena.

– Hur är det i Skottland?

– Bra. Men det är svårt att köra på vänster sida av vägen.

– Här regnar det.

– Här med.

– Vad gör du nu?

– Jag ska just äta middag.

– Hur går det med ditt uppdrag?

– I dag gör jag ingenting. Men i morgon.

– Kom som du lovat

– Varför skulle jag inte göra det?

– När du blev sjuk försvann du från mig. Jag vill inte att det händer igen.

– Jag kommer som jag har sagt.

– I kväll ska jag äta polsk middag med släktingar jag aldrig sett.

– Jag önskar jag kunde vara med.

Hon brast i skratt.

– Du ljuger dåligt. Hälsa Skottland.

Efter middagen fortsatte han sin promenad. Kajerna, hamnen, de centrala gatorna. Han undrade vart han egentligen var på väg. Målet fanns inom honom.

På natten sov han djupt.

Dagen efter steg han upp tidigt. Fortfarande duggregnade det över Inverness. Efter frukosten ringde Stefan det nummer han fått av Evelyn. Det var en man som svarade.

– Simmons.

– Jag heter Stefan Lindman och söker Margaret Simmons.

– I vilket ärende?

– Jag är från Sverige. Hon besökte Sverige en gång på 1970-talet. Jag träffade henne aldrig. Men en kollega till mig som är polis talade om henne.

– Min mor är inte hemma. Var ringer ni ifrån?

– Inverness.

– Hon besöker Culloden i dag.

– Var ligger det?

– Culloden är ett slagfält några mil utanför Inverness. Där stod det sista militära slaget på brittisk mark. 1745. Läser man ingen historia i Sverige?

– Inte så mycket om Skottland.

– Slaget var över på en halv timme. Skottarna förblödde, engelsmännen massakrerade alla som kom i deras väg. Mamma brukar promenera på slagfältet. Tre eller fyra gånger om året åker hon dit. Först går hon omkring i museet. Ibland har dom filmförevisning där. Hon säger att hon tycker om att höra dom dödas röster ur jorden. Hon säger att hon förbereder sig för sin egen död.

– När kommer hon hem igen?

– I kväll. Men då går hon genast och lägger sig. Hur länge stannar en svensk polisman i Inverness?

– Till i morgon eftermiddag.

– Ring på förmiddagen i morgon. Vad var det ni hette? Steven?

– Stefan.

Samtalet var över. Stefan bestämde sig för att inte vänta till dagen efter. Han gick ner till receptionen och bad att få en vägbeskrivning till Culloden. Mannen nickade gillande.

– Det är en lämplig dag att åka dit. Samma väder i dag som den gång slaget stod. Dimma, fukt, en inte alltför kraftig vind.

Stefan körde ut ur Inverness. Det gick lättare den här gången att ta sig igenom rondellerna. Han svängde av från huvudvägen och följde skyltarna. På parkeringsplatsen stod två bussar och några enstaka personbilar. Stefan såg ut över heden. Några hundra meter från varandra fanns stänger med röda och gula flaggor. Han antog att de markerade var de två härarna hade stått. På avstånd såg han bergen och havet. Han tänkte att härförarna hade valt ut en vacker plats åt sina soldater att dö på.

Han löste inträde till museet. Det var några skolklasser som sorlade där inne och såg på dockorna som var utklädda till soldater och arrangerade i våldsamma stridsscener. Han letade med blicken efter Margaret. Fotografiet han sett var taget för nästan trettio år sedan. Ändå var han säker på att han skulle känna igen henne. Men i museet kunde han inte hitta henne. Han gick ut i den byiga vinden och försökte se om hon fanns där ute på slagfältet. Heden var öde. Bara de röda och gula flaggorna som smattrade mot sina stänger. Han gick tillbaka. Barnen var på väg in i en hörsal. Han följde efter. Just när han steg in försvann ljuset och en filmduk lystes upp. Han trevade sig fram till en plats på första bänkraden och satte sig. Bildbandet var trettio minuter långt med våldsamma ljudeffekter. När ljuset tändes satt han kvar. Barnen trängdes vid utgången och när de blev för högljudda tystades de ner av sina bestämda lärare.

Stefan såg sig om. Längst bak satt hon. Han kände genast igen henne. Hon hade en svart regnkappa. När hon reste sig tog hon stöd med sitt paraply och såg sig noga för var hon satte ner fötterna. Stefan väntade. Hon gick förbi honom och kastade en blick åt hans håll. Han väntade tills hon lämnat hörsalen innan han följde efter henne. Barnen var plötsligt försvunna. En ensam kvinna satt och stickade vid en monter där man kunde köpa vykort och souvenirer. Från caféet intill hördes ljudet av en radio och någon som klirrade med porslin.

Stefan gick till utgången. Margaret Simmons var på väg ner mot den mur som omgärdade slagfältet. Han följde efter. Trots att det regnade hade hon inte fällt upp paraplyet. Vinden var alltför byig. Han väntade tills hon hade öppnat grinden och försvunnit bakom muren. Då följde han efter henne, samtidigt som han undrade hur så många barn bara spårlöst kunde försvinna. Hon var på väg längs en av de stigar som ringlade bort över slagfältet. Han följde långsamt efter henne och bestämde sig för att han hade gjort alldeles rätt. Han ville veta varför Herbert Molin hade skrivit om henne i sin dagbok. Hon hade utgjort det stora undantaget, tänkte han. Där fanns berättelsen om hur han tog sig över gränsen till Norge, åt glass och tittade på flickor i Oslo, och sedan de fruktansvärda åren som soldat i Waffen-SS. De år som deformerat honom till att bli en ynklig hantlangare till Waldemar Lehmann. Och sedan fanns alltså också resan till Skottland. Om han mindes rätt, var det det längsta avsnittet av alla i dagboken, längre också än de brev han skickat hem från kriget. Snart skulle han gå ikapp henne för att kanske få veta det sista om Herbert Molin.

Längs stigen, med ojämna mellanrum, fanns gravstenar. Men

inte för enskilda soldater utan för de olika skotska klaner vars medlemmar massakrerats av engelsmännens artilleri. Margaret Simmons går omkring på ett slagfält, tänkte han. Herbert Molin levde också några år på ett slagfält. Men han stupade inte, vare sig för kanoner eller gevärseld. Han blev mördad av någon som letade reda på honom i en ensligt belägen gård i Härjedalen.

Margaret blev stående och lutade sig fram mot en av stenarna vid stigen. Stefan stannade. Hon såg bort mot honom och fortsatte sedan att gå. Han följde henne långt ut på slagfältet, en svensk polisman som ännu inte fyllt fyrtio år, trettio meter bakom en engelsk kvinna som också hon varit polis och som nu tillbringade sin tid med att förbereda sig inför döden.

De kom ut mitt på slagfältet mellan de röda och de gula flaggorna. Då stannade hon och vände sig mot honom. Hon tog inte bort blicken, hon väntade. Han såg att hon var kraftigt sminkad, kortvuxen och mager. Otåligt dunkade hon spetsen av paraplyet i marken.

– Följer ni efter mig? Vem är ni?

– Jag heter Stefan Lindman och kommer från Sverige. Jag är polis. Precis som ni var en gång.

Hon strök undan håret som blåste i hennes ansikte.

– Ni måste ha talat med min son. Han är den ende som vet att jag är här.

– Han var mycket vänlig.

– Vad vill ni?

– En gång besökte ni en stad i Sverige som heter Borås. Det är ingen stor stad, två kyrkor, två torg, en smutsig flod. Ni var där för 28 år sen, på hösten 1971. Då träffade ni en polisman som hette Herbert Molin. Året efter besökte han er i Dornoch.

Hon betraktade honom under tystnad.

– Jag vill gärna fortsätta min promenad, sa hon till sist. Jag vänjer mig vid tanken på att vara död.

Hon började gå. Stefan slöt upp bredvid henne.

– Andra sidan, sa hon. På min vänstra sida vill jag vara ensam.

Han bytte sida.

– Är Herbert död? frågade hon plötsligt.

– Han är död.

Hon nickade.

– Det är så när man blir gammal. Dom enda nyheter människor tror man vill ha är att nån är död. Folk kan uppträda som idioter utan att veta om det.

– Herbert Molin blev mördad.

Hon ryckte till och stannade. Stefan trodde för ett ögonblick att hon skulle falla omkull. Sedan fortsatte hon.

– Vad hände? frågade hon efter en stund.

– Hans förflutna hann ikapp honom. Han blev dödad av en man som ville hämnas för nåt Herbert Molin hade gjort under kriget.

– Blev gärningsmannen gripen?

– Nej.

– Varför inte?

– Han kom undan. Vi vet inte ens vad han heter. Han har ett argentinskt pass med namnet Hereira och han bor förmodligen i Buenos Aires. Men vi kan utgå från att hans egentliga namn är nåt helt annat.

– Vad var det Herbert hade gjort?

– Han hade dödat en judisk danslärare i Berlin.

Hon hade stannat igen. Hon såg sig omkring på slagfältet.

– Det var ett ytterst egendomligt slag som utkämpades här. Egentligen var det inget slag. Det hela var över på mycket kort tid.

Hon pekade.

– På den sidan stod vi, skottarna, på den sidan engelsmännen. Dom sköt med sina kanoner. Skottarna dog i flockar. När dom till sist rusade mot engelsmännen var det redan för sent. På mindre än en halvtimme låg här tusentals döda och sårade. Dom ligger här fortfarande.

Hon började gå igen.

– Herbert Molin skrev en dagbok, sa Stefan. Det mesta i den handlade om kriget. Han var nazist och kämpade frivilligt för Hitler. Men det kanske ni redan vet?

Hon svarade inte. Paraplyet stötte hårt mot marken.

– Jag hittade dagboken invirad i en regnkappa på den plats där han blev mördad. En dagbok, några fotografier och brev. Det enda i dagboken som han brytt sig om att beskriva ordentligt var den resa han gjorde på våren 1972 till Dornoch. Där står att han tar långa promenader med »M«.

Hon såg förvånat på honom.

– Skrev han inte ut hela mitt namn?

– Där stod bara »M«. Ingenting annat.

– Vad skrev han?

– Att ni tog långa promenader.

– Och mer?

– Ingenting.

Hon fortsatte att gå utan att säga någonting. Stefan väntade. Sedan stannade hon igen.

– Just här dog en av mina släktingar, sa hon. Jag är delvis sprungen ur klanen MacLeod även om jag nu heter Simmons som gift. Jag kan naturligtvis inte veta att det var just här som Angus MacLeod dog. Men jag har bestämt mig för att det var här. Just här. Ingen annanstans.

– Jag har undrat, sa Stefan. Vad det var som hände.

Hon såg förvånat på honom.

– Han hade blivit kär i mig. Vilket naturligtvis var rena dumheterna. Men vad skulle det annars ha varit? Män är jägare, vare sig dom tänker sig att nedlägga ett djur eller en kvinna. Han var inte ens snygg att se på. Lönnfet. Och jag var ju gift. Jag höll på att få en chock när han plötsligt ringde och sa att han var i Skottland. Det var enda gången i mitt liv jag ljög för min man. Jag sa att jag arbetade extra varje gång jag träffade honom. Han försökte övertala mig att följa med honom till Sverige.

De hade nått ena änden av slagfältet. Hon började gå tillbaka på en stig som ringlade vid sidan av en låg stenmur. Först när de kommit tillbaka till utgångspunkten, grinden i muren, såg hon på Stefan igen.

– Jag brukar dricka te vid den här tiden. Sen går jag ut igen. Håller ni mig sällskap?

– Gärna.

– Herbert skulle alltid ha kaffe. Bara en sån sak. Hur skulle jag kunna leva med en man som föraktade te?

De gick in i cafeterian. Vid ett bord satt några yngre män i kilt och förde ett lågmält samtal. Margaret valde ett bord vid fönstret där hon kunde se ut över slagfältet, ända till Inverness och havet.

– Jag tyckte inte om honom, sa hon plötsligt med bestämd röst. Han klängde sig fast vid mig, trots att jag från första början sa åt honom att hans resa var meningslös. Jag hade redan en man. Det var nog besvär med honom eftersom han drack alldeles för mycket. Men han var min sons far och det var det viktigaste. Jag sa åt honom att sansa sig och resa tillbaka till Sverige. Jag trodde att han hade lytt och gett sig av. Men så ringde han igen till polisstationen. Eftersom jag var rädd för att han skulle börja söka mig hemma bestämde jag mig för att träffa honom igen. Det var då han berättade.

– Att han var nazist?

– Att han hade *varit*. Han var inte dummare än att han insåg att jag hade upplevt Hitlers brutalitet här i Storbritannien under luftkriget. Han påstod att han ångrade allt.

– Trodde ni honom?

– Jag vet inte. Jag var bara intresserad av att han försvann.

– Men ni fortsatte att promenera med honom?

– Han började använda mig som biktmor. Han bedyrade att allt hade varit ett ungdomligt misstag. Jag minns att jag ibland var rädd att han skulle falla på knä där vi gick. Egentligen var det alldeles förfärligt. Han ville att jag skulle förlåta honom. Som om jag hade varit en präst eller en budbärare från alla dom som lidit under Hitlertiden.

– Vad sa ni?

– Att jag kunde lyssna. Men att hans samvete inte angick mig.

Männen i kilt reste sig och lämnade cafeterian. Det regnade kraftigare nu, vattnet piskade mot glasrutan. Hon såg på honom.

– Men det var alltså inte sant?

– Vad?

– Att han ångrade sig?

– Jag är övertygad om att han var nazist till sin död. Han var rädd, skräckslagen för det som hänt i Tyskland. Men han övergav nog aldrig sin tro. Han förde den till och med vidare till sin dotter. Som också är död.

– Vad hände?

– Hon blev skjuten i skottväxling med polisen. Det var mycket nära att hon dödade mig.

– Jag är en gammal människa, sa hon. Jag har tid. Eller inte tid. Men jag vill höra den här historien från början. För första gången börjar Herbert Molin att intressera mig.

Efteråt, när Stefan redan satt på planet tillbaka till London där Elena väntade, tänkte han att det var när han berättade historien för Margaret, på cafeterian vid museet i Culloden, som han själv på allvar insåg vad som hade hänt under höstveckorna i Härjedalen. Nu såg han allt på nytt, de blodiga tangospåren, resterna av tältet vid det svarta vattnet. Framför allt såg han sig själv, den han hade varit den gången, en orolig människa som rörde sig som en ryckig skugga i utkanterna av en egendomlig mordutredning. När han nu berättade historien för Margaret var det som om han själv blev en bricka i spelet, det var han men ändå inte han, någon annan, som han inte längre orkade ha något med att göra.

När han till sist slutade satt de länge tysta och såg genom fönstret hur regnet långsamt hade börjat avta. Hon ställde inga frågor om det han hade berättat, satt bara och strök med ett av sina magra fingrar mot näsan. Det var inte många besökare på Culloden denna dag. Flickorna bakom disken i cafeterian satt sysslolösa och läste veckotidningar eller resebroschyrer.

– Det har slutat regna, sa hon. Tiden är inne för min andra promenad bland de döda. Jag vill gärna att ni följer med.

Vinden som tidigare varit nordlig hade nu vridit mot ost. Hon valde en annan väg den här gången, som om hon ville täcka in hela slagfältet på sin promenad.

– Jag var tjugo år när kriget bröt ut, sa hon. Jag bodde i London då. Jag minns den där förfärliga hösten 1940, när flyglarmet gick och man visste att nån skulle dö denna natt, men man visste inte om det var man själv. Jag minns att jag tänkte att det var Ondskan själv som sluppit lös. Det var inte flygplan som fanns där uppe i mörkret, det var djävlar med svansar och klor på fötterna som kom med bomberna och släppte ner dom mot oss. Sen, långt senare, när jag blivit polis, insåg jag att det egentligen inte fanns några onda människor, onda i själen, om du förstår vad jag menar. Men omständigheter som framkallade denna ondska.

– Jag undrar vad Herbert Molin tänkte om sig själv.

– Om han tyckte att han var en ond människa?

– Ja.

Hon tänkte efter innan hon svarade. De hade stannat bakom ett högt stenkummel som fanns i utkanten av slagfältet eftersom hon behövde knyta sin ena sko. Han ville hjälpa henne men hon skakade på huvudet.

– Herbert betraktade sig som ett offer, sa hon. I alla fall när han biktade sig inför mig. Men jag förstår nu att det var lögn. Den gången förmådde jag inte genomskåda honom. Jag var bara orolig för att han skulle bli så kärlekskrank att han ställde sig och ylade utanför mitt fönster.

– Men det gjorde han aldrig?

– Gudskelov inte.

– Vad sa han när ni skildes?

– »Adjö.« Ingenting annat. Kanske försökte han kyssa mig. Det minns jag inte. Jag var bara glad att han verkligen försvann.

– Sen hörde ni aldrig av honom igen?

– Aldrig. Inte förrän nu. När ni kommer hit och berättar er märkliga historia.

De hade för andra gången nått till änden av slagfältet och börjat gå tillbaka igen.

– Jag trodde aldrig nazismen dog med Hitler, sa hon. Människor med onda tankar, människoföraktande, rasistiska, finns lika starkt i dag. Men de har andra namn, andra metoder. I dag utkämpas inga krig av härar på slagfält. Hatet mot dom man föraktar uttrycks på annat sätt. Underifrån, kan man säga. Det här landet, eller Europa, håller på att sprängas sönder inifrån av sitt förakt för svaghet, överfallen på flyktingar, rasismen. Jag ser det överallt. Och jag frågar mig om vi egentligen förmår bjuda tillräckligt hårt motstånd.

Stefan öppnade grinden. Men hon följde honom inte ut.

– Jag stannar ytterligare en stund. Jag är inte riktigt färdig med dom döda än. Er historia var mycket märklig. Men jag har fortfarande inte fått svar på den fråga jag naturligtvis har ställt mig.

– Vilken?

– Varför kom ni egentligen hit?

– Nyfikenhet. Jag ville veta vem som dolde sig bakom bokstaven »M« i dagboken. Jag ville veta varför han hade gjort sin resa till Skottland.

– Ingenting annat?

– Nej. Bara det.

Hon strök undan håret ur ansiktet och log.

– Lycka till, sa hon.

– Med vad då?

– Kanske ni hittar honom nån gång. Aron Silberstein som dödade Herbert.

– Han berättade alltså om vad som hänt i Berlin?

– Han berättade om sin fruktan. Den man som hette Lukas Silberstein och som hade varit hans danslärare hade en son som hette Aron. Herbert fruktade hämnden och han trodde alltid att den skulle komma från just honom. Han mindes den där pojken, lille Aron. Jag tror Herbert drömde om honom på nätterna. Jag får en bestämd känsla av att det var han som till sist lyckades spåra Herbert och döda honom.

– Aron Silberstein?

– Jag har gott minne. Det var det namn han sa. Och nu tar vi adjö av varandra. Nu går jag tillbaka till mina döda. Och ni går tillbaka till dom som lever.

Hon tog ett steg framåt och klappade honom på kinden. Sedan såg han hur hon med bestämda steg återvände ut på slagfältet. Han följde henne med blicken tills hon hade försvunnit. Med henne upphörde också tankarna på det som hade hänt hösten innan. Någonstans i Östersundspolisens gömmor fanns dagboken som legat dold i en regnkappa. Där fanns bilderna och breven. Nu hade han träffat Margaret Simmons. Hon hade inte bara berättat för honom om Herbert Molins resa till Skottland. Hon hade också gett honom namnet på den man som kallat sig Fernando Hereira.

Han gick in på museet och köpte ett vykort. Sedan satte han sig ner på en bänk och skrev till Giuseppe.

Giuseppe

Det regnar här i Skottland. Men det är mycket vackert. Mannen som dödade Herbert Molin hette Aron Silberstein.

Hälsningar Stefan

Han lämnade Culloden och körde tillbaka till Inverness. Mannen i receptionen lovade att posta vykortet.

Resten av tiden i Inverness var väntan. Han återupptog sin långa promenad, åt middag på samma restaurang som dagen innan och talade länge med Elena på kvällen. Han längtade efter henne nu, och han hade inte längre några svårigheter att tala om det för henne.

Dagen efter flög han tillbaka till London. Han tog en taxi från Gatwick till det hotell där hon bodde. De stannade ytterligare tre dagar i London innan de återvände till Borås.

Måndagen den 17 april började Stefan arbeta igen. Det första han gjorde var att besöka det arkivrum där bilden från det engelska polisbesöket 1971 hängde på väggen. Han tog ner bilden och la den i en låda där det fanns andra fotografier från besök som Boråspolisen tagit emot.

Han sköt in lådan på sin plats igen, längst inne i ett hörn.

Sedan drog han ett djupt andetag.

Och gick till det arbete han så länge hade saknat.

Efterord

Det här är en roman. Det innebär att jag inte beskriver händelser, människor och miljöer exakt som de är eller har varit. Jag tar mig friheter, flyttar på vägkorsningar, målar om hus och framför allt konstruerar jag fiktiva händelseförlopp där det är nödvändigt. Vilket det är. Samma sak gäller de människor som skildras i den här boken. Jag tror knappast att det finns någon kriminalpolis i Östersund som heter Giuseppe i förnamn. Bara för att nu ta ett exempel. Det innebär också att ingen ska känna sig utpekad eller direkt avbildad. Likheter med levande förebilder går dock aldrig helt att förhindra. Om detta är fallet så är det alltså ingenting annat än rena tillfälligheter.

Men solen går upp ungefär kvart i åtta i början av november i Härjedalen. Mitt bland alla dessa fiktioner kan man alltså återfinna ganska många otvetydiga sanningar.

Vilket naturligtvis också har varit den avgörande avsikten.

Göteborg i september 2000
Henning Mankell

LINCOLNWOOD PUBLIC LIBRARY
W9-AXK-542

Lincolnwood Library
4000 W. Pratt Ave.
Lincolnwood, IL 60712

J
GRAPHIC
FANTASTIC

BITTEN BY AN IRRADIATED SPIDER, WHICH GRANTED HIM INCREDIBLE ABILITIES, **PETER PARKER** LEARNED THE ALL-IMPORTANT LESSON, THAT WITH GREAT POWER THERE MUST ALSO COME GREAT RESPONSIBILITY. AND SO HE BECAME THE AMAZING **SPIDER-MAN** AND

IRRADIATED BY COSMIC RAYS, THEY JOINED TOGETHER TO FIGHT EVIL. **MISTER FANTASTIC,** THE **INVISIBLE WOMAN,** THE **HUMAN TORCH** AND THE **THING.** TOGETHER THEY CALL THEMSELVES THE **FANTASTIC FOUR** IN

THE MENACE OF MONSTER ISLE!

Face front, True Believer, and strap yourself in! You're about to swing into a frantic and frenetic fable that can *only* be found in these pulse-pounding pages!

TODD DEZAGO, WRITER — SHANE DAVIS, PENCILS — LARY STUCKER, INKS — AVALON'S DAVE KEMP, COLORS
DAVE SHARPE, LETTERER — JOHN BARBER, EDITOR — MACKENZIE CADENHEAD and RALPH MACCHIO, CONSULTING EDITORS — JOE QUESADA, CHIEF — DAN BUCKLEY, PUBLISHER
COVER BY RANDY GREEN, RICK KETCHAM and CHRIS SOTOMAYOR — PRODUCTION LORETTA KROL

VISIT US AT
www.abdopublishing.com

Spotlight, a division of ABDO Publishing Company Inc., is the school and library distributor of the Marvel Entertainment books.

Library bound edition © 2006

MARVEL, and all related character names and the distinctive likenesses thereof are trademarks of Marvel Characters, Inc., and is/are used with permission. Copyright © 2005 Marvel Characters, Inc. All rights reserved. www.marvel.com

MARVEL, Spider-Man: TM & © 2005 Marvel Characters, Inc. All rights reserved. www.marvel.com. This book is produced under license from Marvel Characters, Inc.

Library of Congress Cataloging-in-Publication Data

Dezago, Todd.
The menace of Monster Isle! / Todd Dezago, writer ; Shane Davis, pencils ; Larry Stucker, inks ; Dave Kemp, colors ; Dave Sharpe, letterer. -- Library bound ed.
p. cm. -- (Spider-Man team up)
"Marvel age"--Cover.
Revision of the May 2005 issue of Marvel age Spider-Man.
ISBN-13: 978-1-59961-006-1
ISBN-10: 1-59961-006-X
1. Graphic novels. I. Davis, Shane. II. Marvel age Spider-Man. III. Title. IV. Title: Menace of Monster Isle! V. Series.

PN6728.S6D485 2006
741.5'973--dc22

2006044304

All Spotlight books are reinforced library binding
and manufactured in the United States of America.

Monster Isle...
RAAAAAAAARGH!
GRRAAR!
RAAAAAAAARGH!
What?! What is the reason for all this noise?!
And what is this you have all over you?
whimper

Oi . Spilled into our oceans by another greedy petroleum company more concerned with their money than the safety of the planet.
It is far too easy for them to simply ignore the problem!
Well, they won't be able to ignore it any longer!
I fled civilization to escape such foolishness.
Now...they bring their trash to our shores!
But in dumping on my home they have made a terrible mistake...
...and the Mole Man will make them pay!

New York...
This has just been a night of mistakes for this guy.
His first mistake, of course, was thinking that he could rob a factory and get away with it. Crime doesn't pay, folks.
His second mistake--well, let's just skip ahead to his 14th or 15th mistake--
AHHH!
He thought that he could get away from me!
SPLOOSH

Pahh!
Eww! Ewww! What is this stuff?!
Blehhh!
I...I dunno, but it smells like...fried skunk!
Hey, c'mon! Help me outta here!
It can't be legal for them to be pumpin' that into the river, can it? Hey! I bet we could sue them!
Yeah...
...speaking of illegal...
I'm tellin' ya, Spidey. Lawsuit. You and me, man. We could win!
All I know is that I'm gonna go home and take about twenty showers.

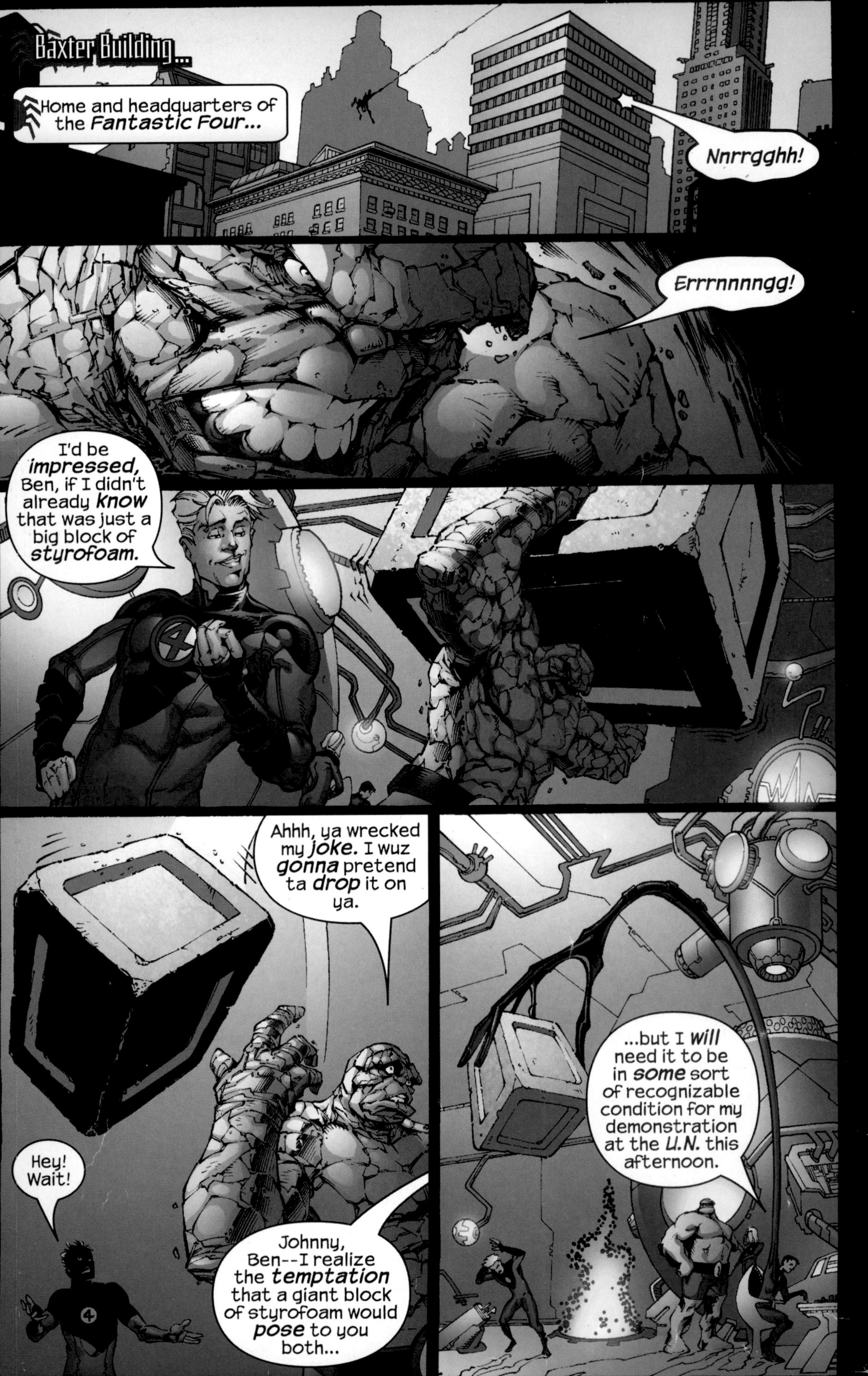
Baxter Building...
Home and headquarters of the Fantastic Four...
Nnrrgghh!
Errrnnnngg!
I'd be impressed, Ben, if I didn't already know that was just a big block of styrofoam.
Ahhh, ya wrecked my joke. I wuz gonna pretend ta drop it on ya.
Hey! Wait!
Johnny, Ben--I realize the temptation that a giant block of styrofoam would pose to you both...
...but I will need it to be in some sort of recognizable condition for my demonstration at the U.N. this afternoon.

Reed Richards!? And the Fantastic Four?!
What an honor it is to meet you! Eric Close, Senior Vice President of Public Relations for Roxxon Oil.
Er, um, yes. Nice to meet you.
I can't tell you how grateful we are for all your contributions to science.
Y'know, we gotta get you guys in a commercial for Roxxon!
Well, actually, we don't--
It'll be great. Great!
Roxxon? Whadda they doin' here?! Ain't they the ones who're always in trouble fer havin' the most oil spills?
That's what I thought.
Mr. Close. The Assembly awaits.
That's my cue. Great meeting you, Dr. Richards. We'll finalize those ad plans later, huh?
That guy's gotta smile like a crocodile...just before it eats ya.

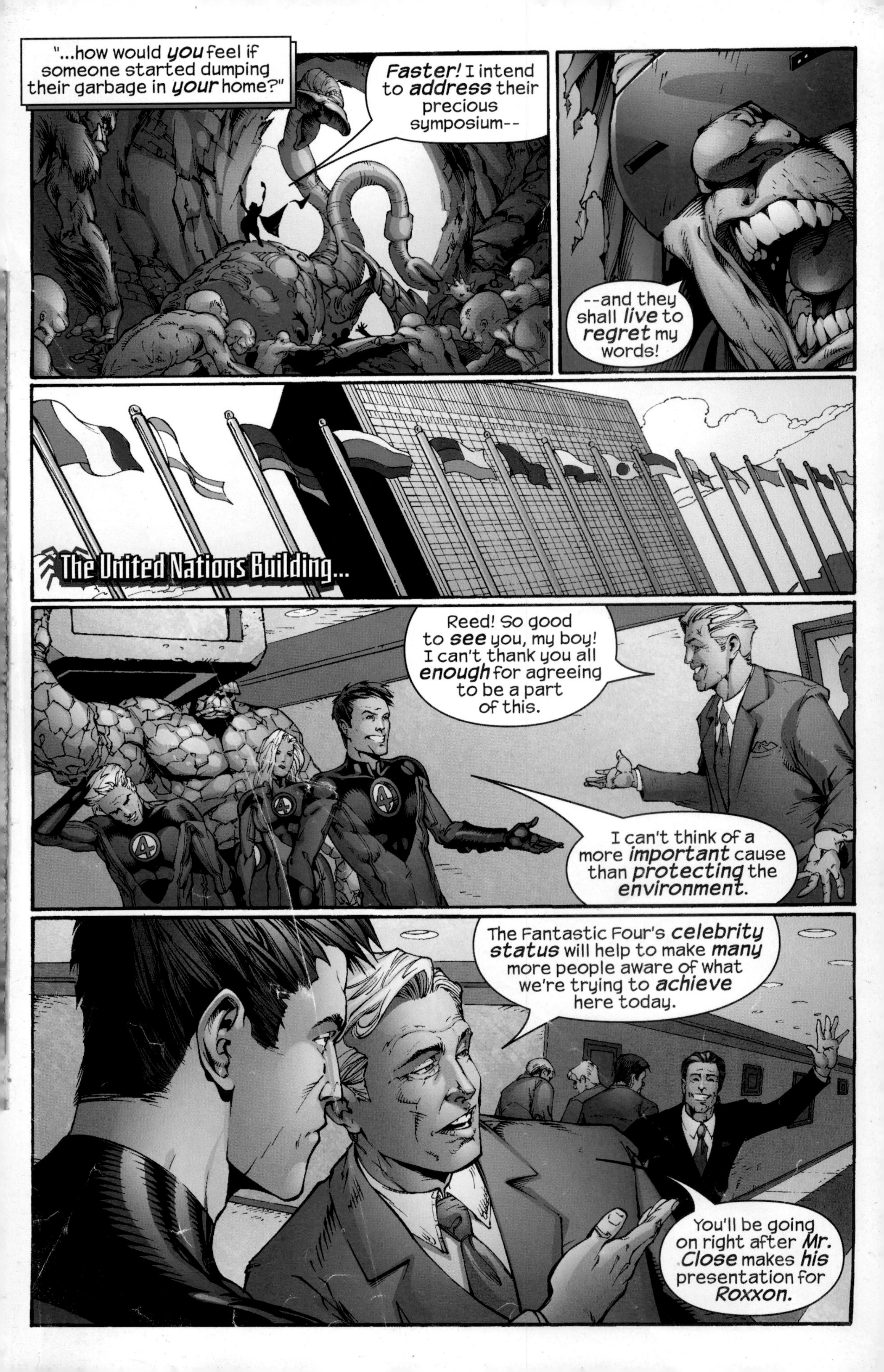
"...how would *you* feel if someone started dumping their garbage in *your* home?"
Faster! I intend to *address* their precious symposium--
--and they shall *live* to *regret* my words!
The United Nations Building...
Reed! So good to *see* you, my boy! I can't thank you all *enough* for agreeing to be a part of this.
I can't think of a more *important* cause than *protecting* the *environment*.
The Fantastic Four's *celebrity status* will help to make *many* more people aware of what we're trying to *achieve* here today.
You'll be going on right after *Mr. Close* makes *his* presentation for *Roxxon.*

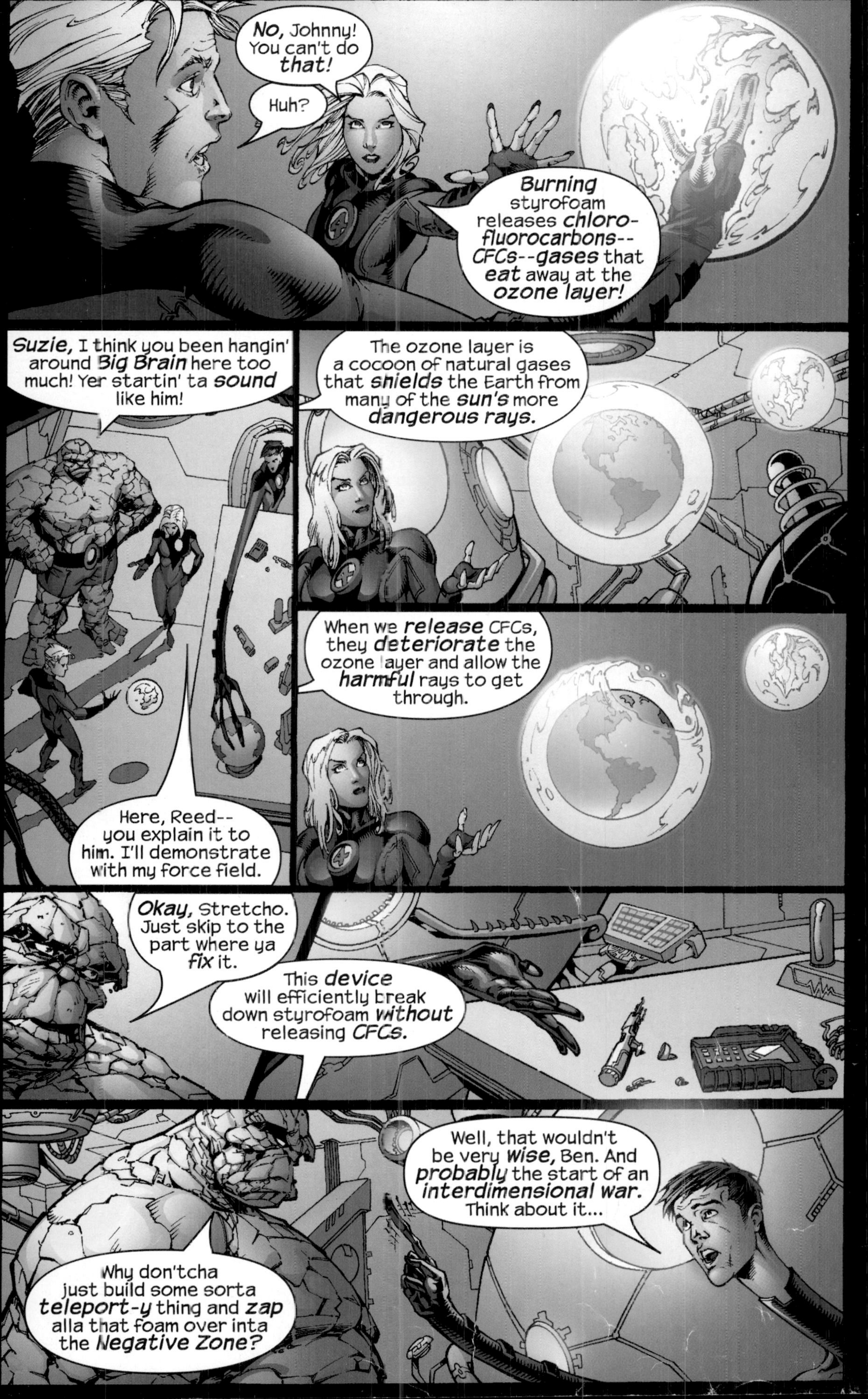

No, Johnny! You can't do that!
Huh?
Burning styrofoam releases chloro-fluorocarbons--CFCs--gases that eat away at the ozone layer!
Suzie, I think you been hangin' around Big Brain here too much! Yer startin' ta sound like him!
The ozone layer is a cocoon of natural gases that shields the Earth from many of the sun's more dangerous rays.
Here, Reed--you explain it to him. I'll demonstrate with my force field.
When we release CFCs, they deteriorate the ozone layer and allow the harmful rays to get through.
Okay, Stretcho. Just skip to the part where ya fix it.
This device will efficiently break down styrofoam without releasing CFCs.
Why don'tcha just build some sorta teleport-y thing and zap alla that foam over inta the Negative Zone?
Well, that wouldn't be very wise, Ben. And probably the start of an interdimensional war. Think about it...

Tell me again what this big thing at the United Nations is? Some kind of "Science Fair for Geniuses"?
In recognition of Earth Day, the U.N. has scheduled a symposium to discuss ways of protecting the environment.
Pollution has done extensive damage to the planet--
--now we need to work on reversing that process.
So what's with the block?
Well, styrofoam is a man-made substance that is not bio-degradable.
Bio-de-wha-huh?!
Most things eventually break down into their natural components, but substances like styrofoam don't.
They will be laying around our planet for hundreds of years.
Well, why don't we just burn it?
FOOSH

Nearby...
He's all yours, boys. Make sure you hose him down good!
And I need to find a laundromat where I can wash my costume one or twelve times.
Or maybe it would be easier if I just swung through a car wash...
HOOOM
What was that?
"Something's going on down by the U.N. Building--and it doesn't look like anything good."

...and so, friends, that's how Roxxon is continuing to lead the way in protecting the future...and our natural resources. Thank you.
ROXXON
FOCUSED ON THE FUTURE
THOOOM
THOOOM
What is it?
Earthquake?!
What's happening?!
Reed, what do you think it is?
I don't believe it's anything geological, Sue--
--no, I'm afraid this is something a bit more...
"...menacing."
THOOOM
THOOOM
THOOOM

Hear me, dignitaries, you "*Men of Science*". I have suffered your *ridicule*. I have allowed you to make me an *outcast*. I was *happy* to be *rid* of your "*civilized*" world.

But now you have *tainted* my home with your *chemicals*, and I will stand for *no more!*

The pollution that is being dumped into our oceans, our land, and our skies will cease!
The corporations responsible for these atrocities must pay--
--the cleaning up of my island home will be taken care of by Roxxon, for it is their filth that now soils the shores of Monster Isle.
Sir, I can assure you that Roxxon is in no way responsible for any--
Silence! The world will comply with my demands or--
--wait--
--is that...
...the Fantastic Four?!
I shall not be stopped! I am here to exact justice!
I can actually sympathize with your plight, Mole Man.
But violence and threats are never the answer. The Fantastic Four could help you to--
No, Richards! Those are your laws and your world! The world that cast me out!
Monsters! Attack!

RAAAAHH!
GROAAR!
YEEEAAAH!
Ahhhhh
Aieeee!
Oh, goody! I get ta punch monsters! I hope they don't get too mad when I sock 'em in the knee-caps!
Hold on, Ben--
--I'll try to give you a lower target.
That's it, shaggy! Come ta poppa!

Helloooo! Anybody home?
I noticed that ya left the door open so I just--
--Yeeow!
THOOOMM
Hey! Watch where ya throw that thing, um...Thing! The sanitation guys want you to take your recyclables right out to the curb.
Funny ya should say that, Web-head. We wuz just discussin' cleanin' things up. Wanna join the party?

Is there gonna be cake and ice cream?
No, just some clobberin'!

REEERHH!
I'll keep the Moloids away from the civilians!
Sue! Johnny! Ben and I will focus on the monsters!
And I'll try to corral them back into the tunnel.
GRAAHH!
Hey, ugly--why don't you say that to my face?
Spider-Man--anything you can do will be deeply appreciated.
Well, I think I might be able to help...
Grrooo?
Hey! Eyeball! Come and get me!
SCHLAP
No! My plans are coming undone!

The Moloids are taken care of!
Johnny...?
My guy is down--
--Ben, time to stop *monkeying around.*
ARRRRGH!
POP
Aw...
...I hate to see a good time *end!*
POW

Well, never let it be said that the Fantastic Four don't know how to throw a *party.*
What was this all about, *anyway?*
What it has *always* been about, insect--
--dealing with *your* trash!

Th's miscreant works for Roxxon. He is worth something to them--so they will give in to my demands!
They will clean up my island and the waters surrounding it!
You will do this or I will unleash all the monsters at my command!
You--
THUNK
Huh?
I just couldn't take his yammering anymore.
A short time later...
...Mole Man was making outrageous demands--but the Fantastic Four defeated him.
I'm also pleased to say...

...that the Fantastic Four are now official spokesmen for the Roxxon Corporation!
Erm, excuse me. Mr. Close, we don't--
ERIC CLOSE-ROXXON
NEWSCHANNEL 13
Is this true, Dr. Richards?
Well, we haven't actually--
Of course it's true! You're hearing it on TV, right?
REED RICHARDS
NEWSCHANNEL 13
"Roxxon and the Fantastic Four--leading America into a brighter tomorrow!"
Well...the Fantastic Four will be the spokes-people--for a new program.
ERIC CLOSE-ROXXON
NEWSCHANNEL 13
...On Roxxon's behalf, Mr. Close has agreed to set up a wildlife refuge for Mole Man's monsters, pay for the damages to the U.N....
...and to donate 14 million dollars to cleaning up the environment. Right, Mr. Close?
Er...umm... yes...of course...
REED RICHARDS
NEWSCHANNEL 13
Smile, Mr. Close.
NEWSCHANNEL 13
First thing we should clean up is ol' Web-head here. I thought it was one of the monsters--but kid, I gotta tell ya...
...you stink.
The End.